最新 福祉用具専門相談員研修テキスト

編集 一般社団法人 シルバーサービス振興会

中央法規

はじめに

　介護保険制度は，高齢者が尊厳を保持し住み慣れた地域で，その有する能力に応じ自立した日常生活を営むことができるよう，個別のケアマネジメントに基づいて必要なサービスを提供し，支援する仕組みです。また，国においては，日常生活圏域内において，医療，介護，予防，保健，福祉，住まい，生活支援等のサービスが切れ目なく，有機的かつ一体的に提供されるための地域包括ケアシステムの構築が急がれています。

　この地域包括ケアシステムにおいては，それぞれの生活ニーズに合った住まい（居住環境）が整えられ，そのなかで各種のサービスを利用しながら個人の尊厳が確保された生活（住まい方）が実現されることが，地域での生活の基盤をなす重要な位置づけとされています。

　介護保険制度では，これを具現化するため，高齢者の自立支援および介護者の負担軽減を図る観点から，「福祉用具貸与」「特定福祉用具販売」「介護予防福祉用具貸与」「特定介護予防福祉用具販売」および「住宅改修」が，給付対象サービスとして位置づけられています。福祉用具専門相談員は，介護が必要な高齢者が福祉用具を利用する際に，本人の希望や心身の状況，その置かれている環境等を踏まえ，専門的知識に基づいた福祉用具を選定し，自立支援の観点から使用方法等を含めて適合・助言を行う専門職であり，常に高い専門性が求められます。

　2000（平成12）年の介護保険制度の施行以降，福祉用具選定の判断基準の策定，福祉用具貸与計画書の作成義務化，福祉用具専門相談員指定講習カリキュラムの見直し（40時間→50時間），介護支援専門員等との連携強化，全国平均貸与価格の公表，貸与価格の上限設定，福祉用具の安全利用に向けての取り組み強化など，さまざまな改正がなされてきました。

　2024（令和6）年の介護保険制度の改正においては，①一部の福祉用具に係る貸与と販売の選択制の導入，②福祉用具貸与計画の記載事項へのモニタリング実施時期の追加，③モニタリング結果の記録および介護支援専門員への交付，④福祉用具貸与・販売種目のあり方検討会を踏まえた福祉用具専門相談員指定講習カリキュラムの見直し（50時間→53時間）等が行われました。

　本書は，福祉用具専門相談員の養成に向けたテキストとして，適宜，制度の改正事項を踏まえた最新の内容に基づいて改訂を行ってまいりましたが，この度令和6年度改正を踏まえた『最新 福祉用具専門相談員研修テキスト』として発行することとしました。

　本書が，これを利用される方々の日々の学習や業務のお役に立つことができれば幸いです。最後になりましたが，本書の執筆にご協力いただきました諸先生方，また，今回の改訂にご尽力いただいた中央法規出版株式会社に対して深甚な謝意を表す次第です。

2025（令和7）年5月

一般社団法人 シルバーサービス振興会

もくじ

はじめに

福祉用具専門相談員指定講習カリキュラムの詳細

第1章 福祉用具と福祉用具専門相談員の役割

第1節 福祉用具の役割 — 2
1. 福祉用具の定義と種類 / 3
2. 福祉用具の役割 / 13

第2節 福祉用具専門相談員の役割と職業倫理 — 18
1. これまでの福祉用具に係る専門職育成の取り組み / 19
2. 介護保険制度における福祉用具専門相談員の位置づけと役割 / 19
3. 介護保険制度における福祉用具専門相談員の仕事内容 / 20
4. 福祉用具専門相談員の職業倫理と専門性 / 23
5. 今後の福祉用具専門相談員の方向性 / 27

第2章 介護保険制度等に関する基礎知識

第1節 介護保険制度等の考え方と仕組み — 30

1 介護保険法 / 31
1. 介護保険法の目的と理念 / 31
2. 介護保険制度の仕組み / 31
3. 介護保険法によるサービス / 52
4. 介護サービスのテクノロジー活用推進の動向 / 64
5. 介護保険における福祉用具の選定の判断基準について / 65

2 老人福祉法 / 67
1. 老人福祉法制定の経緯 / 67
2. 目的と基本的理念 / 67
3. 老人福祉法等によるサービス / 68

3 高齢者の医療の確保に関する法律／71
- ❶ 老人保健制度から高齢者医療制度へ／71
- ❷ 目的と基本的理念／71
- ❸ 特定健康診査・特定保健指導／72
- ❹ 後期高齢者医療制度／73
- ❺ 後期高齢者医療給付／73

4 福祉用具の研究開発及び普及の促進に関する法律（福祉用具法）／74
- ❶ 目的／74
- ❷ 福祉用具の定義／74
- ❸ 福祉用具の種類／74

5 障害者総合支援法の概要／76
- ❶ 障害者自立支援法から障害者総合支援法へ／76
- ❷ サービスの種類と内容／76

6 地域包括ケアの考え方／82
- ❶ 地域包括ケアの基本理念／82
- ❷ 地域包括ケアシステムの確立に向けたこれまでの取り組み／83
- ❸ 地域包括ケアシステムの概念図と基本的な機能および考え方／85
- ❹ 医療・介護にかかわる各専門職の役割／89

第2節 介護サービスにおける視点 ——— 90
- ❶ 人権と尊厳の保持／91
- ❷ ケアマネジメントの考え方／95

第3章 高齢者と介護・医療に関する基礎知識

第1節 からだとこころの理解 ——— 110
- ❶ 加齢に伴う心身機能の変化の特徴／111
- ❷ 認知症の人の理解と対応／124
- ❸ 感染症と対策／133

第2節 リハビリテーション ——— 136
- ❶ リハビリテーションの基礎知識／137

- ❷ リハビリテーションのサービス体系とその専門職 ／ 139
- ❸ リハビリテーションにおける福祉用具の役割 ／ 157

第3節 高齢者の日常生活の理解 ────── 164
- ❶ 日常生活について ／ 165
- ❷ 基本的動作や日常生活動作（ADL）の考え方 ／ 171

第4節 介護技術 ────── 184
- ❶ 福祉用具専門相談員が介護技術を学ぶ理由 ／ 185
- ❷ 介護を必要とする利用者の状態像 ／ 185
- ❸ 日常生活動作（ADL）に関連する介護の意味，手順，福祉用具 ／ 186

第5節 住環境と住宅改修 ────── 198
- ❶ 高齢者の住まい ／ 199
- ❷ 住環境の整備技術 ／ 202
- ❸ 介護保険制度における住宅改修 ／ 217

第4章 個別の福祉用具に関する知識・技術

第1節 福祉用具の特徴と活用 ────── 224

1 起居関連用具 ／ 225
- ❶ 介護用ベッド ／ 225
- ❷ 利用が想定される状態像 ／ 233
- ❸ 介護場面，または利用者自身による使用方法 ／ 234
- ❹ 利用上の注意点 ／ 236
- ❺ 立ち上がり補助用具 ／ 236

2 床ずれ防止関連用具 ／ 238
- ❶ 褥瘡とは ／ 238
- ❷ 褥瘡発生のメカニズム ／ 238
- ❸ 褥瘡の原因 ／ 238
- ❹ 皮膚の構造 ／ 240
- ❺ 褥瘡の分類 ／ 240

❻ 褥瘡のできやすい部位／240
❼ 床ずれ防止用具／241
❽ 体位変換器（起き上がり補助装置）／243
❾ マットレスの選定／244

3 移動関連用具／246
❶ 車いすの基礎知識／246
❷ 車いすの種類／263
❸ つえ／273
❹ 歩行器／278

4 移乗関連用具／284
❶ 移乗動作／284
❷ 移乗動作で使用される用具の種類／285

5 排泄関連用具／316
❶ 排泄支援の基礎知識／316
❷ 排泄用具の種類とその特徴／318
❸ 次世代介護機器のなかの排泄支援機器／333

6 入浴関連用具／337
❶ 入浴の捉え方／337
❷ 入浴行為とアセスメント／337
❸ 行為ごとに必要となる入浴関連用具のポイント／338
❹ 移乗・移動動作能力別入浴行為のポイント／347
❺ おわりに／351

7 被服・更衣／353
❶ 高齢者・障害者の衣服／353
❷ 機能／358
❸ 身体の障害に応じた衣服選択の留意点／360
❹ 高齢者の靴の特徴と選択方法／363
❺ 寝具／365
❻ 衣服の管理（被服の使い方・扱い方）／369

8 自助具／373
❶ 自立を支援する自助具／374
❷ 自助具の種類／374
❸ 生活のなかでの工夫／375

❹ 自助具と手の機能／375
❺ 自助具の導入時の留意点／376
❻ 生活行為別の自助具活用／377

9 コミュニケーション・社会参加関連用具 ───── 388
❶ コミュニケーションと関連福祉用具／388
❷ 視覚関連の福祉用具／389
❸ 聴覚関連の福祉用具／403
❹ 社会参加関連用具（意思伝達装置について）／407
❺ その他の福祉用具／409

第2節 福祉用具の安全利用とリスクマネジメント ───── 416
❶ 福祉用具利用安全に関わる情報収集の重要性と具体的方法／417
❷ 福祉用具事業者の事故報告義務／418
❸ 危険予知とリスクマネジメントの取り組み／420

第5章 福祉用具に係るサービスの仕組みと利用の支援に関する知識

第1節 福祉用具の供給とサービスの仕組み ───── 424
❶ 福祉用具の供給の流れ／425
❷ 福祉用具の整備方法（消毒）／438
❸ 福祉用具の整備方法（保守点検等）／452

第2節 福祉用具による支援プロセスの理解・福祉用具貸与計画等の作成と活用 ── 456
❶ 福祉用具による支援と手順の考え方／457
❷ 福祉用具サービス計画とは／461
❸ 福祉用具サービス計画の意義と目的／462
❹ ケアプランと福祉用具サービス計画の関係性／463
❺ 福祉用具サービス計画の記載内容／464
❻ 福祉用具サービス計画作成のポイント／466
❼ モニタリングの意義と方法／473
❽ モニタリングシート作成のポイント／476

総合演習

第1節 事例演習を進める際の要点 ———— 482

第2節 事例演習 ———— 484

事例1 脳梗塞の後遺症があり，夫婦二人暮らしの夫／484

事例2 一人暮らしで外出する機会がなく生活が困難になってきた人／489

事例3 末期がんの骨転移があり疼痛が強いターミナル期の人／494

作成例／499

索引

執筆者一覧

福祉用具専門相談員指定講習カリキュラムの詳細

科目名	ねらい	到達目標
福祉用具と福祉用具専門相談員の役割 2時間		
1時間 講義 福祉用具の役割	・福祉用具の定義と，高齢者等の暮らしを支える上で果たす役割を理解する。	・福祉用具の定義について，介護予防と自立支援の考え方を踏まえて概説できる。 ・福祉用具の種類を概説できる。 ・高齢者等の暮らしを支える上で福祉用具の果たす役割をイメージできる。
1時間 講義 福祉用具専門相談員の役割と職業倫理	・介護保険制度における福祉用具専門相談員の位置付けと役割を理解し，高齢者等を支援する専門職であることを認識する。 ・福祉用具専門相談員としての職業倫理の重要性を理解する。	・福祉用具による支援の手順に沿って，福祉用具専門相談員の役割を列挙できる。 ・介護保険制度の担い手として職業倫理の重要性を理解し，サービス事業者としての社会的責任について留意点を列挙できる。
介護保険制度等に関する基礎知識 4時間		
2時間 講義 介護保険制度等の考え方と仕組み	・介護保険制度等の目的と，基本的な仕組みを理解する。 ・地域包括ケアに係る関連施策について理解し，福祉用具専門相談員はその担い手の一員であることを自覚する。 ・地域包括ケアを担う各専門職の役割・責務について理解する。	・介護保険制度等の理念，給付や認定の方法及び介護サービスの種類・内容を列挙できる。 ・地域包括ケアの理念を概説できる。 ・地域包括ケアの構成要素と，支える主体を列挙できる。 ・地域ケア会議の役割・機能を概説できる。 ・地域包括ケアを担う各専門職の役割・責務を列挙できる。

内容
○福祉用具の定義と種類 ・介護保険制度や障害者総合支援制度等における福祉用具の定義と種類 　※福祉用具の対象種目については，最新の情報を踏まえた講義内容とする。 ○福祉用具の役割 ・利用者の日常生活動作（ADL）等の改善 ・介護予防 ・自立支援 ・介護負担の軽減 ○福祉用具の利用場面 　※必要に応じて，視聴覚教材の活用，医療・介護現場の実習・見学等を組み合わせる。
○介護保険制度における福祉用具専門相談員の位置付けと役割 ○福祉用具専門相談員の業務内容 ・福祉用具による支援（利用目標や選定の援助，福祉用具貸与計画等の作成，使用方法の指導，機能等の点検等） ○福祉用具専門相談員の職業倫理と介護サービス事業者としての責務 ・指定基準（人員基準・設備基準・運営基準） ・介護サービス事業者としての社会的責任（法令順守，継続的なサービス提供体制の確保と業務継続計画等） ・地域包括ケアシステムにおける医療・介護連携とチームアプローチ ・福祉用具専門相談員の倫理（法令順守，守秘義務，説明責任，利用者本位，専門性の向上，社会貢献等） ・自己研鑽の努力義務（必要な知識及び技能の修得，維持及び向上）
○介護保険制度等の目的と仕組み ・介護保険法の理念（尊厳の保持，自立支援，利用者選択と自己決定等） ・介護保険制度の仕組み（要介護認定，サービス提供，費用負担等） ・介護サービスの種類と内容　※最新の情報を踏まえたものとする。 ・介護サービスのテクノロジーの活用推進の動向（科学的介護情報システム等） ・高齢者・障害者の保健・福祉に関連した制度（障害者総合支援法等）の概要 ○地域包括ケアの考え方 ・地域包括ケアの理念（住み慣れた地域での生活の継続，包括的な支援等） ・構成要素（医療・介護・予防・住まい・生活支援）と多様な支え方（自助・互助・共助・公助） ・地域ケア会議の役割・機能 ・医療・介護に関わる各専門職の役割

科目名	ねらい	到達目標
2時間 講義 介護サービスにおける視点	・介護サービスを提供するに当たって基本となる視点を修得する。 ・ケアマネジメントの考え方を踏まえ，福祉用具に係るサービスの位置付けや多職種連携の重要性を理解する。	・利用者の人権と尊厳を保持した関わりを持つ上で配慮すべき点を列挙できる。 ・ケアマネジメントや介護予防，多職種連携の目的を概説できる。 ・居宅サービス計画と福祉用具貸与計画等の関係性を概説できる。 ・国際生活機能分類（ICF）の考え方を概説できる。
高齢者と介護・医療に関する基礎知識　16.5時間		
6.5時間 講義 からだとこころの理解	・高齢者等の心身の特徴と日常生活上の留意点を理解する。 ・認知症に関する基本的な知識を踏まえ，認知症高齢者との関わり方を理解する。 ・感染症に関する基本的な知識を踏まえ，必要となる感染症対策を理解する。	・加齢に伴う心身機能の変化の特徴を列挙できる。 ・高齢者に多い疾病の種類と症状を列挙できる。 ・認知症の症状と心理・行動の特徴を理解し，認知症ケアの実践に必要となる基礎的事項を概説できる。 ・主な感染症と感染症対策の基礎的事項，罹患した際の対応を概説できる。
2時間 講義 リハビリテーション	・リハビリテーションの考え方を理解する。 ・リハビリテーションにおける福祉用具の関係性を理解する。	・リハビリテーションの考え方と内容を概説できる。 ・リハビリテーションにおける福祉用具の関係性と，リハビリテーションに関わる専門職との連携におけるポイントを列挙できる。
2時間 講義 高齢者の日常生活の理解	・高齢者等の日常生活の個別性や家族との関係など，生活全般を捉える視点を修得する。 ・基本的動作や日常生活動作（ADL）・手段的日常生活動作（IADL）の考え方，日常生活を通じた介護予防の視点を理解する。	・日常生活には個別性があることを理解し，生活リズム，生活歴，ライフスタイル，家族や地域の役割等を列挙できる。 ・基本的動作や日常生活動作（ADL）・手段的日常生活動作（IADL）の種類を列挙できる。 ・自宅や地域での日常生活を通じた介護予防を列挙できる。

内容
○人権と尊厳の保持 ・プライバシー保護，ノーマライゼーション，クオリティオブライフ（QOL） ・虐待防止（早期発見の努力義務，発見から通報までの流れ） ・身体拘束禁止と緊急やむを得ない場合の対応 ○ケアマネジメントの考え方 ・ケアマネジメントの意義・目的（人間の尊厳，自立支援及び自己決定・自己実現） ・ケアマネジメントの手順（アセスメント，ケアプラン作成，サービス担当者会議，説明と同意及びモニタリング） ・居宅サービス計画と福祉用具貸与計画等との関係性 ・介護予防の目的と視点 ・国際生活機能分類（ICF）の考え方 ・多職種連携の目的と方法（介護に関わる専門職の種類と専門性及びサービス担当者会議，退院退所前カンファレンス等における医療・介護職からの情報収集や連携の具体例）
○加齢に伴う心身機能の変化の特徴 ・身体機能の変化の特徴（筋・骨・関節の変化，認知機能の変化，体温維持機能の変化，防衛反応の低下，廃用症候群等） ・フレイルと健康寿命 ・心理機能の変化の特徴（喪失体験，環境への不適応等） ・介護保険に定める特定疾病 ○認知症の人の理解と対応 ・認知症の人を取り巻く状況 ・認知症ケアの基礎となる理念や考え方 ・認知症の症状 ・認知症高齢者の心理・行動の特徴と対応 ○感染症と対策 ・感染症の種類，原因と経路 ・基本的な感染症対策と罹患した際の対応
○リハビリテーションの基礎知識 ・リハビリテーションの考え方と内容 ・リハビリテーションに関わる専門職の役割 ○リハビリテーションにおける福祉用具の役割 ・リハビリテーションで用いられる福祉用具の種類と内容 ・リハビリテーション専門職との連携
○日常生活について ・生活リズム，生活歴，ライフスタイル，家族や地域の役割等 ○基本的動作や日常生活動作（ADL）の考え方 ・基本的動作の種類と内容（寝返り，起き上がり，座位，立ち上がり，立位，着座，歩行，段差越え，階段昇降等） ・日常生活動作（ADL），手段的日常生活動作（IADL）の種類と内容 ・自宅や地域での日常生活を通じた介護予防

科目名	ねらい	到達目標
4時間 講義・演習 介護技術	・日常生活動作ごとの介護の意味と手順を踏まえ，福祉用具の選定・適合に当たって着目すべき動作のポイントを理解する。	・日常生活動作（ADL）に関連する介護の意味と手順について列挙できる。 ・各介護場面における動作のポイントと，それを支える福祉用具の役割を列挙できる。
2時間 講義・演習 住環境と住宅改修	・高齢者の住まいにおける課題や住環境の整備の考え方を理解する。 ・介護保険制度における住宅改修の目的や仕組みを理解する。	・高齢者の住まいの課題を列挙できる。 ・住環境の整備のポイントを列挙できる。 ・介護保険制度における住宅改修の目的や仕組みを概説できる。

個別の福祉用具に関する知識・技術　17.5時間

科目名	ねらい	到達目標
8時間 講義・演習 福祉用具の特徴	・福祉用具の種類，機能及び構造を理解する。 ・基本的動作や日常の生活場面に応じた福祉用具の特徴を理解する。	・福祉用具の種類，機能及び構造を概説できる。 ・基本的動作と日常の生活場面に応じた福祉用具の関わりや福祉用具の特徴を列挙できる。
8時間 講義・演習 福祉用具の活用	・福祉用具の基本的な選定・適合技術を修得する。 ・高齢者の状態像に応じた福祉用具の利用方法を修得する。	・各福祉用具の選定・適合を行うことができる。 ・高齢者の状態像に応じた福祉用具の利用方法を概説できる。
1.5時間 講義・演習 福祉用具の安全利用とリスクマネジメント	・福祉用具を安全に利用する上で必要となるリスクマネジメントの重要性を理解する。 ・福祉用具事故・ヒヤリハットに関する情報収集の方法や事故報告の流れを理解する。	・福祉用具利用のリスクマネジメントについて理解し，事故防止の取組や事故発生時の対応について概説できる。 ・福祉用具を安全に利用する上での留意点を理解し，重大事故や利用時に多いヒヤリハットを例示できる。

福祉用具に係るサービスの仕組みと利用の支援に関する知識及び支援に関する総合演習　13時間

科目名	ねらい	到達目標
3時間 講義 福祉用具の供給とサービスの仕組み	・福祉用具の供給やサービスの流れ，及びサービス提供を行う上での留意点について理解する。 ・清潔かつ安全で正常な福祉用具を提供する意義と整備方法を理解する。	・福祉用具の供給やサービスの流れと各段階の内容を列挙できる。 ・介護保険制度等における福祉用具サービス提供時の留意点を概説できる。 ・福祉用具の整備の意義とポイントを列挙できる。

内容
○日常生活動作（ADL）（※）における基本的な介護技術 ・介護を要する利用者の状態像 ・日常生活動作に関連する介護の意味と手順，その際に用いる福祉用具 　※食事，排泄，更衣，整容，入浴，移動・移乗，コミュニケーションなど
○高齢者の住まい ・住宅構造・間取り・設備の種類等の高齢者の住まいにおける課題 ○住環境の整備 ・住環境整備の考え方 ・基本的な整備のポイント（トイレ，浴室，玄関，居室等の段差解消，床材選択，手すりの取付け等） ○介護保険制度における住宅改修 ・住宅改修の目的，範囲，手続きの手順等

○福祉用具の種類，機能及び構造 　※起居，移乗，移動，床ずれ，排泄，入浴，食事・更衣・整容，コミュニケーション・社会参加関連用具及びテクノロジーを活用した機能を有する福祉用具等，最新の情報を踏まえた講義内容とする。 ○基本的動作と日常の生活場面に応じた福祉用具の特徴
○各福祉用具の選定・適合技術 ・福祉用具の選定・適合の視点と実施方法 ・福祉用具の組み立て・使用方法と利用上の留意点 ○高齢者の状態像に応じた福祉用具の利用方法
○福祉用具利用安全に関わる情報収集の重要性と具体的方法 ・消費生活用製品安全法における重大事故の報告義務 ・重大事故の情報収集，ヒヤリハット情報収集 ○福祉用具事業者の事故報告義務 ・事故報告の仕組みと事故報告様式 ・事故要因分析と再発防止策 ○危険予知とリスクマネジメントの取組 ・福祉用具を安全に利用する上での留意点（誤った使用方法，典型的な事故や重大事故） ・様々な福祉用具を組み合わせて活用している等，実際の介護場面に潜む危険の予測

○福祉用具の供給やサービスの流れ ・介護保険法における福祉用具サービスの内容（貸与・特定福祉用具販売） ・福祉用具の供給（サービス）の流れ ○福祉用具サービス提供時の留意点 ・機能や価格帯の異なる複数商品の提示，選定の判断基準，要支援・要介護1の者等への給付制限と例外給付の対応，貸与・販売の選択制対象種目への対応 ・介護施設・高齢者住宅の区分・種類に応じた福祉用具サービス提供の可否 ・介護保険制度における福祉用具サービスと補装具・日常生活用具給付制度との適応関係等 ○福祉用具の整備方法 ・清潔かつ安全で正常な機能を有する福祉用具提供のための消毒，保守点検等の方法と留意点

科目名	ねらい	到達目標
10時間 講義・演習 福祉用具による支援プロセスの理解・福祉用具貸与計画等の作成と活用	・福祉用具による支援の手順と福祉用具貸与計画等の位置付けを理解する。 ・福祉用具貸与計画等の作成と活用方法を理解する。 ・利用者の心身の状況や生活における希望，生活環境等を踏まえた利用目標の設定や選定の重要性を理解する。 ・モニタリングの意義や方法を理解する。 ・福祉用具の支援プロセスにおける安全利用推進の重要性を理解する。 ・事例を通じて，福祉用具貸与計画等の基本的な作成と活用技術を習得し，PDCAサイクルに基づく福祉用具サービスのプロセスを理解する。 ・多職種連携において福祉用具専門相談員が果たす役割を理解するとともに，継続して学習し研鑽することの重要性を認識する。	・福祉用具による支援の手順と福祉用具貸与計画等の位置付けについて概説できる。 ・福祉用具貸与計画等の項目の意味と内容を概説できる。 ・福祉用具貸与計画等の作成と活用における主要なポイントを列挙できる。 ・利用者の心身の状況や生活における希望，生活環境等を踏まえた利用目標の設定や選定の重要性を理解し，概説できる。 ・モニタリングの意義や方法を概説できる。 ・福祉用具の支援プロセスにおける安全利用推進の重要性について概説できる。 ・福祉用具貸与計画等の作成・活用方法について，福祉用具による支援の手順に沿って列挙できる。 ・個別の状態像や課題に応じた福祉用具による支援の実践に向けて，多職種連携の重要性を理解し，福祉用具専門相談員としての目標や自己研鑽の継続課題を列挙できる。
合計53時間		

＊上記とは別に，筆記の方法による修了評価（1時間程度）を実施すること。
＊到達目標に示す知識・技術等の習得が十分でない場合には，必要に応じて補講等を行い，到達目標に達するよう努めるものとする。

内容
○福祉用具による支援とPDCAサイクルに基づく手順の考え方 ・アセスメント，利用目標の設定，選定，福祉用具貸与計画等の作成・交付，適合・使用方法の説明，モニタリングと記録の交付 ・居宅サービス計画と福祉用具貸与計画等の関係性 ○福祉用具貸与計画等の意義と目的 ・記録の意義・目的（サービス内容の明確化，情報共有，エビデンス，リスクマネジメント） ○福祉用具貸与計画等の記載内容 ・利用者の基本情報，福祉用具が必要な理由，福祉用具の利用目標，具体的な福祉用具の機種と当該用具を選定した理由，モニタリング実施時期，その他関係者間で共有すべき情報（福祉用具を安全に利用するために特に注意が必要な事項等） ○福祉用具貸与計画等の活用方法 ・利用者・家族や多職種との情報共有とチームアプローチ ○モニタリングの意義と方法 ・モニタリングの意義・目的 ・モニタリング時における確認事項（福祉用具の利用状況や安全性の確認，目標達成度の評価，貸与継続の必要性，計画変更等） ○状態像に応じた福祉用具の利用事例（福祉用具の組み合わせや利用上の留意点，見直しの頻度，医療・介護・地域資源との連携方法等） ○事例による総合演習 ・事例に基づくアセスメント，利用目標の設定，福祉用具の選定及び福祉用具貸与計画等の作成とモニタリングの演習 ・利用者・家族やサービス担当者会議等での福祉用具貸与計画等のわかりやすい説明及びモニタリングに関するロールプレイング 　※事例は，脳卒中による後遺症，廃用症候群，認知症などの高齢者に多い状態像とし，地域包括ケアにおける福祉用具貸与等の役割や多職種からの情報収集等による連携の重要性に対する理解が深まるものが望ましい。 ※講習の締め括りとしての講義・演習であることから，全体内容の振り返りとともに継続的に研鑽することの必要性を理解できることが望ましい。

第1章

福祉用具と福祉用具専門相談員の役割

第1節 福祉用具の役割

 **ねらい**

- 福祉用具の定義と、高齢者等の暮らしを支える上で果たす役割を理解する。

 到達目標

- 福祉用具の定義について、介護予防と自立支援の考え方を踏まえて概説できる。
- 福祉用具の種類を概説できる。
- 高齢者等の暮らしを支える上で福祉用具の果たす役割をイメージできる。

1 福祉用具の定義と種類

1 福祉用具の研究開発及び普及の促進に関する法律の定義

　「福祉用具の研究開発及び普及の促進に関する法律」（福祉用具法）は，高齢化や人口減少等の社会構造の変化に伴い，高齢者や障害者が住み慣れた地域や家庭で安心して暮らし続け，できる限り自立して積極的に社会参加できるようにするとともに，介護者の負担の軽減を目的として，1993（平成 5）年に制定された。この福祉用具法の第 2 条において，福祉用具とは，「心身の機能が低下し日常生活を営むのに支障のある老人（以下単に「老人」という。）又は心身障害者の日常生活上の便宜を図るための用具及びこれらの者の機能訓練のための用具並びに補装具」と定義された。これを受けて，それまで用途に応じた呼称で区分されていた福祉機器，補装具，自助具，日常生活用具，介護用補助用具，機能回復訓練機器，リハビリテーション機器等は福祉用具の範疇となり，福祉用具という言葉が示す範囲はより広いものとなった。老人福祉法における日常生活用具，障害者の日常生活及び社会生活を総合的に支援するための法律（障害者総合支援法）における補装具，介護保険法における福祉用具等もこの概念に包括される。つまり福祉用具とは，高齢者・障害者の活動・参加を支援するための機器の総称といえる。

　福祉用具という用語については，動力を用いたメカニカルな「機器」といえるようなものから単純な構造のものまで，さまざまな形態のものがあり得ることから，広範なものを示す用語として「用具」となった。また，高齢者や障害者の福祉を増進する役割を示し，老人福祉法，身体障害者福祉法等の各法の名称にも使用され，一般に普及している「福祉」という用語により「福祉用具」と称することとなった。次に述べる国際標準化機構（International Organization for Standardization：ISO）では，福祉用具を Assistive products としており，日本産業規格（JIS T 0102：福祉関連機器用語）では「支援機器」と訳しているが，福祉用具と支援機器は同義に使われることが多い。

2 国際標準における福祉用具の定義

　ISO による福祉用具の分類（ISO 9999, Assistive products for persons with disability—Classification and terminology）では，「障害のある人々が使用する，特別に生産されたあるいは一般的に利用し得る，あらゆる生産品，器具，装置あるいは技術システムであり，障害を予防し，代償し，監視し，軽減し，中和化するもの」と定義されている。どのような生産品あるいは用具であっても，障害のある人に役に立つ（支援的であり得る）ことが認められて

いるものであれば福祉用具とみなしているのが特徴である（ISO 9999 障害者のためのテクニカルエイドの分類（第2版），ISO/TC173/SC, ISO/DIS 9999(rev.)）。

一方，世界保健機関（World Health Organization：WHO）による国際生活機能分類（International Classification of Functioning, Disability and Health：ICF）では，「障害のある人の生活機能を改善するために改造や特別設計がなされた，あらゆる生産品，器具，装置，用具」と定義されており，障害者用に特別に設計または適合されたものに限定している。

具体的にどのようなものが福祉用具とされているかは，ISO 9999「福祉用具の分類と用語」（2016年版）を参照されたい。ここでは大分類（12）のみを示す。

> 測定・治療訓練等機器　教育・技能訓練用具　義肢装具　パーソナルケア関連用具
> 移動機器　家事用具　家具・建具・建設設備　コミュニケーション・情報支援用具
> 操作用具　環境改善機器・作業用具　就労・職業訓練用具　レクリエーション用具

3　介護保険制度における福祉用具の定義と種類

介護保険は，「加齢に伴って生ずる心身の変化に起因する疾病等により要介護状態となり，入浴，排せつ，食事等の介護，機能訓練並びに看護及び療養上の管理その他の医療を要する者等について，これらの者が尊厳を保持し，その有する能力に応じ自立した日常生活を営むことができるよう，必要な保健医療サービス及び福祉サービスに係る給付を行う」ことを目的としている（介護保険法第1条）。福祉用具は，高齢者・障害者の活動・参加を支援するための機器の総称であるが，上記の介護保険の目的により，介護保険での福祉用具の定義は，「心身の機能が低下し日常生活を営むのに支障がある要介護者等の日常生活上の便宜を図るための用具及び要介護者等の機能訓練のための用具であって，要介護者等の日常生活の自立を助けるためのもの」（介護保険法第8条第12項）とされており，「貸与」と「販売」により給付される。介護保険給付の対象である要介護者・要支援者は身体状況や要介護度が変化しやすいので，新たな福祉用具が開発されるなどの状況に応じて，適時・適切な福祉用具が利用者に提供できるよう，「貸与」を原則としつつ，排泄や入浴に関する用具など「貸与」になじまないものは「特定福祉用具」（介護給付）「特定介護予防福祉用具」（予防給付）として「販売」の対象としている。

介護保険制度における「福祉用具の範囲の考え方」が，1998（平成10）年8月24日の第14回医療保険福祉審議会老人保健福祉部会で示され，これに基づき貸与・販売の種目が定められ

▶1　世界保健機関，厚生労働省社会・援護局障害保健福祉部編『国際生活機能分類——国際障害分類改定版（ICF）』中央法規出版，171頁，2002年。
▶2　同上

ている。なお，貸与種目において長期間貸与するよりも購入したほうが利用者負担を抑えられる者の割合が高い種目・種類については，2024（令和6）年4月から，利用者が貸与か販売かを選ぶことができる選択制となっている。

（介護保険における福祉用具の範囲の考え方）

❶ 要介護者等の自立促進または介助者の負担軽減を図るもの
❷ 要介護者等でない者も使用する一般の生活用品でなく，介護のために新たな価値づけを有するもの（例えば，平ベッド等は対象外）
❸ 治療用等医療の観点から使用するものではなく，日常生活の場面で使用するもの（例えば，吸入器，吸引器等は対象外）
❹ 在宅で使用するもの（例えば，特殊浴槽等は対象外）
❺ 起居や移動等の基本的動作の支援を目的とするものであり，身体の一部の欠損または低下した特定の機能を補完することを主たる目的とするものではないもの（例えば，義手義足，眼鏡等は対象外）
❻ ある程度の経済的負担感があり，給付対象とすることにより利用促進が図られるもの（一般的に低い価格のものは対象外）
❼ 取り付けに住宅改修工事を伴わず，賃貸住宅の居住者でも一般的に利用に支障のないもの（例えば，天井取り付け型天井走行リフトは対象外）

（居宅介護福祉用具購入費の対象用具の考え方）

❶ 介護保険制度では，福祉用具の給付については，対象者の身体の状況，介護の必要度の変化等に応じて用具の交換ができること等の考え方から原則貸与によることとされている。
❷ このため，購入費の対象用具は例外的なものであるが，次のような点を判断要素として対象用具を選定することとする。
　・他人が使用したものを再利用することに心理的抵抗感が伴うもの（入浴・排せつ関連用具）
　・使用により，もとの形態・品質が変化し，再度利用できないもの（つり上げ式リフトのつり具）
注）2024（令和6）年4月より，一部の福祉用具（歩行補助つえ，歩行器，スロープ）に関して，貸与と販売の選択制が導入された。

(新たに開発・普及する製品の取扱い)

　要介護者の便宜の観点，技術革新や製品開発努力等を評価する観点から新たに開発された用具や普及が進んだ用具についても，前述の福祉用具の範囲の考え方の判断要素に照らし，必要に応じ保険の対象となるような取扱いとする。

(福祉用具貸与および特定福祉用具販売の対象種目)

　貸与（13種目）および販売（9種目）の種目等は，厚生労働省の告示により定められている。

表1-1-1　厚生労働大臣が定める福祉用具貸与および介護予防福祉用具貸与にかかる福祉用具の種目

種目	機能または構造等
車いす	自走用標準型車いす，普通型電動車いすまたは介助用標準型車いすに限る。
車いす付属品	クッション，電動補助装置等であって，車いすと一体的に使用されるものに限る。
特殊寝台	サイドレールが取り付けてあるもの，または取り付け可能なものであって，次のいずれかの機能を有するもの。 ●背部または脚部の傾斜角度が調整できる機能 ●床板の高さが無段階に調整できる機能
特殊寝台付属品	マットレス，サイドレール等であって，特殊寝台と一体的に使用されるものに限る。
床ずれ防止用具	次のいずれかに該当するものに限る。 ●送風装置または空気圧調整装置を備えた空気マット ●水等によって減圧による体圧分散効果をもつ全身用のマット
体位変換器	空気パッド等を身体の下に挿入することにより，居宅要介護者等の体位を容易に変換できる機能を有するものに限り，体位の保持のみを目的とするものを除く。
手すり	取り付けに際し工事を伴わないものに限る。
スロープ	段差解消のためのものであって，取り付けに際し工事を伴わないものに限る。
歩行器	歩行が困難な者の歩行機能を補う機能を有し，移動時に体重を支える構造を有するものであって，次のいずれかに該当するものに限る。 ●車輪を有するものにあっては，体の前および左右を囲む把手等を有するもの。 ●四脚を有するものにあっては，上肢で保持して移動させることが可能なもの。
歩行補助つえ	松葉づえ，カナディアン・クラッチ，ロフストランド・クラッチ，プラットホーム・クラッチおよび多点杖に限る。
認知症老人徘徊感知機器	認知症高齢者が屋外へ出ようとしたときなど，センサーにより感知し，家族，隣人等へ通報するもの。
移動用リフト（つり具の部分を除く）	床走行式，固定式または据置式であり，かつ，身体をつり上げまたは体重を支える構造を有するものであって，その構造により，自力での移動が困難な者の移動を補助する機能を有するもの（取り付けに住宅の改修を伴うものを除く）。
自動排泄処理装置	尿または便が自動的に吸引されるものであり，かつ，尿や便の経路となる部分を分割することが可能な構造を有するものであって，居宅要介護者等またはその介護を行う者が容易に使用できるもの（交換可能部品（レシーバー，チューブ，タンク等のうち，尿や便の経路となるものであって，居宅要介護者等またはその介護を行う者が容易に交換できるものをいう）を除く）。

資料：一般社団法人全国福祉用具専門相談員協会HPを一部改変。

第1節　福祉用具の役割

表1-1-2　厚生労働大臣が定める特定福祉用具販売および特定介護予防福祉用具販売にかかる福祉用具の種目

種目	機能または構造等
腰掛便座	次のいずれかに該当するものに限る。 ●和式便器の上に置いて腰掛式に変換するもの（腰掛式に交換する場合に高さを補うものを含む） ●洋式便器の上に置いて高さを補うもの ●電動式またはスプリング式で便座から立ち上がる際に補助できる機能を有しているもの ●便座，バケツ等からなり，移動可能である便器（水洗機能を有する便器を含み，居室において利用可能であるものに限る） ただし，設置に要する費用については従来通り，法に基づく保険給付の対象とならないものである。
自動排泄処理装置の交換可能部品	尿または便が自動的に吸引されるもので居宅要介護者等またはその介護を行う者が容易に使用できるもの。
排泄予測支援機器	膀胱内の状態を感知し，尿量を推定するものであって，排尿の機会を居宅要介護者等またはその介護を行う者に通知するもの。
入浴補助用具	入浴に際しての座位の保持，浴槽への出入り等の補助を目的とする用具であって，次のいずれかに該当するもの。 ●入浴用いす（座面の高さがおおむね35cm以上のもの，またはリクライニング機能を有するもの） ●入浴台（浴槽の縁にかけて浴槽への出入りを容易にすることができるもの） ●浴槽用手すり（浴槽の縁を挟み込んで固定することができるもの） ●浴室内すのこ（浴室内に置いて浴室の床の段差解消を図ることができるもの） ●浴槽内いす（浴槽内に置いて利用することができるもの） ●浴槽内すのこ（浴槽の中に置いて浴槽の底面の高さを補うもの） ●入浴用介助ベルト（居宅要介護者等の身体に直接巻き付けて使用するものであって，浴槽への出入り等を容易に介助することができるもの）
簡易浴槽	空気式または折りたたみ式等で容易に移動できるものであって，取水または排水のための工事を伴わないもの。 ※「空気式または折りたたみ式等で容易に移動できるもの」とは，硬質の材質であっても使用しないときに立て掛けることなどにより収納できるものを含むものであり，また，居室において必要があれば入浴が可能なもの。
移動用リフトのつり具部分	身体に適合するもので，移動用リフトに連結可能なもの。
スロープ	段差解消のためのものであって，取り付けに際し工事を伴わないものに限る。
歩行器	歩行が困難な者の歩行機能を補う機能を有し，移動時に体重を支える構造を有するものであって，四脚を有し，上肢で保持して移動させることが可能なもの。
歩行補助つえ	カナディアン・クラッチ，ロフストランド・クラッチ，プラットフォームクラッチおよび多点杖に限る。

資料：表1-1-1に同じ。

（福祉用具の種目の追加）

　介護保険の給付対象となる福祉用具や住宅改修について，新たな種目・種類の取入れや，種目・種類の拡充を行おうとする場合に，その是非や内容等について，厚生労働省老健局が運営する「介護保険福祉用具・住宅改修評価検討会」において検討される。

4 障害者総合支援法における福祉用具

障害者総合支援法により障害者に対して給付される福祉用具は，補装具と日常生活用具である。

●補装具

障害者総合支援法では，障害者（児）に対して身体機能を補完または代替する機能をもった福祉用具として，補装具が給付される。補装具は，利用者の申請に基づき，補装具の購入または修理（あるいは貸与）が必要と認められたときは，市町村がその費用を補装具費として利用者に支給するものである。現物給付ではなく，費用を支給する制度である。利用者の費用負担が一時的に大きくならないよう，代理受領方式も可能である。利用者負担は原則として定率1割負担であるが，負担が増えすぎないように所得に応じた負担上限月額が設けられている。また，一定以上の所得がある者については，支給の対象とならない。

★ 補装具の定義

補装具の定義は，次の三つの要件をすべて満たすものである。

❶ 障害者等の身体機能を補完し，または代替し，かつその身体への適合を図るように製作されたものであること
❷ 障害者等の身体に装着することにより，その日常生活においてまたは就労もしくは就学のために，同一の製品につき長期間にわたり継続して使用されるものであること
❸ 医師等による専門的な知識に基づく意見または診断に基づき使用されることが必要とされるものであること

★ 補装具の種目

補装具の種目は，**表1-1-3**のとおりである。

表1-1-3　補装具の種目

障害者，障害児
義肢　装具　姿勢保持装置　車いす　電動車いす　視覚障害者安全つえ　義眼　眼鏡　補聴器　人工内耳（人工内耳用音声信号処理装置の修理に限る）　車載用姿勢保持装置　歩行器　歩行補助つえ　重度障害者用意思伝達装置
障害児のみ
起立保持具　排便補助具

●日常生活用具

　障害者総合支援法に基づき，地域生活支援事業のメニューの一つとして日常生活用具が給付される。日常生活用具の対象種目は，次に示す要件，ならびに用途および形状（**表1-1-4**）が定められているのみで，具体的な品目については，利用者負担とともに市町村が決定することができる。日常生活用具は補装具とは異なり，障害の状況に応じて個別に適合を図るものではないことから，介護保険の保険給付の対象となる種目（特殊寝台，体位変換器，歩行器，移動用リフト，自動排泄処理装置，入浴補助用具，簡易浴槽など）については，介護保険から貸与や購入費の支給が行われる。

❶　障害者等が安全かつ容易に使用できるもので，実用性が認められるもの
❷　障害者等の日常生活上の困難を改善し，自立を支援し，かつ，社会参加を促進すると認められるもの
❸　用具の製作，改良または開発にあたって障害に関する専門的な知識や技術を要するもので，日常生活品として一般に普及していないもの

表1-1-4　日常生活用具の用途および形状

用具	説明
❶介護・訓練支援用具	特殊寝台，特殊マットその他の障害者等の身体介護を支援する用具ならびに障害児が訓練に用いるいす等のうち，障害者等および介助者が容易に使用することができるものであって，実用性のあるもの
❷自立生活支援用具	入浴補助用具，聴覚障害者用屋内信号装置その他の障害者等の入浴，食事，移動等の自立生活を支援する用具のうち，障害者等が容易に使用することができるものであって，実用性のあるもの
❸在宅療養等支援用具	電気式たん吸引器，盲人用体温計その他の障害者等の在宅療養等を支援する用具のうち，障害者等が容易に使用することができるものであって，実用性のあるもの
❹情報・意思疎通支援用具	点字器，人工喉頭その他の障害者等の情報収集，情報伝達，意思疎通等を支援する用具のうち，障害者等が容易に使用することができるものであって，実用性のあるもの
❺排泄管理支援用具	ストーマ装具その他の障害者等の排泄管理を支援する用具および衛生用品のうち，障害者等が容易に使用することができるものであって，実用性のあるもの
❻居宅生活動作補助用具	障害者等の居宅生活動作等を円滑にする用具であって，設置に小規模な住宅改修を伴うもの

表1-1-5　日常生活用具参考例

種目	品目	対象要件
介護・訓練支援用具	特殊寝台	下肢または体幹機能障害
	特殊マット	
	特殊尿器	
	入浴担架	
	体位変換器	
	移動用リフト	
	訓練いす（児のみ）	
	訓練用ベッド（児のみ）	
自立生活支援用具	入浴補助用具	下肢または体幹機能障害
	便器	
	頭部保護帽	平衡機能または下肢もしくは体幹機能障害（頭部保護帽：上記障害およびてんかん等による転倒の危険性が高い知的障害等）
	T字状・棒状のつえ	
	歩行支援用具→移動・移乗支援用具（名称変更）	
	特殊便器	上肢機能障害
	火災警報器	障害種別にかかわらず火災発生の感知・避難が困難
	自動消火器	
	電磁調理器	視覚障害
	歩行時間延長信号機用小型送信機	
	聴覚障害者用屋内信号装置	聴覚障害
在宅療養等支援用具	透析液加温器	腎臓機能障害等
	ネブライザー（吸入器）	呼吸機能障害等
	電気式たん吸引器	
	酸素ボンベ運搬車	在宅酸素療法
	盲人用体温計（音声式）	視覚障害
	盲人用体重計	
情報・意思疎通支援用具	携帯用会話補助装置	音声言語機能障害
	情報・通信支援用具　※	上肢機能障害または視覚障害
	点字ディスプレイ	盲ろう，視覚障害
	点字器	視覚障害
	点字タイプライター	
	視覚障害者用ポータブルレコーダー	
	視覚障害者用活字文書読上げ装置	
	視覚障害者用拡大読書器	
	盲人用時計	

	聴覚障害者用通信装置	聴覚障害
	聴覚障害者用情報受信装置	
	人工喉頭	喉頭摘出
	福祉電話（貸与）	聴覚障害または外出困難
	ファックス（貸与）	聴覚または音声障害もしくは言語機能障害で，電話では意思疎通困難
	視覚障害者用ワードプロセッサー（共同利用）	視覚障害
	点字図書	
排泄管理支援用具	ストーマ用装具（ストーマ用品，洗腸用具） 紙おむつ等（紙おむつ，サラシ・ガーゼ等衛生用品） 収尿器	ストーマ造設 高度の排便機能障害，脳原性運動機能障害かつ意思表示困難 高度の排尿機能障害
居宅生活動作補助用具	居宅生活動作補助用具	下肢，体幹機能障害または乳幼児期非進行性脳病変

※情報・通信支援用具とは，障害者向けのパーソナルコンピュータ周辺機器や，アプリケーションソフト等をいう。

5 福祉用具の種類

　福祉用具の普及促進を行っている公益財団法人テクノエイド協会では，ISOの分類に準拠した福祉用具分類コード95で商品をデータベース化し，インターネット上で情報提供している。データベースに収載されている福祉用具の件数は，17,000（2024（令和6）年8月現在）を超えている。

表1-1-6　福祉用具分類コード95（CCTA95）での分類

分類	説明
❶治療訓練用具	訓練および治療だけのための用具と性行為補助具を含む。
❷義肢・装具	義肢は四肢の切断者もしくは欠損者に装着して失われた手足の機能と形態を代用するものであり，装具は身体の一部を固定あるいは支持して変形の予防や矯正をはかったり機能の代用を行うものである。生体内に埋め込まれる補填材料（人工骨，人工関節など）は含まない。
❸パーソナルケア関連用具	失禁患者，人工肛門患者用補助具，更衣用補助具，衣類，靴，体温計，時計，体重計を含む。
❹移動機器	人の移動を目的として使用する個人用の移動機器。物を運ぶ運搬用の機器を除く。
❺家事用具	炊事，洗濯，掃除，裁縫，その他の家事役割を遂行するための設備品や道具，また食事動作に必要とされる食事用の器や用具，障害者が使用しやすい工夫がされている。
❻家具・建具，建築設備	住宅，職場，教育施設の改善のための家具や用具，備品が含まれる。キャスタの有無を問わない。休憩用，作業用を問わない。
❼コミュニケーション関連用具	読書，書字，電話，警報などが可能なコミュニケーション関連機器を扱う。
❽操作用具	ものを操作するための補助に用いる用具。他の機器に取り付けて取り扱いを容易にするための部品類はこの項目に分類するが，特定の機器に取り付ける付属品はその機器の分類項目に含める。
❾環境改善機器・作業用具	環境改善機器は環境の影響から人間を保護する機器で，身体に装着しないもの。作業用具は重量計などの計測機器，工具や作業台などの作業用家具などを含む。
❿レクリエーション用具	遊び，趣味，スポーツ，その他の余暇活動に用いる用具。職業を目的としている機器は除く。

2 福祉用具の役割

1 日常生活の自立を支援する

　人は用具を作り，それを操作することで文明を発展させてきた。毎日，目的や必要に応じてさまざまな用具を使い分けて生活している。福祉用具もこのような用具の一つで，疾病や加齢の影響による生活の不便さを解消もしくは軽減することを目的に作られている。

　人の日常生活における福祉用具の役割は，①自立を支援すること，②日常生活を活性化させること，③安全・安心な生活を支えること，④介護者が用いる場合は，介護者の負担を軽減して介護者の心身を守ること，ができることにある。

　特に自立を支援する視点が重要で，福祉用具を使って人の手を借りずに自分らしい生活を継続することは，人の尊厳を保つ視点からも大切なことであり，介護保険法第2条第4項には「保険給付の内容及び水準は，被保険者が要介護状態となった場合においても，可能な限り，その居宅において，その有する能力に応じ自立した日常生活を営むことができるように配慮されなければならない」とある。介護保険では，利用者の意思に基づいて，その有する能力に応じ自立した日常生活を営むこと，利用者が自らの能力の維持や向上に努めることを目的としたサービスを提供することが必要で，福祉用具専門相談員は，福祉用具サービスにより要介護者・要支援者が自らできることが増えるといった自立を支援することが重要である。

　また，福祉用具を利用することによりできることが増え，日常生活が活性化されることで，心身の機能低下を防ぎ，要介護状態になったり要介護状態が悪化したりするのを防ぐといった介護予防につながる。

2 福祉用具の安全性

　福祉用具の安全性を確保するために必要な視点は，次のとおりである。

安全性確保に必要な視点
1. 安全を支える標準，規格
2. 製造側での安全設計
3. 用具の特性，適応範囲，限界などについての情報
4. 個々のユーザーの場合についての用具の選択
5. 身体，生活などとの整合

- ⑥ 正しい使用・保守などの知識の供給
- ⑦ 使用状況のフォローアップ
- ⑧ 再使用の配慮

※公益財団法人テクノエイド協会『安全かつ良質な福祉用具のあり方研究報告書』2頁，2003年より

　福祉用具の役割の一つに安全・安心な生活を支えることがあるが，これには製品としての福祉用具の技術的安全性が担保されていることが前提である。製造側は使用場面を想定した強度，耐久性を確保する安全設計，あるいは用具の特性，適応範囲，限界などの情報の開示などを行う必要がある。福祉用具の品質や安全性に関する制度等は，次のとおりである。

● **日本産業規格（Japanese Industrial Standards：JIS）**

　産業標準化法に基づくJISは，鉱工業品等の品質の改善，性能・安全性の向上，生産能率の増進等のための国家規格で，登録認証機関が，製品試験と品質管理体制等を審査し，JISマーク表示を認める仕組みである。主な試験項目は，外観，寸法，性能，安全性，耐久性，衝突試験等である。

図1-1-1　JISマーク

表1-1-7　JISの福祉用具（2024年）

JIS	
・義肢装具の用語	T0101：1996
・リハビリ機器の用語	T0102：1997
・義肢-義足強度試験	T0111-1〜8
・義足強度試験	T0112：2002
・移動支援のための電子的情報提供機器の情報提供方法等	T0901：2011
・手動車いす	T9201：2016
・電動車いす	T9203：2016

・木製松葉づえ	T9204：1994
・病院用ベッド	T9205：2016
・電動車いす EMC	T9206：2001
・車いす用可搬形スロープ	T9207：2008
・ハンドル形電動車いす	T9208：2009
・義手義足の部品	T9212～T9224
・収尿器	T9231：1995
・ストマ	T9232～T9233
・移動式リフト	T9241-2：2015
・設置式リフト	T9241-3：2015
・リフト用スリング	T9241-5：2015
・立ち上がり用リフト	T9241-6：2015
・浴槽設置式リフト	T9241-7：2015
・誘導用ブロックの形状	T9251：2001
・家庭用段差解消機	T9252：2007
・紫外線硬化インキ点字	T9253：2004
・在宅用電動介護用ベッド	T9254：2016
・電動立ち上がり補助いす	T9255：2007
・在宅用床ずれ防止用具 　―マットレスの種類	T9256-1：2016
・在宅用床ずれ防止用具 　―静止形交換マットレス	T9256-2：2016
・在宅用床ずれ防止用具 　―圧切替形マットレス	T9256-3：2016
・入浴台	T9257：2010
・浴室内及び浴槽内すのこ	T9258：2010
・浴槽内いす	T9259：2010
・入浴用いす	T9260：2011
・ポータブルトイレ	T9261：2011
・和式洋式変換便座	T9262：2011
・シルバーカー	T9263：2017
・歩行器	T9264：2012
・歩行車	T9265：2012
・エルボークラッチ	T9266：2012
・多脚つえ	T9267：2020
・補高便座	T9268：2013
・ベッド用テーブル	T9269：2013
・車いす用クッション	T9271：2015
・車いす用テーブル	T9272：2015
・体位変換用具	T9275：2015
・据置形手すり	T9281：2016
・留置形手すり	T9283（2018.2月）
・固定形手すり	T9282（同上）
・電動6輪車いす試験方法	T9209（同上）
・車いす試験用ダミーの仕様	T9291：2022
・車いすけん引装置	T9273：2024

●SG (Safe Goods) 基準

　一般財団法人製品安全協会が安全を保障するSG基準は，生命または身体に対して危害を与えるおそれのある製品について，安全な製品として必要な要件を，消費者代表，製造・輸入事業者代表，学識経験者・中立委員の三者構成による委員会において審議して決定している。試験は同協会が委託した検査機関が行い，SGマーク表示を認める。主な試験項目は，外観および構造，寸法，機能，強度，耐久性等である。なお，SGマークには，1億円を限度とする対人賠償保険が付帯している。

図1-1-2　SGマーク

表1-1-8　SGマークの福祉用具

・棒状つえ	0073
・簡易腰掛便器	0074
・シルバーカー	0075
・手動車いす	0078
・歩行車 （ロレータおよびウォーキングテーブル）	0120
・電動介護用ベッド	0121
・ポータブルトイレ	0127
・入浴用いす	0129
・電動立ち上がり補助いす	0131

●福祉用具臨床的評価事業

　公益財団法人テクノエイド協会が評価認証を行う福祉用具臨床的評価事業は，福祉用具の実際の利用者や使用場面を想定した，安全性や操作性等のいわゆる使い勝手を評価・認証する事業である。評価される福祉用具は工学的安全性を担保するため，JIS規格を受けているものとしている。主な評価項目は，利用場面を想定した製品の安全性，操作機能性，保守保清性，取扱説明書である。認証された福祉用具にはQAP (Qualified Assistive Products) マークが付与される。認証製品は，専用ホームページから情報提供されるとともに，同協会が運営する福祉用具情報システム (Technical Aids Information System：TAIS) の商品情報にも付記される。

図1-1-3　QAPマーク

表1-1-9　福祉用具臨床的評価事業の福祉用具

- 車いす
- 電動車いす（標準形・簡易形・ハンドル形）
- 特殊寝台
- スロープ
- 入浴補助用具（入浴台，浴室用すのこおよび浴槽用すのこ，浴槽内いす）
- 入浴いす
- ポータブルトイレ
- 歩行器，歩行車
- エルボークラッチ，多脚つえ
- ベッド用テーブル

3　福祉用具を活用するために

　疾病や加齢によって生じる生活上の問題は，健康，体力，判断力，身体の動き，家族，収入，家屋の状況など，身体の状態から生活環境にかかわるさまざまな要因によって生じ，一人ひとり異なる。寝返りや起き上がりを特殊寝台で可能にする，お風呂で身体を洗うときのために洗体用のいすを使うなど，福祉用具によって解決できる生活上の動作は限られているため，どのような動作を改善するのか明らかにすることが福祉用具を活用するうえで大切である。また，日本の家屋は段差が多く，狭いのが特徴で，病院や施設で使えた車いすや歩行器が，住環境が障害となって自宅では使えないことがあるため，使用する環境の確認が不可欠である。

　福祉用具の使用においては，転倒，けが等，福祉用具の使用による事故を防止する必要がある。安全とは，受容できないリスクのないこと（freedom from unacceptable risk）といわれており，福祉用具の使用環境において，予測される危険性を見つけ，安全対策を講じて，危険をできる限り小さくしなければならない。

　家電や乗用車と同様に福祉用具も毎年，新たな機能をもった製品が開発されている。利用者の生活上の課題を解決するためのケアマネジメントを通じて福祉用具専門相談員が担う役割は，福祉用具の展示会，開発企業や販売事業所の説明会などを通じて積極的に情報を収集し，どのような機能や特徴をもった福祉用具が世の中にあるのかを利用者に提示し，安全な使い方を指導することである。

第2節 福祉用具専門相談員の役割と職業倫理

- 介護保険制度における福祉用具専門相談員の位置付けと役割を理解し，高齢者等を支援する専門職であることを認識する。
- 福祉用具専門相談員としての職業倫理の重要性を理解する。

 到達目標

- 福祉用具による支援の手順に沿って，福祉用具専門相談員の役割を列挙できる。
- 介護保険制度の担い手として職業倫理の重要性を理解し，サービス事業者としての社会的責任について留意点を列挙できる。

1 これまでの福祉用具に係る専門職育成の取り組み

　わが国での福祉用具に係る専門職の養成に関しては，これまで専門的な知識や技術が求められる義肢装具や補聴器についてのみ制度化されている。1987（昭和62）年に義肢装具士法，臨床工学技士法が制定され，翌年から国家試験が実施された。このときに見送られた補聴器士法（仮称）については，公益財団法人テクノエイド協会が1990（平成2）年から補聴器技能者講習会を開始して，認定補聴器技能者認定試験，認定補聴器専門店などに発展してきている。

　また，一般社団法人シルバーサービス振興会において，1990（平成2）年に導入された「福祉機器・介護用品レンタルサービスシルバーマーク制度」のなかで，民間事業者が高齢者の福祉用具の選定相談や適合確認に適切に対応するための「福祉用具選定相談者」の研修が位置づけられ，事業者団体の理解と協力を得ながら資質の向上に取り組まれてきた。その後，1997（平成9）年からテクノエイド協会においても，主に看護師，理学療法士，作業療法士などの有資格者を対象とした「福祉用具プランナー」の養成が始まった。このほかにも，一般社団法人日本福祉用具供給協会において「福祉用具選定士」の養成研修が実施されているほか，近年，リハビリテーション領域の専門職である理学療法士や作業療法士，看護，介護領域の専門職である看護師，介護福祉士などの養成カリキュラムにおいて福祉用具に関する学習時間数を増やす傾向がみられてきている。さらには，東京商工会議所の検定制度として始まった「福祉住環境コーディネーター」にみられるように，高齢者や障害者に対して福祉用具のみならず住宅改修など居住環境整備をトータルに捉えることの重要性の認識が深まりつつある。

2 介護保険制度における福祉用具専門相談員の位置づけと役割

　これまでみてきたように，わが国における福祉用具や住宅改修等の重要性の認識は深まりつつあり，介護保険制度において給付対象サービスに組み入れられたことで普及が進み，今後もさらなる普及拡大が期待されている。そして，福祉用具関連のサービスを適正に供給していくうえで，福祉用具を必要とする高齢者等に対してその選定の援助，適合状況の確認，その後のモニタリングから効果等の評価までを支援していく専門職として，介護保険制度のなかに位置づけられたのが「福祉用具専門相談員」である。介護保険制度における「指定居宅サービス等の事業の人員，設備及び運営に関する基準」（平成11年3月31日厚生省令第37号）および「指定介護予防サービス等の事業の人員，設備及び運営並びに指定介護予防サービス等に係る介護予防のための効果的な支援の方法に関する基準」（平成18年3月14日厚生労働省令第35号）

においては，事業の一般原則として，利用者の意思および人格を尊重して，常に利用者の立場に立ったサービスの提供に努めなければならないことや，地域との結びつきを重視し，市町村，他の居宅サービス事業者（介護予防サービス事業者）その他の保健医療サービスおよび福祉サービスを提供する者との連携に努めなければならないことが定められている。

さらに，福祉用具貸与・販売サービスの基本方針として，利用者が可能な限りその居宅において，自立した日常生活を営むことができるよう，利用者の心身の状況，希望およびその置かれている環境を踏まえ，適切に選定の援助，取り付け，調整等を行い，利用者の生活機能の維持または改善を図ることとされている。これを実現するため，人員に関する基準においては，事業所ごとに置くべき福祉用具専門相談員の員数が常勤換算で2人以上と定められており，福祉用具貸与・販売サービスの適正な運営ができるよう活躍することが期待されているのである。

3 介護保険制度における福祉用具専門相談員の仕事内容

介護保険制度では，「指定居宅サービス等の事業の人員，設備及び運営に関する基準」において，すべての指定居宅サービスの事業の一般原則や，指定福祉用具貸与事業者（指定特定福祉用具販売事業者）が遵守すべき事項，および福祉用具専門相談員がその専門性に基づいて行う具体的な仕事内容や介護支援専門員等との連携について，具体的に定められている。

1 指定居宅サービスの事業の一般原則

指定居宅サービス事業者としての社会的責任は極めて重いことから，すべての事業において共通となる一般原則が，以下のとおり示されている。

❶ 利用者の意思および人格を尊重して，常に利用者の立場に立ったサービスの提供に努めなければならない
❷ 地域との結びつきを重視し，市町村，他の居宅サービス事業者その他の保健医療サービスおよび福祉サービスを提供する者との連携に努めなければならない
❸ 利用者の人権の擁護，虐待の防止等のため，必要な体制の整備を行うとともに，その従業者に対し，研修を実施する等の措置を講じなければならない
❹ 介護保険等関連情報その他必要な情報を活用し，適切かつ有効に行うよう努めなければならない

2 福祉用具貸与・特定福祉用具販売の具体的取扱方針

❶ 利用者の希望，心身の状況およびその置かれている環境を踏まえ作成された福祉用具貸与計画（特定福祉用具販売計画）に基づき，福祉用具が適切に選定され，かつ使用されるよう，専門的知識に基づき相談に応じるとともに，パンフレットやカタログなどの文書を示して，福祉用具の機能，使用方法，利用料（販売費用の額），全国平均貸与価格等に関する情報を提供し，個別の福祉用具の貸与（特定福祉用具の販売）に係る同意を得ること

❷ 利用者が福祉用具貸与または特定福祉用具販売のいずれかを選択できる福祉用具については，この選択制について十分な説明を行ったうえで，利用者の選択にあたって必要な情報を提供するとともに，医師や専門職からの医学的所見等を踏まえ，サービス担当者会議等の多職種協議の場で提案を行うこと

❸ 福祉用具の機能，安全性，衛生状態等に関し点検を行うこと

❹ 利用者の身体の状況等に応じて福祉用具の調整を行うとともに，福祉用具の使用方法，使用上の留意事項，故障時の対応等を記載した文書を利用者に交付し，十分な説明を行ったうえで，必要に応じて利用者に実際に福祉用具を使用してもらいながら使用方法の指導を行うこと

❺ 利用者等からの要請等に応じて，福祉用具の使用状況を確認し，必要な場合は，使用方法の指導，修理等を行うこと

❻ 福祉用具の提供にあたって，利用者または他の利用者等の生命または身体を保護するため緊急やむを得ない場合を除き，身体的拘束を行ってはならない

❼ 前項の身体的拘束を行う場合には，その態様および時間，その際の利用者の心身の状況ならびに緊急やむを得ない理由を記録しなければならない

❽ 居宅サービス計画に福祉用具貸与（特定福祉用具販売）が位置づけられる場合には，当該計画にその必要な理由が記載されるとともに，福祉用具貸与については，利用者に係る介護支援専門員により，必要に応じて随時その必要性が検討されたうえで，継続が必要な場合にその理由が居宅サービス計画に記載されるように必要な措置を講じること

❾ 福祉用具貸与の提供にあたっては，同一種目における機能または価格帯の異なる複数の福祉用具に関する情報を利用者に提供すること

3 「福祉用具貸与計画」「特定福祉用具販売計画」の作成

❶ 福祉用具専門相談員は，利用者の希望，心身の状況およびその置かれている環境を踏まえ，福祉用具貸与（特定福祉用具販売）の目標，この目標を達成するための具体的なサービスの内容等を記載した福祉用具貸与計画（特定福祉用具販売計画）を作成しなければならない。福祉用具貸与計画については，その実施状況の把握（以下，「モニタリング」という）を行う時期等を記載しなければならない

❷ 福祉用具貸与計画（特定福祉用具販売計画）は，すでに居宅サービス計画が作成されている場合は，この居宅サービス計画の内容に沿って作成しなければならない

❸ 福祉用具専門相談員は，福祉用具貸与計画（特定福祉用具販売計画）の作成にあたっては，その内容について利用者またはその家族に対して説明し，利用者の同意を得なければならない

❹ 福祉用具専門相談員は，福祉用具貸与計画（特定福祉用具販売計画）を作成した際には，これを利用者に交付しなければならない。さらに福祉用具貸与計画については，この利用者に係る介護支援専門員にも交付しなければならない

❺ 福祉用具専門相談員は，福祉用具貸与計画（特定福祉用具販売計画）の作成後，そのモニタリングを行う。ただし，選択制の対象となる福祉用具（対象福祉用具）に係る指定福祉用具貸与の提供にあたっては，福祉用具貸与計画に基づくサービス提供の開始時から6か月以内に少なくとも1回モニタリングを行い，その継続の必要性について検討を行う。対象福祉用具に係る指定特定福祉用具販売の提供にあたっては，特定福祉用具販売計画に記載した目標の達成状況の確認を行う

❻ 福祉用具専門相談員は，福祉用具貸与計画のモニタリングの結果を記録し，この記録をサービスの提供に係る居宅サービス計画を作成した指定居宅介護支援事業者に報告しなければならない

❼ 福祉用具専門相談員は，福祉用具貸与計画のモニタリングの結果を踏まえ，必要に応じてこの福祉用具貸与計画の変更を行う

4 適切な研修の機会の確保ならびに福祉用具専門相談員の知識および技能の向上

　福祉用具貸与事業者に対しては，福祉用具専門相談員の資質向上のために，福祉用具に関する適切な研修の機会を確保しなければならないとされている。
　また，福祉用具専門相談員に対しても，常に自己研鑽に励み，指定福祉用具貸与の目的を達

成するために必要な知識および技能の修得，維持および向上に努めなければならないとされている。

2024（令和6）年度から，一部の福祉用具について，利用者が福祉用具貸与または福祉用具販売のいずれかを選択できることとなり，福祉用具専門相談員は，この選択制について十分な説明を行ったうえで，利用者の選択にあたって必要な情報を提供するとともに，医師や専門職からの医学的所見等を踏まえ，サービス担当者会議等の多職種協議の場で提案を行うこととされていることから，必要な知識および技能の向上が極めて重要となる。

5　継続的なサービス提供体制の確保と業務継続計画の策定

介護保険制度の利用者は，高齢者や障害者など日常生活上の支援が必要な人々であることから，感染症や非常災害の発生により，サービス提供の維持が困難となった場合には，利用者の生命・身体に著しい影響を及ぼすおそれがある。このため，「指定居宅サービス等の事業の人員，設備及び運営に関する基準」において，感染症や非常災害の発生時における，利用者に対するサービスの提供を継続的に実施するための，および非常時の体制で早期の業務再開を図るための計画（業務継続計画（Business Continuity Plan：BCP））の策定，研修の実施，訓練（シミュレーション）の実施等が義務づけられている。

福祉用具専門相談員は，居宅において福祉用具を利用されている高齢者や障害者の安全・安心が確保できるよう危機管理意識の向上とともに，具体的な対応策について準備しなければならない。

4　福祉用具専門相談員の職業倫理と専門性

1　介護保険法の下での介護サービス事業者としての社会的責任の自覚

介護保険法第1条においては，「この法律は，加齢に伴って生ずる心身の変化に起因する疾病等により要介護状態となり，入浴，排せつ，食事等の介護，機能訓練並びに看護及び療養上の管理その他の医療を要する者等について，これらの者が尊厳を保持し，その有する能力に応じ自立した日常生活を営むことができるよう，必要な保健医療サービス及び福祉サービスに係る給付を行うため，国民の共同連帯の理念に基づき介護保険制度を設け，その行う保険給付等に関して必要な事項を定め，もって国民の保健医療の向上及び福祉の増進を図ることを目的とする」と規定されている。したがって，介護保険法の下でのサービスは，この目的を達成するた

め，社会保険方式により，利用者と介護サービス事業者の直接契約に基づいて提供されるものであり，介護サービス事業者は極めて重い社会的責任と法令順守の義務を負っていることを自覚しなければならない。

また，この介護保険制度においては，基本理念として「利用者本位」「高齢者の自立支援」「利用者による選択（自己決定）」が掲げられており，すべての介護サービス事業者およびその従事者は，これらを踏まえたサービス提供を行わなければならない。

このため，「指定居宅サービス等の事業の人員，設備及び運営に関する基準」や「指定介護予防サービス等の事業の人員，設備及び運営並びに指定介護予防サービス等に係る介護予防のための効果的な支援の方法に関する基準」で定められた福祉用具貸与・販売事業の基本方針においては，利用者の心身の状況，希望およびその置かれている環境を踏まえた適切な福祉用具の選定の援助，取り付け，調整等を行うことができるよう，常に自己研鑽に励み，必要な知識および技能の修得，維持および向上に努めなければならないとされている。

さらに2024（令和6）年度より，一部の福祉用具に係る福祉用具貸与と特定福祉用具販売の選択制が導入されたことに伴い，利用者による選択（自己決定）に必要な情報の提供等，福祉用具専門相談員が重要な役割を担うこととなったことから，さらなる社会的責任の自覚が求められる。

2 地域包括ケアシステムの実践者としての医療・介護連携とチームアプローチ

わが国においては，高齢者が住み慣れた地域で安心して暮らし続けられる社会の構築および持続可能な社会保障制度の確立のため，社会保障と税の一体的な改革が進められている。その一環として，地域における医療および介護の総合的な確保をさらに推進するため，2014（平成26）年6月25日に「地域における医療及び介護の総合的な確保を推進するための関係法律の整備等に関する法律」が公布された。これに基づき，効率的かつ質の高い医療提供体制を構築するとともに，日常生活圏域内において，医療，介護，予防，住まい，生活支援サービスが切れ目なく，有機的かつ一体的に提供されるための地域包括ケアシステムの構築が目指される。

介護保険制度では，高齢者の自立支援，介護者の負担軽減を図る観点から「福祉用具貸与」「特定福祉用具販売」「介護予防福祉用具貸与」「特定介護予防福祉用具販売」および「住宅改修」が給付対象サービスとして位置づけられており，在宅介護を行っていくうえで，福祉用具の活用・居住環境の整備として重要な役割を担っている。地域包括ケアシステムにおいても，「それぞれの生活のニーズにあった住まいが提供され，その中で，生活支援サービスを利用しながら個人の尊厳が確保された生活（住まい方）が実現されること」が地域包括ケアシステムの前提条件であり基盤でもあるとされている。

このため，多様なサービス提供主体による保健・医療・福祉にわたる各サービスが総合的，一体的，効果的，効率的に提供されるサービス体制を構築していく必要があることから，介護サービス事業者は，こうしたチームケアのなかの一員としての責任も負うこととなる。

3 福祉用具専門相談員としての職業倫理の確立と専門性の向上

どのようなサービスであれ，職業としてサービスを提供する者は，高いレベルの専門知識と技術を有することはいうまでもなく，職業倫理の確立とともに，スキルアップが求められる。介護保険制度の下でのサービス提供にあたっては，常に社会的責務の重さを自覚し，常に利用者・家族はもちろん社会の信頼の確保に努めなければならない。

このため，一般社団法人シルバーサービス振興会では，1988（昭和63）年に，会員はじめシルバーサービスに関係する者が遵守する行動規範として「倫理綱領」を定めるとともに，1989（平成元）年に「シルバーマーク制度」，2004（平成16）年に「福祉用具の消毒工程管理認定制度」を創設している。

また，保健・医療・福祉分野のサービス提供従事者には専門職としての職業倫理が確立されているものが多いが，福祉用具専門相談員にも，福祉用具や住宅改修に係る専門性を高めることはいうまでもなく，利用者が高齢者や障害者等であることを踏まえた極めて高度な職業倫理が求められている。このため，一般社団法人全国福祉用具専門相談員協会は，2008（平成20）年に「倫理綱領」を採択し，福祉用具専門相談員としての職業倫理の規範を示している。

一般社団法人全国福祉用具専門相談員協会　倫理綱領

わたくしたち福祉用具専門相談員は，高齢者，障害者，その家族等の方々（以下「利用者等」という。）が，福祉用具を利用される際に，福祉用具にかかる専門的知識，技術等をもって相談援助，適合等を行うとともに，福祉用具の導入後も適切な利用についてサポートする専門職です。

介護保険のスタートとともに福祉用具サービスが制度に位置づけられましたことから，その利用は順調に拡大していますが，少子高齢化に伴う社会的な介護力の低下や介護ニーズの多様化に伴って福祉用具の必要性が高まり，それに関わる福祉用具専門相談員の職務領域も急速に広がりを見せており，その役割と責任は益々重要性を増しています。

福祉用具専門相談員は，このような社会的な要請に応えるために，福祉用具の利用者等の尊厳を重んじ，住みなれた地域や環境で，自立した生活を支援するための最適な福祉用具サービスの提供に努める必要があります。

全国福祉用具専門相談員協会では，ここに「福祉用具専門相談員の倫理綱領」を定めて，福祉用具の専門職としての立場を明確にし，会員一人ひとりがこれを遵守し，自らの専門性を高めて福祉用具サービスの提供に努めていくものとします。

1．法令遵守

福祉用具専門相談員は，福祉用具サービスの提供において，法令等を遵守しなければならない。

2．平等原則
　福祉用具専門相談員は，人の尊厳を守り，人種，性別，思想，信条，社会的身分，門地等によって差別してはならない。

3．守秘義務
　(1) 福祉用具専門相談員は，利用者等から情報を得る場合，業務上必要な範囲にとどめ，その秘密を保持する。
　(2) 福祉用具専門相談員は，業務上で利用者等の個人情報を用いる場合は，あらかじめ同意を得なければならない。
　(3) 福祉用具専門相談員は，業務上で知りえた利用者等の個人情報については，業務を退いた後もその秘密を保持する。

4．説明責任
　福祉用具専門相談員は，福祉用具の利用者等が福祉用具を利用する際に必要となる情報を，分かりやすい表現や方法等を用いて提供し，同意を得なければならない。

5．不当な報酬・利益供与の禁止
　福祉用具専門相談員は，福祉用具の利用者等から不当な報酬を得てはならない。また，関係者に対して，金品その他の財産上の利益を供与してはならない。

6．利用者情報の活用
　福祉用具専門相談員は，福祉用具の利用者等とのコミュニケーションを重視して，福祉用具に関わる要望や苦情等の情報を理解するとともに，今後の福祉用具の適正な使用や開発等に有効に活用するよう努める。

7．多職種との連携
　福祉用具専門相談員は，福祉用具の利用者等に質の高い福祉用具サービスを総合的に提供していくため，福祉，保健，医療，その他関連する専門職と連携を深めることに努める。

8．普及・啓発
　福祉用具専門相談員は，常に福祉用具に係る調査・研究や普及・啓発に心掛けるとともに，利用者等に対して利便性の高い福祉用具サービスの提供に努める。

9．専門性の向上
　福祉用具専門相談員は，常に福祉用具の専門的な知識・技術等の研鑽に励むとともに，後進を育成し，専門職としての社会的信用を高めるよう努める。

10．社会貢献
　福祉用具専門相談員は，常に福祉用具サービスの充実を図るとともに，利用者等に対し自己及び所属する組織がもつ知識，技術等を積極的に提供して社会貢献に努める。

平成20年6月25日採択

4　福祉用具専門相談員の多職種連携について

　利用者の医療機関等からの退院・退所では，指定居宅介護支援事業者に退院・退所加算が算定される。その要件の一つが，介護支援専門員の退院・退所時のカンファレンス参加である。
　退院・退所となれば，福祉用具の導入などが図られるケースも多いと考えられる。そのため，指定居宅介護支援事業者側の退院・退所加算について，「必要に応じてカンファレンスに福祉用

具専門相談員が参加すること」が要件となっている。

また、間接的ではあるが、通所系サービスでの入浴介助加算においても、（自宅での入浴環境をめぐり）福祉用具専門相談員の、医師やリハビリテーション職との連携が強化されている。

5 今後の福祉用具専門相談員の方向性

今後、都市部を中心とした高齢化が急速に進むなか、国においては持続可能な社会保障制度の確立が急務であり、社会保障と税の一体的な改革が進められている。このため、地域における医療および介護の総合的な確保をさらに推進することを目的として、2014（平成26）年6月25日に「地域における医療及び介護の総合的な確保を推進するための関係法律の整備等に関する法律」が公布された。これに基づき、効率的かつ質の高い医療提供体制を構築するとともに、日常生活圏域内において、医療、介護、予防、住まい、生活支援サービスが切れ目なく、有機的かつ一体的に提供されるための地域包括ケアシステムの構築が目指されている。

この地域包括ケアシステムの原典となる「地域包括ケア研究会報告書」（2013（平成25）年3月）においても、「それぞれの生活のニーズにあった住まいが提供され、その中で、生活支援サービスを利用しながら個人の尊厳が確保された生活（住まい方）が実現されること」が地域包括ケアシステムの前提条件であり基盤でもあるとされている。こうした地域包括ケアシステムにおける「住まい（住まい方）」としては、住み慣れた自宅（地域）でできる限り自立して住み続けることができ、家族等の介護も受けやすい環境を整えていくために、住まう場所としての住宅の確保に加え、住宅改修や福祉用具の活用といった居住環境整備が極めて重要になってくる。

こうした方向性を踏まえ、介護保険制度は、福祉用具専門相談員の資質向上に関する事項をはじめとして、適宜見直されてきている。2012（平成24）年度より福祉用具専門相談員が利用者ごとに「福祉用具サービス計画」を作成することが義務づけられた。また、社会保障審議会介護保険部会の「介護保険制度の見直しに関する意見」（平成25年12月20日）において、福祉用具専門相談員のさらなる専門性向上等の観点から、「福祉用具貸与事業所に配置されている福祉用具専門相談員の一部について、より専門的知識及び経験を有する者の配置を促進していくことについて検討する必要がある」とされた。このように福祉用具専門相談員は、介護支援専門員等の専門家との円滑な情報の共有を図ることの重要性が高まっている。

2015（平成27）年度には、福祉用具専門相談員の資質の向上の観点から、指定講習カリキュラムが見直されるとともに、福祉用具貸与（販売）に関する必要な知識の修得および能力の向上に常に努めなければならないとする自己研鑽の努力義務規定が設けられた。

2018（平成30）年度からは、介護サービスの適正化・重点化を通じた制度の安定性・持続可

能性の確保の観点から，全国平均貸与価格の公表や貸与価格の上限設定が適用されること，利用者が適切な福祉用具を選択する観点から，福祉用具専門相談員に対して，貸与しようとする商品の特徴や貸与価格に加え，当該商品の全国平均貸与価格を利用者に説明すること，機能や価格帯の異なる複数の商品を利用者に提示すること，および利用者に交付する福祉用具貸与計画書を介護支援専門員にも交付することなどといった規定が定められることとなった。

また，2022（令和4）年2月に設置された「介護保険制度における福祉用具貸与・販売種目のあり方検討会」での審議結果を受け，一部の福祉用具に係る貸与と販売の選択制が導入されるとともに，モニタリング実施時期の明確化，福祉用具の安全利用の促進，福祉用具に係る事故情報のインターネット公表，福祉用具専門相談員指定講習カリキュラムの見直し，福祉用具の選定の判断基準の見直し等が実施されており，福祉用具専門相談員の質の向上はますます重要となる。

福祉用具については，2018（平成30）年10月から，商品ごとに全国平均貸与価格の公表および貸与価格の上限が設定されることになり，貸与価格の適正化が図られてきている。

施行当初は，施行後の実態も踏まえつつ，おおむね1年に一度の頻度で見直しが行われる予定であったが，事業所の事務負担が大きいことなどの理由から，他のサービスと同様，「3年に一度の頻度」に改正され，2021（令和3）年4月貸与分から適用されることとなった。

これについては，「「福祉用具貸与及び介護予防福祉用具貸与の基準について」の一部改正について」（令和2年6月12日厚生労働省老健局高齢者支援課長通知）が発出され，2021（令和3）年4月貸与分から適用される価格の見直しが図られたうえで，その後は，3年に一度の頻度で見直されることとなった。なお，厚生労働省のホームページで，全国平均貸与価格および貸与価格の上限一覧が公表されている。

このように，福祉用具の適切な利用のためには，福祉用具専門相談員が専門的知識に基づいて利用者またはその家族に助言をし，各専門職と連携を図りながら，適切なアセスメントを行うとともに，利用者の状態を考慮した定期的なマネジメントを適切に行っていく必要がある。そのうえで，個々の利用者の状態像や生活環境の変化に応じ，福祉用具の利用状況を客観的に評価し，関係者間で共有するとともに，継続的にモニタリングを行いながらその効果等に関するデータの蓄積や分析について積極的に取り組んでいく必要がある。

第2章

介護保険制度等に関する基礎知識

第1節 介護保険制度等の考え方と仕組み

- 介護保険制度等の目的と，基本的な仕組みを理解する。
- 地域包括ケアに係る関連施策について理解し，福祉用具専門相談員はその担い手の一員であることを自覚する。
- 地域包括ケアを担う各専門職の役割・責務について理解する。

- 介護保険制度等の理念，給付や認定の方法及び介護サービスの種類・内容を列挙できる。
- 地域包括ケアの理念を概説できる。
- 地域包括ケアの構成要素と，支える主体を列挙できる。
- 地域ケア会議の役割・機能を概説できる。
- 地域包括ケアを担う各専門職の役割・責務を列挙できる。

1 介護保険法

1 介護保険法の目的と理念

　介護保険法には，その目的として第1条に次のように定められている。
　「加齢に伴って生ずる心身の変化に起因する疾病等により要介護状態となり，入浴，排せつ，食事等の介護，機能訓練並びに看護及び療養上の管理その他の医療を要する者等について，これらの者が尊厳を保持し，その有する能力に応じ自立した日常生活を営むことができるよう，必要な保健医療サービス及び福祉サービスに係る給付を行うため，国民の共同連帯の理念に基づき介護保険制度を設け，その行う保険給付等に関して必要な事項を定め，もって国民の保健医療の向上及び福祉の増進を図ること」。
　つまり，介護保険法では，制度の目的として，要介護状態または要支援状態になった者が「尊厳を保持し，その有する能力に応じ自立した日常生活を営むことができるよう，必要な保健医療サービス及び福祉サービスに係る給付を行う」ことを規定し，"高齢者の自立支援"をその理念として掲げている。
　そして，その保険給付にあたっては，「<u>利用者</u>の心身の状況，その置かれている環境等に応じて，<u>利用者</u>の選択に基づき，適切な保健医療サービス及び福祉サービスが，多様な事業者又は施設から，総合的かつ効率的に提供されるよう配慮して行われなければならない」（介護保険法第2条第3項。下線部の「利用者」は法文では「被保険者」）とされ，"利用者本位"のサービス提供や"利用者による選択（自己決定）"が基本的な理念として掲げられているのである。

2 介護保険制度の仕組み

　わが国の急速に進む人口の高齢化を考えたとき，介護は特定の人だけに生じる問題ではなく，誰にでも起こり得る深刻な問題であるといえる。そのため，介護保険制度は国民の連帯と相互扶助を基本とし，保険料の負担と給付の対応関係が明確な「社会保険方式」となっている。

1 保険者

　利用者に最も身近な行政主体である市町村と特別区（以下，「市町村」という）が保険者として介護保険を運営する。そのうえで，国，都道府県，医療保険者，年金保険者が財政面，事務面で市町村を支えることになっている。

2 被保険者

　自らの老後や親の介護が現実的な問題として感じられるようになる40歳以上の者が被保険者である。さらに，被保険者は，①市町村の区域内に住所をもつ65歳以上の者（第1号被保険者），②市町村の区域内に住所をもつ40歳以上65歳未満の医療保険加入者（第2号被保険者）の二つに区分されている（**表2-1-1**）。

3 住所地特例

　指定介護老人福祉施設などの介護保険施設，特定施設および養護老人ホームへの入所により，住所を施設のある市町村に移した被保険者については，住所を移す前の市町村が保険者となる特例が設けられている。これを「住所地特例」といい，介護保険施設のある市町村の介護費用にかかる財政負担が重くなることを避けるための措置となっている。

表2-1-1　第1号被保険者と第2号被保険者

	第1号被保険者	第2号被保険者
対象者	65歳以上の者	40歳以上65歳未満の医療保険加入者
受給権者	・要介護者 ・要支援者	左のうち，初老期における認知症，脳血管疾患等の加齢に伴って生じる疾病によるもの
保険料負担	・原則として各市町村が所得段階に応じた定額保険料を設定 ・低所得者への負担を軽減する一方，高所得者の負担は所得に応じたものとなる	それぞれ加入している医療保険者ごとに設定 ・健保：（標準報酬＋標準賞与）×介護保険料率 　（事業主負担あり） ・国保：所得割，均等割等に按分 　（国庫負担あり）
賦課・徴収方法	年金額が年額18万円以上は年金から天引き（特別徴収），それ以外は普通徴収	医療保険者が医療保険料として徴収し，介護給付費・地域支援事業支援納付金として一括して納付

4 サービスを受けられる者（受給権者）

　市町村から，要介護状態（寝たきりや認知症であったり，入浴，排泄，食事等の日常生活を送るうえで基本的な動作について常に介護が必要であったりする状態），または要支援状態（介護を必要とする状態のその程度を軽減したり，その悪化を防止したりするために特に支援が必要と考えられる状態，または日常生活を送るのに支障があると見込まれる状態）と認定された場合に保険給付を受けることができる。

　なお，要介護状態と認定された人を「要介護者」，要支援状態と認定された人を「要支援者」という。

5 介護サービスを受けるまでの手続き

●要介護（要支援）認定

　要介護状態であるかどうか，要介護状態であれば介護の必要性はどの程度であるのかを判定するのが「要介護認定」である（要支援状態であるかどうか，要支援状態であれば，支援の必要性はどの程度であるのかを判定する場合には，「要支援認定」。以下，「要介護認定等」という）。要介護と認定されれば，その介護の必要性に応じて「要介護1」から「要介護5」までの五つ（これを「要介護状態区分」という）に，要支援と認定されれば「要支援1」と「要支援2」の二つ（これを「要支援状態区分」という）に区分される。要介護・要支援の違いとその区分に応じて，利用できるサービスの種類と量が異なってくる。

　介護サービスを受けるには，被保険者はまず要介護認定等の申請を市町村に行い，認定を受けることが必要となる。申請を受けた市町村は被保険者の心身の状況等を調査（これを「認定調査」という）し，この結果と主治医の意見書を踏まえた介護認定審査会における審査・判定に基づき，市町村が要介護認定等を行う。要介護・要支援の申請から認定までの手続きは**図2-1-1**のような流れで行われる。

　また，介護認定審査会が行う審査判定業務については，複数の市町村による広域的な実施，または都道府県への委託ができる。

　なお，第2号被保険者が認定を受けるためには，要介護状態（もしくは要支援状態）の原因である身体上または精神上の障害が，加齢に伴って生じる疾病であることが必要になる。この疾病を，「特定疾病」といい，これは介護保険法施行令に定められる筋萎縮性側索硬化症などの16の疾病である。

図2-1-1　要介護・要支援の申請から認定まで

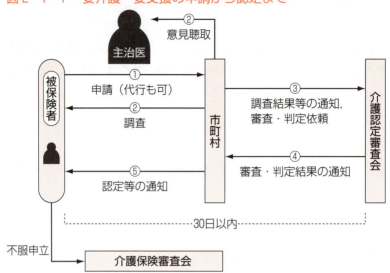

●居宅サービス計画・介護予防サービス計画の作成

　介護保険制度は，基本理念の一つに「(利用者の) 選択に基づき，適切な保健医療サービス及び福祉サービスが，多様な事業者又は施設から，総合的かつ効率的に提供される」ことをあげている。この基本理念を実現するための手法が居宅介護支援と介護予防支援である。

　居宅介護支援とは，居宅（養護老人ホーム，軽費老人ホーム，有料老人ホームにおける居室を含む。以下同じ）で生活する要介護状態と認定された利用者の依頼を受けて，その心身の状況，生活環境，本人やその家族の希望等を考慮したうえで，介護サービスの種類および内容等を決定することである。これらを定めた計画を「居宅サービス計画」といい，この業務にあたる専門職を「介護支援専門員」という。

　介護予防支援の場合，居宅で生活する要支援状態の認定を受けた利用者の依頼を受けて，その心身の状況，生活環境，本人やその家族の希望等を考慮したうえで，介護予防サービスの種類および内容等を決定することである。これらを定めた計画を「介護予防サービス計画」という。なお，「介護予防サービス計画」の作成は，地域包括支援センターの職員のうち，保健師その他介護予防支援に関する知識をもつ者，指定居宅介護支援を行う事業所の介護支援専門員が行う。

▶1　特定疾病
　①がん（医師が一般に認められている医学的知見に基づき回復の見込みがない状態に至ったと判断したものに限る），②関節リウマチ，③筋萎縮性側索硬化症，④後縦靱帯骨化症，⑤骨折を伴う骨粗鬆症，⑥初老期における認知症，⑦進行性核上性麻痺，大脳皮質基底核変性症およびパーキンソン病，⑧脊髄小脳変性症，⑨脊柱管狭窄症，⑩早老症，⑪多系統萎縮症，⑫糖尿病性神経障害，糖尿病性腎症および糖尿病性網膜症，⑬脳血管疾患，⑭閉塞性動脈硬化症，⑮慢性閉塞性肺疾患，⑯両側の膝関節または股関節に著しい変形を伴う変形性関節症

第1節　介護保険制度等の考え方と仕組み

図2-1-2　居宅サービス計画作成の手順

①利用者の状態把握（アセスメント）
　（健康状態，家族の状態等の評価等）

↓

②サービスニーズの把握
　（問題の特定・ニーズの把握）

↓

③サービス担当者会議の運営と今後のサービス提供方針の検討
　（各介護サービス提供者および利用者本人あるいは家族の参加による意見交換等）

↓

④居宅サービス計画の作成
　○介護の基本方針，目標
　○サービス内容（メニュー，量など）

↓

⑤利用者および家族に対する説明と文書による同意

↓

⑥成果に対する評価と再アセスメント

　介護サービスのうち，居宅サービスを利用するには，居宅サービス計画の作成が必要になる。介護支援専門員は，利用者の選択を助けるため，利用者に，地域でサービス事業者等が実施しているサービスの内容，利用料等の情報を提供し，居宅サービス計画を作成する。その作成の手順は，**図2-1-2**のようになる。まず介護支援専門員は利用者の居宅を訪問し，利用者の心身の状況，生活環境等の評価を通じて，解決すべき課題を把握する。次に，それらに基づいて居宅サービス計画の原案を作成し，サービス担当者会議▶2において検討を重ね，居宅サービス計画を決定することになる。決定された居宅サービス計画は，内容，利用料等を利用者またはその家族に説明し，文書による同意を得なければならない。なお，利用者自らが居宅サービス計画を作成し，介護サービスを受けることもできる。

6　保険給付の種類

　保険給付には，市町村から要介護者と認定された場合に受けられる「介護給付」，要支援者と認定された場合に受けられる「予防給付」，要介護状態等の軽減または悪化の防止に資するもの

▶2　介護支援専門員が，居宅サービス計画の作成のために開催する会議。利用者と家族が参加し，原案に盛り込んだ指定居宅サービス等の担当者を招集して行われる。

として条例で定める「市町村特別給付」の三つがある。

「介護給付」「予防給付」「市町村特別給付」には，それぞれ**表2-1-2**に示す種類がある。法律上，介護保険制度では，被保険者が要介護者もしくは要支援者として認定された場合に，介護サービスに要した「費用」を保険給付として受けることができるようになる。つまり，制度上，利用者はサービスを利用するにあたって必要となった費用を支払い，その後，市町村から利用者負担分を除いた費用を受け取る，ということになる（償還払い）。ただし，このうち，「居宅介護サービス費」「地域密着型介護サービス費」「居宅介護サービス計画費」「施設介護サービス費」「特定入所者介護サービス費」「介護予防サービス費」「地域密着型介護予防サービス費」「介護予防サービス計画費」「特定入所者介護予防サービス費」の九つについては，利用者が支払うべき「費用」を，市町村が利用者に代わって介護サービス事業者に支払うことができるとされており，したがって，この場合，利用者には（「費用」ではなく）「サービス」が直接，給付されているということができる（現物給付化）。

表2-1-2　「介護給付」「予防給付」「市町村特別給付」の種類

給　　付	サービスを受けられる者	種　　類
介護給付	要介護者	①居宅介護サービス費 ②特例居宅介護サービス費 ③地域密着型介護サービス費 ④特例地域密着型介護サービス費 ⑤居宅介護福祉用具購入費 ⑥居宅介護住宅改修費 ⑦居宅介護サービス計画費 ⑧特例居宅介護サービス計画費 ⑨施設介護サービス費 ⑩特例施設介護サービス費 ⑪高額介護サービス費 ⑫高額医療合算介護サービス費 ⑬特定入所者介護サービス費 ⑭特例特定入所者介護サービス費
予防給付	要支援者	①介護予防サービス費 ②特例介護予防サービス費 ③地域密着型介護予防サービス費 ④特例地域密着型介護予防サービス費 ⑤介護予防福祉用具購入費 ⑥介護予防住宅改修費 ⑦介護予防サービス計画費 ⑧特例介護予防サービス計画費 ⑨高額介護予防サービス費 ⑩高額医療合算介護予防サービス費 ⑪特定入所者介護予防サービス費 ⑫特例特定入所者介護予防サービス費
市町村特別給付	要介護者または要支援者	介護給付，予防給付のほか，条例で定めるもの

_____は「現物給付化」が可能なもの

●介護給付

表2-1-2に示したもののうち，ここでは，主要な，居宅介護サービス費，地域密着型介護サービス費，居宅介護福祉用具購入費，居宅介護住宅改修費，居宅介護サービス計画費，施設介護サービス費，高額介護サービス費について述べる。

●居宅介護サービス費

次の居宅サービスを，都道府県知事が指定した指定居宅サービス事業者から受けた場合に支払われる費用。

1. 訪問介護
2. 訪問入浴介護
3. 訪問看護
4. 訪問リハビリテーション
5. 居宅療養管理指導
6. 通所介護
7. 通所リハビリテーション
8. 短期入所生活介護
9. 短期入所療養介護
10. 特定施設入居者生活介護
11. 福祉用具貸与

●地域密着型介護サービス費

次の地域密着型サービスを，市町村長が指定した指定地域密着型サービス事業者から受けた場合に支払われる費用。

1. 定期巡回・随時対応型訪問介護看護
2. 夜間対応型訪問介護
3. 地域密着型通所介護
4. 認知症対応型通所介護
5. 小規模多機能型居宅介護
6. 認知症対応型共同生活介護
7. 地域密着型特定施設入居者生活介護
8. 地域密着型介護老人福祉施設入所者生活介護
9. 複合型サービス（看護小規模多機能型居宅介護）

- **居宅介護福祉用具購入費**

    入浴または排泄等に使用する福祉用具（特定福祉用具）を購入した場合に支払われる費用。

- **居宅介護住宅改修費**

    手すりの取り付け等の住宅改修を行った場合に支払われる費用。

- **居宅介護サービス計画費**

    市町村長が指定した指定居宅介護支援事業者から居宅介護支援を受けた場合に支払われる費用。

- **施設介護サービス費**

    次の施設サービスを受けた場合に支払われる費用。ただし，居住費，食事の提供に必要な費用，理美容代等，日常生活に要する費用は除く。

    ❶ 介護福祉施設サービス（指定介護老人福祉施設）
    ❷ 介護保健施設サービス（介護老人保健施設）
    ❸ 介護医療院サービス（介護医療院）

- **高額介護サービス費**

    利用者の自己負担が著しく高額になる場合に支払われる費用。

● **予防給付**

　予防給付のうち，ここでは，介護予防サービス費，地域密着型介護予防サービス費，介護予防福祉用具購入費，介護予防住宅改修費，介護予防サービス計画費，高額介護予防サービス費について取り上げる。

- **介護予防サービス費**

    次の介護予防サービスを，都道府県知事が指定した指定介護予防サービス事業者から受けた場合に支払われる費用。

    ❶ 介護予防訪問入浴介護
    ❷ 介護予防訪問看護
    ❸ 介護予防訪問リハビリテーション
    ❹ 介護予防居宅療養管理指導
    ❺ 介護予防通所リハビリテーション
    ❻ 介護予防短期入所生活介護
    ❼ 介護予防短期入所療養介護

> ⑧ 介護予防特定施設入居者生活介護
>
> ⑨ 介護予防福祉用具貸与

- **地域密着型介護予防サービス費**

　次の地域密着型介護予防サービスを，市町村長が指定した指定地域密着型介護予防サービス事業者から受けた場合に支払われる費用。

> ① 介護予防認知症対応型通所介護
>
> ② 介護予防小規模多機能型居宅介護
>
> ③ 介護予防認知症対応型共同生活介護

- **介護予防福祉用具購入費**

　入浴または排泄等に使用する福祉用具（特定介護予防福祉用具）を購入した場合に支払われる費用。

- **介護予防住宅改修費**

　手すりの取り付け等の住宅改修を行った場合に支払われる費用。

- **介護予防サービス計画費**

　市町村長が指定した指定介護予防支援事業者から介護予防支援を受けた場合に支払われる費用。

- **高額介護予防サービス費**

　利用者の自己負担が著しく高額になる場合に支払われる費用。

- **市町村特別給付**

　市町村は，「介護給付」「予防給付」のほかに条例により独自の保険給付を行うことができる（市町村特別給付）。具体的には配食サービス等が考えられる。

7　介護報酬

　すでに述べたように，介護保険制度では，利用者は介護サービスに要した「費用」を保険給付として受け取ることができる。この「費用」の額は，サービスの種類ごとに，サービスの内容もしくは要介護状態区分，または要支援状態区分によって決められている単位数に1単位の単価を掛けて算出される。1単位の単価は基本的に10円となっているが，地域における人件費等を考慮し，サービスの種類ごとに八つの地域区分によって加重された単価が設けられている。なお，この単位数は「厚生労働大臣が定める基準」により定められている。この基準に基

づいて事業者が介護サービスを提供した場合に，その対価として支払われる報酬のことを「介護報酬」という。

また，福祉用具購入費および住宅改修費については，支給限度基準額（後出）の範囲内で，実際の介護サービスに要した費用が支給される。なお，実際の介護サービスに要した費用が介護報酬より少ない場合には，実際に必要となった費用が保険給付として支給される。

8 居宅介護サービス費および地域密着型介護サービス費における区分支給限度基準額

区分支給限度基準額とは，保険給付として支給される居宅介護サービス費および地域密着型介護サービス費の，1か月の総額の上限である。これは要介護度ごとに定められており（**表2-1-3**），したがって，利用者は1か月に利用することのできる居宅サービスおよび地域密着型サービスのサービス量が決められていることになる。一方で，区分支給限度基準額の範囲内であれば，利用者は基本的にこれらのサービスを自由に組み合わせて利用できる。

区分支給限度基準額は，サービスの代替性（あるサービスが利用できないときにほかのサービスで代えることができるかどうか）を考えていくつかのサービスがまとめられ，その区分ごとに定められている。具体的には，利用者が，訪問介護，訪問入浴介護，訪問看護，訪問リハビリテーション，通所介護，通所リハビリテーション，短期入所生活介護，短期入所療養介護，特定施設入居者生活介護（利用期間を定めて行うものに限る），福祉用具貸与，定期巡回・随時対応型訪問介護看護，夜間対応型訪問介護，地域密着型通所介護，認知症対応型通所介護，小

表2-1-3　居宅サービスの区分支給限度基準額

要介護度	居宅サービスの区分支給限度基準額
要介護1	16,765単位／月
要介護2	19,705単位／月
要介護3	27,048単位／月
要介護4	30,938単位／月
要介護5	36,217単位／月

▶3　指定居宅サービスに要する費用の額の算定に関する基準（平成12年2月10日厚生省告示第19号）
　　指定居宅介護支援に要する費用の額の算定に関する基準（平成12年2月10日厚生省告示第20号）
　　指定施設サービス等に要する費用の額の算定に関する基準（平成12年2月10日厚生省告示第21号）
　　指定介護予防サービスに要する費用の額の算定に関する基準（平成18年3月14日厚生労働省告示第127号）
　　指定介護予防支援に要する費用の額の算定に関する基準（平成18年3月14日厚生労働省告示第129号）
　　指定地域密着型サービスに要する費用の額の算定に関する基準（平成18年3月14日厚生労働省告示第126号）
　　指定地域密着型介護予防サービスに要する費用の額の算定に関する基準（平成18年3月14日厚生労働省告示第128号）

規模多機能型居宅介護，認知症対応型共同生活介護（利用期間を定めて行うものに限る），地域密着型特定施設入居者生活介護（利用期間を定めて行うものに限る），複合型サービス（看護小規模多機能型居宅介護）を利用する場合には，その費用の総額（保険給付と自己負担の合計），つまり，利用できるサービス量があらかじめ決定されている。

　なお，居宅療養管理指導，認知症対応型共同生活介護（上記を除く），特定施設入居者生活介護（上記を除く），地域密着型特定施設入居者生活介護（上記を除く），地域密着型介護老人福祉施設入所者生活介護については，ほかの代替サービスがないことから，区分支給限度基準額は定められていない。

　また，居宅介護福祉用具購入費については，同一年度で1種目1回に限り10万円まで，居宅介護住宅改修費については，同一住宅で20万円までの支給限度基準額が定められている。

9 介護予防サービス費および地域密着型介護予防サービス費における区分支給限度基準額

　介護予防サービスについても同じように，保険給付として支給される介護予防サービス費および地域密着型介護予防サービス費の区分支給限度基準額が決められている（**表2-1-4**）。区分支給限度基準額は，サービスの代替性を考えていくつかのサービスがまとめられ，その区分ごとに定められている。具体的には，利用者が，介護予防訪問入浴介護，介護予防訪問看護，介護予防訪問リハビリテーション，介護予防通所リハビリテーション，介護予防短期入所生活介護，介護予防短期入所療養介護，介護予防福祉用具貸与，介護予防認知症対応型通所介護，介護予防小規模多機能型居宅介護，介護予防認知症対応型共同生活介護（利用期間を定めて行うものに限る）を利用する場合には，その費用の総額（保険給付と自己負担の合計），つまり，利用できるサービス量があらかじめ決定されている。

　また，介護予防福祉用具購入費については，同一年度で1種目1回に限り10万円まで，介護予防住宅改修費については，同一住宅で20万円までの支給限度基準額が定められている。

表2-1-4　介護予防サービスの区分支給限度基準額

要支援度	介護予防サービスの区分支給限度基準額
要支援1	5,032単位／月
要支援2	10,531単位／月

10 利用者負担（自己負担）

　介護保険制度では，サービスを利用する人としない人との負担の公平性を図り，サービスの

利用について費用意識を喚起するという観点から，利用者負担が設けられている。利用者負担は，前述の区分支給限度基準額の範囲内で，原則としてサービスに必要となった費用の1割である。ただし，一定以上の所得のある第1号被保険者については，自己負担が2割もしくは3割となる。その際，利用者負担の額が一定の上限額を超えた場合には，高額介護サービス費，高額介護予防サービス費が給付される。また，居宅サービス計画と介護予防サービス計画の作成にかかる費用は，全額が保険給付となるため，自己負担はない。

なお，食事の提供に必要となった費用，理美容代などの日常生活に必要となる費用などは全額が自己負担となる。

11 地域支援事業

地域支援事業は，介護予防・日常生活支援総合事業，包括的支援事業，任意事業の三つで構成されている（**図2-1-3**）。

●目的

利用者が要介護状態等となることを予防し，要介護状態等の軽減や悪化の防止を行い，要

図2-1-3 地域支援事業の全体像

```
介護予防・日常生活支援総合事業
（要支援1～2，それ以外の者）
○サービス・活動事業
  ・訪問型サービス  ・生活支援サービス（配食等）
  ・通所型サービス  ・介護予防ケアマネジメント
○一般介護予防事業

包括的支援事業
○地域包括支援センターの運営
  ・総合相談支援事業，権利擁護事業，包括的・継続的ケアマネジメント
    支援事業
  ・第1号介護予防支援事業（居宅要支援被保険者を除く）
○在宅医療・介護連携推進事業
○生活支援体制整備事業
  （生活支援コーディネーターの配置，協議体の設置等）
○認知症総合支援事業
  （認知症初期集中支援チーム，認知症地域支援推進員等）
○地域ケア会議推進事業

任意事業
○介護給付等費用適正化事業
○家族介護支援事業　○その他の事業
```

介護状態等となった場合でも地域において自立した日常生活を送ることができるよう支援する。

● 実施主体

実施主体は市町村である。

● 事業内容

★ 介護予防・日常生活支援総合事業

かつては任意事業であったが，現在は必須事業として次の事業を展開している。

● サービス・活動事業

> ❶ 訪問型サービス
>
> 　介護予防を目的として居宅において日常生活上の支援を行う。従来の介護予防訪問介護のほか，市町村から委託を受けた一般事業者や住民組織・ボランティアによる訪問サービス（生活援助）などがある。
>
> ❷ 通所型サービス
>
> 　介護予防を目的として施設において日常生活上の支援または機能訓練を行う。従来の介護予防通所介護のほか，市町村から委託を受けた一般事業者や住民組織・ボランティアによる通所サービスなどがある。
>
> ❸ その他生活支援サービス
>
> 　上記❶，❷等と一体的に行われる場合に効果がある地域における自立した日常生活の支援を行う。具体的には，配食サービスや見守り活動などのサービスがある。
>
> ❹ 介護予防ケアマネジメント
>
> 　介護予防を目的として利用者の心身の状況，置かれている環境等に応じて，上記❶〜❸等の事業が包括的かつ効率的に提供されるよう必要な援助を行う。

● 一般介護予防事業

　第1号被保険者の要介護状態等になることの予防，またその軽減や悪化の防止のため必要な事業を行う。介護予防把握事業（何らかの支援を必要とする高齢者を早期に把握し，介護予防活動へつなげる事業），介護予防普及啓発事業（介護予防に関する知識等の普及・啓発），地域介護予防活動支援事業（地域における住民主体の介護予防の活動の育成支援），一般介護予防事業評価事業（一般介護予防事業の成果の把握や評価のための事業），地域リ

ハビリテーション活動支援事業（住民や介護職員等への介護予防に関する技術的助言などを行う事業）がある。

★ 包括的支援事業

● 第1号介護予防支援事業

介護予防・生活支援サービス事業対象者に対するケアプランの作成や，適切な事業が包括的・効率的に実施されるよう必要な援助を行う。

● 総合相談支援事業

利用者の心身の状況や居宅での生活の実態，必要な支援等を把握し，相談を受け，保健・医療・福祉サービス，関係機関等につなげる支援等を行う。

● 権利擁護事業

利用者の権利擁護のために必要な援助を行う。具体的には，成年後見制度の活用促進や高齢者虐待への対応等を行う。

● 包括的・継続的ケアマネジメント支援事業

保健医療および福祉の専門的知識を有する者による，利用者の居宅サービス計画および施設サービス計画の検証，その心身やサービスの利用状況に関する定期的な協議，地域の多職種間ネットワークの構築などを通じて，利用者が住み慣れた地域で自立した生活を送ることができるよう，介護支援専門員（ケアマネジャー）に対する支援等を行う。

● 在宅医療・介護連携推進事業

在宅医療と介護を一体的に提供するために，医療機関と介護事業所等の関係者の連携を推進する。具体的には，地域の医療・介護の資源の把握，在宅医療・介護連携に関する相談支援（在宅医療・介護連携支援センターの設置），関係者の研修等がある。

● 生活支援体制整備事業

市町村が中心となって，NPO法人，民間企業，協同組合，ボランティア等と連携しながら，医療・介護のみならず，多様な日常生活上の支援体制の充実・強化および高齢者の社会参加の推進を一体的に行う。具体的には，生活支援コーディネーター（地域支え合い推進員）の配置や関係者間の定期的な情報の共有・連携強化の場（協議体）の設置等がある。

● 認知症総合支援事業

保健医療および福祉に関する専門的知識を有する者によって，早期における認知症の悪化防止のための支援，その他の認知症またはその疑いのある利用者に対する総合的な支援を，以下の三つの事業を通じて行う。認知症初期集中支援推進事業は，認知症初期集中支援チームを設置し，認知症の早期診断・早期対応に向けた支援体制を構築する。認知症地域支援・ケア向上事業は，認知症地域支援推進員を配置し，必要なサービスが有機的に連携したネットワークの構築と認知症ケアの向上を図る。認知症サポーター活動促進・地域

第1節 介護保険制度等の考え方と仕組み

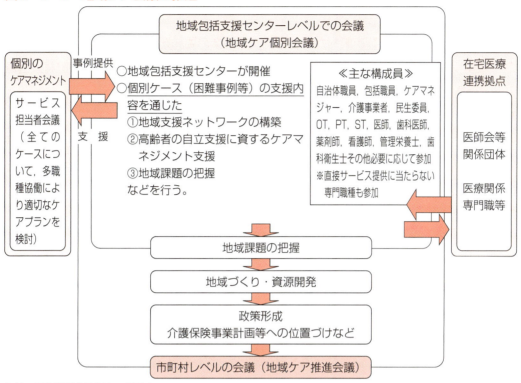

図2-1-4 地域ケア会議の推進

資料：厚生労働省資料を一部改変。

づくり推進事業では，認知症の人やその家族の支援ニーズと認知症サポーターを中心とした支援をつなぐ仕組み（チームオレンジ）を地域ごとに構築する。

● 地域ケア会議推進事業

市町村が設置主体となり，包括的・継続的ケアマネジメント支援事業を効果的に実施するために必要な検討を行うとともに，地域において自立した日常生活を営むために必要な支援体制に関する検討を行う（**図2-1-4**）。

★ 任意事業

そのほかに，市町村による任意的事業として，介護給付等費用適正化事業，家族介護支援事業などを行うことができる。

● 地域包括支援センター

★ 目的

地域包括支援センターは，地域住民の心身の健康の保持および生活の安定のために必要な援助を行うことにより，地域住民の保健医療の向上および福祉の増進を包括的に支援することを目的として，包括的支援事業等を地域において一体的に実施する役割を担う中核的機関

として設置される。

★ **設置者**

　設置者は，市町村，および市町村から包括的支援事業の委託を受けた老人介護支援センターの設置者，地方自治法に規定される一部事務組合または広域連合を組織する市町村，医療法人，社会福祉法人などとされている。

★ **事業内容**

　包括的支援事業の四つの事業（第1号介護予防支援事業，総合相談支援事業，権利擁護事業，包括的・継続的ケアマネジメント支援事業）を一体的に行うほか，在宅医療・介護連携推進事業，生活支援体制整備事業，認知症総合支援事業の三つの事業も行う。市町村長の指定を受けて，指定介護予防支援事業者として予防給付のケアマネジメント（介護予防支援）も行う。また，市町村から，介護予防・日常生活支援総合事業の一部を受託して実施することもできる。

★ **事業の定期点検等**

　地域包括支援センターの設置者は，自ら事業の質に関して評価等を行い，事業の質の向上を図らなければならない。その一方で，市町村は地域包括支援センターが実施する事業の実施状況を定期的に点検し，必要な措置を講じなければならない。また，市町村は地域包括支援センターが設置されたとき，その事業内容および運営状況を必要に応じて公表するよう努める。

　また，地域包括支援センターは，上記の事業を有効に機能させるために，専門職種（保健師，社会福祉士，主任介護支援専門員等）が職員として配置され，多職種が，その専門知識や技能を互いに活かしながら，連携（チームケア）によって，事業を展開するものである。

12 介護サービス情報の公表

　介護サービス事業者は「介護サービス情報」を都道府県知事に報告し，都道府県知事は当該報告の内容を公表することを義務づけられている。「介護サービス情報」とは，「介護サービスの内容および介護サービスを提供する事業者又は施設の運営状況に関する情報であって，介護サービスを利用し，又は利用しようとする要介護者等が適切かつ円滑に当該介護サービスを利用する機会を確保するために公表されることが必要なもの」とされている。

　具体的には，報告が必須の「基本情報」と「運営情報」，報告が任意の「任意報告情報」で構成され，サービスごとに厚生労働省令で定められている（**図2-1-5**）。

第1節 介護保険制度等の考え方と仕組み

図2-1-5 介護サービス情報の公表の仕組み

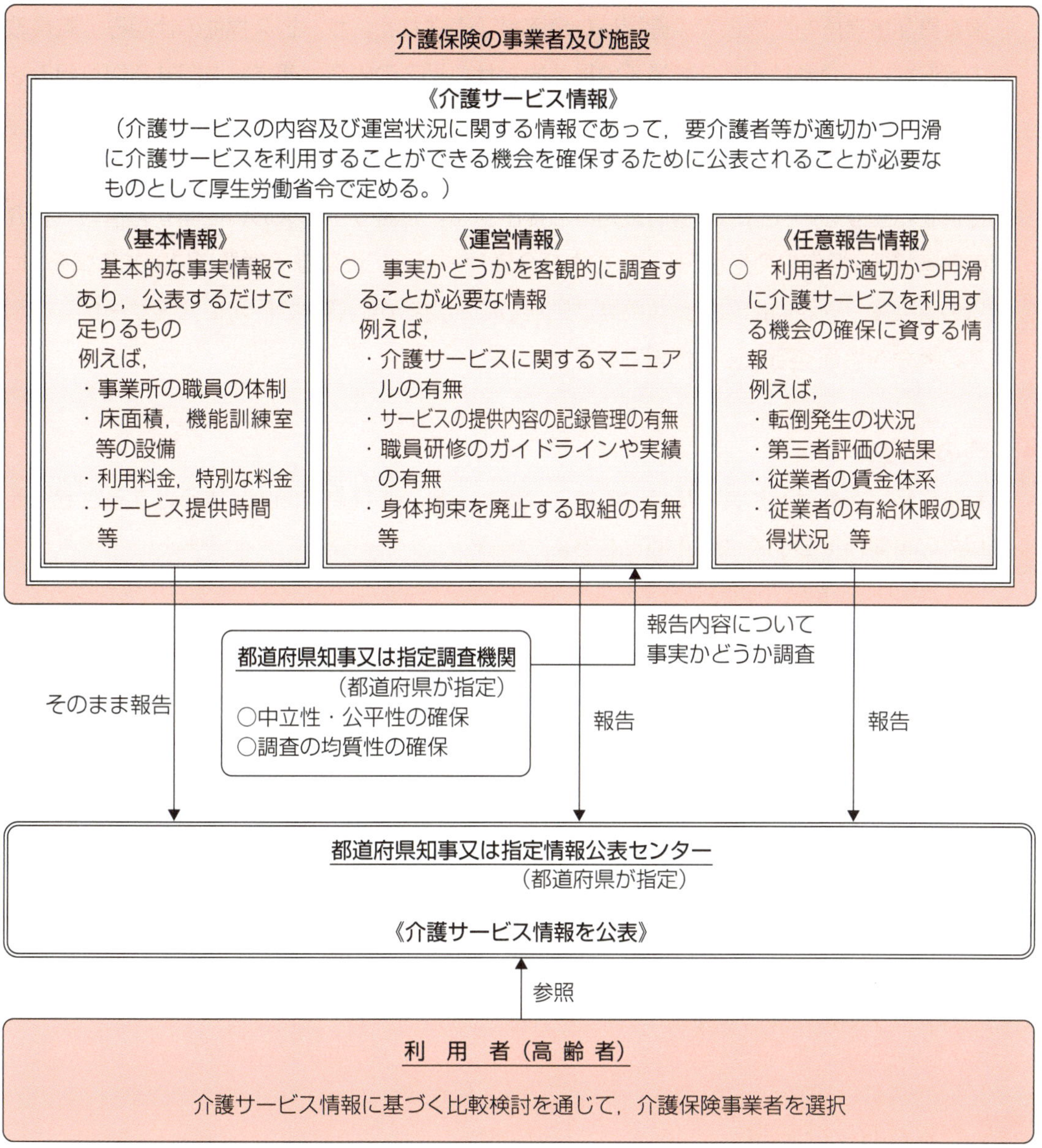

介護保険の事業者及び施設

《介護サービス情報》
（介護サービスの内容及び運営状況に関する情報であって，要介護者等が適切かつ円滑に介護サービスを利用することができる機会を確保するために公表されることが必要なものとして厚生労働省令で定める。）

《基本情報》
○ 基本的な事実情報であり，公表するだけで足りるもの
例えば，
・事業所の職員の体制
・床面積，機能訓練室等の設備
・利用料金，特別な料金
・サービス提供時間 等

《運営情報》
○ 事実かどうかを客観的に調査することが必要な情報
例えば，
・介護サービスに関するマニュアルの有無
・サービスの提供内容の記録管理の有無
・職員研修のガイドラインや実績の有無
・身体拘束を廃止する取組の有無 等

《任意報告情報》
○ 利用者が適切かつ円滑に介護サービスを利用する機会の確保に資する情報
例えば，
・転倒発生の状況
・第三者評価の結果
・従業者の賃金体系
・従業者の有給休暇の取得状況 等

都道府県知事又は指定調査機関
（都道府県が指定）
○中立性・公平性の確保
○調査の均質性の確保

報告内容について事実かどうか調査

そのまま報告　　報告　　報告

都道府県知事又は指定情報公表センター
（都道府県が指定）
《介護サービス情報を公表》

参照

利 用 者（高齢者）
介護サービス情報に基づく比較検討を通じて，介護保険事業者を選択

資料：厚生労働省資料を一部改変。

● 「介護サービス情報」の内容
★ 基本情報

　事業所自らが記入し，それがそのまま公表される。事業所の連絡先のほか，サービス従事者の数や料金体系，居室面積，個室の有無のほか，「サービスの利用を制限する場合がある利用者の状況」などのように，あらかじめ利用者に知らせておく必要のあるものなど，公表するだけで十分な情報である。

★ 運営情報
調査員が事業所を訪問して，確認した事実が公表される。サービス提供の仕組み，職員教育の状況など，介護サービス事業所の具体的なサービスの内容，運営等に関する取り組みを利用者が把握するための情報である。

★ 任意報告情報
提供を希望する事業者が都道府県知事に提出する。介護サービスの質に関する情報（要介護の改善状況，褥瘡の発生状況など）および介護サービスに従事する従業者に関する情報（従業者の離職率，勤務時間，賃金体系など）として利用者が適切かつ円滑に介護サービスを利用する機会を確保するための情報である。

● 公表の頻度
新たに指定を受けた事業所については，介護サービスの提供を開始しようとするとき，それ以外の事業所については年1回となる。

● 公表の方法

★ インターネットによる公表
多くの事業者の情報のなかから，利用者が必要な情報を取り出し，適切に比較検討することができるよう，インターネットを通じて公表される。

★ 事業者による公表
事業所内，または施設内での掲示，もしくは重要事項説明書に添付される。原則として，重要事項はウェブサイトに掲載しなければならない。

★ そのほかの方法
紙媒体による情報提供や閲覧など。

13 事業者および施設

● 事業者および施設の指定
保険給付は，原則として，居宅サービス，施設サービスおよび介護予防サービスについては都道府県知事から指定（ただし，介護老人保健施設および介護医療院については，都道府県知事の許可）を受けた指定居宅サービス事業者，指定施設および指定介護予防サービス事業者によってサービスを提供された場合に支払われ，地域密着型サービスおよび地域密着型介護予防サービスについては市町村長から指定を受けた指定地域密着型サービス事業者および指定地域密着型介護予防サービス事業者によってサービスを提供された場合に支払われ

る。

　都道府県知事および市町村長の指定については，厚生労働省令で定めるところにより，居宅サービス，介護予防サービスおよび地域密着型サービス，地域密着型介護予防サービスの場合は事業を行う者の申請，介護老人福祉施設の場合は入所定員30人以上の特別養護老人ホームの開設者の申請，地域密着型介護老人福祉施設入所者生活介護を行う事業の場合は入所定員29人以下の特別養護老人ホームの開設者の申請により行われる。なお，市町村長は，定期巡回・随時対応型訪問介護看護等の見込量の確保および質の向上のために特に必要があると認める場合は，一定の条件のもと，公募によって指定地域密着型サービス事業者の指定を行う。

　事業者および施設の指定については，有効期間が設けられており，6年ごとに更新を受けなければその指定の効力は失われることになる。

●みなし指定

　ただし，介護保険法による指定を受けずとも，他の法律や規定による指定等がなされたときに，あわせて介護保険法に基づく指定を受けたと「みなされる」場合がある。それは，①健康保険法の規定に基づく保険医療機関の指定があった，病院，診療所による居宅療養管理指導，訪問看護，訪問リハビリテーション，通所リハビリテーション，短期入所療養介護（療養病床を有する病院または診療所により行われるものに限る）および介護予防居宅療養管理指導，介護予防訪問看護，介護予防訪問リハビリテーション，介護予防通所リハビリテーション，介護予防短期入所療養介護（療養病床を有する病院または診療所により行われるものに限る），②健康保険法の規定に基づく保険薬局の指定があった薬局による居宅療養管理指導および介護予防居宅療養管理指導，③介護老人保健施設および介護医療院による短期入所療養介護，訪問リハビリテーション，通所リハビリテーションおよび介護予防短期入所療養介護，介護予防訪問リハビリテーション，介護予防通所リハビリテーションである。

●事業者および施設にかかる基準

　事業者および施設にかかる基準については，2013（平成25）年6月の「地域の自主性及び自立性を高めるための改革の推進を図るための関係法律の整備に関する法律」（地方分権一括法）の成立によって，従来は厚生労働省令で定められていた基準の一部が，都道府県または市町村が「条例で定める基準」に委任されることとなった。

　「条例で定める基準」には，それぞれのサービスおよび施設の特性などに応じて，事業所（施設）ごとにおくべき従業者の数や設備，運営などに関する基準が「厚生労働省令で定める基準」により定められている。これを満たさなければサービスを提供するための指定を受けら

れず，また，運営の開始後，基準に違反することが明らかになった場合には，都道府県知事（地域密着型（介護予防）サービスおよび介護予防支援にあっては市町村長）による指導などの対象となり，この指導などに従わない場合には，指定を取り消されることがある。

●基準該当サービス

居宅サービス事業の一部，居宅介護支援事業，介護予防サービス事業の一部，介護予防支援事業については，上記の基準をすべて満たさずとも，市町村が，そのサービスが一定水準を満たすと認めた事業者によって提供されるサービスを，「基準該当サービス」として保険給付の対象としている。

14 保険料

保険料は，第1号被保険者，第2号被保険者によって異なる。

●第1号被保険者の保険料

第1号被保険者の保険料は，市町村ごとに所得段階（原則13段階）に応じて定額が設定される。この額は，保険給付の対象サービスの見込み量等に基づいて算定した保険給付に必要な費用等から算出され，おおむね3年を通じ財政の均衡を保つものでなければならない。

●第2号被保険者の保険料

第2号被保険者の保険料は，介護給付費・地域支援事業支援納付金として医療保険者に賦課され，第2号被保険者がそれぞれ加入する医療保険の保険者が，第2号被保険者の負担すべき費用を一括納付している。従来，その額は「加入者一人あたりの負担見込額×加入者（被保険者）数」に応じて決められていたが，2017（平成29）年の介護保険制度改正により，被

▶4　指定居宅サービス等の事業の人員，設備及び運営に関する基準（平成11年3月31日厚生省令第37号）
　　指定居宅介護支援等の事業の人員及び運営に関する基準（平成11年3月31日厚生省令第38号）
　　指定介護老人福祉施設の人員，設備及び運営に関する基準（平成11年3月31日厚生省令第39号）
　　介護老人保健施設の人員，施設及び設備並びに運営に関する基準（平成11年3月31日厚生省令第40号）
　　介護医療院の人員，施設及び設備並びに運営に関する基準（平成30年1月18日厚生労働省令第5号）
　　指定地域密着型サービスの事業の人員，設備及び運営に関する基準（平成18年3月14日厚生労働省令第34号）
　　指定介護予防サービス等の事業の人員，設備及び運営並びに指定介護予防サービス等に係る介護予防のための効果的な支援の方法に関する基準（平成18年3月14日厚生労働省令第35号）
　　指定地域密着型介護予防サービスの事業の人員，設備及び運営並びに指定地域密着型介護予防サービスに係る介護予防のための効果的な支援の方法に関する基準（平成18年3月14日厚生労働省令第36号）
　　指定介護予防支援等の事業の人員及び運営並びに指定介護予防支援等に係る介護予防のための効果的な支援の方法に関する基準（平成18年3月14日厚生労働省令第37号）

用者保険（健康保険組合，全国健康保険協会（協会けんぽ），共済組合など）間において，「加入者数」ではなく「報酬額」に比例させて決めることとなった（総報酬割）。

15 財源構成

保険給付に必要な費用は，利用者の自己負担を除き，その50％が公費で負担されている。その負担割合は，施設等給付費については，国が20％，都道府県が17.5％，市町村が12.5％であり，居宅給付費については，それぞれ総給付費の国が25％，都道府県が12.5％，市町村が12.5％である（**図2-1-6**）。

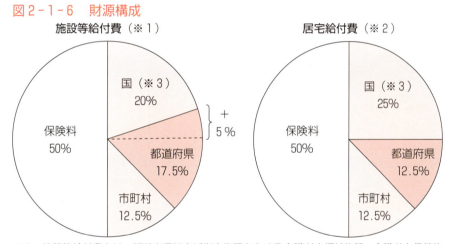

図2-1-6 財源構成

※1 施設等給付費とは，都道府県知事が指定権限を有する介護老人福祉施設，介護老人保健施設，介護医療院，特定施設に係る給付費。
 2 居宅給付費とは，施設等給付費以外の給付費。
 3 国の負担割合には調整交付金相当（5％）を含む。

16 介護保険審査会

介護保険制度では，被保険者証の交付の請求，要介護認定または要支援認定など，保険給付に関する処分や保険料等に関する処分に不服がある場合には，都道府県に置かれる介護保険審査会に審査請求ができることになっている。介護保険審査会は，被保険者を代表する委員，市町村を代表する委員，公益を代表する委員で組織され，さらに要介護認定または要支援認定に関する処分に対する審査請求に関し，専門の事項を調査させるための専門調査員を置くことができる。

17 障害者総合支援法に基づく自立支援給付との関係

　介護保険法による給付と障害者総合支援法に基づくサービスのうち，両者に共通するサービスについては，介護保険法による給付が優先される。なお，同行援護（ガイドヘルプサービス）や補装具の給付など介護保険法による給付の対象となっていないサービスについては，障害者総合支援法に基づき提供される（**図2-1-7**）。

図2-1-7　障害者総合支援法に基づく自立支援給付との関係

［上乗せ部分］
全身性障害者に対する介護保険の支給限度額を超える部分は自立支援給付を支給

障害者総合支援法

介護保険サービスと障害福祉サービスで共通するサービス
➡ 介護保険からの給付が優先

［横出し部分］
同行援護（ガイドヘルプサービス）や補装具などの介護保険にないサービスは自立支援給付を支給

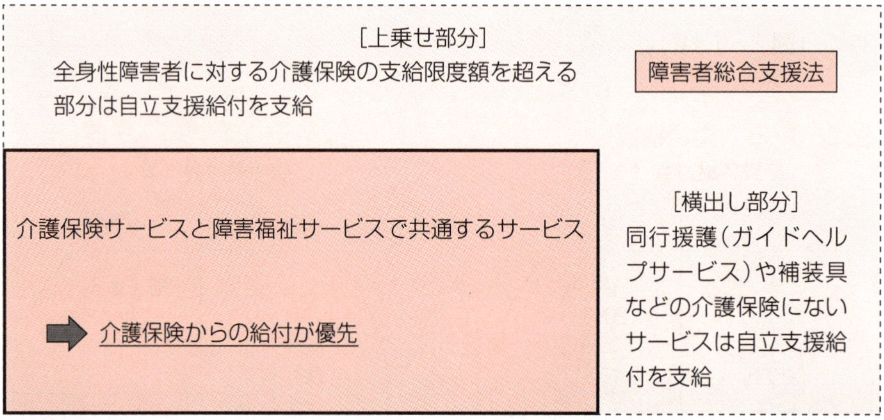

3 介護保険法によるサービス

1 居宅サービス

　保険給付として，その費用が支払われる「居宅サービス」とは，次のサービスをいう。

① 訪問介護
② 訪問入浴介護
③ 訪問看護
④ 訪問リハビリテーション
⑤ 居宅療養管理指導
⑥ 通所介護
⑦ 通所リハビリテーション
⑧ 短期入所生活介護
⑨ 短期入所療養介護

⑩ 特定施設入居者生活介護
⑪ 福祉用具貸与
⑫ 特定福祉用具販売

　なお，居宅サービスを利用できるのは，居宅（自宅のほか養護老人ホームや軽費老人ホーム，有料老人ホームの居室も含まれる）で生活を送る，「要介護」と認定された利用者である。

●訪問介護

　訪問介護とは，訪問介護員（ホームヘルパー）・介護福祉士が，居宅を訪問して「身体介護（①食事や排泄の介助，②清拭・入浴介助・身体整容，③体位変換，移動・移乗の介助，外出介助，④起床や就寝の介助，⑤服薬の確認，⑥自立生活支援・重度化防止のための見守り的援助など）」「生活援助（①掃除，②洗濯，③ベッドメイク，④衣類の整理・被服の補修，⑤一般的な調理・配膳・片づけ，⑥買い物・薬の受け取りなど）」「通院等のための乗車または降車の介助」を行う。

　「通院等のための乗車または降車の介助」では，通院等の際，訪問介護員・介護福祉士が自らの運転する車両への乗車・降車の介助とともに，乗車前・降車後の移動等の介助，通院先もしくは外出先での受診等の手続き，移動等の介助を行う。

●訪問入浴介護

　利用者の居宅を訪問し，浴槽を提供して行われる入浴の介護のことをいう。居宅における入浴の援助を行うことによって，利用者の身体の清潔の保持，心身機能の維持などを図る。

●訪問看護

　看護師，保健師，准看護師，理学療法士，作業療法士および言語聴覚士が利用者の居宅を訪問して，療養上の世話または必要な診療の補助を行う。

　具体的には，①病状の観察と情報収集，②療養上の世話，③診療の補助，④精神的支援，⑤リハビリテーション，⑥家族支援，⑦療養指導，⑧在宅での看取りの支援である。

　なお，「訪問看護」には，高齢者の医療の確保に関する法律に基づく訪問看護，健康保険法に基づく訪問看護がある。介護保険法に基づく訪問看護は，対象が要介護認定を受けた要介護者であり，病状が安定期にある者となる。

●訪問リハビリテーション

　医師の指示および訪問リハビリテーション計画に基づいて，利用者の心身機能の維持回復

を図り，日常生活の自立に資するよう，理学療法士，作業療法士または言語聴覚士により，理学療法，作業療法その他必要なリハビリテーションが行われる。また，利用者またはその家族に対して，リハビリテーションの観点から療養上必要とされる事項について理解しやすいように指導・説明がされる。

●居宅療養管理指導

通院が困難な利用者に対して，医師，歯科医師，薬剤師，歯科衛生士，保健師，看護師，准看護師，管理栄養士が，居宅を訪問して，心身の状況，置かれている環境などを把握して療養上の管理および指導を行う。

●通所介護（デイサービス）

利用者が，特別養護老人ホーム，養護老人ホーム，老人福祉センター，老人デイサービスセンターなどを訪れて行われる，①入浴・食事の提供（これらに伴う介護を含む），②生活などに関する相談・助言，③健康状態の確認その他の必要な日常生活上の世話，④機能訓練のことをいう。

●通所リハビリテーション（デイケア）

利用者が，介護老人保健施設，介護医療院，病院，診療所を訪れて，その心身の機能の維持回復を図り，日常生活の自立を助けるために行われる理学療法，作業療法その他必要なリハビリテーションを受けるものである。

●短期入所生活介護

利用者が，一時的に居宅で介護を受けることが困難になったときに，特別養護老人ホーム，養護老人ホーム，老人短期入所施設などに短期間入所して，介護サービス（入浴，排泄，食事等の日常生活上の世話および機能訓練）の提供を受けることをいう。

●短期入所療養介護

利用者が，一時的に居宅で介護を受けることが困難になったときに，介護老人保健施設，介護医療院，療養病床を有する病院・診療所などに短期間入所して，看護，医学的管理のもとにおける介護，機能訓練その他必要な医療ならびに日常生活上の世話を行うものである。

●特定施設入居者生活介護

特定施設（有料老人ホーム，養護老人ホームおよび軽費老人ホームをいう。ただし，「地域

密着型特定施設」を除く）に入居している要介護者について，特定施設サービス計画に基づき，入浴，排泄，食事などの介護，洗濯，掃除などの家事，生活などに関する相談・助言のほか，特定施設に入居している利用者に必要な日常生活上の世話，機能訓練，療養上の世話を行う。

●福祉用具貸与

適切な福祉用具の選定の援助・取り付け・調整などを行って，**表2－1－5**の左欄に示す福祉用具を貸与する。利用者の日常生活上の便宜を図り，その機能訓練に資するとともに，介護者の負担の軽減を図ることを目的とする。ただし，利用者の状態像をみてその利用が想定しにくい，要介護1と認定された利用者に対する①特殊寝台（付属品を含む），②車いす（付属品を含む），③床ずれ防止用具および体位変換器，④認知症老人徘徊感知機器，⑤移動用リフト，要介護1～3と認定された利用者に対する⑥自動排泄処理装置（尿のみを自動的に吸引する機能のものを除く）については，一定の例外（例えば，日常的に起き上がりの困難な利用者が利用する場合の特殊寝台）を除いて，保険給付の対象とならない。

●特定福祉用具販売

福祉用具のうち，貸与になじまない入浴・排泄に使用されるもの（ポータブルトイレなど）を販売することをいう。このような福祉用具を「特定福祉用具」といい，その種目は**表2－1－5**の右欄に示すものである。その購入にあたり，保険給付として，「居宅介護福祉用具購入費」が支給される。

表2－1－5　福祉用具貸与および特定福祉用具販売の対象となる福祉用具

貸与される福祉用具	特定福祉用具
①車いす ②車いす付属品 ③特殊寝台 ④特殊寝台付属品 ⑤床ずれ防止用具 ⑥体位変換器 ⑦手すり ⑧スロープ ⑨歩行器 ⑩歩行補助つえ ⑪認知症老人徘徊感知機器 ⑫移動用リフト（つり具の部分を除く） ⑬自動排泄処理装置	①腰掛便座 ②自動排泄処理装置の交換可能部品 ③排泄予測支援機器 ④入浴補助用具 ⑤簡易浴槽 ⑥移動用リフトのつり具の部分 ⑦スロープ ⑧歩行器 ⑨歩行補助つえ

※「固定用スロープ，歩行器（歩行車は除く），単点杖（松葉づえを除く），多点杖」は，貸与と販売の選択制の対象。

● **住宅改修**

　利用者に，住宅内におけるより安全な生活を確保するとともに，住宅設備の改修により，移動しやすく，暮らしやすい居宅にすることを目的として，居宅介護住宅改修費が支給される。

　その対象は，①手すりの取り付け，②段差の解消，③滑りの防止および移動の円滑化等のための床または通路面の材料の変更，④引き戸等への扉の取り替え，⑤洋式便器等への便器の取り替え，⑥その他①～⑤の住宅改修に付帯して必要となる住宅改修である。

2　地域密着型サービス

　保険給付として，その費用が支払われる「地域密着型サービス」とは，次のサービスをいい，「地域密着型サービス」を利用できるのは，居宅で生活を送る，「要介護」と認定された利用者であり，加えて原則としてサービスを提供する事業所のある市町村に住む人に限られる（つまり，隣の市町村にある事業所のサービスは，原則として利用できない）。

❶　定期巡回・随時対応型訪問介護看護
❷　夜間対応型訪問介護
❸　地域密着型通所介護
❹　認知症対応型通所介護
❺　小規模多機能型居宅介護
❻　認知症対応型共同生活介護
❼　地域密着型特定施設入居者生活介護
❽　地域密着型介護老人福祉施設入所者生活介護
❾　複合型サービス（看護小規模多機能型居宅介護）

● **定期巡回・随時対応型訪問介護看護**

　日中・夜間を通じて，訪問介護と訪問看護を一体的にまたはそれぞれが密接に連携しながら，定期巡回訪問と随時の対応を行うサービスをいう。①一つの事業所で訪問介護と訪問看護のサービスを一体的に提供する介護・看護一体型と，②訪問介護を行う事業所が地域の訪問看護事業所と連携してサービスを提供する介護・看護連携型がある。

● **夜間対応型訪問介護**

　夜間の定期的な巡回訪問や利用者からの連絡によって，利用者の居宅を訪問して行われる

入浴，排泄，食事などの介護，そのほかの日常生活を送るうえで必要となるサービスなどをいう（定期巡回・随時対応型訪問介護看護に該当するものを除く）。

●地域密着型通所介護

特別養護老人ホーム，養護老人ホーム，老人福祉センターおよび老人デイサービスセンター等に通い利用する，入浴，排泄，食事などの介護，そのほか日常生活を送るうえで必要となるサービスなどをいう（利用定員が一定数未満に限られ，認知症対応型通所介護に該当するものを除く）。

●認知症対応型通所介護

認知症のある人が，老人デイサービスセンターなどを訪れて利用する，入浴，排泄，食事などの介護，そのほかの日常生活を送るうえで必要となるサービスなどや機能訓練をいう。

●小規模多機能型居宅介護

利用者の居宅で，または利用者がサービス拠点に通ったり，短期間宿泊したりして提供される，入浴，排泄，食事などの介護，そのほかの日常生活を送るうえで必要となるサービスなどや機能訓練をいう。

●認知症対応型共同生活介護

利用者が共同生活を送る住居で提供される入浴，排泄，食事などの介護，そのほかの日常生活を送るうえで必要となるサービスなどや機能訓練をいう。

認知症対応型共同生活介護を利用できるのは，認知症で，かつ「要介護」と認定された利用者である。ただし，認知症の原因となる疾患が急性の状態（症状が急に現れたり，進行したりすること）にない人である。

●地域密着型特定施設入居者生活介護

地域密着型特定施設に入居している利用者に対して，その施設が提供するサービスの内容や担当する者などを定めた計画に基づいて行われる入浴，排泄，食事などの介護，そのほかの日常生活を送るうえで必要となるサービスなどや機能訓練，療養上の世話をいう。

なお，「地域密着型特定施設」とは，有料老人ホーム，養護老人ホームおよび軽費老人ホームで，その入居者が「要介護」と認定された人とその配偶者などに限られる施設（介護専用型特定施設）で，そのうち入居定員が29人以下であるものを指す。

- **地域密着型介護老人福祉施設入所者生活介護**

　地域密着型介護老人福祉施設に入所している利用者を対象として，その施設が提供するサービスの内容や担当する者などを定めた計画（地域密着型施設サービス計画）に基づいて行われる入浴，排泄，食事などの介護，そのほかの日常生活を送るうえで必要となるサービスなどや機能訓練，健康管理，療養上の世話をいう。なお，「地域密着型介護老人福祉施設」とは，入所定員が29人以下の特別養護老人ホームである。

- **複合型サービス（看護小規模多機能型居宅介護）**

　小規模多機能型居宅介護と訪問看護を組み合わせて，医療ニーズの高い要介護者に対して看護と介護サービスを一体的に提供するサービスをいう。

3 居宅介護支援

　居宅サービス，地域密着型サービス，そのほか利用者が日常生活を送るために必要となる保健医療サービスまたは福祉サービスなどを適切に利用することができるよう，利用者の依頼を受けて，その心身の状況，置かれている環境，利用者本人や家族の希望などを考慮したうえで，利用するサービスの種類や内容，担当する者などを定めた計画（居宅サービス計画）を立案し，その計画に基づいてサービスが提供されるよう，事業者などと連絡・調整を行うことをいう。

　また，利用者が地域密着型介護老人福祉施設，介護保険施設への入所を希望する場合には，それらの施設の紹介や必要な便宜を図る。

　居宅介護支援を行う専門職を「介護支援専門員」という。

4 介護保険施設

指定介護老人福祉施設，介護老人保健施設，介護医療院をいう。

5 施設サービス

保険給付として，その費用が支払われる「施設サービス」とは，次のサービスをいう。

❶　介護福祉施設サービス
❷　介護保健施設サービス
❸　介護医療院サービス

なお，施設サービスを利用できるのは「要介護」と認定された利用者である。

●介護福祉施設サービス

　介護老人福祉施設とは，特別養護老人ホーム（入所定員が30人以上であるものに限る）であって，その施設が提供するサービスの内容，これを担当する者などを定めた計画（施設サービス計画）に基づいて，入浴，排泄，食事などの介護，そのほかの日常生活を送るうえで必要となるサービス，機能訓練，健康管理および療養上の世話を行うことを目的とする施設である。介護老人福祉施設で提供される，このようなサービスを「介護福祉施設サービス」という。

　利用する「介護福祉施設サービス」が保険給付の対象となるには，介護老人福祉施設のうち，都道府県知事が「指定」した介護老人福祉施設（指定介護老人福祉施設）から提供される必要がある。原則として，新規で入所できるのは要介護3以上の認定を受けた利用者である。

●介護保健施設サービス

　介護老人保健施設とは，施設サービス計画に基づいて，看護，医学的な管理のもとにおける介護，機能訓練，そのほかの必要な医療，日常生活上の世話を行うことを目的とし，所定の要件を満たして都道府県知事の許可を受けた施設である。介護老人保健施設で提供される，このようなサービスを「介護保健施設サービス」という。

　なお，介護保健施設サービスを利用できるのは，利用者の病状が安定期にあって，介護老人保健施設でのサービスを必要とする場合に限られる。

●介護医療院サービス

　2017（平成29）年の介護保険法の改正により，介護医療院サービスは「長期療養のための医療」と「日常生活上の世話（介護）」を一体的に提供することを目的として，主として長期にわたり療養が必要である要介護者に対し，施設サービス計画に基づいて，療養上の管理，看護，医学的管理のもとにおける介護および機能訓練その他必要な医療ならびに日常生活上の世話を行うことを目的とする施設として創設された。地方公共団体（都道府県・市町村等），医療法人，社会福祉法人などが開設者となり，都道府県知事の承認を受けた医師が施設の管理をしなければならない。

6　介護予防サービス

保険給付として，その費用が支払われる「介護予防サービス」とは，次のサービスをいう。

- ❶　介護予防訪問入浴介護
- ❷　介護予防訪問看護
- ❸　介護予防訪問リハビリテーション
- ❹　介護予防居宅療養管理指導
- ❺　介護予防通所リハビリテーション
- ❻　介護予防短期入所生活介護
- ❼　介護予防短期入所療養介護
- ❽　介護予防特定施設入居者生活介護
- ❾　介護予防福祉用具貸与
- ❿　特定介護予防福祉用具販売

なお，介護予防とは，身体上の，または精神上の障害があるために，入浴や排泄，食事などの日常生活における基本的な動作の全部もしくはその一部について常に介護が必要である状態であったり，またはそのために日常生活に支障がある状態であったりしたときに，その状態を軽減させたり，その悪化を防止したりすることをいう。

また，介護予防サービスを利用できるのは，居宅で生活を送る，「要支援」と認定された利用者である。

●介護予防訪問入浴介護

　　介護予防を目的として，利用者の居宅を訪問し，持参した浴槽によって期間を限定して行われる入浴の介護をいう。

　　介護予防訪問入浴介護を利用できるのは，疾病などのやむを得ない理由により入浴の介護が必要な場合に限られる。

●介護予防訪問看護

　　介護予防を目的として，看護師，保健師，准看護師，理学療法士，作業療法士および言語聴覚士が一定の期間，居宅を訪問して行う，療養上の世話または必要な診療の補助をいう。

　　介護予防訪問看護を利用できるのは，主治医が，利用者の病状が安定期にあって療養上の世話または診療の補助が必要と認めた場合に限られる。

- **介護予防訪問リハビリテーション**

    介護予防を目的として，一定の期間，利用者の居宅で提供されるリハビリテーションをいう。

    介護予防訪問リハビリテーションを利用できるのは，主治医が，利用者の病状が安定期にあって心身機能の維持回復および日常生活上の自立を図るために，その人の自宅でのリハビリテーションが必要と認めた場合に限られる。なお，このリハビリテーションは診療に基づいて計画的な医学的管理のもとに実施される。

- **介護予防居宅療養管理指導**

    介護予防を目的として，病院，診療所または薬局の医師，歯科医師，薬剤師，歯科衛生士，管理栄養士等によって提供される，療養上の管理および指導などをいう。

- **介護予防通所リハビリテーション**

    介護予防を目的として，一定期間，介護老人保健施設，介護医療院，病院，診療所で行われる理学療法，作業療法，そのほかの必要なリハビリテーションをいう。

    介護予防通所リハビリテーションを利用できるのは，主治医が，利用者の病状が安定期にあって心身機能の維持回復および日常生活上の自立を図るために，介護老人保健施設等で提供されるリハビリテーションが必要と認めた場合に限られる。なお，このリハビリテーションは診療に基づいて計画的な医学的管理のもとに実施される。

- **介護予防短期入所生活介護**

    特別養護老人ホームなどの施設で短期間，生活してもらい，介護予防を目的としてその施設で行われる，入浴，排泄，食事などの介護，そのほかの日常生活を送るうえで必要となる支援および機能訓練をいう。

- **介護予防短期入所療養介護**

    介護老人保健施設，介護医療院，療養病床をもつ病院・診療所などの施設で短期間，生活してもらい，介護予防を目的としてその施設で行われる，看護，医学的な管理のもとにおける介護や機能訓練，そのほかに必要となる医療，日常生活上の支援をいう。

    介護予防短期入所療養介護を利用できるのは，利用者の病状が安定期にあってこれらのサービスが必要と認められる場合に限られる。

●介護予防特定施設入居者生活介護

　　特定施設に入居している利用者を対象として，介護予防を目的に，その施設が提供するサービスの内容やこれを担当する者などを定めた計画に基づいて行われる入浴，排泄，食事などの介護，そのほかの日常生活を送るうえで必要となる支援，機能訓練および療養上の世話をいう。

　　なお，特定施設とは，有料老人ホーム，養護老人ホームおよび軽費老人ホームを指すが，介護予防特定施設入居者生活介護は，介護専用型特定施設で生活する入居者は利用できない。

●介護予防福祉用具貸与

　　福祉用具のうち，介護予防に効果があるとして厚生労働大臣が定めた福祉用具を貸与することをいう。具体的な種目は福祉用具貸与の対象となるもの（55頁の**表2-1-5**）と同様であるが，利用者の状態像をみてその利用が想定しにくい，要支援1・2と認定された利用者に対する①特殊寝台（付属品を含む），②車いす（付属品を含む），③床ずれ防止用具および体位変換器，④認知症老人徘徊感知機器，⑤移動用リフト，⑥自動排泄処理装置（尿のみを自動的に吸引する機能のものを除く）については，一定の例外（例えば，日常的に起き上がりの困難な利用者が利用する場合の特殊寝台）を除いて保険給付の対象とならない。

●特定介護予防福祉用具販売

　　福祉用具のうち，介護予防に効果のあるものであって，入浴や排泄の際に用いられるなどの理由によって貸与にはなじまないもの（特定介護予防福祉用具）を販売することをいう。具体的な種目は，特定福祉用具販売の対象となるもの（55頁の**表2-1-5**）と同様である。

7　地域密着型介護予防サービス

　保険給付として，その費用が支払われる「地域密着型介護予防サービス」とは，次のサービスをいい，「地域密着型介護予防サービス」を利用できるのは，居宅で生活を送る，「要支援」と認定された利用者であり，加えて原則としてサービスを提供する事業者のある市町村に住む人に限られる（つまり，隣の市町村にある事業所のサービスは利用できない）。

❶　介護予防認知症対応型通所介護
❷　介護予防小規模多機能型居宅介護
❸　介護予防認知症対応型共同生活介護

●介護予防認知症対応型通所介護

介護予防を目的として，認知症のある人が，老人デイサービスセンターなどに通い，一定期間そこで提供される入浴，排泄，食事などの介護，そのほかの日常生活を送るうえで必要となる支援や機能訓練をいう。

●介護予防小規模多機能型居宅介護

利用者の居宅で，または利用者がサービス拠点に通ったり，短期間宿泊したりして，介護予防を目的に提供される入浴，排泄，食事などの介護，そのほかの日常生活を送るうえで必要となる支援や機能訓練をいう。

●介護予防認知症対応型共同生活介護

介護予防を目的として，利用者が共同生活を送る住居で提供される入浴，排泄，食事などの介護，そのほかの日常生活を送るうえで必要となる支援や機能訓練をいう。

介護予防認知症対応型共同生活介護を利用できるのは，「要支援2」と認定されて認知症があり，認知症の原因となる疾患が急性（症状が急に現れたり，進行したりすること）の状態にない人である。

8 介護予防支援

介護予防サービス，地域密着型介護予防サービス，特定介護予防・日常生活支援総合事業および介護予防に効果のある保健医療サービスまたは福祉サービスを適切に利用することができるよう，利用者の依頼を受けて，その心身の状況，置かれている環境，利用者本人や家族の希望などを考慮したうえで，利用するサービスの種類や内容，これを担当する人などを定めた計画を立案し，その計画に基づいてサービスが提供されるよう，事業者などと連絡・調整を行うことをいう。

介護予防支援を行うのは，地域包括支援センターの職員のうち，保健師その他介護予防支援に関する知識をもつ者，指定居宅介護支援を行う事業所の介護支援専門員である。

9 共生型居宅サービス

2017（平成29）年の介護保険法の改正により，障害者が65歳以上になっても使い慣れた事業所のサービス利用が容易になることなどを目的として，共生型居宅サービスが位置づけられた。すなわち，障害福祉サービス事業所等であれば，介護保険事業所の指定も受けやすくなる特例

が設けられた。対象となるのは，訪問介護，通所介護，地域密着型通所介護，療養通所介護，短期入所生活介護，介護予防短期入所生活介護にかかる事業所である。

4 介護サービスのテクノロジー活用推進の動向

近年，介護サービスの現場ではさまざまなテクノロジーが導入されており，特に情報通信技術（Information and Communication Technology：ICT）や人工知能（Artificial Intelligence：AI）を搭載した介護ロボット等が注目を集めている。これらは，介護業務の効率化やサービスの質の向上につながるものとして期待されている。

1 ICT

ICT機器の活用は，効率的で質の高いサービスを提供するための重要な要素として注目されている。インカムやチャットツールが普及しているほか，介護記録のデジタル化も広まってきており，スタッフ間の情報共有や業務の効率化が図られている。

また，利用者のニーズ分析や介護計画の作成にAIが活用されるなど，個別化されたケアへの寄与が期待されている。

★科学的介護情報システム（LIFE）

科学的介護情報システム（Long-term care Information system For Evidence：LIFE）は，実施しているケアの計画や内容等の情報を入力すると，蓄積されたデータに基づいてフィードバックが提供される厚生労働省のシステムである。提供されたフィードバックをケアプランや介護計画などとあわせて検討し，ケアの見直しを行うことで，よりよいサービスを提供するためのPDCAサイクルが促進されるとされている。

2021（令和3）年度の介護報酬改定では，科学的介護情報システム（LIFE）へのデータ提出とフィードバックを要件とする「科学的介護推進体制加算」が設けられており，さらなる普及が見込まれる。

2 介護ロボット

ロボットは「センサー（情報の感知），知能・制御系（判断），駆動系（動作）の三つの要素技術を有する，知能化した機械システム」であり，介護ロボットは，これを応用し，利用者の自立支援や介護者の負担軽減に役立つ機器のことをいう。歩行アシストカートやコミュニケーションロボット，自動排泄処理装置，見守りセンサーなど，さまざまな商品が開発され，現場に導入されている。

5 介護保険における福祉用具の選定の判断基準について

　介護保険における「福祉用具」は、「心身の機能が低下し日常生活を営むのに支障がある要介護者等の日常生活上の便宜を図るための用具及び要介護者等の機能訓練のための用具であって、要介護者等の日常生活の自立を助けるためのもの」と規定されている。

　その利用状況をみると、要介護者等の日常生活を支える道具として急速に普及、定着しているが、その一方で、要介護度の軽い者に対する特殊寝台、車いすの貸与など、利用者の状態像からその必要性を想定しにくい福祉用具が給付され、介護保険法の理念である自立支援の趣旨に沿わない事例がみられることもある。

　そこで、福祉用具が要介護者等に適正に選定されるために、使用が想定しにくい福祉用具を示した「介護保険における福祉用具の選定の判断基準」[5]が作成されている。この「判断基準」では、個々の福祉用具ごとに福祉用具の特性、利用者の状態から判断して、明らかに「使用が想定しにくい状態像」および「使用が想定しにくい要介護度」が示されており、「使用が想定しにくい状態像」は、要介護認定における認定調査項目および利用者の心身の状況により選択された選択肢別に整理されている。

　ただし、この「判断基準」で示されているものは、福祉用具の選定を行う場合の標準的な目安（ガイドライン）であって、ここで示されている福祉用具の使用が想定しにくいとされる場合であっても、利用者一人ひとりの生活環境や解決すべき課題等によっては、使用が考えられる場合もある。

　具体的には、認定調査のうち「基本調査」の結果を用いて、次の状態に該当すると判断された場合に福祉用具貸与を利用することができる。

---

[5] 2004（平成16）年に作成され、2024（令和6）年に「給付対象として新たに追加された福祉用具への対応」「軽度とされている者の利用も踏まえた検討」「多職種連携の促進」等の観点からの見直しが行われた。

①車いすおよび車いす付属品（次のいずれかに該当する者）
　・日常的に歩行が困難な者
　・日常生活範囲において移動の支援が特に必要と認められる者
②特殊寝台および特殊寝台付属品（次のいずれかに該当する者）
　・日常的に起きあがりが困難な者
　・日常的に寝返りが困難な者
③床ずれ防止用具および体位変換器
　・日常的に寝返りが困難な者
④認知症老人徘徊感知機器（次のいずれにも該当する者）
　・意思の伝達，介護を行う者への反応，記憶または理解に支障がある者
　・移動において全介助を必要としない者
⑤移動用リフト（つり具の部分を除き，次のいずれかに該当する者）
　・日常的に立ち上がりが困難な者
　・移乗において一部介助または全介助を必要とする者
　・生活環境において段差の解消が必要と認められる者
⑥自動排泄処理装置（次のいずれにも該当する者）
　・排便において全介助を必要とする者
　・移乗において全介助を必要とする者

また，次の場合に該当すると認められたときも例外的に福祉用具貸与を利用できる。

❶　疾病その他の原因により，状態が変動しやすく，日によってまたは時間帯によって，告示で定める福祉用具が必要な状態に該当する者
❷　疾病その他の原因により，状態が急速に悪化し，短期間のうちに告示で定める福祉用具が必要な状態に該当することが確実に見込まれる者
❸　疾病その他の原因により，身体への重大な危険性または症状の重篤化の回避等医学的判断から告示で定める福祉用具が必要な状態に該当すると判断できる者

なお，❶〜❸に該当するとして福祉用具貸与を利用するには，1）「医師の医学的な所見」に基づき判断され，2）サービス担当者会議等を経た適切なケアマネジメントの結果を踏まえていることを，3）市町村が「確認」している必要がある。

2 老人福祉法

1 老人福祉法制定の経緯

　老人福祉法は1963（昭和38）年7月に制定され，同じ年の8月1日に施行された。当時，高齢者人口の増加や家族意識の変化など，社会環境が変化する一方，高齢者のための福祉施策としては，国民年金法（1959（昭和34）年制定）をはじめとする老齢年金の支給と生活保護法による養老施設への入所を除けば，生活保護，医療保険，その他の国民一般を対象とする社会福祉施策が行われているにすぎなかった。1947（昭和22）年に児童福祉法，1949（昭和24）年に身体障害者福祉法が制定されたことと比較すると，高齢者福祉にかかわる対策は不十分であり，その充実を図る必要性も高まっていた。このような背景のもと，老人福祉法は高齢者福祉に関する諸施策を体系的に整備するために制定された。

2 目的と基本的理念

　老人福祉法は，その目的として第1条に「老人の福祉に関する原理を明らかにするとともに，老人に対し，その心身の健康の保持及び生活の安定のために必要な措置を講じ，もって老人の福祉を図ること」としている。
　また，その基本的理念として，第2条および第3条に次のように規定している。
「老人は，多年にわたり社会の進展に寄与してきた者として，かつ，豊富な知識と経験を有する者として敬愛されるとともに，生きがいを持てる健全で安らかな生活を保障されるものとする。」（第2条）
「老人は，老齢に伴って生ずる心身の変化を自覚して，常に心身の健康を保持し，又は，その知識と経験を活用して，社会的活動に参加するように努めるものとする。」（第3条第1項）
「老人は，その希望と能力とに応じ，適当な仕事に従事する機会その他社会的活動に参加する機会を与えられるものとする。」（第3条第2項）

3 老人福祉法等によるサービス

　老人福祉法に規定される主なサービスには，「居宅における介護等」「老人ホームへの入所等」などがある。このほかにも，老人福祉法に規定はないが，その必要性から予算を確保して行われている事業や，都道府県，市町村で独自に行われている事業もある。

1 居宅における介護等（第10条の4）

　老人福祉法では，老人居宅生活支援事業として次の事業が定められており，市町村は必要に応じて措置をとることができる。

- ① 老人居宅介護等事業
- ② 老人デイサービス事業
- ③ 老人短期入所事業
- ④ 小規模多機能型居宅介護事業
- ⑤ 認知症対応型老人共同生活援助事業
- ⑥ 複合型サービス福祉事業

2 老人日常生活用具給付等事業（第10条の4）

　援護を必要とする高齢者および一人暮らしの高齢者に対し，身体の機能低下の防止と介護補助のため日常生活用具の給付（貸与）が行われる。給付品目は，電磁調理器，火災警報器，自動消火器，老人用電話である。なお，実施主体は，市町村（特別区を含む）である。

3 老人ホームへの入所等（第11条）

　老人福祉法では，「老人ホームへの入所等」として次の事業が定められており，市町村は必要に応じて措置をとらなければならない。

- ① 養護老人ホームへの入所
- ② 特別養護老人ホームへの入所
- ③ 養護委託

　なお，介護保険制度の導入に伴い，老人居宅生活支援事業および特別養護老人ホームへの入

所については，たとえば虐待を受けているなどの，やむを得ない事由により介護保険に規定するサービスを利用することが著しく困難であると認められるときに，老人福祉法による措置の対象となることになっている。

4 ケアハウス（第20条の6）

　ケアハウスとは，老人福祉法に規定する軽費老人ホームで，入所者の生活相談などに応ずるほか，入浴，食事の提供を行うとともに，緊急時の対応機能をもつ施設である。入所者が介護を必要とするようになったり，その状態が重度化したりした場合は，外部から訪問介護員（ホームヘルパー）を派遣させるなど，介護保険法の居宅サービス等の導入によって対応していくこととしている。

　なお，ケアハウスの構造，設備および面積については，車いすの利用を容易にするなど高齢者にとって住みやすい環境を整備している。利用は，入所者と施設との直接契約による。

5 有料老人ホーム（第29条）

　有料老人ホームは，老人福祉法に「老人を入居させ，入浴，排せつ若しくは食事の介護，食事の提供又はその他の日常生活上必要な便宜であって厚生労働省令で定めるもの（以下「介護等」という。）の供与（他に委託して供与をする場合及び将来において供与をすることを約する場合を含む。）をする事業を行う施設であって，老人福祉施設，認知症対応型老人共同生活援助事業を行う住居その他厚生労働省令で定める施設でないもの」と定められている。特別養護老人ホームなどとは異なり，民間が主体となって設置・運営されている。サービスの内容は，契約によって決められるが，一般的には，食事，生活相談・助言，健康管理，治療への協力，レクリエーションなどのサービスが提供される。介護を必要とする状態になった場合は，その施設で提供する特定施設入居者生活介護を利用しながら生活する場合やそうでない場合など，さまざまなタイプがある。

6 生活支援ハウス（高齢者生活福祉センター）（平成12年老発第655号）

　生活支援ハウス（高齢者生活福祉センター）とは，高齢であること等のために居宅での生活に不安のある高齢者に対して，必要に応じ住居を提供し，各種の相談，助言およびサービスを必要とする場合の利用手続きの援助，緊急時の対応を行うものである。また，利用者と地域住民との交流を図るためのさまざまな事業や場所の提供等を行う。居住部門の利用は，おおむね

60歳以上の一人暮らしの者，夫婦のみの世帯に属する者および家族による援助を受けることが困難な者であって，高齢等のため独立して生活することに不安のある者を対象としている。なお，その運営事業の実施主体は市町村である（ただし，介護保険法に規定される指定通所介護事業所となる老人デイサービスセンター等に一部を委託できる）。

3 高齢者の医療の確保に関する法律

1 老人保健制度から高齢者医療制度へ

　わが国の高齢者に対する医療は老人保健法に基づいて実施されてきた。老人保健法は，国民の老後における健康の保持と適切な医療の確保を図ることを目的に，1982（昭和57）年に制定され，40歳以上の人に対する健診などの保健事業と，75歳以上の高齢者に対する医療の給付などについて定めている。その医療費は，保険者からの拠出金と公費，高齢者の自己負担で賄われており，市町村が運営していたが，この制度については，①拠出金のなかで現役世代の保険料と高齢者の保険料が区分されておらず，現役世代と高齢世代の費用負担の関係が不明確であること，②保険料の決定・徴収主体と給付主体が別であり，財政運営の責任が不明確であることが問題点として指摘されていた。

　そのため，75歳以上の後期高齢者の医療制度については，老人保健法に基づくそれまでの制度を発展的に継承した独立制度（後期高齢者医療制度）を創設して，高齢者の保険料と，支え手である現役世代の負担の明確化を図るとともに，都道府県単位ですべての市町村が加入する広域連合を運営主体とすることにより，財政運営の責任の明確化を図ることにした。

　また，65歳から74歳の前期高齢者については，被用者が退職後は市町村国保に加入することとなり，保険者間で医療費の負担に不均衡が生じていることから，これを調整する制度を創設することとした。

2 目的と基本的理念

　高齢者の医療の確保に関する法律（高齢者医療確保法）の目的は，その第1条に「国民の高齢期における適切な医療の確保を図るため，医療費の適正化を推進するための計画の作成及び保険者による健康診査等の実施に関する措置を講ずるとともに，高齢者の医療について，国民の共同連帯の理念等に基づき，前期高齢者に係る保険者間の費用負担の調整，後期高齢者に対

▶6　2006（平成18）年に成立した「健康保険法等の一部を改正する法律」によって，題名が「高齢者の医療の確保に関する法律」に改正された。

する適切な医療の給付等を行うために必要な制度を設け，もって国民保健の向上及び高齢者の福祉の増進を図ること」とされている。

また，基本的理念として，第2条に次のように定められている。

「国民は，自助と連帯の精神に基づき，自ら加齢に伴って生ずる心身の変化を自覚して常に健康の保持増進に努めるとともに，高齢者の医療に要する費用を公平に負担するものとする。」

「国民は，年齢，心身の状況等に応じ，職域若しくは地域又は家庭において，高齢期における健康の保持を図るための適切な保健サービスを受ける機会を与えられるものとする。」

3 特定健康診査・特定保健指導

1 特定健康診査

　糖尿病など生活習慣病に関する健康診査で，その対象は，40歳以上の，国民健康保険の被保険者および健康保険などの被保険者とその被扶養者である。

　糖尿病などの生活習慣病は，内臓脂肪の蓄積（内臓脂肪型肥満）を原因とする場合が多く，肥満に加え，高血糖，高血圧等の状態が重複した場合には，虚血性心疾患，脳血管疾患等の発症リスクが高くなる。この状態をメタボリックシンドロームというが，その該当者および予備群に対し，運動習慣やバランスのとれた食生活の定着などの生活習慣の改善を行うことにより，糖尿病などの生活習慣病や，これが重症化した虚血性心疾患，脳卒中等の発症リスクの低減が可能となる。

　特定健康診査は，糖尿病等の生活習慣病の発症や重症化を予防することを目的として，メタボリックシンドロームに着目し，この該当者および予備群を減少させるための特定保健指導を必要とする者を，的確に抽出するために行うものである。

2 特定保健指導

　特定健康診査の結果により健康の保持に努める必要がある人に対して行われる保健指導を「特定保健指導」という。これは，保健指導によって，対象者が自らの生活習慣における課題を認識して行動変容と自己管理を行うとともに，健康的な生活を維持することができるようになることを通じて，糖尿病等の生活習慣病を予防することを目的とする。

4 後期高齢者医療制度

1 運営主体

　後期高齢者医療制度は，75歳以上の後期高齢者を被保険者として保険料を徴収し，医療給付を行う仕組みとなっており，独立した医療保険制度である。

　運営主体は，都道府県単位で全市町村が加入する広域連合であり，各広域連合の条例で保険料が決定される。広域連合は，保険料の決定，医療給付等の事務を処理し，運営主体となるため，後期高齢者医療の保険者として位置づけられる。

2 被保険者

　被保険者の範囲は，広域連合の区域内に住所を有する，①75歳以上の高齢者，②65歳以上75歳未満の高齢者のうち寝たきり等で広域連合の認定を受けた高齢者である。

3 財源構成

　患者自己負担を除き，現役世代（国民健康保険・健康保険などの被用者保険）からの支援が約4割，および公費が約5割のほか，高齢者から広く薄く保険料が徴収される（1割）。

　なお，自己負担はかかった医療費の1割（一定以上所得者は2割，現役並所得者は3割）である。

5 後期高齢者医療給付

　後期高齢者への医療給付は，①療養の給付，②入院時食事療養費，③入院時生活療養費，④保険外併用療養費，⑤療養費，⑥訪問看護療養費，⑦特別療養費（被保険者が資格証明書の交付を受けている場合の給付），⑧移送費，⑨高額療養費，⑩高額介護合算療養費などである。

4 福祉用具の研究開発及び普及の促進に関する法律（福祉用具法）

1 目的

　福祉用具法の目的は，第1条に「心身の機能が低下し日常生活を営むのに支障のある老人及び心身障害者の自立の促進並びにこれらの者の介護を行う者の負担の軽減を図るため，福祉用具の研究開発及び普及を促進し，もってこれらの者の福祉の増進に寄与し，あわせて産業技術の向上に資することを目的とする」と定められている。

2 福祉用具の定義

　「福祉用具」とは，福祉用具法において，「心身の機能が低下し日常生活を営むのに支障のある老人又は心身障害者の日常生活上の便宜を図るための用具及びこれらの者の機能訓練のための用具並びに補装具」と定義されている（第2条）。

3 福祉用具の種類

　福祉用具法に定義される福祉用具の範囲は幅広い。ここでは，介護保険法に規定される保険給付の対象となる福祉用具（**表2-1-6**），老人福祉法における老人日常生活用具（**表2-1-7**）についてまとめる。
　なお，公益財団法人テクノエイド協会では，福祉用具を，①治療訓練用具，②義肢・装具，③パーソナルケア関連用具，④移動機器，⑤家事用具，⑥家具・建具，建築設備，⑦コミュニケーション関連用具，⑧操作用具，⑨環境改善機器・作業用具，⑩レクリエーション用具，⑪その他，の11に分類している。

表2-1-6　介護保険法に規定される保険給付の対象となる福祉用具

貸与される福祉用具 貸与される介護予防福祉用具	特定福祉用具 特定介護予防福祉用具
車いす，車いす付属品，特殊寝台，特殊寝台付属品，床ずれ防止用具，体位変換器，手すり，スロープ，歩行器，歩行補助つえ，認知症老人徘徊感知機器，移動用リフト（つり具の部分を除く），自動排泄処理装置	腰掛便座，自動排泄処理装置の交換可能部品，排泄予測支援機器，入浴補助用具，簡易浴槽，移動用リフトのつり具の部分，スロープ，歩行器，歩行補助つえ

※「固定用スロープ，歩行器（歩行車は除く），単点杖（松葉づえを除く），多点杖」は，貸与と販売の選択制の対象。

表2-1-7　老人福祉法における老人日常生活用具

種目
電磁調理器，火災警報器，自動消火器，老人用電話

5 障害者総合支援法の概要

1 障害者自立支援法から障害者総合支援法へ

　障害者の自立や社会への参加を支援するためのさまざまな福祉サービスの多くは、「障害者の日常生活及び社会生活を総合的に支援するための法律」（障害者総合支援法）によって提供されている。障害者総合支援法は、それまでの障害者自立支援法を改正し、2014（平成26）年4月より本格的に運用された。
　なお、この法律において「障害者」とは身体障害者、知的障害者、精神障害者（発達障害を含む）、難病等により障害がある者をいう。

2 サービスの種類と内容

1 自立支援給付と地域生活支援事業

　障害者総合支援法で提供されるサービスは大きく分けて、自立支援給付と地域生活支援事業の2種類になる（**図2-1-8**）。
　まず、自立支援給付は介護給付、訓練等給付、地域相談支援給付、計画相談支援給付、補装具、自立支援医療等があり、障害者一人ひとりに対して、日常生活に欠かすことができない介護や訓練、医療などを全国各地で格差を生むことなく提供することを目的としている。そのため国がサービスの内容や提供に関する基準を細かく定めている。
　一方、地域生活支援事業は、各地域の特性を活かしたサービスを柔軟に提供することを目的としているため、その運用は実施主体である市町村や都道府県などの自治体に委ねられている。

第 1 節　介護保険制度等の考え方と仕組み

図 2 - 1 - 8　自立支援給付と地域生活支援事業

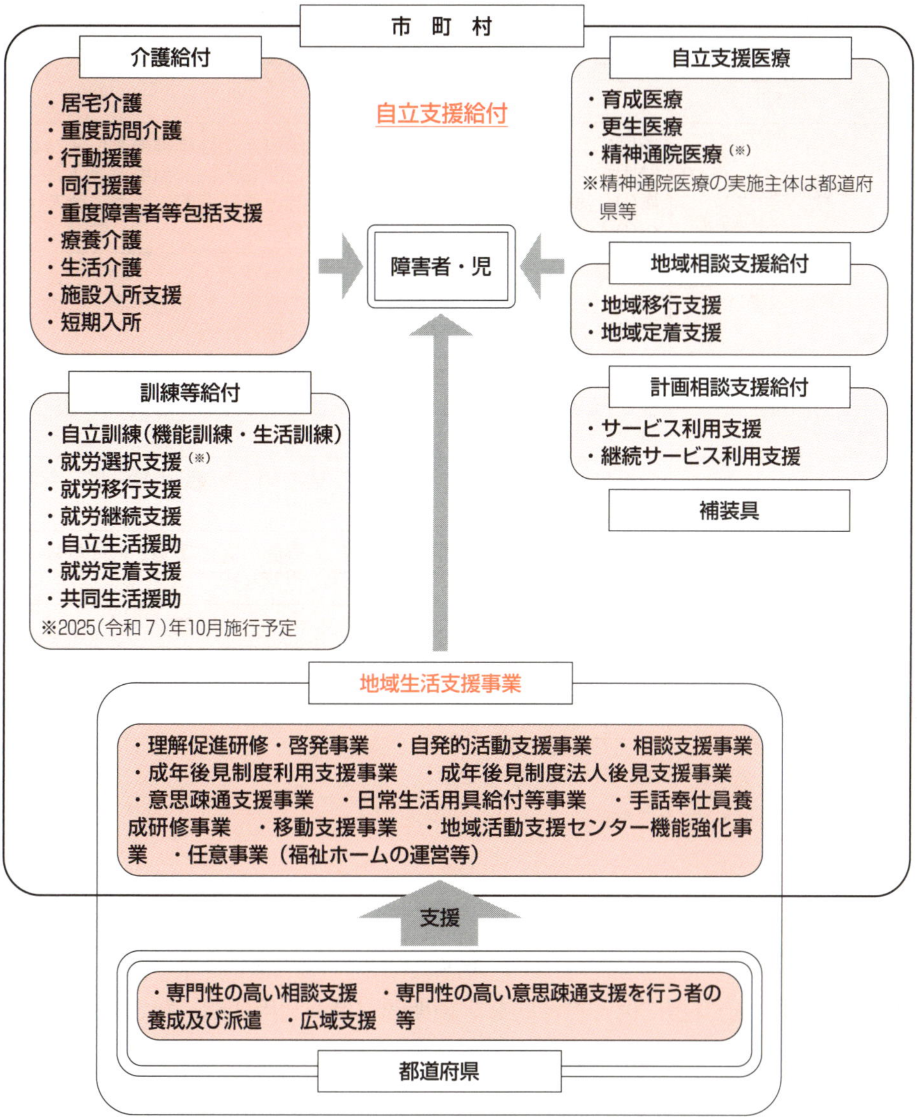

```
                         市　町　村
    ┌─────────────────┐          ┌─────────────────┐
    │    介護給付      │  自立支援給付  │   自立支援医療    │
    │ ・居宅介護        │          │ ・育成医療        │
    │ ・重度訪問介護     │          │ ・更生医療        │
    │ ・行動援護        │          │ ・精神通院医療（※）│
    │ ・同行援護        │          │ ※精神通院医療の実施主体は都道府県等 │
    │ ・重度障害者等包括支援│        └─────────────────┘
    │ ・療養介護        │   →  障害者・児  ←
    │ ・生活介護        │          ┌─────────────────┐
    │ ・施設入所支援     │          │  地域相談支援給付  │
    │ ・短期入所        │          │ ・地域移行支援     │
    └─────────────────┘          │ ・地域定着支援     │
    ┌─────────────────┐          └─────────────────┘
    │   訓練等給付      │          ┌─────────────────┐
    │ ・自立訓練（機能訓練・生活訓練）│ │  計画相談支援給付  │
    │ ・就労選択支援（※）│          │ ・サービス利用支援  │
    │ ・就労移行支援     │          │ ・継続サービス利用支援│
    │ ・就労継続支援     │          └─────────────────┘
    │ ・自立生活援助     │          ┌─────────────────┐
    │ ・就労定着支援     │          │     補装具        │
    │ ・共同生活援助     │          └─────────────────┘
    │ ※2025（令和7）年10月施行予定│
    └─────────────────┘
                      地域生活支援事業
    ┌──────────────────────────────────┐
    │ ・理解促進研修・啓発事業　・自発的活動支援事業　・相談支援事業 │
    │ ・成年後見制度利用支援事業　・成年後見制度法人後見支援事業    │
    │ ・意思疎通支援事業　・日常生活用具給付等事業　・手話奉仕員養成研修事業 │
    │ ・移動支援事業　・地域活動支援センター機能強化事業          │
    │ ・任意事業（福祉ホームの運営等）                         │
    └──────────────────────────────────┘
                          ↑ 支援
    ┌──────────────────────────────────┐
    │ ・専門性の高い相談支援　・専門性の高い意思疎通支援を行う者の │
    │   養成及び派遣　・広域支援　等                            │
    └──────────────────────────────────┘
                         都道府県
```

資料：厚生労働省資料を一部改変。

2　自立支援給付

●介護給付

　介護給付費の支給は，介護にかかわる個別給付で，サービスの種類は**表 2 - 1 - 8** のとおりである。障害者総合支援法では，訓練等給付も含めた日中系サービスと居住系サービスを自由に組み合わせることが可能である。

表2-1-8 介護給付事業一覧

区分	サービス名称	内容
訪問系	居宅介護（ホームヘルプ）	自宅で，入浴，排泄，食事の介護等を行う
訪問系	重度訪問介護	重度の肢体不自由者や，重度の知的障害または精神障害により行動上著しい困難がある人で，常に介護を必要とする人に，自宅で，入浴，排泄，食事の介護，外出時における移動支援などを総合的に行う。また，医療機関への入院時において一定の支援を行う
訪問系	同行援護	視覚障害により，移動に著しい困難を有する人に，移動時およびそれに伴う外出先において必要な視覚的情報の支援，移動の援護，排泄・食事等の介護その他外出する際に必要となる援助を行う
訪問系	行動援護	知的または精神障害によって自己判断能力が制限されており，常時介護を要する人が行動するとき，危険を回避するために必要な支援，外出支援を行う
訪問系	重度障害者等包括支援	介護の必要性がとても高い人に，居宅介護等複数のサービスを包括的に行う
日中系	療養介護	医療と常時介護を必要とする人に，昼間，医療機関で機能訓練，療養上の管理，看護，介護および日常生活の世話を行う
日中系	生活介護	常に介護を必要とする人に，施設において，昼間，入浴，排泄，食事の介護等を行うとともに，創作的活動または生産活動の機会を提供する
居住系	施設入所支援	施設に入所する人に，主として夜間，入浴，排泄，食事の介護等を行う
その他	短期入所（ショートステイ）	自宅で介護する人が病気の場合などに，短期間，施設に入所し，入浴，排泄，食事の介護等を行う

資料：厚生労働省パンフレットをもとに作成。

● **訓練等給付**

訓練等給付費が支給されるサービスは，**表2-1-9**のとおりである。

自立訓練や就労移行支援には，標準的な訓練期間（標準利用期間）が定められており，原則として期間を超えた訓練の提供は認められていない。

また，介護給付の訪問系と日中系のサービスの組み合わせ利用については，「訓練施設利用時間中のホームヘルパー派遣」など，支援の時間帯が重なる場合などは，原則として認められない。

● **補装具**

補装具は，障害者の車いすや義肢，視覚障害者の視覚障害者安全つえなど，障害によって「損なわれた身体機能を補完・代替する」用具で，国が種目や耐用年数などを定めている。補装具の購入または修理の費用は，補装具費として支給される。また，2018（平成30）年4月からは，成長に伴い短期間で取り替える必要のある障害児の場合等に，貸与の活用が可能となる制度が設けられている。なお，一定の所得額を超える人を支給対象からはずすなどの

表2-1-9　訓練等給付事業一覧

区分	サービス名称	内容
日中系	自立訓練（機能訓練・生活訓練）	自立した日常生活または社会生活ができるよう，一定期間，身体機能または生活能力の向上のために必要な訓練等を行う
日中系	就労選択支援	障害者本人が就労先・働き方についてよりよい選択ができるよう，就労アセスメントの手法を活用して，本人の希望，就労能力や適性等に合った選択を支援する
日中系	就労移行支援	就労を希望する障害者や通常の事業所に雇用されている障害者であって支援を一時的に必要とするものに，一定期間，就労に必要な知識および能力の向上のために必要な訓練等を行う
日中系	就労継続支援（A型・B型）	通常の事業所での就労が困難な障害者や通常の事業所に雇用されている障害者であって支援を一時的に必要とするものに，働く場の提供等をするとともに，知識および能力の向上のために必要な訓練を行う
日中系	就労定着支援	通常の事業所に新たに雇用された障害者に，一定期間，就労の継続を図るために必要な事業主，障害福祉サービス事業を行う者，医療機関などとの連絡調整等を行う
居住系	共同生活援助（グループホーム）	主として夜間，共同生活を行う住居において，相談，入浴，排泄，食事の介護や日常生活上の援助を行う。また，一人暮らしなど居宅での生活を希望する者に対する相談援助などを行う
その他	自立生活援助	施設入所支援やグループホームを利用していた障害者が居宅で自立した日常生活を営むために，一定期間，定期的な巡回訪問等により，情報提供・助言等の援助を行う

資料：厚生労働省パンフレットをもとに作成。

制約（所得制限）が設けられている。

●自立支援医療

　障害者自立支援法が制定される以前は，従来の医療保険制度だけでは患者の金銭的な負担が過大となりかねない部分について，公費負担医療制度を設けて，患者の負担の軽減を図ってきた。これらの公費負担医療制度のうち，障害児・者にかかわって最も使われてきた従来の児童福祉法上の育成医療，身体障害者福祉法上の更生医療，精神保健及び精神障害者福祉に関する法律上の精神通院医療，の三つの医療を一本化したのが自立支援医療である。

●地域相談支援給付

　相談支援事業者による，障害者支援施設の入所者や精神科病院に入院している精神障害者などの地域生活への移行にかかる支援や，施設・病院からの退所・退院および家族との同居から一人暮らしに移行した障害者への地域定着を図るために，福祉サービス事業所への同行や緊急事態への相談・対応が，地域相談支援として実施される。

●計画相談支援給付

相談支援事業者による,障害福祉サービスや地域相談支援を利用するすべての障害者を対象に,サービス等利用計画の作成や計画の見直し(モニタリング)が計画相談支援として実施される。

3 地域生活支援事業

地域生活支援事業は市町村が実施するものと,都道府県が実施するものとに分けられる。

市町村が提供する地域生活支援事業は必須事業と任意事業などに分けられる。そのなかでも,必須事業はすべての市町村で例外なく実施すべき事業として位置づけられている。

地域生活支援事業の利用対象となる障害者や,利用の際の費用負担は,国の通知等を踏まえ,すべて市町村が自主的に決めることになっている。しかし,国から支給される補助金額を超えるものはすべて市町村が負担するので,市町村の財政力による格差が生じている。こうした状況を改善するため,国の補助率を一定に確保した地域生活支援促進事業が2017(平成29)年度から始まっている。

表2-1-10 市町村地域生活支援事業の必須事業

- ●理解促進研修・啓発事業 ●自発的活動支援事業 ●相談支援事業 ●成年後見制度利用支援事業
- ●成年後見制度法人後見支援事業 ●意思疎通支援事業 ●日常生活用具給付等事業
- ●手話奉仕員養成研修事業 ●移動支援事業 ●地域活動支援センター機能強化事業

4 介護保険制度と障害者総合支援制度の関係

障害者総合支援法の障害福祉サービス利用対象の障害者であっても,65歳以上となった場合や,40歳以上で介護保険制度の対象となる16の特定疾病による障害者には,同様の福祉サービスが介護保険制度にある場合,原則として介護保険制度によるサービスが優先される。この場合,それまで障害者総合支援法のサービスの提供を受けていた障害者であっても,介護保険制度に基づくサービス利用の手続きをとらなければならない。

ただし,国は介護保険の対象となる障害者が障害福祉サービスを利用できる場合として,**表2-1-11**のケースをあげている。

表 2-1-11　介護保険の被保険者が障害福祉サービスを利用できる場合

❶　介護保険にはない障害者総合支援法固有のサービス（同行援護，行動援護，自立訓練（生活訓練），就労移行支援，就労継続支援など）を利用する場合
❷　必要な支給量が，介護保険サービスのみによって確保することができないとき，足りない部分について障害福祉サービスを利用する場合
❸　利用可能な介護保険サービスを提供する施設や事業所が身近にない，あっても定員に空きがない場合
❹　障害者が要介護認定等を受けた結果，非該当と判定された場合

6　地域包括ケアの考え方

　わが国の高齢者介護は，1963（昭和38）年に老人福祉法が制定されて以降，急速な高齢者人口の増大と，家庭内介護力の低下等に対応しながら，介護を社会全体で支えるための基盤整備が急ピッチで進められた。国や自治体においては，1989（平成元）年の「高齢者保健福祉推進十か年戦略」（ゴールドプラン）から，「新ゴールドプラン」（1995（平成7）年），「ゴールドプラン21」（2000（平成12）年）と続く，介護サービスの供給量確保のための施設整備や人材確保などの基盤整備が進められた。また，これと並行した社会福祉基礎構造改革の流れのなかで，それまで低所得者や生活困窮者に対する福祉サービスとして行政措置により提供されていたサービスを，「介護」は国民の普遍的なリスクであるとの認識のもと，「自助」「互助」「共助」「公助」を組み合わせ，社会全体で支えていくサービスとして再構築することが目指された。さらには，これを具現化していくため，サービスの提供主体を多様化することや，利用形態，給付と負担のあり方等さまざまな観点からの見直しが進められた。

　こうした動きを受け，わが国の介護を支える中核的制度として2000（平成12）年4月から導入された介護保険制度は，行政による措置から社会保険方式への移行，利用者と事業者の直接契約への利用形態の転換，尊厳の保持としての選択（自己決定）と権利の保障，保健・医療・介護・福祉サービスの一体的提供，地方分権など，高齢者介護の時代を画す大改革となり，この制度によってその後の高齢者介護のあり方は大きく変容することとなった。

　このように，社会福祉基礎構造改革や介護保険制度の導入等において貫かれてきた考え方が，地域包括ケアの基本理念として引き継がれている。

1　地域包括ケアの基本理念

　我々の日々の暮らしは，個人の意思（価値観）や，それぞれの生活環境のもとで，必要な商品やサービスを自由に選択し利用することができる環境下で営まれている。そして，それは高齢者が疾病等により介護が必要な状態になっても同様であり，高齢者が尊厳を保持しながら，住み慣れた地域で，可能な限り自立した暮らしを維持できるよう，その環境を整えていくことが求められる。

　このためには，地域等の社会資源や置かれている状況を踏まえて「自助」「互助」「共助」「公助」を組み合わせ，本人の選択（自己決定）と，自己実現を支援することを前提に，個々の状

況に合わせてマネジメントしながら支援していかなければならない。

　介護保険法の目的（第1条）には，「加齢に伴って生ずる心身の変化に起因する疾病等により要介護状態となり，入浴，排せつ，食事等の介護，機能訓練並びに看護及び療養上の管理その他の医療を要する者等について，これらの者が尊厳を保持し，その有する能力に応じ自立した日常生活を営むことができるよう，必要な保健医療サービス及び福祉サービスに係る給付を行う」と規定されている。

　このように，地域包括ケアの基本的な理念は，高齢者の尊厳を保持しながら，その有する能力に応じて，住み慣れた地域で，その人らしい生活を自立して送ることができるよう，医療，介護，予防，住まい，生活支援等をはじめとした必要なサービスを，自らの選択に基づいて主体的に利用できるように支援していくことにある。

❷ 地域包括ケアシステムの確立に向けたこれまでの取り組み

　地域包括ケアシステムの構築に向けては，国において各種研究会および社会保障審議会（介護保険部会，介護給付費分科会）等の審議を経て，その概念や施策の方向性が示されてきた。これを受けて介護保険制度の見直し等が進められ，市町村では，3年ごとの介護保険事業計画の策定・実施を通じて，地域の自主性や主体性に基づき，それぞれの地域ごとの特性に応じた地域包括ケアシステムの構築が目指されている。

○【高齢者介護・自立支援システム研究会】報告書（1994（平成6）年12月）
　「新たな高齢者介護システムの構築を目指して」
　（地域ケア体制の整備）
　・各地域においては，「ケアマネジメント」の考え方を基本に，サービス連携の拠点やネットワークづくりを進め，関係者が有機的に連携した地域ケア体制を整備していくことが求められる。この場合，従来の在宅と施設という区分けではなく，在宅ケアと施設ケアの連続性の視点を基本に据え，地域全体が高齢者や家族を支えていく施策の展開が望まれる。

○【高齢者介護研究会】報告書（2003（平成15）年6月）
　「2015年の高齢者介護〜高齢者の尊厳を支えるケアの確立に向けて〜」
　・これからの高齢社会においては，「高齢者が，尊厳をもって暮らすこと」を確保することが最も重要であり，高齢者が介護が必要となってもその人らしい生活を自分の意思で送ることを可能とすること，すなわち「高齢者の尊厳を支えるケア」の実現を基本に据えた。
　・介護保険は，高齢者が介護を必要とすることとなっても，自分の持てる力を活用して自立して生活することを支援する「自立支援」を目指すものであるが，その根底にあるのは「尊

厳の保持」である。

○ 2006（平成18）年4月から施行された介護保険制度改正
- 新予防給付・地域支援事業の創設（予防重視型システムへの転換）
- 地域密着型サービス（小規模多機能型居宅介護等）の創設
- 地域包括支援センターの設置　等

○【地域包括ケア研究会】報告書（2009（平成21）年5月）
　〜今後の検討のための論点整理〜
- 「地域包括ケアシステム」について，「ニーズに応じた住宅が提供されることを基本とした上で，生活上の安全・安心・健康を確保するために，医療や介護のみならず，福祉サービスを含めた様々な生活支援サービスが日常生活の場（日常生活圏域）で適切に提供できるような地域での体制」と定義している。
- 地域包括ケア圏域について，「おおむね30分以内」に必要なサービスが提供される圏域として，具体的には中学校区を基本とすることとしている。
- ※「地域包括ケア研究会」では，その後も適宜検討が進められ，2010（平成22）年3月，2013（平成25）年3月，2014（平成26）年3月，2016（平成28）年3月，2017（平成29）年3月，2019（平成31）年3月と，それぞれ報告書がとりまとめられ，その後の介護保険制度改正にて具現化されている。

○ 2009（平成21）年5月から施行された介護保険制度改正
- 介護サービス事業者の法令遵守等の強化

○ 2012（平成24）年4月から施行された介護保険制度改正
- 定期巡回・随時対応型訪問介護看護サービス，複合型サービス（看護小規模多機能型居宅介護）の創設
- 医療と介護の連携の強化
- 介護人材の確保とサービスの質の向上
- 高齢者の住まいの整備等（サービス付き高齢者向け住宅の供給促進）
- 認知症対策の推進　等

○「地域における医療及び介護の総合的な確保を推進するための関係法律の整備等に関する法律」（2014（平成26）年6月）
- 地域包括ケアシステムを法的に位置づけ

○ 2015（平成27）年4月から施行された介護保険制度改正
- 地域医療介護総合確保基金の創設
- 全国一律の予防給付（訪問介護・通所介護）を地域支援事業に移行
- 特別養護老人ホームの入居者を中重度者に重点化　等

第1節 介護保険制度等の考え方と仕組み

○ 2018（平成30）年4月から施行された介護保険制度改正
・保険者機能の強化等による自立支援・重度化防止に向けた取り組みの推進
・介護医療院の創設　　等
○ 2021（令和3）年4月から施行された介護保険制度改正
・市町村の包括的な支援体制の構築の支援
・医療・介護のデータ基盤の整備の推進　　等

3　地域包括ケアシステムの概念図と基本的な機能および考え方

　厚生労働省では，地域包括ケアシステムの姿について図2-1-9のように示している。また，前述の地域包括ケア研究会では，さらにこれをわかりやすく説明するため，その構成要素を図2-1-10のような「植木鉢の図」として示している。

　福祉用具の活用については，「介護・リハビリテーション」に含まれるのはもちろん，「すまいとすまい方」や「介護予防・生活支援」に含まれる居住環境整備の側面からも重要となるものである。また，今回の2024（令和6）年度制度改正に伴う「福祉用具貸与と販売の選択制の導入」については，「本人の選択と本人・家族の心構え」の要素も含まれることとなる。

　これらの図からもわかるように，地域包括ケアシステムは，前述の地域包括ケアの理念に基づき，住み慣れた地域内での生活の継続と，多職種協働による統合的なサービスの提供といった考え方に基づき具現化しようとしている。さらに，これらを地域ごとの特性に基づいたもの

図2-1-9　地域包括ケアシステムの姿

資料：厚生労働省

図2-1-10 植木鉢の図

資料：三菱UFJリサーチ＆コンサルティング「＜地域包括ケア研究会＞地域包括ケアシステムと地域マネジメント」（地域包括ケアシステム構築に向けた制度及びサービスのあり方に関する研究事業），平成27年度厚生労働省老人保健健康増進等事業，2016年

としていくため「地域包括支援センター」や「地域ケア会議」が設置されており，住民参加のもとで多職種協働による包括的な支援体制が構築されることとなっている。

(1) **住み慣れた地域内で生活の継続性の確保（Community-based care）**

　高齢者が住み慣れた地域で生活の継続を図っていくためには，その地域ごとに必要なサービスが適切に利用できる環境が整えられていることが重要となる。また，わが国では，福祉サービスの提供主体や，介護保険制度における保険者としての圏域として，国民の生活に最も身近な市町村が位置づけられている。さらに，前述のとおり「地域包括ケア研究会」においては，住み慣れた地域での生活の継続を目指し，日常生活の場（日常生活圏域）として，おおむね30分以内に必要なサービスが提供される圏域（中学校区）が想定されている。このように地域包括ケアにおいては，日常生活圏域を基盤としたケア体制の構築（Community-based care）が目指されている。

　それぞれの地域において生活習慣や社会資源も異なることから，地域包括ケアシステムは，個々の地域ごとに構築されるべきものである。

(2) **多職種協働による統合的なサービスの提供（Integrated care）**

　高齢者の日常生活を支えつつ，効率的かつ効果的にサービスを提供していくためには，これまでのように保健，医療，介護，福祉等の各種サービスが，それぞれ異なる制度のもとでバラバラに提供されるのではなく，サービスや事業者間で情報を共有しながら，統合的に提供されることが望ましい。その際に重要となるのは，個々の高齢者ごとの価値観や置かれた状況を踏

まえ，利用者が何を希望し，利用者にとって何が最適かといったビジョンを共有し，多職種の専門職がそれぞれプロフェッショナルとして関与しながら，PDCAサイクルのなかで利用者の変化や効果をモニタリングしていくことで，常に利用者の状態の変化に応じて適切なケアが提供できるようにすることである。

(3) 地域包括支援センター

地域包括支援センターは，市町村が設置主体となり，保健師・社会福祉士・主任介護支援専門員等を配置して，3職種のチームアプローチにより，住民の心身の健康の保持および生活の安定のために必要な援助を行うことにより，その保健医療の向上および福祉の増進を包括的に支援することを目的とする施設である（介護保険法第115条の46第1項）。

主な業務は，介護予防支援（介護保険給付の対象）および包括的支援事業（①介護予防ケアマネジメント，②総合相談支援事業，③権利擁護事業，④包括的・継続的ケアマネジメント支援事業）で，多面的支援の展開により，制度横断的な連携ネットワークを構築して実施することとされている（**図2-1-11**）。

図2-1-11　地域包括支援センターについて

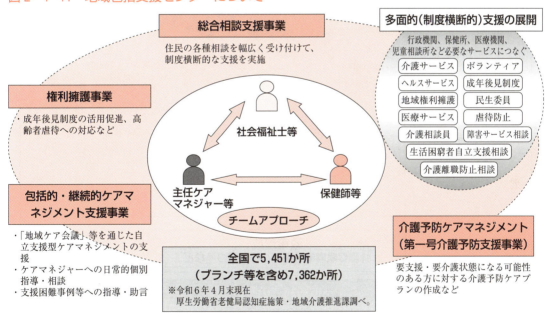

資料：厚生労働省資料を一部改変。

(4) 地域ケア会議

地域ケア会議は，高齢者個人に対する支援策の充実と，それを支える社会基盤の整備とを同時に進めていくために，地域包括ケアシステムの実現に向けた推進機能として市町村に設けられている。具体的には，地域包括支援センターまたは市町村が主催し，医療・介護等の多職種が協働して高齢者の個別課題の解決を図るとともに，介護支援専門員の自立支援に資するケア

マネジメントの実践力を高めること，個別ケースの課題分析等を積み重ねることにより，地域に共通した課題を明確化すること，共有された地域課題の解決に必要な資源開発や地域づくり，さらには介護保険事業計画への反映など政策形成につなげることなどが目指されている。

また，地域ケア会議の機能としては，五つに整理されており，個別ケースの検討を通じた，①個別課題解決機能，②地域包括支援ネットワーク構築機能，③地域課題発見機能のほか，地域課題の検討を通じた，④地域づくり・資源開発機能，⑤政策形成機能となっている。

図2-1-12 地域ケア会議について

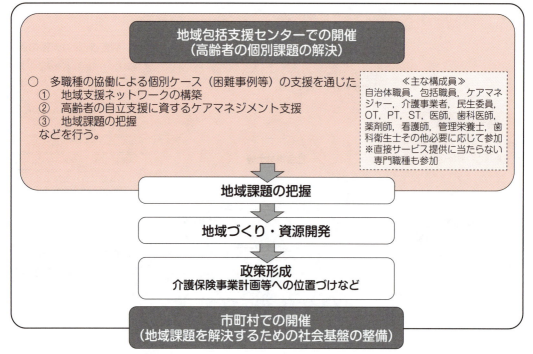

資料：厚生労働省資料を一部改変。

4 医療・介護にかかわる各専門職の役割

　医療・介護は，高齢期を迎える者にとって，なくてはならない大切で身近なものとなっている。

　しかしながら，大切で身近なものであるが，その内容はさまざまで複雑に絡み合っており，熟知している者は少なく，的確にサービスを利用できるとはいいがたい。そこに専門家の果たす役割がある。

　地域の高齢者の生活を支える地域包括ケアシステムのなかでも例外ではなく，利用者に対し制度や技術の基本的な仕組みや現状，問題点等を正確に説明することが，その役割の出発点である。そのうえで利用者に対し，各事業者・専門職が互いに情報共有し，多職種のサービスをいかに切れ目なく統合的に提供するかが重要になり，その多職種の連携とコーディネートによって，複雑に絡み合ったニーズに対し，一緒に考える寄り添った支援体制が構築できることになる。

　地域包括ケアシステムでは，ケアマネジャー，医師，看護師，介護福祉士等の専門職が，それぞれの専門的機能の発揮と最新の知識・技術の蓄積はもとより，それぞれの専門的機能を通して個々のサービス利用者の状態に応じた臨床的な協働の仕組み，例えば「顔の見える関係」の構築や，相互の「共通言語の理解」「コミュニケーションの促進」によって，連携機能の高度化を図っていく重要な役割を担う。

第2節　介護サービスにおける視点

ねらい

- 介護サービスを提供するに当たって基本となる視点を修得する。
- ケアマネジメントの考え方を踏まえ，福祉用具に係るサービスの位置付けや多職種連携の重要性を理解する。

到達目標

- 利用者の人権と尊厳を保持した関わりを持つ上で配慮すべき点を列挙できる。
- ケアマネジメントや介護予防，多職種連携の目的を概説できる。
- 居宅サービス計画と福祉用具貸与計画等の関係性を概説できる。
- 国際生活機能分類（ICF）の考え方を概説できる。

1 人権と尊厳の保持

1 ノーマライゼーション，QOL

　人権とは，人としてもっている権利のことであり，「基本的人権の尊重」や「侵すことのできない永久の権利」として，日本国憲法第11条でうたわれている。しかし，要介護状態になり，自分で意思決定や判断が困難になったとき，あるいは認知機能の低下により理解が損なわれたとき，その人の人権を保持していくことは決してたやすくはない。

　ノーマライゼーションの考えを提唱したデンマークのバンク・ミケルセンは「ハンディキャップを負った人々を"ノーマルな人"にすることを意味しているのではありません。その人たちを丸ごと受け入れて，"ふつうの生活条件"（を）提供すること」（大熊由紀子）と述べたが，ハンディキャップをもつ人たちも，みんなと同じ「普通の生活をする権利をもつ」というノーマライゼーションの思想は，人権の核となる思想といえる。人としての権利をいかに尊重するかは，介護サービスの提供におけるアセスメントや提供の際に，当然のことながら求められることである。

　自分の生活をどのようにしたいのかという本人の意思決定に対して，介護関係者はともすると本人を守ろうとする視点が強くなりすぎる。本人に代わって意思決定まで行う保護主義（パターナリズム）に陥りやすい。しかし，火の始末が心配，転ばぬ先のつえなどの理由で，よかれと思って導入したサービスが，本人の意思とは異なり自立の意欲を阻害することがないとはいえない。

　福祉用具専門相談員にとって，家族の「思い」と，本人の「思い」の食い違いのなかで，どのように福祉用具を導入したらいいか悩むことがあるだろう。そのようなときに，導入時の提案をするうえで重要なことは，介護保険法の目的である自立支援の視点に立つことである。また，提案時には，「このような視点からこの機種を選んだが，別の視点ではこうした機種もある」と，福祉用具専門相談員として何を尊重したのかを述べることは重要である。同時に，本人の求める生活の質（Quality of Life：QOL）とはどのようなものなのかということを念頭においた提案が，福祉用具専門相談員として求められる。

2 エンパワメント，プライバシーの保護

　エンパワメントはソーシャルワークの技法で，利用者自身が問題解決を行える力を身につけるように支援する，という方法を指す。利用者の困りごとからサービスに結びつけるという発

想から，もっと本人のできることに注目し，利用者の力を引き出し，利用者自身が解決できる力を身につけるという考えが，ケアマネジメントにおいて重要視されるようになってきた。つまり，ケアマネジャーは利用者とのかかわりや働きかけをするなかで，利用者自身の意向が明確になり，「こういう暮らしがしたい」「そのためにはどうしようか」と利用者のなかでイメージが湧いてきて，それがサービスを活用する力を高め，自ら考える生活につながっていくと考えてもよいだろう。

　福祉用具による支援について考えてみると，利用者にとって生活のなかのどの部分に福祉用具を導入することで生活が整うのかという視点が必要である。利用者の力を引き出すことには，「できることは自分でやってもらう」という発想がある。そうなると何がどこまでできるのかという把握が必要になり，利用者へのアセスメントが重要になってくる。福祉用具専門相談員として，「利用者はできない人」ではなく，利用者が生活していくなかで，利用者自身が福祉用具で何ができるか，どこまでできるかをともに考えていく姿勢が求められる。つまり，ケアマネジャーだけではなく福祉用具専門相談員にも，福祉用具のアセスメントの際に，エンパワメントの視点をもっておいてほしい。

　また，利用者のもっている力も含めて，利用者のプライバシーを保護し，尊重することが大切である。福祉用具専門相談員は利用者の「置かれている環境」を踏まえて福祉用具を選定する役割がある。利用者の意向や置かれている環境の把握はアセスメントであり，利用者のプライバシーの保護が重要である。

　なお，ソーシャルワークでは「アドボカシー」という言葉があるが，これは権利擁護と訳されている。他者（利用者）の権利と利益を守る活動である。アドボカシーは自らもつ選択や権利を自覚し，問題解決をする力を高めるというエンパワメントにつながる実践といえる。

3　高齢者虐待防止法と身体拘束禁止

　2006（平成18）年に，「高齢者虐待の防止，高齢者の養護者に対する支援等に関する法律」（高齢者虐待防止法）が施行された。その定義によると，虐待には身体的虐待，介護・世話の放棄・放任，心理的虐待，性的虐待，経済的虐待があり，「高齢者が他者からの不適切な扱いにより権利利益を侵害される状態や生命，健康，生活が損なわれるような状態に置かれること」（厚生労働省 2006）とされている。身体的虐待には高齢者の身体拘束と行動の抑制をする行為がある。

　高齢者虐待と認知症との関係には，介護負担ということが背景にある。虐待者となる人は「主たる介護者」であり，しかも「息子」が多いことが報告されている。高齢者の認知機能が低下し，認知症の行動・心理症状（Behavioral and Psychological Symptoms of Dementia：BPSD）が発生し，そのことで家族が疲弊し，家族に溜まったストレスがまた認知症高齢者を

不安定にさせるという悪循環があり，家族が介護の疲弊を理由に身体拘束などの虐待を行うことが想定される。介護する家族による虐待と認知症との相関が高いことに関しては，東京都が2006（平成18）年に行った調査『東京都高齢者虐待対応マニュアル』によると，「認知症に対する理解や，高齢者虐待と家族支援についての考え方が一般には浸透していないこと，地域で暮らす認知症高齢者をサポートするサービスの不足やサービス供給のミスマッチなど，高齢者やその家族全体を支える社会の仕組みが依然として不成熟であることなどが，虐待を発生させる社会的な背景となっている」ことを指摘している。こうした虐待を早期に発見し，家族への適切な支援につなげるために高齢者虐待防止法が施行され，高齢者の福祉に職務上関係のある者には，「早期発見に努めなければならない」と努力義務が課せられている。高齢者虐待防止法で定める「養介護施設従事者等」には，福祉用具貸与事業に従事する者も含まれる。福祉用具専門相談員は福祉用具の試用や使用の説明などの際に，訪問することで虐待を発見しやすい立場にあるといえる。高齢者虐待を発見したときは，速やかに「市町村に通報」が求められている。発見した際は，まずは一人で判断をせず，事業所責任者に報告をする。虐待かどうか迷うときも同様であり，一人で抱え込まず，事業所に報告し，地域包括支援センター，自治体の担当窓口に相談することである。事業所責任者は，利用者の安全と尊厳を守るために，通報をためらってはいけない。養介護施設の設置者または養介護事業を行う者の責務として，従事者に対する研修，利用家族からの苦情処理体制の整備などの措置がある（高齢者虐待防止法第20条）。福祉用具専門相談員として，虐待防止への自覚をもつとともに，組織として取り組むことが求められる。

　身体拘束とは「本人の行動の自由を制限すること」である。徘徊などの行動を制限する行為が身体拘束にあたるという認識を拘束する側が必ずしももっているとはいえないが，介護保険では禁止されている行為である。現在は身体拘束に関する規定は，介護保険の全サービスにおいて原則禁止とされているが，「利用者の生命又は身体を保護するため，緊急やむを得ない場合を除き」とし，緊急やむを得ない場合においても，切迫性（生命または身体の危険可能性が著しく高いとき），非代替性（他に代わる手段がないとき），一時性（制限が一時的であるとき）の三つの要件をすべて満たすことが必要である（**図2-2-1**）。さらに本人，家族，かかわる関係者全員での検討と，その際の本人の状況を含めた記録の作成が義務づけられている。「身体拘束ゼロへの手引き」（厚生労働省 2001）では，「車いすやいす，ベッドに体幹や四肢をひも等で縛る」「ベッドを柵（サイドレール）で囲む」「介護衣（つなぎ服）を着せる」等11例が示され，福祉用具が介在する行為が例示されている（**表2-2-1**）。このように福祉用具は利用者の自立を支援し，介護者の負担を軽減する道具であるが，使用の仕方によっては行動を制限し身体拘束につながることがあることを，福祉用具専門相談員として強く認識しておく必要がある。身体拘束は介護保険では禁止行為であることを踏まえて，高齢者虐待の早期発見に努めるとと

図2-2-1　緊急やむを得ない場合の三つの要件

本人の尊厳を守るために，切迫性，非代替性，一時性をすべて満たす状態であることを，本人・家族，本人にかかわっている関係者・関係機関全員で検討，確認し，記録しておくことが求められる。

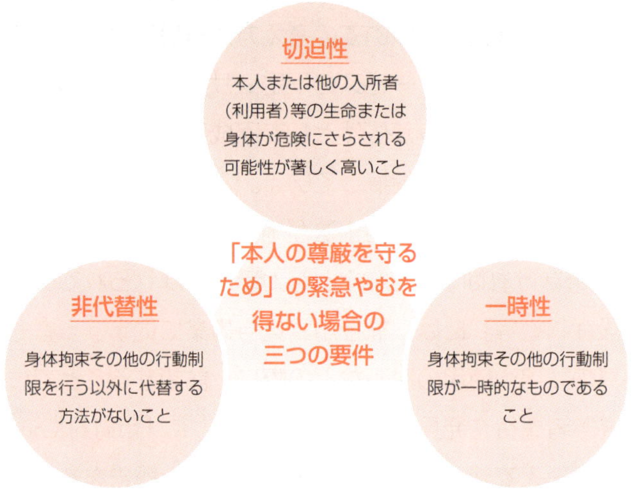

切迫性
本人または他の入所者（利用者）等の生命または身体が危険にさらされる可能性が著しく高いこと

非代替性
身体拘束その他の行動制限を行う以外に代替する方法がないこと

一時性
身体拘束その他の行動制限が一時的なものであること

「本人の尊厳を守るため」の緊急やむを得ない場合の三つの要件

資料：厚生労働省「介護施設・事業所等で働く方々への身体拘束廃止・防止の手引き（令和6年3月）」

表2-2-1　身体拘束の具体例

❶一人歩きしないように，車いすやいす，ベッドに体幹や四肢をひも等で縛る。
❷転落しないように，ベッドに体幹や四肢をひも等で縛る。
❸自分で降りられないように，ベッドを柵（サイドレール）で囲む。
❹点滴・経管栄養等のチューブを抜かないように，四肢をひも等で縛る。
❺点滴・経管栄養等のチューブを抜かないように，又は皮膚をかきむしらないように，手指の機能を制限するミトン型の手袋等をつける。
❻車いすやいすからずり落ちたり，立ち上がったりしないように，Y字型拘束帯や腰ベルト，車いすテーブルをつける。
❼立ち上がる能力のある人の立ち上がりを妨げるようないすを使用する。
❽脱衣やおむつはずしを制限するために，介護衣（つなぎ服）を着せる。
❾他人への迷惑行為を防ぐために，ベッドなどに体幹や四肢をひも等で縛る。
❿行動を落ち着かせるために，向精神薬を過剰に服用させる。
⓫自分の意思で開けることのできない居室等に隔離する。

資料：厚生労働省『身体拘束ゼロへの手引き』7頁，2001年を一部改変

もに，家族が福祉用具の利用で抑制行為をしようとしたときには，ケアマネジャー，サービス担当者会議，地域包括支援センター，その他関係機関と相談し，適切な支援につなげることが必要である。「身体拘束ゼロへの手引き」の内容を在宅介護事業所，家族等を対象に見直した「介護施設・事業所等で働く方々への身体拘束廃止・防止の手引き」が2024（令和6）年3月にまとめられている。身体拘束廃止・防止を実現するためには身体拘束を必要としないケアの実現を目指すことが必要であるが，とりわけ在宅において関係職種による議論，共有の認識をもち，本人はもちろん家族への支援体制を構築することが求められる。

2 ケアマネジメントの考え方

1 ケアマネジメントの考え方

　介護保険制度のなかでケアマネジメントは要になる。ケアマネジメントとは「要援護者やその家族がもつ生活全般の解決すべき課題（ニーズ）……と社会資源を結びつけることで在宅生活を支援すること」[1]と定義されている。

　このケアマネジメントの定義についてもう少し考えてみたい。小田兼三は「ケアマネジメントは，重複した生活課題をもつ利用者に対し，保健・医療・福祉，さらには住宅などにかかわる関係諸機関・施設の提供するサービスを調整し，医師，保健師，看護師，理学療法士，介護福祉士，社会福祉士など多職種のあいだのより良いケアのための運用を適切に行っていく手法である」[2]と述べている。つまり利用者のニーズと社会資源とをつなぐことである。この「つなぐ」役割が重要なのである。このなかには，利用者の思いに耳を傾け，課題を抽出し，課題解決のための目標を設定し，計画を実行する，ということがある。利用者の今とこれからを見据えた支援があり，フォーマルやインフォーマルを問わず，必要なサービス（社会資源）につないでいくという作業である。

　ところで，介護保険により利用者支援＝ケアマネジメントという考え方が広まったが，ソーシャルワークではケアマネジメントは援助技術の一つである。スーパービジョンやカウンセリングといった言葉を聞くことが多いかもしれないが，これらも援助技術の一つである。つまり，ケアマネジメントはあくまでも援助技術の手法であり，ケアマネジメントだけが対人援助ではないということを覚えておきたい。とはいえ，このことはケアマネジメントの意義を損なうものではなく，その人らしい生活を送るためにケアマネジメントが重要な働きをすることはいうまでもない。むしろ，介護保険制度のなかで利用者に的確なサービスを届けるために，利用者の選択と自立を支援するためにケアマネジメントが導入されたことは，介護保険制度の評価すべき点として考えられ，大きな意味があろう。

　利用者は常に単一の課題をもつ者だけではない。医療や介護，さらには経済的な問題などさまざまな課題のなかにいる。利用者の訴えに十分に耳を傾け（傾聴），課題を抽出し，利用者のニーズと社会資源をつなぐことが求められる。それがケアマネジメントであり，介護保険制度ではケアマネジャーがその担い手として創設された。

---

[1] 介護支援専門員テキスト編集委員会編『七訂 介護支援専門員基本テキスト（第1巻）』一般財団法人長寿社会開発センター，330頁，2015年
[2] 小田兼三・宮川数君編著『社会福祉援助技術』勁草書房，174頁，2005年

例えば，変形性膝関節症で要支援1と認定された80代の女性（独居）の利用者がいたとする。その利用者はシルバーカーを押しながら歩行をしているが，近くの商店と整形外科への通院に行く程度で，バスや電車を使った外出はしていない。亡き夫との思い出の詰まった家でこのまま暮らし続けたいとトイレには手すりを付け，これ以上悪化させたくないとデイサービスに通っている。近所の人とのおしゃべりは楽しいが，食事をつくるのがおっくうになって，時々食事を抜いてしまう。先日，転んでから腰の痛みを感じるようになったのが不安である。

　一見するとこの利用者は日常生活動作（Activities of Daily Living：ADL）はそれほど大きな問題ではなく，要介護度も要支援1と軽度であり，介護保険でのサービス利用の現状はデイサービスだけである。だが，この利用者には通院（医療）とデイサービス（介護保険）という医療と介護の利用があり，さらに住宅改修事業者が手すり設置でかかわっていた。在宅生活をこのまま維持していくためには，これらがバラバラに行われることなく提供されていくことが必要である。今後，食事をつくるのがおっくうというが，食事の支度をして，栄養をどのようにとっていくかということも重要である。ケアマネジメントの意義はそこにある。この家で暮らしたいという利用者の思いを受け止め，在宅生活の維持のために何が必要かを考える（ニーズの特定）。その生活のための計画を作成し，サービスを調整する。目標を設定し，そこでかかわる人がそれぞれの役割を果たしていく。ケアマネジャーは利用者とこれら社会資源の間をつなぎ，調整する役割を果たすが，ケアマネジメントはかかわるすべての人のものといえる。

　なお，ケアマネジメントは援助技術の手法である以上，障害をもつ人や児童などのさまざまな場面においても用いられるものであることはいうまでもない。また障害者自立支援法（現・障害者の日常生活及び社会生活を総合的に支援するための法律）の施行により，障害分野においてもケアマネジメントが「相談支援事業」として制度化され，サービス利用計画がなされるようになった。介護保険制度と異なる点はあるが，障害分野にもケアマネジメントの考え方が導入，制度化された点は覚えておきたい。

　介護保険ではケアマネジメントは要であると述べたが，法律上はケアマネジメントに関する定義はなく，「居宅介護支援」▶3として，その考えが盛り込まれている。

2　ケアマネジメントの意義と目的

　介護保険制度下のサービスを利用する際には，「居宅介護支援」業務が必要であり，「居宅介護支援」とはケアマネジメントを介護保険のなかで制度化，具体化したものといえる。

　なお，居宅サービス計画とは私たちが通常「ケアプラン」と呼んでいるものである。法律の文言なのでわかりにくいかもしれないが，心身の状況，置かれている環境，要介護者，その家族の希望等をよく聴き，把握したうえで，目標を設定し，計画を作成し，そのために何が必要

かを検討し，利用サービスを決定する。利用者の困りごと，訴えに耳を傾け，情報を集め，状況を把握していくケアマネジメントの過程がケアマネジャーには求められる。したがって，ケアマネジャーは決してサービスを調整するだけの介護保険サービスの代理人ではないのである。アセスメントにより課題を分析し，目標を設定し，その目標のために必要なサービスを導入するのである。「介護保険でのケアマネジメントは本来のケアマネジメントではない」という話を耳にすることがある。それは「介護保険内のサービス利用ありき」というサービス至上主義の意味でいうのだろう。しかし前述したようにケアマネジメントは決してそうではない。また，ケアマネジメントの考えを制度に初めて採り入れた介護保険の考えも，決してそのようなものではない。介護保険外のインフォーマルサービスや，介護保険と自費でのサービス利用の組み合わせ，医療でいうところの「混合診療」も認めている。

　なお，アセスメントの際にはアセスメントシートが使われる。使用するシートについての指定はなく，団体や識者らの努力によりさまざまな様式が開発されているが，アセスメント項目（課題分析標準項目）は定められており，2023（令和5）年10月に改正が行われた[4]。福祉用具専門相談員と福祉用具の関連でいえば「居住環境」の内容が「日常生活を行う環境，居住環境においてリスクになりうる状況」など新たに例示されている。

3　ケアマネジメントの流れ

　介護保険法でのケアマネジメントは，「居宅介護支援」という。「『利用者』が地域で生活するためのニーズを充足するために，その方々と社会資源をもっとも適切な形で結びつける手続きの総体を指す」（一般社団法人日本介護支援専門員協会 2012）。

　その過程は，**図2-2-2**のような流れに沿っている。インテークはケアマネジメントに入る

---

[3]　介護保険法第8条第24項「この法律において「居宅介護支援」とは，居宅要介護者が第41条第1項に規定する指定居宅サービス又は特例居宅介護サービス費に係る居宅サービス若しくはこれに相当するサービス，第42条の2第1項に規定する指定地域密着型サービス又は特例地域密着型介護サービス費に係る地域密着型サービス若しくはこれに相当するサービス及びその他の居宅において日常生活を営むために必要な保健医療サービス又は福祉サービス（以下この項において「指定居宅サービス等」という。）の適切な利用等をすることができるよう，当該居宅要介護者の依頼を受けて，その心身の状況，その置かれている環境，当該居宅要介護者及びその家族の希望等を勘案し，利用する指定居宅サービス等の種類及び内容，これを担当する者その他厚生労働省令で定める事項を定めた計画（以下この項，第115条の45第2項第3号及び別表において「居宅サービス計画」という。）を作成するとともに，当該居宅サービス計画に基づく指定居宅サービス等の提供が確保されるよう，第41条第1項に規定する指定居宅サービス事業者，第42条の2第1項に規定する指定地域密着型サービス事業者その他の者との連絡調整その他の便宜の提供を行い，並びに当該居宅要介護者が地域密着型介護老人福祉施設又は介護保険施設への入所を要する場合にあっては，地域密着型介護老人福祉施設又は介護保険施設への紹介その他の便宜の提供を行うことをいい，「居宅介護支援事業」とは，居宅介護支援を行う事業をいう。」

[4]　厚生労働省老健局　介護保険最新情報「介護サービス計画書の様式及び課題分析標準項目の提示について」の一部改正について（Vol.1178 令和5年10月16日）

段階の最初の場面であり，本人の意向の確認であり，受理面接ともいう。インテークの結果，そのままアセスメント（情報の収集）に至ることもある。またインテークの段階では，必ずしも本人の意向や意思が明確でないときもあるが，その場合は数回の面接を重ねることもある。インテークは，ケアマネジメントの過程における「受け入れ（intake）」の段階であり，そこでの対応は利用者にとっては今後の生活を左右する影響を与えることになり得る。福祉用具専門相談員にとっても，利用者との最初の面談（インテーク）は，アセスメントとともに，今後の利用者の生活の質を左右する場面といえる。

　ケアマネジメントの流れはアセスメントからモニタリング，さらに必要によっては再アセスメントと循環する形で行われ，ケアプランの検討に際してはサービス担当者会議が活用される。

　このうち，ニーズの発見，情報収集とアセスメントは利用者のさまざまな課題を解決・軽減するための抽出のプロセスとして必要なものであり，そこから解決・軽減のために導き出された計画がケアプランであり，利用されるサービスの検討となる。したがって，アセスメントはケアマネジメントの出発点である。しかも，ケアマネジメントには終わりがあるわけではない。モニタリングが終結ではない。モニタリングの結果，必要に応じて再アセスメントが行われるわけで，このサイクルはぐるぐると環を描いているものと考えればよい。

　これを一般企業に当てはめれば，事業の改善のための取り組みとしてP（plan），D（do），S（see）あるいはP，D，C（check），A（action）というサイクルに当てはまる。計画，実行，評価，改善ということである（**図2-2-3**）。このサイクルを，ケアマネジメントに置き換えて考えるとわかりやすいかもしれない。ケアマネジャーはアセスメントを行ったうえで，特殊寝台や車いすなどの福祉用具の必要性を判断し，ケアプランに位置づける。つまり，

第2節 介護サービスにおける視点

図2-2-3 PDCAサイクル

表2-2-2 福祉用具貸与の業務

	ケアマネジャー	貸与事業者
必要性判断	行う	──
機種の選定	行う場合あり	行う場合あり
搬入・設置・搬出	──	実施
モニタリング（状況確認）	義務づけ。1か月に1回利用者宅を訪問（サービス全般の実施状況の把握）	義務づけ（2012（平成24）年指定基準改定により（とりわけ予防貸与計画は，）ケアマネジャーへの報告を求める） ※2024（令和6）年度より，選択制の対象種目は利用開始後少なくとも6か月以内に1回モニタリングを行い，貸与継続の必要性の検討を行うこととされている
消毒・点検	──	実施（外部委託可能）

　PDCAのPを行い，次にDで実行に移される。それで終了ではなく，その結果を検証し，また新たな計画を立てるわけである。そうした過程を経ていることに福祉用具専門相談員は留意してほしい。

　つまりケアプランに書き込むという作業は，決して「利用者の言うがまま」に記載するものではなく，また，そうであってはならない。先に使えるサービスがあるから利用するのではなく，必要とする利用者がいて，その必要性と妥当性をアセスメントのなかで発見・分析するケアマネジャーがいるというのがケアプランの前提である。そして，その目的は「自立支援」（介護保険法第1条）である。そこには「その有する能力に応じ自立した日常生活を営むことができるよう」とあり，これは福祉用具貸与の指定基準にも明記されている。

　2006（平成18）年の介護保険法の改正で「予防給付」や「地域支援事業」の創設など，予防重視型システムへの転換が図られた。しかし，この見直しによって「自立支援」が目的化され

たわけではなく，もともと法律には施行時点から明記されていた。

4　ケアプラン（居宅サービス計画）

　アセスメントの結果，総合的な援助方針を利用者とともに決め，目標を立てる。目標に沿って計画が作成され，その計画に基づきサービスが提供される。ケアプランは第1表から第5表まである。

　第1表（**表2-2-3**）は総合的な援助方針を書き込むものである。第2表（**表2-2-4**）は援助目標とその目標に沿った援助内容が書き込まれるものであり，第1表，第2表はケアプランの核となる部分である。第2表には「長期目標」と「短期目標」を書き込む。ここには「期間」を記入する。短期目標は，長期目標の達成のための段階的対応で，最長でも6か月，おおよそ3か月を期間としている。つまりただ漫然と目標を設定するのではなく，期間を書き込むことで達成できたのかどうかの評価ができることになる。

　第3表は週間サービス計画表といわれるもので，第2表に記載された援助内容を1週間単位で記載するものである。第1表，第2表，第3表はアセスメントの結果，導き出された目標とサービスの内容である。福祉用具貸与は導入が必要な理由とともに，この第2表の援助内容に記入されることで初めて介護保険での利用が可能になる。

　第4表はサービス担当者会議の要点を，第5表はモニタリングで得られた情報を時系列で記載するための記録用紙である。福祉用具専門相談員から得た利用者情報や使用状況に対する意見などもここに記入されることになる。第5表には計画作成後の経過と状況が書き込まれる。第5表に書かれたものは，利用者の現状を把握するうえで貴重な情報である。この結果，ケアプランの見直しが生じるかもしれない。福祉用具専門相談員が利用者の使用状況を確認すること，ケアマネジャーにその情報を提供することの意味はここにある。したがって，福祉用具専門相談員は特殊寝台や車いすといった現在利用されている福祉用具の保守・点検などのメンテナンスだけでは十分とはいえない。利用者がその福祉用具を現在どのように利用しているのかという活用状況にも留意してほしい。

5　モニタリング

　介護保険制度では，ケアマネジャーに対してケアプランの作成後のモニタリングを義務づけている。

　「介護支援専門員は，居宅サービス計画の作成後，居宅サービス計画の実施状況の把握（利用者についての継続的なアセスメントを含む。）を行い，必要に応じて居宅サービス計画の変更，

第2節　介護サービスにおける視点

表2-2-3　第1表・居宅サービス計画書(1)

第1表

居宅サービス計画書（1）

作成年月日　　年　月　日

初回・紹介・継続　　　認定済・申請中

利用者名	殿	生年月日　年　月　日	住所

居宅サービス計画作成者氏名	
居宅介護支援事業者・事業所名及び所在地	
居宅サービス計画作成（変更）日　　年　月　日	初回居宅サービス計画作成日　　年　月　日
認定日　　年　月　日	認定の有効期間　　年　月　日　～　年　月　日

要介護状態区分	要介護1 ・ 要介護2 ・ 要介護3 ・ 要介護4 ・ 要介護5
利用者及び家族の生活に対する意向を踏まえた課題分析の結果	
介護認定審査会の意見及びサービスの種類の指定	
総合的な援助の方針	
生活援助中心型の算定理由	1.一人暮らし　　2.家族等が障害、疾病等　　3.その他（　　　　　　　　）

表2-2-4　第2表・居宅サービス計画書(2)

第2表

居宅サービス計画書（2）

作成年月日　　年　月　日

利用者名　　　　　　殿

生活全般の解決すべき課題（ニーズ）	目標				援助内容					
	長期目標	(期間)	短期目標	(期間)	サービス内容	※1	サービス種別	※2	頻度	期間

※1　「保険給付の対象となるかどうかの区分」について、保険給付対象内サービスについては○印を付す。
※2　「当該サービス提供を行う事業所」について記入する。

第2章　介護保険制度等に関する基礎知識

指定居宅サービス事業者等との連絡調整その他の便宜の提供を行うものとする」（「指定居宅介護支援等の事業の人員及び運営に関する基準」（平成11年厚生省令第38号）第13条第13号）。

具体的には少なくとも1か月に1回（要介護者の場合）は利用者宅を訪問して面接し，モニタリングの結果を記録することとされている。ただし，2024（令和6）年の運営基準の改正により，2か月に1回居宅を訪問して面接をしていれば，訪問しない月においては，テレビ電話装置等を利用して面接することができるとされている。

サービス導入後のモニタリングでは，ケアプランに沿ったサービスが提供されているかを確認する。サービス導入に関して利用者・家族がどのように感じているか，あるいは生じた変化などを確認する。例えば，「訪問介護を導入したけれど，かえってヘルパーに気疲れしてしまった」「ベッドや車いすを借りてそのときは説明を受けたけれど，実は使い方がよくわからない」という利用者のニーズの変化はあり得ることである。サービスが導入されても，利用者とそのサービスとがマッチングするまでに時間がかかるときもある。再調整がいるかもしれない。初期モニタリングが必要な理由である。

ケアプランで立てた目標達成についてはモニタリングのなかで，把握し，評価していく。継続していくことで，信頼関係が強まるといえる。モニタリングの意義として，目標に対する達成度を測ることは重要である。

ケアプランで立てられた目標が利用者，ケアマネジャー，サービス事業者らによって達成されたと考えられたときは，さらに次の目標を設定する。したがって，1人の利用者に対してのケアマネジメントは繰り返し行われていくことになる。ケアマネジャーは利用者の「状況」を把握していなければならない。とはいえ，1人のケアマネジャーが1人の利用者のあらゆる情報を知っているわけではない。把握するための情報は，それぞれのサービス事業者から的確に出してもらうことが必要であり，サービス担当者会議やチームケア・多職種連携がここでも重要になってくる。

福祉用具貸与においては従来，モニタリングの義務づけがなかった。しかし，2012（平成24）年の改正で福祉用具サービス計画の作成とともにモニタリングの実施が義務づけられることとなった。福祉用具貸与の業務のなかにもケアマネジメントの考えとPDCAの流れが示されたといえる。そしてモニタリングの結果，利用している福祉用具の機種変更などが必要であると福祉用具専門相談員が感じたとき，あるいは再アセスメントが必要と考えたなら，速やかにケアマネジャーに連絡する。福祉用具専門相談員によるモニタリングの記録は，ケアマネジャーへの交付が義務づけられている。モニタリングは，利用の状況を確認したらそれで終わりというものではない。新たなニーズの発生など必要に応じて再アセスメント，福祉用具の再提案ということは十分あり得るのである。また，2024（令和6）年度の選択制の導入により，福祉用具専門相談員は利用開始後6か月以内に少なくとも1回モニタリングを行い，貸与継続の必要

性を検討することとなり，ケアマネジャーとの連絡，情報共有はさらに必要となる。

> **介護サービス情報の公表（抜粋）**
> 【大項目Ⅰ・中項目4・小項目(1)】
> 　福祉用具の使用状況の確認のための取組の状況→確認事項：利用者ごとの福祉用具の使用状況を確認している（確認のための材料：利用者の居宅への福祉用具の搬入日から10日以内に，電話又は利用者の居宅を訪問して，福祉用具の使用状況を確認した記録がある）
> 【大項目Ⅰ・中項目1・小項目(4)】
> 　利用者の状態に応じた福祉用具の選定状況→確認事項：利用者ごとの福祉用具の必要性について，6か月に1回以上，介護支援専門員（介護予防支援事業所等）と相談している（確認のための材料：介護支援専門員（介護予防支援事業所等）と6か月に1回以上相談している日付及び内容の記録がある）

6　ケアマネジメントの終結

　介護保険制度のなかでのケアマネジメントの終結は，利用者が担当ケアマネジャーの手から離れたときといえる。要介護認定が「自立」になり，介護保険の制度からはずれたとき，入院したとき，亡くなったときにケアマネジメントは終結する。施設に移った場合は，今度は施設内でのケアマネジャーによりケアマネジメントが行われ，施設でのケアプランが作成されることになる。

　以上，ケアマネジメントの目的と介護保険制度のなかでの流れについて簡単に述べた。福祉用具の供給に際しては，福祉用具専門相談員も課題分析（アセスメント），その課題解決のための福祉用具導入，その後の確認と利用効果の把握（モニタリング）というケアマネジメントが重要であることを忘れてはならない。

　ケアマネジメントを理解したうえで，福祉用具を提供してほしい。福祉用具専門相談員は，利用者を支えるチームの一員なのである。

7　福祉用具サービス計画との関係

　介護保険制度においては福祉用具貸与のサービスを利用する際には，ケアマネジャーが福祉用具の必要性を判断し，その利用はケアマネジメントの過程のなかで実施されることが前提となる。福祉用具サービス計画は，2012（平成24）年から義務づけられた。ケアマネジャーにとって，福祉用具サービス計画書があることで，①福祉用具専門相談員がケアプランのどこに視点をおいて，目標を設定しているのかがわかる，②基本情報や目標の設定，選定理由を見るなかで，自分の把握していない利用者・家族の情報を知ることができる，③留意点の記載があることで，誤操作，事故を防ぐための情報共有，確認事項のツールになるという意義は大きい。福

祉用具専門相談員にとっても、従来以上にケアプランの確認が必要になることはいうまでもない。

福祉用具サービス計画は、福祉用具利用の目標を明確にし、選定理由を明らかにすることであり、「ケアプラン→福祉用具サービス計画」の一貫性をもつ。つまりケアマネジメントの過程のなかで、福祉用具専門相談員が一人ひとりの状態像に応じた利用計画を作成するものである。このため従来以上に、ケアマネジメントのもつ意味や目的を知ることは、適正な福祉用具利用のうえで不可欠になったといえる。

8　介護予防の目的と福祉用具利用

介護予防の目的とは、要介護状態に陥らないようにすることである。要支援の認定を受けた人は、日常生活に不自由さはあるが要介護の人よりは自立度が高い。しかし、要介護になる可能性があるともいえる人たちである。このような高齢者を要介護状態にならないように、本人のもっている力を活かし、このまま在宅での生活を維持・継続できるように支援することが、介護予防の目的である。介護予防プラン（介護予防ケアプラン）とは、このための利用者とサービスの調整をケアマネジメントの手法で作成するプランである。自立度の高さや低さを問わず、本人の意向を尊重しつつ、意欲をいかに引き出していくかということは大切なことであるが、自立度が高い利用者に対するケアは、より自立志向型となる。福祉用具の利用においても、「福祉用具で生活すべてを整える」よりも、少しだけ不自由なところを「補う」という感覚で、できることを増やすことが求められる。なお、軽度者（要支援1・2、要介護1）の場合、福祉用具貸与の種目のうち車いす、特殊寝台、認知症老人徘徊感知機器等は利用が状態像から想定しにくいとして、対象外とされている（状態が変動しやすい場合など例外規定あり）。2024（令和6）年の「介護保険における福祉用具の選定の判断基準」において、選定する際の標準的な目安（ガイドライン）として、「使用が想定しにくい状態像」等が示されている。

9　国際生活機能分類（ICF）の考え方

国際生活機能分類（International Classification of Functioning, Disability and Health：ICF）は、国際障害分類（International Classification of Impairments, Disabilities and Handicaps：ICIDH）に代わり、2001年に世界保健機関（World Health Organization：WHO）で採択された。人間の生活機能と障害に関する状況に対する分類であり、その考え方はケアマネジメントにも取り入れられている（137頁の**図3-2-1**、138頁の**図3-2-2**参照）。ICIDHが疾病などの原因で機能障害になり、それが能力障害（能力低下）となって、社会的不利に陥

るという一方通行の直線的な概念であったのに対し、ICFは、人と環境の「相互作用」として、各次元は相互に関連していることを示している。

独立行政法人国立特別支援教育総合研究所によると、ICFの特徴としては以下の点があり、「～ができない」というマイナスな表現から、「～すればできる」という肯定的な表現となっている。

・環境因子や個人因子等の背景因子の視点を取り入れていること
・構成要素間の相互作用を重視していること
・「参加」を重視していること
・診断名等ではなく、生活のなかでの困難さに焦点を当てる視点をもっていること
・中立的な用語を用いていること
・共通言語としての機能をもつこと

ICIDHの視点からみると、脳梗塞の後遺症（疾病）で、片麻痺（機能不全）、歩行・移動能力の低下（能力低下）で、外出が困難となり「社会的不利」と考えられるが、ICFの視点でみると、脳梗塞の後遺症という健康状況（状態）があり、歩行移動能力の低下は身体構造（生命レベル）であり、移動は困難という活動（生活レベル）で、外出ができないという「参加」に結びつく。さらに「移動能力の低下」の環境因子として、住環境の段差、手すりがない、歩行器が身体に合っていないという因子があり、外出困難の環境因子として、独居で介護者がいないということもあるだろう。つまり単一ではなく、複数の要因があるということになる。したがって、その複数の要因（環境因子）に着目し、参加と活動に働きかけていくことが重要である。ICFの考えが「社会モデル」といわれるのも、利用者のできることに着目して利用者の生活を考えるからである。福祉用具は環境因子の要素であり、福祉用具があることで活動や参加に結びつくことを、福祉用具専門相談員は改めて認識してほしい。

10 多職種連携の目的と方法

病院から在宅に移行する際や、在宅での職種間など多職種連携が推進されている。利用者にかかわる専門職が一堂に会することで、利用者情報の共有、目的の設定と共有が図られる。ケアマネジャー、医療・介護の専門職、福祉制度の利用によっては自治体担当者、民生委員らも想定される。具体的にはサービス担当者会議、退院時カンファレンス等がある。在宅生活を送るに際して、福祉用具を導入することも多いことが想定される。福祉用具専門相談員にとっても、入院・入所中の日常生活動作（ADL）、リハビリテーションの内容や今後の治療方針、見通

図2-2-4　多職種連携

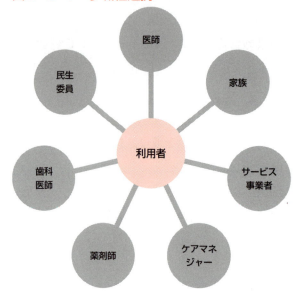

し等は，福祉用具の利用目的にかかわり，選定において必要な情報と考えられるからである。

退院・退所時の連携を一層図るため，利用者の医療機関等からの退院・退所では，指定居宅介護支援事業者に退院・退所加算が算定されたが，2021（令和3）年の介護保険制度の見直しで，その要件の一つとして，「必要に応じてカンファレンスに福祉用具専門相談員が参加すること」が加えられた。福祉用具専門相談員は退院・退所時の積極的な参加が期待される。

次にサービス担当者会議について説明する。

サービス担当者会議は，その利用者にかかる保健・医療・福祉サービス関係者が一堂に会し，その支援目標とそのためのサービスを検討，合意することが目的である。初回ケアプラン作成時，モニタリングの段階に，モニタリングの結果，目標の再設定時など，サービス担当者会議による状況把握，確認，目標設定，合意は重要である。本来，本人・家族を交えて，また関係機関，民生委員らインフォーマルに支援する人も含めた会議が望ましい。会議の目的は「病院から在宅への生活をスムーズに移行する」「サービス内容の具体的確認と留意点について共有化する」などの課題に対しての検討である。全員が集まることだけにエネルギーを注いでもそれほど意味はない。会議で何を検討するかという目的の焦点化が必要である。

福祉用具貸与の事業者は訪問系や通所系のサービスと異なり，ケアマネジャー以外のサービス事業者と顔を合わせる機会は多くない。したがって，福祉用具を「何のために」導入したのか，その利用に際して福祉用具専門相談員としてどのように考えているかをサービス担当者会議で述べることは，お互いの情報の共有化という意味で大切である。「ケアマネジャーは福祉用具のことを知らない」「レンタル価格が安いということだけが基準になっている」「サービス

担当者会議に声がかからない」という声が福祉用具専門相談員から聞かれることがある。福祉用具に携わる者の本音ではあろうが、福祉用具を理解してもらうためにもサービス担当者会議は活用すべきと考える。また、「声がかからない」という話については、本来サービス担当者会議が何のために開かれるかというその趣旨を考えると、福祉用具専門相談員のほうから積極的にケアマネジャーに照会することが求められる。

　サービス担当者会議によって、「他職種の人と話ができ、利用者が他のサービスをどのように利用しているかよくわかった」「機種選定に関してケアマネジャーと意見が異なったが、機能などをくわしく話したことで合意が得られた」という声も聞かれる。福祉用具専門相談員もチームケアの一員であるという認識をもって、積極的にサービス担当者会議を活用してほしい。サービス担当者会議によって情報を共有化し、チームとしての方針が立てられ、サービスの調整とともに、それらに対する合意が図られるからである。これらはすなわち、チームケアの機能である。

参考文献

　一般社団法人全国福祉用具専門相談員協会編『福祉用具サービス計画作成ガイドブック』中央法規出版、2014年。

　一般社団法人日本介護支援専門員協会『利用者が自分らしく豊かに生活するためのケアマネジメント』2012年。

　大熊由紀子「えにしの部屋」http://www.yuki-enishi.com/challenger-f/challenger-f02.html

　介護支援専門員テキスト編集委員会編『七訂 介護支援専門員基本テキスト（第1巻）』一般財団法人長寿社会開発センター、2015年。

　厚生労働省『介護施設・事業所等で働く方々への身体拘束廃止・防止の手引き』2024年。

　厚生労働省『市町村・都道府県における高齢者虐待への対応と養護者支援について』2006年。

　厚生労働省『身体拘束ゼロへの手引き』2001年。

　東京都『東京都高齢者虐待対応マニュアル』2006年。

第3章

高齢者と介護・医療に関する基礎知識

第1節 からだとこころの理解

- 高齢者等の心身の特徴と日常生活上の留意点を理解する。
- 認知症に関する基本的な知識を踏まえ，認知症高齢者との関わり方を理解する。
- 感染症に関する基本的な知識を踏まえ，必要となる感染症対策を理解する。

- 加齢に伴う心身機能の変化の特徴を列挙できる。
- 高齢者に多い疾病の種類と症状を列挙できる。
- 認知症の症状と心理・行動の特徴を理解し，認知症ケアの実践に必要となる基礎的事項を概説できる。
- 主な感染症と感染症対策の基礎的事項，罹患した際の対応を概説できる。

1 加齢に伴う心身機能の変化の特徴

1 身体機能の変化の特徴

●全身機能の変化

(1) **全身性生理的変化**

加齢によりヒトの心身機能は低下する。全身の総水分量，筋肉量，循環血流量は低下する。肺活量，最大酸素摂取量も低下する。したがって，供給される酸素，エネルギー量が減少することによって，各臓器の機能は低下する。筋肉量の減少は全身の筋力の低下や，運動能力の低下（瞬発力，持久力，バランスの低下）をもたらす。活動量が減ることによって，体力の維持力が低下し，感染症等にかかりやすくなる。日常生活動作（Activities of Daily Living：ADL）の能力は低下し，最悪の場合には介護が必要な状態へと進む。

(2) **フレイル（frailty）**

加齢による全身的な衰えには，個人差がある。「後期高齢者の保健事業のあり方に関する研究」（平成27年度厚生労働科学研究特別事業）によると，フレイル（frailty：脆弱）とは，「加齢とともに心身の活力（運動機能や認知機能等）が低下し，複数の慢性疾患の併存などの影響もあり，生活機能が障害され，心身の脆弱性が出現した状態であるが，一方で適切な介入・支援により，生活機能の維持向上が可能な状態像」と捉えられる。フレイルの評価基準として，改訂日本版フレイル基準では，①体重減少，②筋力低下，③疲労感，④歩行速度，⑤身体活動をあげている。これらの要素には評価基準があり，3項目以上に該当すればフレイルとなり，1～2項目に該当すればプレフレイル，該当なしであれば健常（フレイルではない）と判断される。個人の加齢度の指標とみなせる。

(3) **健康寿命**

健康寿命とは「健康上の問題で日常生活が制限されることなく生活できる期間」のことである。人は誰しも老いると心身の機能低下を生じ，元気で自立した生活を営めなくなる。平均寿命と健康寿命との差が介護や療養を要する期間となる。この期間は男性ではおよそ8年余り，女性ではおよそ12年余りである。この期間をなるべく短くしようというのが健康増進運動の目標の一つであり，その成果によりわずかずつ短くなっていっている。

(4) **高齢者にみられる病的状態**

① **進行性核上性麻痺，大脳皮質基底核変性症およびパーキンソン病**

これらの病気はいずれもパーキンソン症状を呈する。パーキンソン症状としては，まず片側の手足の震えや動作のぎこちなさなどがみられ，これらがだんだん両側の手足へと広がっ

て，筋肉が硬くなり，動きづらくなる。姿勢は前屈みとなり，足が前に出ない一方で，いったん歩き出すと止まれない。表情がなくなる。徐々に進行し，初めはそれほど不自由がなくとも次第に外出ができなくなり，家の中でも自分で自分のことができなくなっていく。薬で治療するが，病気が進行すると，薬が切れたとたんに身体が硬くなって動けなくなり，薬の血中濃度が上がるとまた動けるようになるといったオン―オフ現象を示すことなどがあげられる。

　　進行性核上性麻痺は，中高年に発症し，緩徐に進行する。男性が女性よりもやや多い。パーキンソン症状を呈し，ものを注視できない注視麻痺が現れる。嚥下障害，認知障害を伴う。

　　大脳皮質基底核変性症は，中高年に発症し，緩徐に進行する。麻痺はないのに動作がうまくできない肢節運動失行，動作の模倣ができない観念運動失行が現れる。さらにパーキンソン症状が現れる。

　　パーキンソン病は，50代から60代に発症することの多い慢性進行性の神経疾患である。脳にある黒質という細胞の固まりにある神経細胞が変性することによって起こる。その結果ドーパミンという物質が足りなくなり，神経相互の伝達がうまくいかなくなって，姿勢と運動の異常を生じる。

② 脊髄小脳変性症

　　主に中年以降に発病する慢性進行性の神経疾患で，遺伝性のあるものとそうでないものが同じ病気のなかにある。いくつかの病気があるが，共通することは，小脳が変性して，ふらつきなどバランスがとれないことが特徴である。手や指が震える振戦が現れることもある。言葉を発生する筋肉の協調性が失われ，その結果，言葉を話すことが不自由になったりする。

③ 多系統萎縮症

　　多系統疾患にはシャイ・ドレーガー症候群，オリーブ橋小脳萎縮症，線条体黒質変性症が含まれる。これらの病気にはそれぞれ特徴があるが，混合した症状を呈するものがあることや，末期には同じような状態になることから，一つの疾患単位としてまとめられた。自律神経症状，小脳症状，パーキンソン症状が現れ，中枢神経のさまざまな部分の萎縮が生じていると考えられるので，多系統萎縮症と呼ぶ。

　　シャイ・ドレーガー症候群は40代から50代に発症する男性に多い慢性進行性の神経疾患である。自律神経症状を主体とする。起き上がると血圧が下がる症状を起立性低血圧というが，シャイ・ドレーガー症候群の場合にはこの起立性低血圧の症状が強く，ひどい場合には起き上がると血圧が低下して失神し，そのために起き上がれなくなる。また，食事によっても血圧が下がる。発汗の異常が現れ，体温調節が困難となる。そのほか排泄の障害や小脳症状を伴う。5年から10年の経過で死亡する。

　　オリーブ橋小脳萎縮症は，中年以降に発病する。遺伝性はない。慢性進行性の疾患である。

小脳性運動失調，起立歩行困難，四肢の協調運動の障害，構音障害が現れる。進行するとパーキンソン症状が強くなる。起立性低血圧などの自律神経症状を伴うこともある。

線条体黒質変性症は中高年に発症する。緩徐進行性であり，パーキンソン症状を呈する。小脳症状，自律神経症状を伴う。

④ 生活習慣病

生活習慣病とは，病気の原因が細菌感染や原因のはっきりしないがん等とは異なり，生活の悪習慣がやがて発病の引き金となる疾患のことで，以前まで成人病といわれてきた疾患と重なる。高齢者にみられる疾患とは，生活習慣病とその結果生じた疾患が多数を占める。

● 高血圧

高血圧は血圧の高い状態である。血圧の高い状態が続くと，次第に動脈が硬化し，腎臓や網膜にも変化が現れる。動脈硬化によって動脈の閉塞による四肢の壊死（血の巡りが悪く，組織が死ぬこと）や脳の血管障害，心筋梗塞が起こってくる。高血圧は塩分のとりすぎ，ストレスの蓄積等で生じる。

● 糖尿病

糖尿病は血液中の糖濃度が高まる病気である。その結果として尿には本来含まれない糖が排泄されるようになる。血液中の糖は膵臓のランゲルハンス島から出るインスリンによって細胞に取り込まれるが，インスリンがうまく分泌されないと糖は細胞に入れず，血液中の糖の濃度が高まることとなる。糖尿病は過食による肥満がきっかけとなって起こることがある。

糖尿病になると微小な血管の炎症が生じ，動脈硬化が起こり，感染症等にかかりやすくなる。血管炎によって，末梢神経障害，網膜症，腎症，動脈硬化による手足の血行障害が生じる。また心筋梗塞，脳血管障害の原因となる。病初期には自覚に乏しく，軽視されがちであるが進行するとこのように重大な障害を引き起こす（合併症については後述）。

⑤ 心筋梗塞

心筋に分布する血管が詰まると心筋梗塞となる。急死するか，その後の日常生活に重大な支障をきたす。高血圧や糖尿病等の基礎疾患を伴うことが多い。

⑥ 糖尿病性腎症，糖尿病性網膜症，糖尿病性神経障害

糖尿病性腎症では，糖尿病による細小血管症のために腎臓組織が障害され，尿をつくれなくなる。また，人体に必要な大量のタンパクが排泄されてしまう。尿がつくれないので体内に老廃物が溜まり，尿毒症を起こして生命を脅かす。治療は糖尿病を管理することであるが，いったん始まると進行を止めることは難しく，腎透析が必要となる。

糖尿病性網膜症は，目の網膜の血管の変化により視力障害をきたすものである。網膜は眼球の奥にあり，光を感知するところである。網膜の血管がこぶをつくったり，詰まって網膜

の血の巡りが悪くなったり，出血したりして，網膜の光の感知のじゃまをする。このような変化が繰り返し起こり，網膜がはがれたり，出血によって網膜の前にある硝子体が濁ったりして，次第に視力は失われる。

　糖尿病性神経障害は，手足にある末梢神経が糖尿病のために次第に変性していくものである。手足のしびれ，異常感覚，筋肉のやせ，筋力の低下などが起こってくる。感覚の低下が起こるので，傷があっても気づかず，糖尿病による易感染性（感染のしやすさ）もあって，あっという間に拡大悪化することもまれではない。特に足底や足部にそのような変化が起こりがちである。末梢神経障害によって起こった筋肉のやせによる足の形の変化も傷ができやすくなったり，歩くことによって足の裏に潰瘍ができやすくなる原因となる。四肢切断の原因となる。

⑦　脳血管疾患（脳出血，脳梗塞など）

　40歳以上65歳未満で脳血管障害を発症した場合には，介護保険の適用となる。脳血管障害は脳卒中ともいわれ，脳の血管から出血する脳出血，脳表層の血管が破れるくも膜下出血，脳の血管がつまる脳梗塞がある。これらの血管障害の基礎疾患には糖尿病，高血圧等の生活習慣病が存在する。

　脳卒中になり，生存した場合には多くは片麻痺となる。これは脳の血管には左右対称性があり，そのためにどこかの血管に障害が生じると片方の脳にのみ障害をもたらすためである。片麻痺とは右あるいは左の上下肢の半身麻痺である。顔面筋麻痺を合併することもある。失語症を伴うこともある。

⑧　閉塞性動脈硬化症

　動脈硬化とは，動脈の内側の壁が，厚くなったり固くなったりして脆くなって，本来の弾性を失うものである。このような変化を粥状硬化（じゅくじょうこうか）という。粥状硬化のなかにはコレステロールが溜まる粥腫（じゅくしゅ）というものがある。動脈硬化は慢性的に発症し進行する。原因として脂質異常症，喫煙，高血圧があげられ，その他に肥満，糖尿病，家族に同じような人がいること，ストレスなどがあげられる。

　閉塞性動脈硬化症とは，動脈の硬化が進んで，徐々に手足の太い動脈が閉塞し，その結果，手足の血液が足りなくなって，障害を起こす病気である。中年の男性に多い。

　動脈が徐々に狭くなり閉塞した場合には，生体はそれに対抗してあらゆる細い動脈を使ったり，新たに動脈をつくったりして血行を保とうとする。これらの血管を側副血行路という。そのため，急激に閉塞したり切れたりした場合には手足は壊死してしまうが，慢性に起きた場合には手足への血流はある程度保たれる。しかし，十分な機能を果たすには少ないので，それに伴ってさまざまな症状が起こる。

　自覚症状として冷感，しびれ，手足の赤みの消失等から始まる。やがて，歩くと筋肉が活

動し，より多くの酸素を必要とするが血行がそれに追いつかず，しばらくして足が動かなくなる，痛む，引きずるという間欠跛行を示すようになる。さらに進むと，安静にしていても痛みを感じるようになり，ついには皮膚に潰瘍や壊死を生じるようになる。治療としては内服，手術，生活指導などを行う。

　原因とされる脂質異常症とは血液中の脂質が増えた状態である。血液中に含まれる脂質には，コレステロール，中性脂肪等が含まれる。コレステロールはHDL-コレステロール，LDL-コレステロールなどの形で存在する。HDL-コレステロールは善玉コレステロールともいわれ，LDL-コレステロールは悪玉コレステロールと呼ばれる。悪玉コレステロールの値は低いほうが望ましい。検査では，総コレステロール，LDL-コレステロール，中性脂肪を測り，これらの値が高ければ，脂質異常症として治療を行う。治療の目的は，血中濃度を下げ，動脈硬化が進んで，脳血管障害や心筋梗塞などを起こすリスクを下げることである。

⑨　**慢性閉塞性肺疾患（肺気腫，慢性気管支炎，気管支喘息など）**

　呼吸機能の障害には2種類あり，一つは肺活量の減った拘束性障害というものであり，もう一つは，勢いよく息を吐き出すことができない閉塞性障害というものである。吐き出す勢いは，1秒間にどれだけの息を吐き出せるか（1秒率）で測る。

　肺気腫は，中年以降の主に男性にみられる呼吸器疾患で，動いたときの息切れ，咳，痰を主な症状とする。気管支の末端が拡大し，吸った息の酸素が取り込めなくなり，また息を吐こうとするとなかなか吐けない。そのために，だんだん胸が大きくなり，樽状になる。危険因子として喫煙があげられる。一度変化してしまった肺の組織を元通りにすることは難しいので，治療は禁煙などの生活改善，感染予防，痰を出しやすくし気道を広くする呼吸法の改善，在宅酸素療法などが行われる。

　慢性気管支炎は，気道の分泌物が増して，慢性的に咳や痰が出る状態である。喫煙や大気汚染などの環境因子が関与するといわれている。慢性気管支炎のうち，慢性閉塞性気管支炎は気道からの分泌物が増すと同時に気道の閉塞を伴うもので，分泌物による閉塞，気管支痙攣，気管支粘膜の腫れ（浮腫），肺気腫の合併などが原因となる。治療は禁煙などの生活の改善，気道から痰を取り除く気道クリーニング，服薬，感染予防などが行われる。

　気管支喘息は同じく気道が閉塞して呼吸困難となる病気であるが，気道が一時的発作的に広範囲にわたって狭まるものである。気管支喘息はアトピー型と感染型に分けることができる。アトピー型はアレルギーによって起こるもので，子どもに多い。感染型は，アレルギー物質がはっきりしたアトピー型と違い，原因のはっきりしないものであり，気道内の感染などが関与していると思われるもので，40歳以降に発症してくることが多い。発作の際には息が吐けず，呼吸困難となる。

●運動器の変化（図3-1-1）

(1) 生理的変化

加齢により骨量は低下する。病的に低下したものを骨粗鬆症（こつそしょうしょう）という。骨量の低下は脊椎（背骨）の変形をきたし，老人姿勢となる。関節は表面を被う関節軟骨が変性し，関節の動きが悪くなったり，痛みを生じる。病的にまでなった場合に変形性関節症という。筋量も低下する。その状態をサルコペニアという。視力や聴力の低下により，周囲からの情報を受けづらくなることや，敏捷性，反応性等の神経機能の低下により運動機能は衰える。

(2) ロコモティブ症候群（locomotive syndrome）

ロコモティブ症候群（ロコモ）は，「運動器の障害によって移動機能の低下をきたした状態」をいう。進行すると介護が必要となるリスクが高くなるというものである。ロコモティブ症候群は運動器の加齢性変化を基礎とし，それに運動器の病的状態が加わって生じる（**図3-1-1**）。それらは生活機能に影響を及ぼし，活動性の低下，作業能力や移動機能の低下をきたし，廃用を進めて，介護が必要な状態に至る。

(3) 運動器の加齢性変化と身体機能の低下によって生じる生活機能への影響と要介護化へのプロセス

運動器の非特異的変化は，歩行機能の低下をもたらす。長く歩けない，階段の上り下りに手すりを要する，重いものを持って歩けないので買い物ができない，などの移動能力の低下

図3-1-1　運動器の加齢性変化とロコモティブ症候群の進行

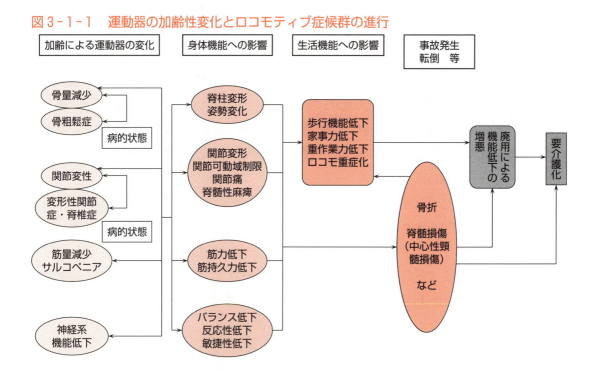

を引き起こす。また，家事動作でも力のいるような布団の上げ下ろしや，掃除機をかけることなどができなくなってきて，家事に手伝いが必要になってくる。このような変化によって，高齢者は生活の支援が必要になってくる（健康寿命の終焉）。

また，加齢による運動器の変化が進んだ状態で，転倒などの事故を起こすとそれをきっかけに，療養中の廃用や，軽微な外力によって生じた中心性頸髄損傷など，外傷によって生じた障害そのものが，直接的な要介護化の原因となる。

(4) 高齢者にみられる運動器の病的状態

高齢者の運動器による要介護化は，加齢による非特異的機能低下，変形性関節症の進行による運動機能低下，骨粗鬆化の進行を背景とする軽微な外力による骨折やその治療過程における廃用，変形性脊椎症や，後縦靭帯骨化症などを背景に軽微な転倒などをきっかけとした脊髄損傷（中心性頸髄損傷）の発症などを原因とする。

① 大腿骨近位部骨折

高齢者に多い骨折である。大腿骨の付け根が骨折する。転倒によるものが多く，背景に骨粗鬆症がある。これをきっかけに認知症になったり，寝たきりになるものが多い。治療の基本は手術療法である（**図3-1-2**，**図3-1-3**）。骨折には骨頭に極めて近いところで折れる内側型骨折と，やや離れているところで折れる外側型骨折がある。内側型では骨頭への血の巡りが悪くなり，やがて壊死してしまうので人工骨頭置換術が行われる。外側型では骨接合術が行われる。

② 変形性関節症

変形性関節症は関節への過剰な負担が持続することで起こる。関節を構成する関節包や関

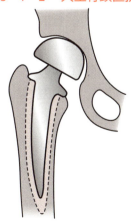

図3-1-2　人工骨頭置換術

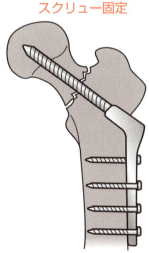

図3-1-3　大腿骨近位部骨折に対するスクリュー固定

節軟骨が年齢とともに次第に変化を起こし，さらに進行すると，軟骨や骨が壊れていく疾患である。特に先立つ疾患や外傷のないものを一次性変形性関節症といい，先立つ疾患や外傷のある場合を二次性変形性関節症という。体重を受ける下肢関節に多くみられる。症状は，運動時の痛みと関節の可動範囲の狭まり，関節の変形，関節液貯留（水が溜まる）などである。

変形性股関節症，変形性膝関節症等は生活への影響が強い。症状は運動時の関節痛であり，レントゲン上の変化とともに症状は徐々に進行する。手術のほか，装具療法が行われる。

③ 変形性頸椎症，後縦靱帯骨化症と脊髄損傷

背骨（脊柱）には前方にある椎体と，後方にある椎弓の間に脊柱管という，脳と四肢をつなぐ脊髄の通っている管がある。その脊柱管の前方には後縦靱帯というものがあり，上下に骨（椎体）をつないでいる。後縦靱帯が骨化すると，脊髄の通る脊柱管が狭くなったり，飛び出したりして，その部分の脊髄や手足に出て行こうとする神経を圧迫して麻痺を生じることがある。これが後縦靱帯骨化症である。背骨のどの部分にも生じるが，頸椎（頸）に最も多い。また，加齢により脊椎骨の変形が起こると，このような場合にも脊髄を圧迫する。骨化や変形は徐々に起こるので，脊髄は適応して麻痺はなかなか発現しないが，手足の先のしびれ，手の細かい動きの拙劣化，歩行困難等の麻痺が出現する。軽微な外力（階段から落ちる，風呂場で転倒する，自転車から落ちるなど）で頸を強く屈曲したり，反ったりすると一気に重篤な麻痺が現れることがある。上肢に麻痺が強く，下肢は比較的軽い中心性頸髄損傷となることが多い。

④ 骨折を伴う骨粗鬆症

骨の密度が減少して，脆くなり骨折しやすくなった状態が骨粗鬆症である。年をとるにつれて人間の骨の密度は減少する。とりわけ女性の場合にはそれが著しい。また，活動性が低いと，さらに骨の量は減少する。骨量が減っても特に症状はないが，背中が丸くなってきたり（円背），姿勢が変化してくるとともに背部痛を訴えるようになる。骨が折れやすくなり，背骨の圧迫骨折，大腿骨近位部骨折，手首の骨折や上腕骨骨折などが転倒に伴って起こりやすくなる。治療はカルシウム摂取等の食事療法，骨量の減少予防，増加のための運動療法，薬物療法などが行われる。背骨の圧迫骨折や，大腿骨近位部骨折は，歩くことができなくなり，そのために，寝つくうちに廃用が進んで筋肉の衰えや体力の低下によって寝たきりになってしまう可能性があり，これらを予防するためにも骨粗鬆症の予防は重要である。

● **廃用症候群**

人の身体は使わないと量的，機能的低下をきたす。入院によって安静臥床を強いられると心身全体が廃用に陥る。その結果，心身機能の低下が生じる。このような全身にわたる変化

表3-1-1 廃用症候群

- **運動機能低下**……筋萎縮，関節拘縮，骨萎縮，姿勢保持力低下（座位保持困難），移動機能低下（歩行困難）
- **起立性調節機能**……起立性低血圧
- **心肺機能**……フィットネスの低下（持久力低下）
- **消化機能低下**……便秘
- **精神機能低下**……認知機能低下，うつ，不安，情緒不安定，発動性低下

を廃用症候群という。

廃用症候群を構成するものとして**表3-1-1**に示すようなものが含まれる。

若年層では，安静臥床による廃用は，容易に回復可能である。それは高齢者特有の廃用をさらに悪化させ，非可逆的にするような要素がないからである。高齢者に特有のものとしてフレイルとロコモティブ症候群の存在がある。

(1) 筋力低下

筋萎縮は筋量の低下であるが，それに伴う筋力低下として観察される。筋力は，握力計で測定した握力で代表させることもあるが，基本的には各筋力を徒手筋力テスト（Manual Muscle Testing：MMT）で測定する。

(2) 関節拘縮

動かさない関節は可動域制限を生じ，可動域が狭まる。可動域全域を動かそうとすると痛みを生じ，ますます可動域は狭まる。可動域制限による生活上の制限と痛みがますます不動化を推し進める。関節角度計で測定する。

肩関節，肘関節，膝関節などは拘縮を生じやすい（**図3-1-4**）。また，気づかれにくいが，肩甲骨と体幹との間の活動性，脊柱の可動性，胸郭の運動性，脊柱と骨盤の可動性なども低下し，離床後の運動に影響を与える。

(3) 骨萎縮

骨萎縮の測定は骨塩測定装置を必要とするが，一般的に重力負荷がない安静臥床状態においては骨は萎縮するといわれている。フレイルとロコモティブ症候群が背景にある場合に

図3-1-4 拘縮をきたしやすい関節

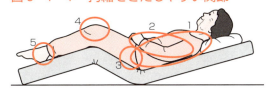

1 **体幹**：棒のようになる。呼吸運動も障害される
2 **上肢・肩関節**：動かすと痛がる　**肘関節**：伸ばすと痛がる
3 **股関節**：屈曲拘縮。開きも悪くなる。排泄の始末のとき痛がる
4 **膝関節**：伸びなくなる
5 **足関節**：伸びた状態となる

は，脆弱化した骨は軽微な外力，あるいは転倒によって病的骨折を起こす。

(4) **起立性低血圧**

座位をとらせると血圧が下がり，不快を訴える。失神することもある。血圧計で血圧を測り，徐々に順応させる。

(5) **心肺機能の低下**

心肺機能の低下は，CP-Fitness（Cardio-Pulmonary Fitness）の低下として捉えられる。自転車エルゴメータ等を用い，運動負荷を徐々に上げて，心電図，血圧をモニターしながら心拍数を計る。

自覚的には「体力の落ちた状態」で，歩行や座位保持の運動に対する耐久性が低下する。

(6) **認知機能の低下**

刺激のない生活は認知機能を低下させる。思考力の低下，発動性の低下をもたらす。環境の変化（入院）による情動の変化も生じ，うつ，不安，情緒不安定などの状態に陥る。認知機能の低下は，長谷川式認知症スケール（HDS-R）で質問方式で測定する。

(7) **姿勢保持力低下（座位保持困難），移動機能低下（歩行困難）**

(1)から(6)に示したことが互いに影響し合い，ヒトの基本姿勢である座位保持，立位，歩行に支障をきたす。これらは廃用による直接的な身体機能の低下である。

2 心理機能の変化の特徴

● **理解のための基本的視点**

(1) **生涯発達の考え方**

以前は老年期を衰退の時期と捉える考え方が一般的であったが，今や老年期は人生の約4分の1を占める長さになり，老年期をよりよく生きること（サクセスフル・エイジング）が個人的にも社会的にも大きな課題になっている。老年期には，身体的・心理的な機能の低下が生じるが，そのうえで環境に適応した生活を送っていくという視点が重要である。人間は老年期になっても，環境と適応しながら発達していくという考え方を「生涯発達」という。老年期にも発達を続けており，できなくなったことに着目しすぎるのではなく，新しい活動や役割にチャレンジできるというプラス思考の考え方は，高齢者の自立を支援するうえで非常に重要である。

(2) **個別性の高さ**

歳をとると，誰もが同じような体調や性格になると思われがちであるが，それは偏見であり，むしろ高齢者は他の世代と比べても多様である。

加齢の程度や疾病の状況には個人差が大きく，個人の生活習慣の違いの影響も大きい。高

齢者は，それまでの人生の長い期間にわたって，それぞれまったく異なる生活経験をしてきている。人間の心理や行動は，経験に大きく影響を受けており，その結果，老年期における価値観や生活習慣の違いなどの個別性の違いは，若い世代に比べて大きいということを踏まえて理解をしなければならない。したがって，高齢者であるというだけで，皆が同じであるという先入観や思いこみをもって接することは不適切である。これから述べていく高齢者のさまざまな特徴も，一般的に生じやすい傾向であり，誰にでもすべてがぴったりあてはまるものではない。高齢者の行動にある心理について考えていく手がかりであると考えてほしい。

● 老化に伴う心理的機能の変化

(1) 感覚・知覚の変化

加齢に伴い，五感（視覚，聴覚，味覚，嗅覚，触覚）の機能の低下が生じ，それに伴い理解力やコミュニケーションの低下が生じやすくなっている場合がある。視覚や聴覚の機能低下によって生じる思いこみや誤解によるコミュニケーション上の問題は，周囲に対する猜疑心や孤独感の原因ともなりやすい。そのために社会的交流に消極的になったり，社会的孤立に陥ったりしている可能性もあるので注意が必要である。

感覚の変化については，本人もそのことに明確には気づきにくかったり，気づいても周囲に言わなかったりする場合がある。周囲からもその様子や訴えをよく観察して，適切なコミュニケーションを図ることが求められる。

(2) 知的機能・認知機能の変化

知的機能については，かつては老化によって著しく低下するといわれてきた。しかし，年代による教育環境の違いや知能を測定するための知能検査の内容を吟味した結果，老年期になって急激に知能が低下するわけではないことが明らかになってきている。特に，過去の知識を活用する能力であり主に言語の理解などに関係する結晶性知能は，加齢に伴って低下しにくいことが明らかになっている。一方で，新しい場面に対応する能力で，主に空間的な操作や運動などに関係する流動性知能は低下しやすいが，結晶性知能が知的活動を補償すると考えられている。

したがって，一般的には，高齢者は新しいことを学習したり，記憶したりすることは苦手であっても，それまでに学習してきたこと，経験してきたことを活かして理解や洞察する能力は維持されることが多い。IT機器の操作など，新たなことを学習する場面では，見知らぬ言葉をいきなり用いるのではなく，知っている言葉に置き換えて説明するような工夫が大切である。また，何かを覚えたり，作業をしたりする際に全般的に時間がかかるのが特徴である。そのために，制限時間があるような作業や若い世代とともに何かをする際には，本来は

時間をかければ自分でできることも、見かけ上できないと判断されていたり、自分でできないと思いこんだりする場合もあるので、注意が必要である。

(3) 環境への不適応

高齢者は老化に伴うさまざまな心身機能の低下によって、環境への適応が困難になることも多い。体力の低下や温度などの変化によって体調を崩しやすかったり、老化に伴う病気やけがなどを引き金に要介護状態に陥ったりしやすい。環境への適応の困難さは、「やりたいのにできない」状況を生みやすく、やる気や気力を失う心理的不適応の原因となり得る。私たちは心理的不適応になると、意識的にも無意識的にもさまざまな対処行動をとり、心理的な安定を保とうとする「適応機制」という働きをもっている（「防衛機制」とも呼ばれる）（**表3-1-2**）。このような行動がみられる場合には、その行動をただちに非難するのではなく、その背景となっている心理的葛藤について理解していくことも大切である。

(4) 喪失感の理解

老年期には、さまざまな心身の変化によって、若い頃にはできていたことができないようになることも多い。また、職業からの引退といった社会的関係の変化を経験することも多い。さらに、老年期は親しい人との死別を体験しやすい時期でもある。長寿化によって、親との死別も老年期になってから体験することが多くなっている。また、老年期は配偶者との死別や友人の死を経験する年代でもある。このような親しい人との死別は喪失感の原因になりやすい。

このような人生の中での大きな変化は、若い頃から長年続いてきたさまざまな生活パターンや人間関係の変化を余儀なくし、新しい仕事や趣味、人間関係などに適応しなければならなくなることも多い。新たな適応がうまくいっているときはよいが、つまずきがあると失った能力や社会的関係に対する喪失感が生じやすくなる。大きな喪失感は抑うつや不安の原因ともなりやすく、生活への気力を失わせる原因になる。失ったものに注意が過剰に向けられないためにも、周囲からも新しい環境への適応を応援していく姿勢が必要である。

(5) 社会的関係の変化

老年期は心身の変化だけでなく、社会的関係が変化する時期といえる。

家族内においても、親や配偶者との死別、子どもの独立、孫の誕生・成長、子どもとの再

表3-1-2　適応機制の例

- 自分の失敗を都合のいい理由をつけて正当化する（合理化）
- 本来の目標が達成できないときに、代わりのもので満足する（代償）
- 困難な状況が生じないように外部との接触を断ってしまう（孤立）
- 泣いたりわめいたりして甘える、過度に依存的になる（退行）
- かんしゃくを起こしたり、皮肉を言ったりする（攻撃）
- 本当は頼りたいのに強がったり、関心があるのに無関心を装ったりするような自分の思いと正反対の行動をとる（反動形成）

同居などによって，家族内の人間関係に変化が生じることも少なくない。前述のような人間関係の喪失体験をすることも多い。このような家族の構成の変化によって高齢者と家族の関係も再構築が必要な場合が多い。高齢者は，家庭における生活時間が長くなるため，家庭内の人間関係は高齢者の生活の質（Quality of Life：QOL）に対して，重要な影響力をもっている。

また，社会的には，特に企業等で働いていた場合には定年を迎え，仕事・職場中心だった人間関係が大きな変化を迎える。家庭外において社会的交流をもって生活していくためには，友人関係や地域における人間関係が必要になる。社会での人間関係が著しく縮小してしまうと家族との関係が濃密になり過ぎ，家族にとっても負担になることがある。

社会的役割や人間関係の変化によって，新たな社会的関係に適応することが，いきいきとした老年期を送るためには不可欠であることも多い。地域において活動し，社会参加することができる環境を整えるまちづくりが大きな課題といえよう。

3 介護保険に定める特定疾病

介護保険制度の第2号被保険者は，**表3-1-3**に示した16種類の特定疾病を原因として要支援・要介護となった場合に認定を受けて，介護保険からの給付を受けることができる。特定疾病は高齢者に多く発症するが，40歳以上65歳未満の年齢層においても発症が認められ，発症とともに介護を要することが多い疾病が選定されている。

表3-1-3　介護保険制度における特定疾病

1. がん（末期）
2. 関節リウマチ
3. 筋萎縮性側索硬化症（ALS）
4. 後縦靱帯骨化症
5. 骨折を伴う骨粗鬆症
6. 初老期における認知症
7. 進行性核上性麻痺，大脳皮質基底核変性症，パーキンソン病（パーキンソン病関連疾患）
8. 脊髄小脳変性症（SCD）
9. 脊柱管狭窄症
10. 早老症
11. 多系統萎縮症（MSA）
12. 糖尿病性神経障害，糖尿病性腎症，糖尿病性網膜症
13. 脳血管疾患
14. 閉塞性動脈硬化症
15. 慢性閉塞性肺疾患（COPD）
16. 両側の膝関節または股関節に著しい変形を伴う変形性関節症

2 認知症の人の理解と対応

1 認知症の人の理解

　認知症とは，成人してから生じる脳の神経細胞の変化によって生じる認知機能の低下を示す疾病の総称である。アルツハイマー型認知症，血管性認知症，レビー小体型認知症などの種類は脳の神経細胞の変化の原因となる疾病を示すものである。進行性の疾患が多く，発症時には症状は軽く，徐々に症状が進んでいくことが多い。また，認知症の症状は，脳の機能障害によって生じる中核症状と心身の状況や環境等の影響によって生じ，個人差が大きいBPSD（Behavioral and Psychological Symptoms of Dementia：認知症の行動・心理症状）に分類できる。認知症の人を理解するためには，まず，原因疾患や重症度による中核症状の状態を理解する必要がある。さらに，それに加え，身体的状態，環境，習慣等の生活歴などによって影響を受けるBPSDを個別に理解することが重要である。それには，認知症という疾病の理解だけではなく，その人自身の生活歴や心理的状況，周辺環境の影響等を理解する視点が欠かせない。

2 認知症の人を取り巻く状況

　原因疾患の種類については，アルツハイマー型認知症の割合が最も多く（67.6％），血管性認知症（19.5％），レビー小体型認知症（4.3％）の順となっている（「都市部における認知症有病率と認知症の生活機能障害への対応」（平成25年3月報告））。

　認知症は年齢とともに急激に有病率が高まる疾病であり，2040年には584万人になることが予測されている（**図3-1-5**）。また，**図3-1-5**と同じ推計のなかで，認知症の診断には至らないものの軽度認知障害が認められるMCI（Mild Cognitive Impairment）に該当する人は，2040年で613万人と推計されており，認知症およびMCIへの対応は大きな課題となっている。また，高齢者がいる世帯の家族構成では，夫婦のみの世帯が最も多く，一人暮らし世帯が増加してきていることから，世帯構成に応じた認知症の人への医療や介護および生活支援のあり方を考えていく必要がある。

　このような状況のなかで，「共生社会の実現を推進するための認知症基本法」が2023（令和5）年に公布され，2024（令和6）年1月に施行された。国が基本方針を認知症施策推進基本計画として定め，それに沿って都道府県や市町村は都道府県計画・市町村計画を定めて，総合的に認知症施策を推進していくこととなった。

第1節 からだとこころの理解

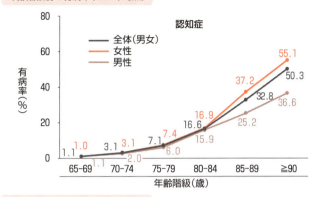

図3-1-5 高齢者の認知症有病率

資料：「認知症及び軽度認知障害の有病率調査並びに将来推計に関する研究」
　　　（令和5年度老人保健事業推進費等補助金 九州大学 二宮利治教授）
出典：厚生労働省資料

3 認知症ケアの基礎となる理念や考え方

現代的な認知症ケアの基本理念は，認知症を抱える人々の尊厳と人権を尊重し，個別的なニーズに応じたケアを提供することにある。

(1) パーソン・センタード・ケア

認知症ケアの理念のなかで重要なものの一つとして，パーソン・センタード・ケア（Person-Centered Care）がある。認知症をもつ人を一人の個人として尊重し，その人の過去の経験，価値観，嗜好，希望等を重視したケアを提供するという考え方である。認知症の進行により，記憶力や判断力が低下することがあっても，その人の人格や感情や動機づけは存在しており，心理的理解のもとに個別的なサポートを提供する。認知症という病気に焦点を当てるのではなく，その人自身がもつ「その人らしさ」を尊重し，発揮できるように支援することが重要であると考えられている。また，認知症による混乱や不安，ストレスを軽減するために，安心感を与える環境づくりや信頼関係を築くことが大切である。

(2) 意思決定支援の尊重

認知症があっても，自分の生活やケアに対する意見や希望をもち続けている。しかし，現実に即した意思決定が難しかったり，その表現が難しかったりすることに配慮する必要がある。

可能な限り本人が意思決定に関与できるように支援し，自己決定権を尊重することが必要である。本人の表情や反応からその人の意思を汲み取り，最善のケアを提供するよう検討を行うことが必要である。

4 認知症の原因疾患の理解

(1) アルツハイマー型認知症

　脳の神経細胞が広範囲に死滅することで大脳の萎縮が生じる。また，脳には茶色いシミのような「老人斑」や糸くずのような「神経原線維変化」がみられることが特徴である。老人斑は，アミロイドβというタンパク質によるものであり，神経細胞の死滅の有力な原因と考えられている。大脳については，前頭葉，側頭葉，頭頂葉に萎縮が認められることが多く，後頭葉の萎縮は少ない。また，記憶に関係する脳の部位である海馬や海馬傍回を含む側頭葉内側の萎縮が生じていることも多い。進行性の疾病であり，時間経過とともに発症から軽度，中等度，高度へと進行していく。

　症状の特徴は，時間的に近い過去の出来事（近時記憶）に関する記憶障害が著しいことである。それによって，自分のいる時間や場所がわからなくなる見当識障害が生じやすい。初期には時間的な見当識障害がみられることが多い。また，実行機能障害が軽度の段階から生じやすい。

(2) 血管性認知症

　脳出血，脳梗塞，くも膜下出血などの脳血管に関する疾患に伴い生じる。脳の血管が破れたり，詰まったりすることで，脳の認知機能に関する部分の神経細胞が死滅して生じるほか，微小な梗塞が多発する多発性ラクナ梗塞によって生じるものや，びまん性の虚血による神経細胞の変化によるもの（ビンズワンガー病）もある。

　大脳のどの部位が障害されるかによって，認知症状の特徴は変化する。記憶障害が軽度の場合もあり，病識がみられる場合や，時間によって症状が変化するまだら認知症の状態を示す場合もある。

(3) レビー小体型認知症

　パーキンソン病において脳幹部にみられる，レビー小体というタンパク質が大脳に沈着することで生じる。記憶障害，注意障害等の認知症状のほかに，パーキンソン病と同様の運動機能障害（手足の震えやバランスが悪くなることなど）が生じることも多い。また，人や動物などのリアルな幻視が生じやすいことも，大きな特徴である。認知症状は変動しやすいことも多く，記憶障害が目立たず，うつ症状が中心となる場合もある。また，寝ているときに暴れたり大声を出したりするレム睡眠行動障害が生じることがある。

(4) 前頭側頭型認知症

前頭葉と側頭葉の前部において、神経細胞の死滅がみられる。かつてはピック病と呼ばれていたが、現在はこの疾病に含まれている。前頭葉は、思考のコントロールや行動の抑制による理性的な行動や社会性に関係している。そのため、記憶障害等の認知障害よりも、社会的行動からの逸脱や自己行動の統制ができない（脱抑制）、感情の鈍化などが初期からみられることが特徴であり、周囲からは性格の変化が生じたと捉えられることも多い。

★軽度認知障害（Mild Cognitive Impairment：MCI）

アルツハイマー病の前駆症状とされる。いくつかの定義があるが、基本的には、正常と認知症とのボーダーラインにあり、記憶障害をはじめとする認知機能の低下はあるが、日常生活は自立しているレベルである。5年で半数は認知症を発症するといわれている。対応策としては、早期に発見し、認知症の発症を遅らせるような、生活習慣の指導を行う。

表3-1-4　認知症の主な原因疾患

❶ 神経変性疾患
　アルツハイマー病、ピック病、パーキンソン病、ハンチントン舞踏病、進行性核上性麻痺、びまん性レビー小体病、脊髄小脳変性症、皮質基底核変性症など
❷ 脳血管障害
　脳梗塞（塞栓または血栓）、脳出血など
❸ 外傷性疾患
　脳挫傷、脳内出血、慢性硬膜下血腫など
❹ 腫瘍性疾患
　脳腫瘍（原発性、転移性）、癌性髄膜炎など
❺ 感染性疾患
　髄膜炎、脳炎、脳膿瘍、進行麻痺、クロイツフェルト・ヤコブ病など
❻ 内分泌・代謝性・中毒性疾患
　甲状腺機能低下症、下垂体機能低下症、ビタミンB_{12}欠乏症、肝性脳症、電解質異常、脱水、ウェルニッケ脳症、ペラグラ脳症、アルコール脳症
❼ その他
　正常圧水頭症、多発性硬化症など

資料：厚生労働省資料

表3-1-5　MCIの診断基準（Peterson RCら、1996）

❶ 記憶に関する訴えがあること、情報提供者による情報があればより望ましい
❷ 年齢と教育年数で調整した基準で客観的な記憶障害があること
❸ 一般的な認知機能は保たれていること
❹ 日常生活能力は基本的に維持されていること
❺ 認知症でないこと

資料：厚生労働省資料

表3-1-6　MCIの診断基準（Winblad Bら，2004）

1. 認知症または正常のいずれでもないこと
2. 客観的な認知障害があり，同時に客観的な認知機能の経時的低下，または，主観的な低下の自己報告あるいは情報提供者による報告があること
3. 日常生活能力は維持されており，かつ，複雑な手段的機能は正常か，障害があっても最小であること

資料：厚生労働省資料

（参考1）認知症高齢者の日常生活自立度判定基準

厚生労働省は，認知症高齢者の日常生活自立度判定基準を示している（**表3-1-7**）。自立度Ⅱまでは援助誘導によって自立が可能である。自立度Ⅰにおいては，おおむね自立しており，日常生活，社会生活が営める。自立度Ⅱにおいては，行為遂行の際の誘導や援助によって作業過程を小分けにしてステップ・バイ・ステップに誘導すれば，行為全体を遂行することが可能になる。また記憶障害に対してはメモや，手順の単純化，日常性を保つことなどによって逸脱のない生活を心がけることによって生活の自立が図れる。Mレベルでは入院生活，または訪問看護や在宅医療を必要とする在宅生活を送っているものが多い。

表3-1-7　認知症高齢者の日常生活自立度判定基準

ランク	判定基準	見られる症状・行動の例
Ⅰ	何らかの認知症を有するが，日常生活は家庭内及び社会的にはほぼ自立している。	
Ⅱ	日常生活に支障を来すような症状・行動や意思疎通の困難さが多少見られても，誰かが注意していれば自立できる。	
Ⅱa	家庭外で上記Ⅱの状態が見られる。	たびたび道に迷うとか，買物や事務，金銭管理などそれまでできたことにミスが目立つ等
Ⅱb	家庭内でも上記Ⅱの状態が見られる。	服薬管理ができない，電話の応対や訪問者との応対など一人で留守番ができない等
Ⅲ	日常生活に支障を来すような症状・行動や意思疎通の困難さがときどき見られ，介護を必要とする。	
Ⅲa	日中を中心として上記Ⅲの状態が見られる。	着替え，食事，排便，排尿が上手にできない・時間がかかる やたらに物を口に入れる，物を拾い集める，徘徊，失禁，大声，奇声を上げる，火の不始末，不潔行為，性的異常行為等
Ⅲb	夜間を中心として上記Ⅲの状態が見られる。	ランクⅢaに同じ。
Ⅳ	日常生活に支障を来すような症状・行動や意思疎通の困難さが頻繁に見られ，常に介護を必要とする。	ランクⅢに同じ。
M	著しい精神症状や周辺症状あるいは重篤な身体疾患が見られ，専門医療を必要とする。	せん妄，妄想，興奮，自傷・他害等の精神症状や精神症状に起因する問題行動が継続する状態等

資料：「『認知症高齢者の日常生活自立度判定基準』の活用について」（平成5年10月26日老健第135号，厚生省老人保健福祉局長通知）

> **(参考2) 認知症の治療(薬物治療)**
>
> 認知症を治す薬物療法はないが,アルツハイマー型認知症の初期に用い,進行を遅らせるものとしてドネペジルがある。
> アルツハイマー型認知症では,脳内コリン作動性神経系の障害が存在する。ドネペジルはアセチルコリンを分解する酵素であるアセチルコリンエステラーゼを阻害することにより脳内アセチルコリンを増やし脳内コリン作動性神経系の障害を軽減する。その他にはメマンチン塩酸塩も開発され,複数選択可能となっている。このような薬剤は,認知症の症状を緩和する効果が期待されるものであったが,近年,認知症の進行に関係する要因に効果が期待される薬剤の開発が進められている。例えば,アルツハイマー型認知症において神経細胞の障害の要因と考えられるアミロイドβを除去する抗アミロイドβ抗体薬としてレカネマブ,ドナネマブが承認され,使用できるようになっている。

5 認知症の症状の理解

●中核症状の理解

認知症の原因疾病によって,若干の違いがあるが,脳の神経細胞の変化による認知症の基本症状は認知・記憶機能の障害であり,それに伴い生じる知的行動の障害である。このような認知症に共通の症状を中核症状という。

(1) **記憶障害**

多くの人にみられる中核症状は記憶機能の障害である。特に時間的に近いエピソードについてすっかり忘れてしまったり,混乱してしまったりすることが多い。体験全体を忘却してしまう傾向があり,忘れてしまったことを自覚していない場合も多い。すぐ直前の言動について,記憶が失われやすいことも特徴である。そのため,話したことを忘れてしまったり,同じ話や動作を繰り返しやすくなる。

(2) **見当識障害**

時間と場所を把握する力を見当識という。今いる場所や時間がわからなくなってしまう「見当識障害」が生じやすい。

(3) **実行機能障害**

比較的初期の段階から,計画を立てて段取りよく作業を進めていくような知的活動が阻害されやすくなることを「実行機能障害」という。日常生活のなかでも,例えば調理は実行機能を必要としており,「料理ができなくなった」「味が変わった」というような変化によって,認知症の診断を受けるきっかけになることがある。また,事務的な作業や電気・電子機器の操作なども実行機能が必要であり,支障をきたしやすい。

(4) **失行,失認,失語**

認知症が進行していくと,目的の動作がうまくできない「失行」(例:上着等をうまく着ら

れない「着衣失行」），正しい認識ができない「失認」（例：家族の顔がわからない），ことばがうまく使えない「失語」といった症状がみられる場合がある。

● BPSD（行動・心理症状）の理解

疾病による脳の神経細胞の変化に起因する中核症状に加えて，身体的不調や痛みなどの身体的状態，不安・恐怖や混乱，欲求などの心理的状態などによって BPSD が生じることがある。BPSD が生じるかどうか，どのような症状なのか，といった点は人によって異なる。

BPSD は心理症状と行動症状に分けられており，心理症状としては，意欲低下や抑うつ，不安や焦燥，興奮などの感情的不安定，もの盗られ妄想，被害妄想等がみられる。一方，行動症状としては，繰り返し訴える，暴言・暴行等の攻撃的な言動をする，叫んだり大声を出す，歩き回って迷ってしまう，不潔行為をする，異食する（食べられないものを食べてしまう）などがみられる。BPSD は認知症によって必ず引き起こされる症状ではなく，原因となっている身体的状態，心理的状態，環境的要因などを多面的に検討する必要がある。

認知症の人の BPSD は，周囲の人をいらだたせたり，驚かせたりすることも多いが，感情的に反応しないことが大切である。例えば，認知症の人が常識に合わない言動をしたときに，自分の見解を当てはめて否定したり怒ったりしても，その正当性は理解できないことが多い。むしろ受容的な態度で接することが必要であり，うまくその場をおさめるように対処することが求められる。

6　認知症高齢者の行動・心理の特徴と対応

● 中核症状の影響による生活障害の理解

私たちのほとんどの行動は記憶の連続によって成り立っており，認知症の人は，中核症状によってさまざまな生活上の行為が困難になりやすい。しかし，実際には生活行為のすべてができなくなっているのではなく，段取りよく，さまざまな行為を連続的に行うことが難しいだけのことも多く，細かいステップに分けて少しずつ進めることでできることも多い。また，身体を動かすような記憶（手続き記憶）は比較的よく保たれているという場合も多く，さまざまな日常生活上の支障があっても，若い頃覚えた歌や踊りや技術（着付けや料理の動作など）は正確に遂行できるという例も報告されている。

認知症高齢者への対応には，まずは中核症状の特徴をよく知り，記憶に負担をかけないようにわかりやすくするなど環境を整備したり，高齢者のペースに合わせて援助したりすることが必要である。生活上の困難さは，自尊心の低下を引き起こしやすく，意欲の喪失や拒否や攻撃といった防衛的な行動につながりやすい。

●中核症状による心理的影響の理解

　認知症の中核症状による直前の記憶の喪失は，周囲の情報の理解を阻害しやすく，それが不安，焦り，混乱，恐怖などのネガティブな感情を引き起こす原因になる。このような感情はBPSDの原因にもなると考えられ，可能な限り緩和する働きかけが必要である。認知症介護の施設や事業所で利用者も対応する職員も小規模化しているのは，「顔見知り」の関係を形成することで記憶に負荷をかけない配慮である。また，小規模な環境，その地域によくある住居環境を模した「しつらえ」も記憶の負荷を減らし，安心をもたらす効果が期待されている。

　コミュニケーションの面でも，配慮が必要である。前に起きた出来事や話したことなど，近い過去のことを話題にしても，覚えていないことも多く，記憶を混乱させたり，わからないことを責めたりしないような配慮が必要である。

●BPSDの心理的理解と対応

　BPSDは，対応が難しく，一見すると認知症に必ず伴う主症状のようにみえるが，前述のとおり，個人差が大きく，環境的あるいは心理的な要因が大きい周辺的な症状である。そこで，BPSDの理解をするうえでは，すべてを認知症の症状によるものと考えずに，環境的影響や心理的影響を考慮する姿勢が必要である。

　例えば，認知症のBPSDの代表的なものとして徘徊がある。徘徊とは，理由もなくうろうろと歩き回ることを指す語である。つまり徘徊という用語自体が，歩き回る認知症の人が，認知症の症状によってつき動かされている状況にみえることを示している。しかし，多くのケアの経験のなかで，排泄欲や食欲などの欲求による目標の探索，勤労や買い物などの過去の習慣，不安や恐怖や驚きなどからの逃避など，本人にとってはもっともな理由や動機が存在していることが指摘されている。こうした理由や動機を理解しようとすることが対応を考えるうえで欠かせない。

　しかし，BPSDの原因となる理由や動機は発見しにくいことも多い。その場合には，感情を安定させるようなコミュニケーションがBPSDを解消するために有効であることも多い。また，楽しいことや好きなことに関心を向けることも，その場での行動を変えるきっかけになることがある。

●生活障害の心理的理解と対応

　抑うつや意欲低下は，BPSDの心理症状に入り，認知症の人にみられやすい症状である。前述のように認知症の人は認知記憶障害の進行により，いろいろなことが困難になり，自尊心を損ねやすい状態にあり，それをきっかけに抑うつや意欲低下が生じやすい。しかし，自

尊心の低下は高齢者自身の失敗体験だけによるものではなく，それに対する周囲の評価や態度が大きな影響を与える。認知症の人に接する人が「危ないからやめて」とか「じっとしていて」といった認知症の人の行動への否定的メッセージをいつも投げかけていれば，認知症の人の自尊心はより低下しがちとなり，生活上の「できないこと」を増やす原因となる。認知症の人が安心して，可能な限り役割をもって暮らせるような働きかけをする配慮が必要である。

7 認知症高齢者の心理に配慮したコミュニケーション

●認知症の人とのコミュニケーションの基本

人のこころは主観的世界であり，他者から完全に理解することはできないが，認知症高齢者の場合には主観的な感じ方が私たちと異なっている可能性が高い。記憶が欠落することによって生じる世界への感じ方，その不安定な状態に対する不安やおそれといった気持ちについて想像してみよう。このような認知症の人の主観的世界を理解しようという姿勢がコミュニケーションをとる前提として必要である。自分の価値観を当てはめて，おかしいと考えたり非難したりしても，コミュニケーションは円滑にできない。認知症に関する正確な知識に基づいて理解していこうという姿勢が不可欠である。

前述のように認知症の人は，記憶の障害によって，今言ったことをすぐに忘れてしまうことが多い。しかし，目の前で失敗や間違いをからかったり，愚痴ったりすることは，何よりもしてはいけない行為である。また，子どもに接するように扱ったり，いつも命令的・権威的な接し方をしたりするような自尊心を傷つける言動も避けなければならない。もちろん，これらの言動は人権の観点からあってはならないことであるが，認知症の人に対しての間違った対応である。認知症による障害は記憶や認知の障害であり，自尊心や感情面についての障害ではない。記憶の障害によって不安感や不快感が生じやすい状況に置かれており，こうした感情面の不快感には，かえって敏感であるともいえる。そして，その感情的な不快感がコミュニケーションを損なう大きな原因であると考えられる。

●非言語的コミュニケーションの重要性

認知症高齢者とのコミュニケーションでは，感情の伝達が重要な意味をもつ。コミュニケーションの機能のうち，情報伝達の面では，伝達しても忘れてしまうことが多いが，伝わった感情的な情報は記憶されていることも多い。そのため，言語的コミュニケーションの内容に加えて，それに伴う口調，話す速度などの音声的特徴の影響が大きい場合も多い。したがって，感情的情報を伝えやすい非言語的情報が重要であり，表情，身振り，姿勢，場合によっ

第1節 からだとこころの理解

ては接触などのコミュニケーション方法に配慮することによって，安心感を高め，不安感を減らすことで，よりよいコミュニケーションがとれる。

●認知症の人とのコミュニケーション方法のヒント

以上をまとめると，次のようなコミュニケーションの方法が考えられる。もちろん，個別性を尊重することが大切であり，その人に合わせた理解が必要であるが，それを考えるヒントにしてほしい。また，このようなコミュニケーション方法は，特に認知症高齢者に対して有効であると考えられるが，認知症でない高齢者とのコミュニケーションに当てはまる部分も大きい。

- 言語的コミュニケーションに加え，非言語的コミュニケーションによる感情の伝達が重要である
- 声のトーンはあまり高くしないで，落ち着いた口調で話す
- 急に言語的コミュニケーションを始めない。まずは対面し，視線を合わせてコミュニケーションの準備をしてから話す
- 話題は，過去の出来事ではなくて，今現在起きていることにする
- 何回でも繰り返しの話を聞いてあげる
- 話の腰を折らない。折ってしまうとそこで話そうとしたことについて記憶が途切れてしまい，不満感を高める原因となる
- 楽しい気持ちを喚起させるような話をすることで，不安感が軽減する（特に不安げな表情や言動をしているときに）

3 感染症と対策

1 感染症の種類，原因と経路

感染症とは，病原体となるウイルス，細菌，真菌，寄生虫などが体内に侵入することで発生する病気である。感染症としては，風邪，新型コロナウイルス感染症（COVID-19），インフルエンザ，結核，マラリア，コレラなどがある。感染症は症状が急性のものから慢性のものまでさまざまで，治療には抗生物質や抗ウイルス薬などの薬物療法や，ワクチンによる予防が効果的な場合もある。

(1) 病原体による分類（主なもの）

病原体の種類には，以下のようなものがある。

- 細菌感染症：肺炎，結核，破傷風など
- ウイルス感染症：インフルエンザ，新型コロナウイルス感染症（COVID-19）など
- 真菌感染症：カンジダ症，水虫など
- 寄生虫感染症：マラリア，回虫症など

(2) **感染経路による分類**

　感染症の感染経路は病原体ごとにさまざまであり，それぞれの特性を知り，感染経路に応じた対策が必要となる。なお，以下は主な感染経路であり，例えば飛沫感染であっても，その飛沫物が物体に付着して接触感染する場合もあることに留意する必要がある。

- 接触感染：感染者や汚染された物に直接触れることで感染（ノロウイルス，MRSAなど）
- 飛沫感染：くしゃみや咳で放出された飛沫を吸い込むことで感染（インフルエンザ，風邪など）
- 空気感染：空気中に浮遊する病原体を吸い込むことで感染（結核，水痘，麻疹など）
- 経口感染：汚染された食物や水を摂取することで感染（赤痢，コレラなど）
- 血液感染：汚染された血液や体液を介して感染（HIV感染，B型肝炎など）

2 基本的な感染症対策と罹患した際の対応

　感染の有無にかかわらず，すべての人に対して適用される基本的な感染予防策をスタンダードプリコーション（標準予防策）という。特定の感染症に限らず，あらゆる場面で病原体が広がるリスクを最小限に抑えるために重要である。予防策を日常的に徹底することで，感染の危険性を減らすことができる。介護現場では，利用者である高齢者は免疫力が低下していることが多く，感染症予防が非常に重要である。

　ここでは，福祉用具を扱う場合に想定される方法を中心に解説する。

❶ 手指衛生

　手洗いは，感染予防の最も基本的かつ重要な対策であり，手指が汚染された場合だけでなく，他者や用具に接触する前後には，石けんと水で手を洗うか，アルコール消毒剤で手指を消毒する。

❷ 個人防護具の使用

感染が考えられるものに接触するときには，手袋を着用する。

唾液の飛沫や体液の飛散が予想される場合にはマスク，ゴーグル，フェイスシールド等を使用し，目，鼻，口の粘膜を保護する。

❸ 呼吸器衛生（咳エチケット）

咳やくしゃみをするときには，ティッシュや腕で口と鼻を覆い，咳やくしゃみをした後は，すぐに手を洗うか消毒する。また，飛沫感染の予防策としてマスクを着用することで，感染拡大を防ぐ。

❹ 環境の清掃と消毒

使用する器具や機材の表面は定期的に清掃し，適切に消毒する。

❺ 換気

感染を防ぐために，定期的に室内の換気を行う。特に密閉された空間での長時間の滞在を避けることも重要である。

❻ 鋭利な器具の適切な取り扱い

刃物や先端が尖っている器具で指等を切ったり刺したりしないように，十分に注意をする。もし傷ついたら正しく処置して，傷口から血液や体液が浸潤しないようにする必要がある。

❼ 感染性廃棄物の適切な処理

感染源となる可能性がある廃棄物（血液，体液が付着したもの等）は，直接素手で触れないなど取り扱いに留意し，ビニール袋等に密封して，感染源とならないように適切な廃棄方法で処理する。

❽ 日々の健康管理

スタッフ自身が感染源にならないように，体温測定等の定期的な健康チェックを行い，体調不良時は勤務を控える。

対応策をいくらとっていても，それでも感染症に罹患し得るという意識を職場で共有しておくことが大切である。職場でまん延させない，利用者等にうつさないということが基本方針であり，スタッフに感染症が疑われるときには休めるようにする職場の労働環境や職場風土が重要となる。

第2節 リハビリテーション

- リハビリテーションの考え方を理解する。
- リハビリテーションにおける福祉用具の関係性を理解する。

到達目標

- リハビリテーションの考え方と内容を概説できる。
- リハビリテーションにおける福祉用具の関係性と，リハビリテーションに関わる専門職との連携におけるポイントを列挙できる。

1 リハビリテーションの基礎知識

1 障害に対する基本的な考え方

　リハビリテーションとは障害によってもたらされた機能低下や社会的な不利を改善し、障害者の社会への再統合を目指すものである。社会に再統合されるためにはその人のニーズによってさまざまなリハビリテーションの領域が必要とされる。1980年発表のWHO（世界保健機関）障害モデル（国際障害分類，ICIDH：International Classification of Impairments, Disabilities and Handicaps）では障害を機能障害，能力障害，社会的不利の階層モデルで捉え（**図3-2-1**），2001年の国際生活機能分類（ICF：International Classification of Functioning, Disability and Health）では，心身機能・身体構造，活動，参加（社会参加）というモデルで障害を理解する（**図3-2-2**）。1980年の障害モデルは広くいきわたっており，またわかりやすいので，今でもこのモデルに基づいた研究は多くみられる。そのため読者はこのモデルも理解しておく必要がある。

　ICFでの「心身機能・身体構造」とは，身体部分や各臓器の機能と形態のことで，病気や外傷によって機能障害を受ける。また，機能障害の原因となるものとして先天性の場合も含まれる。「活動」とは，1980年の障害モデルでは能力障害（能力低下）といわれていたものである。低下という後ろ向きの言葉ではなく，活動としてその状態を前向きに捉える。「参加」とは，社会における役割と，人間らしい趣味や文化活動のことである。

　「心身機能・身体構造」，「活動」，「参加」は，一方向の矢印をもった因果関係にあるのではなく，互いに影響を及ぼし合う。例えば，身体の機能に異常が生じれば（麻痺や切断など）活動に影響を及ぼす（例えば歩けないなど）。そして活動が少なければ，体力も落ち，身体も衰え，閉じこもりがちになるなど社会参加の機会も制約されることが多くなる。活動が多ければ参加も活発であろうが，社会から閉じこもれば活動も減り，身体にも不調をきたす。つまり健康状態そのものがこれらに直接的に影響することになる。また社会環境やその人の人生観や性格等が影響を与えることも明らかである。ICFのモデル（**図3-2-2**）をみると，環境や個人因子

図3-2-1　国際障害分類（ICIDH）1980年版の障害モデル

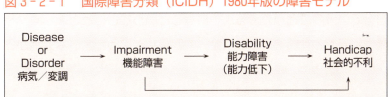

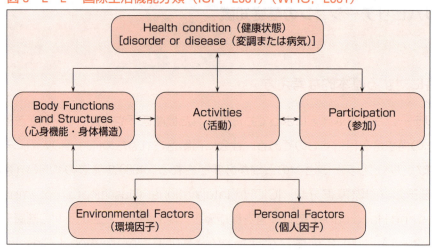

図3-2-2 国際生活機能分類（ICF, 2001）(WHO, 2001)

も参加，活動に影響を与える。すなわち，機能障害があっても，適切なサービスが提供されたり，環境が整えられたりすれば，活動や参加の程度を高めることができる。ICFは，2001年5月にWHO総会で採択された。これは，ある理想的な状態を想定したものではなく，これらの要素の相互関係を示したものであり，より広く当てはめることができる。

2 リハビリテーションの考え方

　リハビリテーションとは，ICFに示す「参加」を高める，元に戻すということを目的に行われるといっても過言ではない。そのために身体機能の改善，活動の改善をさまざまな療法によって身体に働きかけ，不足する分は補装具や自助具といわれる道具で補い，さらには家屋改造などの環境調整を行う。

　また，リハビリテーションの概念は広く，心身にかかわることから発してはいるが，再び「参加」を実現するために，社会的リハビリテーション（後述）も行われ，職業や教育という観点からもリハビリテーションは行われる。元々のリハビリテーションという言葉の意味は，復権，復活ということであり，名誉回復や，失脚後の原地位復活，倒産した会社の再建などもリハビリテーションという言葉が使われる。日本ではリハビリテーションという言葉がそのまま日本語となってしまったが，そのリハビリテーションの理念は生きており，単に移動ができるようになるとか，自分で自分のことができるようになるということにとどまらず，その人が再び社会で一人の人間としてその役割を果たす（全人的回復）という総合的な見地から行われる。

2 リハビリテーションのサービス体系とその専門職

　人は病気になったときに医療機関を訪れる。治癒すればまた社会において健常者として社会参加を続ける。慢性化した場合には慢性疾患を抱えながら病者としてではあるが社会での役割を果たし続ける。病気は治ったが障害が残ったという場合には、リハビリテーションを受け、障害はあっても社会へ戻り、再度社会参加をすることになる。障害はあったとしても、また、以前とは異なる役割を果たすことになったとしても、一個人として社会参加することに変わりはない。それには、多くの分野の協力による総合的なリハビリテーションのサービスが求められる。その中心は、医学的リハビリテーション、社会的リハビリテーション、教育的リハビリテーション、職業リハビリテーションの四つである。

1 医学的リハビリテーション

　障害を負ったときに最初に受けるのは医学的リハビリテーションである（**図3-2-3**）。もしも病気や外傷によって障害が残り、リハビリテーションを受けるという場合には、普通どのような経過をたどるのだろうか。**図3-2-4**は脊髄損傷の場合のリハビリテーションの過程である。

図3-2-3　病気と障害

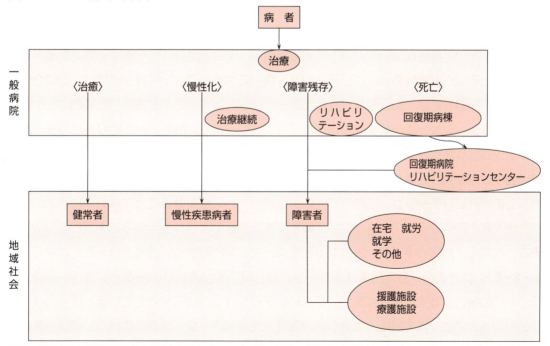

資料：飛松好子「脊髄損傷者のリハビリテーション」『骨・関節・靱帯』第10巻第12号、1436頁、1997年を一部改変。

図3-2-4　脊髄損傷のリハビリテーションの流れ

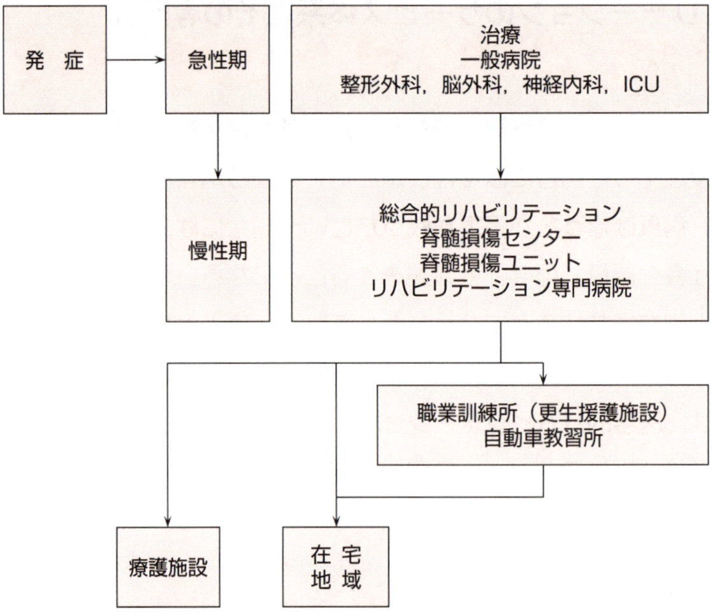

```
発症 → 急性期 → 治療
              一般病院
              整形外科, 脳外科, 神経内科, ICU
       ↓         ↓
      慢性期 → 総合的リハビリテーション
              脊髄損傷センター
              脊髄損傷ユニット
              リハビリテーション専門病院
                    ↓
              職業訓練所（更生援護施設）
              自動車教習所
       ↓         ↓
    療護施設    在宅
              地域
```

資料：図3-2-3に同じ，1436頁を一部改変。

　まず病気になると急性期には総合病院での専門科に入院することになる。身体が麻痺したような場合には，整形外科，脳外科，神経内科等に，また状態が重篤であれば，ICU（集中治療室）に入院することになる。そのような急性期においても機能訓練は行われるが，この時期ではあくまでも治療が主である。その後状態が落ち着くと今度はリハビリテーションが主となる。

　障害に対するリハビリテーションは，元の病気や外傷に対しては手が尽くされた，あるいはもうこれ以上の治療法がない，という状態において，治療と併行して可能な範囲でなるべく早く始められる。一般病院のリハビリテーション病棟では十分でない特殊な病態（この場合には脊髄損傷）の場合には，総合的なリハビリテーションを受けるために脊髄損傷専門のセンターやリハビリテーション専門病院でリハビリテーションを行う。病院レベルのリハビリテーションの目的は，健康管理や日常生活活動の自立である。それゆえ，例えば社会への再統合のために自動車の運転免許が新たに必要となったり，職業訓練が必要になったりする場合には病院レベルでのリハビリテーションに加えてそのようなサービスを受けることになる。自宅での生活が介護者等の関係で不可能な場合には，障害者支援施設のような生活施設に入所して生活を送ることになる。病院の中では，入院するとさまざまな専門職から評価を受けることとなる（**図3-2-5**）。評価の後，各専門職は情報を持ち寄り医学的リハビリテーションのゴール設定を行う。この場合，職業訓練等は医学的リハビリテーションの範囲を超えている。医学的リハビリテーションでは，基本的に，患者の健康管理，合併症の予防，合併症の治療，健康管理教育と日常生活活動の自立を目標として行われる。家屋の改造や，必要な社会資源の紹介もその一

環として行われる。設定されたゴールは患者家族にも話し合いのうえ合意を得る。その後その方針に沿ってリハビリテーションが行われ，何回かその見直しと再度の方針決定がなされたうえで，ゴールに到達すると医学的リハビリテーションは終了する。

また，治療中であっても，身体の機能は安静によって衰えるので（廃用症候群），とりわけ高齢者においては，関節を動かすなどの運動療法が始められる。このような考えは，放置すれば，障害に陥る，あるいは悪化させてしまうという考えから予防的に行われるものである。

すなわち，医学的リハビリテーションは，起こった障害に対する働きかけのみならず，起こり得る身体の機能障害に対しても予測的に始められるものである。

しかし，やればやるだけよいかというとそういうものでもない。病気の急性期，外傷の直後，術後まもない時期においては，安静が重要である。また，麻痺した筋肉は，使いすぎるとかえって悪くなることがある（過用症候群）。動かないからといって無理に使うとかえって関節を破壊し，病状を悪化させてしまうこともあり得る。

図3-2-5 総合的リハビリテーション

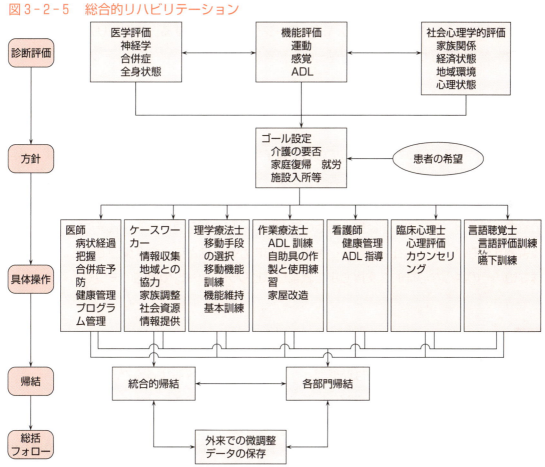

資料：図3-2-3に同じ，1437頁を一部改変。

2 社会的リハビリテーション

　社会的リハビリテーションの目的は障害者の社会適応を直接的に図ることである。直接的という意味は，その他のどのリハビリテーションにおいても究極の目的は障害者の社会適応であり，例えば，医学的リハビリテーションでは身体機能の改善によって社会適応に寄与するという形で間接的に目標とするのに対し，社会的リハビリテーションでは社会適応が直接的な目標となる。各部門のリハビリテーションの最終締めくくり的なものであり，障害者個人への働きかけよりも社会資源の整備活用が中心となる。社会的リハビリテーションのリーダーはケースワーカーやカウンセラーである。

3 教育的リハビリテーション

　教育的リハビリテーションとは，障害児に対し，身体機能を中心とした医学的リハビリテーションに加えて行われるものである。発達初期には医学的リハビリテーションが中心であるが，就学を機にその中心は教育的リハビリテーションへと移行する。教育的リハビリテーションは教育を通じて行われ，そのリーダーは教育者である。

4 職業リハビリテーション

　職業リハビリテーションは，障害に応じた職業能力を身につけるものである。例えば，不自由な手でもパソコンの操作は可能である。また，その操作を便利にするような道具の開発やそれを使いこなせるような訓練が必要となる。また，職業の適性を知り，あるいは訓練し，実際の職業の紹介や，職場での訓練等，きめの細かいサービスが必要になる。職業に就こうとする障害者すべてが必ずしも社会の厳しい現実に立ち向かえるほどに心の準備ができているわけではない。そのような心理的な支援もまた職業リハビリテーションの目的の一つである。

5 地域リハビリテーション

　かつてはリハビリテーションは時間がかかるもの，入院や特別な施設で行うものという考えが強かったが，今では，その人の暮らしていた地域で生活しながらリハビリテーションを行うという考えが強くなった。このようなリハビリテーションを地域リハビリテーションという。地域リハビリテーションにはさまざまな人材，施設，システムが必要である。高齢者の場合には介護保険を使ってこのようなシステムにのっとって地域リハビリテーションを受けることが

第 2 節　リハビリテーション

できる。地域リハビリテーションの主たる目的は最大限自立した生活を送り，機能低下を起こさせないことであり，健康で機能を保った生活を持続することである。

6　リハビリテーションにかかわる専門職の役割

　リハビリテーションには多くのスタッフが必要である（**図 3-2-6**）。医学的リハビリテーションにおいては医師がリーダーになるが，社会的リハビリテーションや教育的リハビリテーションにおいてはリーダーとなる専門職は異なる。

図 3-2-6　リハビリテーションにかかわる専門職

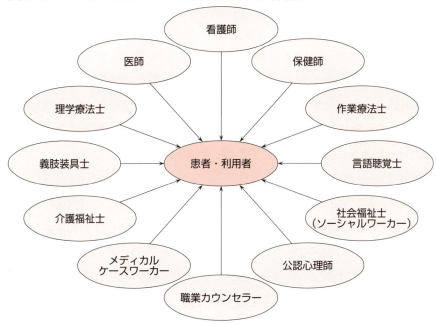

(1) 医師

　医師は医学的リハビリテーションにおいてはリーダーとなる。患者の医学的状態を把握し，原病の管理，合併症の予防と治療，リハビリテーションの身体への影響等に責任をもつ。各部門が患者の安全に関して安心してリハビリテーションができるように限界を設定するのも医師である。

(2) 理学療法士

　PT（Physical Therapist）ともいう。基本的に移動に関する粗大な運動の機能訓練を行う。動作の不可能な時点での関節の動きを維持したり，筋肉を衰えさせないようなことも行う。さらには，温熱療法や電気刺激などの物理療法も行う。

(3) 作業療法士

OT（Occupational Therapist）ともいう。もともとは精神科から発した。精神科の患者に陶芸や園芸等の作業を行わせると原病によい影響を与え，改善がみられたということから，そのような作業を指導する専門職として始まった。しかし現在ではそれにとどまることなく，上肢の機能，生活にかかわる動作の改善，再獲得，および手芸や作品づくり等のレクリエーション的な作業を通じて上肢機能の総合的なアプローチによる改善とともに，患者の心理的適応の援助等を行う。

(4) 看護師

医師とともに患者の健康管理を行い，病棟での生活の場における患者の自立を援助する。訓練室でできたことが生活の場でできるようにするのが看護師である。

(5) 言語聴覚士

ST（Speech-language-hearing Therapist）ともいう。言語に問題がある場合に訓練を行う。聴覚に問題があって言語に問題が生じている場合もある。また，脳の言語中枢に障害があって生じる失語といわれる状態や，口や喉の筋肉等に問題があって生じる構音障害といわれるものもあり，その場合にも言語療法の対象となる。近年，嚥下に問題のある患者が増え，嚥下のリハビリテーションも盛んになってきたが，その際も訓練に携わる。

(6) 社会福祉士（ソーシャルワーカー）

利用者にさまざまな社会的制度や福祉資源の情報を伝え，判断する材料を与え，自己判断が可能になるようにする。決定権はあくまで利用者と家族にある。しかし利用者家族の決定に追随するだけではなく，その決定の背景にあるものを理解したうえでの援助をする。例えば，学校を辞めたいといったときの利用者の心情は，いまだ障害を受け入れられず，人に会いたくない気持ちでいっぱいであったり，車いすでどう振る舞っていいかわからないといった戸惑い，できそうもないといった不安，受け入れられないのではといった諦め等がさまざま渦巻いている。前向きな判断ができる最低限の社会制度等の知識や同じような利用者のその後などを知らせることによって，安心して社会復帰に向けてリハビリテーションを行えるように援助するのがソーシャルワーカーの役目である。

(7) 公認心理師

心理測定を行う。発達障害や頭部外傷，脳血管障害といった右脳に問題があり，心理や行動に問題があるような場合や認知症が疑われるようなときの検査を行う。また障害により反応性の異常心理に陥った患者の心理測定やカウンセリングを行う。2017（平成29）年に公認心理師法が施行された。

(8) 保健師

地域において生活する障害者の状態の把握や指導を行う。病院や医療機関と地域をつなぐ役

割を果たす。

(9) 義肢装具士

義肢や装具を採型し，製作する。国家資格である。

7 リハビリテーションに用いられる評価基準

このようにリハビリテーションには多くの専門職がかかわり，多面的に利用者を評価し，その評価内容を専門職間で共有する。そのためもあり，評価基準は客観的なものでなくてはならない。また多岐にわたる評価基準が必要である。しかもそれらは普遍的なものであり，スタッフはそれらの評価基準に精通していなければならない。

●評価の領域

★身体機能

身体の基本的機能の状態を測定するものである。関節可動域（**表3-2-1**），筋力（**表3-2-2**），歩行速度，体力などの発達が測定される。歩行速度は10m最大歩行速度がよく測定されるが，10m最大歩行速度とその他の日常生活における活動性とは互いに関係がある。

★知能や空間無視等の高次脳機能

長谷川式認知症スケール（HDS-R）（**表3-2-3**）や知能検査（WAIS-R）等がある。その他記憶検査，空間認知等の測定がなされる。

★心理状態

不安やうつの状態が測定される。

★パフォーマンス

どのような機能状態にあるかを測定するものである。日常生活動作（ADL）は生活を送るうえで基本的に個人が果たすことを必要とするような動作である。基本的（標準的）ADLは最低限個人生活に必要な活動であり，バーセル・インデックス（**表3-2-4**），機能的自立度評価法（FIM）[1]（**表3-2-5**），カッツ・インデックス（**表3-2-6**）等が用いられる。基本的ADLに対し社会的な活動を含めたADLを手段的ADLという。老研式活動能力指標（**表3-2-7**）がその測定によく使われる。基本的ADLと手段的ADLを合わせて，拡大ADLという。

▶1 カッツ・インデックスやバーセル・インデックスに含まれないコミュニケーション（会話，意思伝達），社会的認知力（交流，問題解決能力，記憶）の項目が含まれ，自立度も1～7の7段階評価となっており，きめ細かい。しかしその分評価が難しく，得点の内容に関しても評価者によって異なることも起こる。

★ 生活の質（QOL）

リハビリテーションの評価，障害者に対するサービスを評価するうえで，単に機能を向上させたかということだけではなく，生活の質（QOL）を向上させたかという観点からの評価も大切である。生活の質には多くの要素があり，WHOのモデルの健康状態（変調または病気），心身機能・身体構造，活動，参加，環境因子，個人因子のすべての概念を含む。なお，個人の健康状態に限定して評価するQOLを健康関連QOLという。

表3-2-1　関節可動域表示ならびに測定法

II．上肢測定

部位名	運動方向	参考可動域角度	基本軸	移動軸	測定肢位および注意点	参考図
肩甲帯 shoulder girdle	屈曲 flexion	0-20	両側の肩峰を結ぶ線	頭頂と肩峰を結ぶ線		
	伸展 extension	0-20				
	挙上 elevation	0-20	両側の肩峰を結ぶ線	肩峰と胸骨上縁を結ぶ線	背面から測定する。	
	引き下げ（下制） depression	0-10				
肩 shoulder（肩甲帯の動きを含む）	屈曲（前方挙上） forward flexion	0-180	肩峰を通る床への垂直線（立位または座位）	上腕骨	前腕は中間位とする。体幹が動かないように固定する。脊柱が前後屈しないように注意する。	
	伸展（後方挙上） backward extension	0-50				
	外転（側方挙上） abduction	0-180	肩峰を通る床への垂直線（立位または座位）	上腕骨	体幹の側屈が起こらないように90°以上になったら前腕を回外することを原則とする。⇒［VI．その他の検査法］参照	
	内転 adduction	0				
	外旋 external rotation	0-60	肘を通る前額面への垂直線	尺骨	上腕を体幹に接して，肘関節を前方90°に屈曲した肢位で行う。前腕は中間位とする。⇒［VI．その他の検査法］参照	
	内旋 internal rotation	0-80				
	水平屈曲 horizontal flexion (horizontal adduction)	0-135	肩峰を通る矢状面への垂直線	上腕骨	肩関節を90°外転位とする。	
	水平伸展 horizontal extension (horizontal abduction)	0-30				

部位名	運動方向	参考可動域角度	基本軸	移動軸	測定肢位および注意点	参考図
肘 elbow	屈曲 flexion	0-145	上腕骨	橈骨	前腕は回外位とする。	
	伸展 extension	0-5				
前腕 forearm	回内 pronation	0-90	上腕骨	手指を伸展した手掌面	肩の回旋が入らないように肘を90°に屈曲する。	
	回外 supination	0-90				
手 wrist	屈曲(掌屈) flexion (palmar flexion)	0-90	橈骨	第2中手骨	前腕は中間位とする。	
	伸展(背屈) extension (dorsiflexion)	0-70				
	橈屈 radial deviation	0-25	前腕の中央線	第3中手骨	前腕を回内位で行う。	
	尺屈 ulnar deviation	0-55				

Ⅲ．手指測定

部位名	運動方向	参考可動域角度	基本軸	移動軸	測定肢位および注意点	参考図
母指 thumb	橈側外転 radial abduction	0-60	示指(橈骨の延長上)	母指	運動は手掌面とする。以下の手指の運動は、原則として手指の背側に角度計をあてる。	
	尺側内転 ulnar adduction	0				
	掌側外転 palmar abduction	0-90			運動は手掌面に直角な面とする。	
	掌側内転 palmar adduction	0				
	屈曲(MCP) flexion	0-60	第1中手骨	第1基節骨		
	伸展(MCP) extension	0-10				
	屈曲(IP) flexion	0-80	第1基節骨	第1末節骨		
	伸展(IP) extension	0-10				

部位名	運動方向	参考可動域角度	基本軸	移動軸	測定肢位および注意点	参考図
指 fingers	屈曲(MCP) flexion	0-90	第2-5中手骨	第2-5基節骨	⇨[Ⅵ. その他の検査法]参照	
	伸展(MCP) extension	0-45				
	屈曲(PIP) flexion	0-100	第2-5基節骨	第2-5中節骨		
	伸展(PIP) extension	0				
	屈曲(DIP) flexion	0-80	第2-5中節骨	第2-5末節骨	DIPは10°の過伸展をとりうる。	
	伸展(DIP) extension	0				
	外転 abduction		第3中手骨延長線	第2, 4, 5指軸	中指の運動は橈側外転, 尺側外転とする。 ⇨[Ⅵ. その他の検査法]参照	
	内転 adduction					

Ⅳ. 下肢測定

部位名	運動方向	参考可動域角度	基本軸	移動軸	測定肢位および注意点	参考図
股 hip	屈曲 flexion	0-125	体幹と平行な線	大腿骨(大転子と大腿骨外顆の中心を結ぶ線)	骨盤と脊柱を十分に固定する。屈曲は背臥位, 膝屈曲位で行う。伸展は腹臥位, 膝伸展位で行う。	
	伸展 extension	0-15				
	外転 abduction	0-45	両側の上前腸骨棘を結ぶ線への垂直線	大腿中央線(上前腸棘より膝蓋骨中心を結ぶ線)	背臥位で骨盤を固定する。下肢は外旋しないようにする。内転の場合は, 反対側の下肢を屈曲挙上してその下を通して内転させる。	
	内転 adduction	0-20				
	外旋 external rotation	0-45	膝蓋骨より下ろした垂直線	下腿中央線(膝蓋骨中心より足関節内外果中央を結ぶ線)	背臥位で, 股関節と膝関節を90°屈曲位にして行う。骨盤の代償を少なくする。	
	内旋 internal rotation	0-45				
膝 knee	屈曲 flexion	0-130	大腿骨	腓骨(腓骨頭と外果を結ぶ線)	屈曲は股関節を屈曲位で行う。	
	伸展 extension	0				

部位名	運動方向	参考可動域角度	基本軸	移動軸	測定肢位および注意点	参考図
足関節・足部 foot and ankle	外転 abduction	0-10	第2中足骨長軸	第2中足骨長軸	膝関節を屈曲位, 足関節を0度で行う。	
	内転 adduction	0-20				
	背屈 dorsiflexion	0-20	矢状面における腓骨長軸への垂直線	足底面	膝関節を屈曲位で行う。	
	底屈 plantar flexion	0-45				
	内がえし inversion	0-30	前額面における下腿軸への垂直線	足底面	膝関節を屈曲位, 足関節を0度で行う。	
	外がえし eversion	0-20				
第1趾, 母趾 great toe, big toe	屈曲(MTP) flexion	0-35	第1中足骨	第1基節骨	以下の第1趾, 母趾, 趾の運動は, 原則として趾の背側に角度計をあてる。	
	伸展(MTP) extension	0-60				
	屈曲(IP) flexion	0-60	第1基節骨	第1末節骨		
	伸展(IP) extension	0				
趾 toe, lesser toe	屈曲(MTP) flexion	0-35	第2-5中足骨	第2-5基節骨		
	伸展(MTP) extension	0-40				
	屈曲(PIP) flexion	0-35	第2-5基節骨	第2-5中節骨		
	伸展(PIP) extension	0				
	屈曲(DIP) flexion	0-50	第2-5中節骨	第2-5末節骨		
	伸展(DIP) extension	0				

V. 体幹測定

部位名	運動方向	参考可動域角度	基本軸	移動軸	測定肢位および注意点	参考図
	屈曲(前屈) flexion	0-60	肩峰を通る床への垂直線	外耳孔と頭頂を結ぶ線	頭部体幹の側面で行う。原則として腰かけ座位とする。	
	伸展(後屈) extension	0-50				

部位名	運動方向		参考可動域角度	基本軸	移動軸	測定肢位および注意点	参考図
頚部 cervical spine	回旋 rotation	左回旋	0-60	両側の肩峰を結ぶ線への垂直線	鼻梁と後頭結節を結ぶ線	腰かけ座位で行う。	
		右回旋	0-60				
	側屈 lateral bending	左側屈	0-50	第7頚椎棘突起と第1仙椎の棘突起を結ぶ線	頭頂と第7頚椎棘突起を結ぶ線	体幹の背面で行う。腰かけ座位とする。	
		右側屈	0-50				
胸腰部 thoracic and lumbar spines	屈曲(前屈) flexion		0-45	仙骨後面	第1胸椎棘突起と第5腰椎棘突起を結ぶ線	体幹側面より行う。立位、腰かけ座位または側臥位で行う。股関節の運動が入らないように行う。⇨[Ⅵ. その他の検査法]参照	
	伸展(後屈) extension		0-30				
	回旋 rotation	左回旋	0-40	両側の後上腸骨棘を結ぶ線	両側の肩峰を結ぶ線	座位で骨盤を固定して行う。	
		右回旋	0-40				
	側屈 lateral bending	左側屈	0-50	ヤコビー(Jacoby)線の中点にたてた垂直線	第1胸椎棘突起と第5腰椎棘突起を結ぶ線	体幹の背面で行う。腰かけ座位または立位で行う。	
		右側屈	0-50				

Ⅵ. その他の検査法

部位名	運動方向	参考可動域角度	基本軸	移動軸	測定肢位および注意点	参考図
肩 shoulder (肩甲骨の動きを含む)	外旋 external rotation	0-90	肘を通る前額面への垂直線	尺骨	前腕は中間位とする。肩関節は90°外転し、かつ肘関節は90°屈曲した肢位で行う。	
	内旋 internal rotation	0-70				
	内転 adduction	0-75	肩峰を通る床への垂直線	上腕骨	20°または45°肩関節屈曲位で行う。立位で行う。	

母指 thumb	対立 opposition			母指先端と小指基部(または先端)との距離(cm)で表示する。	
指 finger	外転 abduction	第3中手骨延長線	2, 4, 5指軸	中指先端と2, 4, 5指先端との距離(cm)で表示する。	
	内転 adduction				
	屈曲 flexion			指尖と近位手掌皮線(proximal palmar crease)または遠位手掌皮線(distal palmar crease)との距離(cm)で表示する。	
胸腰部 thoracic and lumbar spines	屈曲 flexion			最大屈曲は,指先と床との間の距離(cm)で表示する。	

Ⅶ. 顎関節計測

顎関節 temporo-mandibular joint	開口位で上顎の正中線で上歯と下歯の先端との間の距離(cm)で表示する。 左右偏位(lateral deviation)は上顎の正中線を軸として下歯列の動きの距離を左右とも cm で表示する。 参考値は上下第1切歯列対向縁線間の距離5.0cm,左右偏位は1.0cm である。

資料:Jpn J Rehabil Med 2021;58:1188-1200. 日本足の外科学会雑誌 2021, Vol. 42:S372-S385. 日整会誌 2022;96:75-86.

表3-2-2 徒手筋力検査における筋力の表示法と判定基準

表示法				判定基準
5	N	Normal	正常	最大抵抗を与えても,なおそれ及び重力に抗して完全に運動できる
4	G	Good*	優	若干の抵抗を与えても,なおそれ及び重力に抗して完全に運動できる
3	F	Fair*	良	重力に抗してなら,完全に運動できる
2	P	Poor*	可	重力を除外すれば,完全に運動できる
1	T	Trace*	不可	筋のわずかな収縮は明らかにあるが,関節は動かない
0	0	Zero*	ゼロ	筋の収縮がまったく認められない

SまたはSS:Spasm 痙攣(スパズム)または強い痙攣
CまたはCC:Contracture 拘縮または強い拘縮
*筋の痙攣(スパズム)あるいは拘縮が運動の範囲を制限することがある。それによって運動が不完全である場合には段階づけの後にS,SS,C,CCを付記し疑問符をつけておくべきである。

Committee on After Effects, National Foundation for Infantile Paralyis, Inc.(1946)
(Daniels et al. 1972, 一部改変)

表3-2-3 長谷川式認知症スケール（HDS-R）検査用紙

1	お歳はいくつですか？ ＿＿＿＿歳 （2年までの誤差は正解）	＋ －
2	今日は何年の何月何日ですか？　何曜日ですか？ ＿＿＿年　＿＿＿月　＿＿＿日　＿＿＿曜日 （西暦でも正解）＋ －　＋ －　＋ －　＋ －	
3	私たちが今いるところはどこですか？＿＿＿＿＿＿＿＿＿＿　＋ － （正答がないとき約5秒後にヒントを与える） 家ですか？　病院ですか？　施設ですか？　　＋ －	
4	これから言う3つの言葉を言ってみてください。 　あとでまた聞きますので，よく覚えておいてください。 （次の系列から選び，使わない系列を横線で消す） 　｛系列1：a）桜　　b）猫　　c）電車　　a）＋ －　　b）＋ －　　c）＋ － 　｛系列2：a）梅　　b）犬　　c）自動車 正答できなかったとき，正しい答えを覚えさせる。（3回以上言っても覚えられない言葉は横線で消す）	
5	100から7を順番に引いてください。 　100－7は？　（93）＋ ──→ それから7を引くと？　（86）＋ 　　　　　　　　　　－┐(問6へ)　　　　　　　　　　　　　　　－	
6	私がこれから言う数字を逆から言ってください。 　6－8－2　（2－8－6）＋ ──→ 3－5－2－9　（9－2－5－3）＋ 　　　　　　　　　　－┐(問7へ)	
7	先ほど覚えてもらった言葉をもう一度言ってください。 　　　　　　　　　　　　　　　　　　　　a）＋┐　　b）＋┐　　c）＋┐ （正答がでなかった言葉にヒントを与える）（ヒント：植物）（ヒント：動物）（ヒント：乗り物） 　　　　　　　　　　　　　　　　　　　　　　＋ －　　＋ －　　＋ －	
8	これから5つの品物を見せます。それを隠しますので何があったか言ってください。 （1つずつ名前を言いながら並べ覚えさせる。次に隠す）（5つの品名を記入し，答えられなかった品名にカッコをする） ＿＿＿＿　＿＿＿＿　＿＿＿＿　＿＿＿＿　＿＿＿＿ （さじ，くし，サイコロ，はさみ，眼鏡など）　　正答数：0　1　2　3　4　5	
9	知っている野菜の名前をできるだけ多く言ってください。 （途中で詰まり，約10秒待ってもでないときは，打ち切る）（答えた品名を記入する） ＿＿＿＿　＿＿＿＿　＿＿＿＿　＿＿＿＿　＿＿＿＿ ＿＿＿＿　＿＿＿＿　＿＿＿＿　＿＿＿＿　＿＿＿＿ 　　（重複したものは除外）　正答数：～5　6　7　8　9　10	

資料：長谷川和夫『長谷川式認知症スケール検査用紙』三京房，2005年（三京房承認済）。

表3-2-4　バーセル・インデックス（Barthel Index）

注意：患者が基準を満たせない場合，得点は0とする。

	介助	自立
1．食事をすること（食物を刻んであげるとき＝介助）	5	10
2．車いす・ベッド間の移乗を行うこと（ベッド上の起き上がりを含む）	5-10	15
3．洗面・整容を行うこと（洗顔，髪の櫛入，髭剃り，歯磨き）	0	5
4．トイレへ出入りすること（衣服の着脱，拭く，水を流す）	5	10
5．自分で入浴すること	0	5
6．平坦地を歩くこと（あるいは歩行不能であれば，車いすを駆動する）	10	15
＊歩行不能の場合だけ，こちらの得点	0＊	5＊
7．階段を昇降すること	5	10
8．更衣（靴紐の結び，ファスナー操作を含む）	5	10
9．便禁制	5	10
10．尿禁制	5	10

バーセル・インデックス：評点上の教示
1．食事をすること
　　10＝自立。患者は，手の届くところに誰かが食物を置いてくれれば，トレイやテーブルから食物をとって食べる。患者は，必要であれば自助具をつけて，食物を切り，塩や胡椒を用い，パンにバターをつける等を行わなければならない。これを応分の時間内に終えなければならない。
　　5＝何らかの介助が必要である（上記の食物を切る等）。
2．車いす・ベッド間の移乗を行うこと
　　15＝この活動のすべての相が自立。患者は車いすに乗って安全にベッドに近づき，ブレーキを掛け，フットレストを上げ，安全にベッドに移り，横になる。ベッドの端で座位となり，安全に車いすへ戻るのに必要ならば車いすの位置を変え，車いすへ戻る。
　　10＝この活動のいずれかの段階で，わずかの介助を要する，あるいは安全のために患者に気づかせてあげるか，監視を必要とする。
　　5＝患者は介助なしに座位になれるが，ベッドから持ちあげてもらう，あるいは移乗にはかなりの介助を要する。
3．洗面・整容を行うこと
　　5＝患者は手と顔を洗い，髪をとかし，歯を磨き，髭を剃ることができる。どのようなカミソリを使用してもよいが，引出しや戸棚から取りだし，刃を交換したり，ソケットに接続することは介助なしにできなければならない。女性は，化粧を行っていたのであれば，化粧ができなければならないが，頭髪を編んだり，髪型を作らなくてもよい。
4．トイレへ出入りすること
　　10＝患者はトイレの出入り，衣類の着脱ができ，衣類を汚さず，介助なしにトイレットペーパーを使うことができる。必要なら手すり等の安定した支えを利用してもよい。トイレの代わりに便器を使用することが必要であれば，患者は便器をいすの上に置き，空にし，きれいにすることができなければならない。
　　5＝患者はバランスが悪いため，あるいは衣類の処理やトイレットペーパーの扱いに介助を要する。
5．入浴すること
　　5＝患者に浴槽あるいはシャワー，スポンジ（簡単な沐浴，スポンジで洗い流す）のいずれかを使用できる。どの方法であっても，他人がいない条件で必要なすべての段階を自分で行わなければならない。
6．平坦地を歩くこと
　　15＝患者は，少なくとも50ヤード（45.7m），介助あるいは監視なしで歩くことができる。患者は装具あるいは義足をつけ，クラッチ，杖あるいは固定型歩行器を使用してもよいが，車輪型歩行器の使用は認めない。装具を使用するときは自分で締めたり，緩めたりできなければならない。立位をとることや座ることもでき，機械的器具を使う所におき，座るときには片づけることができなければならない（装具の着脱は更衣の項目にする）。
　　10＝患者は上記事項のいずれかに介助あるいは監視を必要とするが，わずかの介助で少なくとも50ヤードは歩くことができる。
6a．車いすを駆動すること
　　5＝患者は歩くことはできないが，車いすをひとりで駆動することができる。角を曲がる，向きを変える，テーブルやベッド，トイレ等へと車いすを操作できなければならない。少なくとも50ヤードは移動できなければならない。歩くことに得点を与えたなら，この項目の得点は与えない。

7．階段を昇降すること
　　10＝患者は介助あるいは監視なしに安全に階段（次の階まで）の昇降ができる．必要であれば，手すりや杖，クラッチを使用すべきである．階段昇降に際して杖やクラッチを持っていられなければならない．
　　5＝患者は上記項目のいずれかに介助あるいは監視を必要とする．
8．衣服を着脱すること
　　10＝患者はすべての衣類を着脱し，ボタン等を掛け，靴紐を結ぶことができる（このための改造を行ってないのであれば）．この活動はコルセットや装具が処方されていれば，それらを着脱することを含む．必要であれば，ズボン吊りやローファー（靴），前開き衣類を使用してもよい．
　　5＝患者は衣類を着脱し，ボタンを掛ける等に介助を要する．少なくとも半分は自分で行う．応分の時間内に終わらなければならない．女性は，処方された場合を除き，ブラジャーあるいはガードルの使用に関して得点をしなくてよい．
9．便禁制
　　10＝患者は排便のコントロールができて，粗相をすることはない．必要なときは座薬や浣腸を使用できる（排便訓練を受けた脊髄損傷患者に関して）．
　　5＝患者は座薬や浣腸に介助を要する，あるいは時に粗相をする．
10．尿禁制
　　10＝患者は日夜，排尿のコントロールができる．集尿器と装着式集尿袋を使用している脊髄損傷患者は，それらをひとりで身につけ，きれいにし，集尿袋を空にし，日夜とも陰股部が乾いていなければならない．
　　5＝患者は時に粗相をする．あるいは便器の使用が間に合わない，トイレに時間内に着けない，集尿器などに介助を要する．

（Mahoney et al. 1965）

表3-2-5　機能的自立度評価法

Functional Independence Measure (FIM)

レベル		
	7　完全自立（時間, 安全性含めて） 6　修正自立（補助具使用）	介助者なし
	部分介助 　5　監視 　4　最小介助（患者自身で75％以上） 　3　中等度介助（50％以上） 完全介助 　2　最大介助（25％以上） 　1　全介助（25％未満）	介助者あり

セルフケア
　A．食事　　　　　　　　　　　　箸, スプーンなど
　B．整容
　C．清拭
　D．更衣（上半身）
　E．更衣（下半身）
　F．トイレ動作
排泄コントロール
　G．排尿コントロール
　H．排便コントロール
移　乗
　I．ベッド, いす, 車いす
　J．トイレ
　K．浴槽, シャワー　　　　　　　浴槽／シャワー
移　動
　L．歩行, 車いす　　　　　　　　歩行／車いす
　M．階段
コミュニケーション
　N．理解　　　　　　　　　　　　聴覚／視覚
　O．表出　　　　　　　　　　　　音声／非音声
社会的認知
　P．社会的交流
　Q．問題解決
　R．記憶
　　　　合　計

（入院時　退院時　フォローアップ時）

注意：空欄は残さないこと，リスクのために検査不能の場合はレベル1とする。

資料：千野直一監訳『FIM　医学的リハビリテーションのための統一データセット利用の手引き（第3版）』慶應義塾大学医学部リハビリテーション医学教室，1991年。

表3-2-6　カッツ・インデックス

　ADLにおける自立度の指標は患者が入浴，更衣，トイレへ行く，移乗，尿便禁制，食事に際して，機能的に自立しているか，依存しているかの評価に基づく指標である．自立・依存の定義を以下に記す．
　A——食事，尿便禁制，移乗，トイレへ行く，更衣，入浴が自立
　B——これらの機能が，1つを除いて，すべて自立
　C——入浴ともう1つを除いて，すべて自立
　D——入浴，更衣ともう1つを除いて，自立
　E——入浴，更衣，トイレへ行くともう1つを除いて，自立
　F——入浴，更衣，トイレへ行く，移乗ともう1つを除いて，自立
　G——すべて依存
　その他——少なくとも2つは依存，ただしC，D，E，Fに分類されない
　自立とは，下記の事項を除いて，監視あるいは指示，介助なしを意味する．これは実状に基づくもので，能力（可能性）には基づかない．ある活動を患者が拒否する場合，できそうに見えても，行っていないとする．
　入浴（スポンジ，シャワー，タブ）
自立：身体の一部（背中，障害部位）の入浴に介助を要する，あるいはすべてできる
依存：身体の複数部位あるいはタブの出入に介助を要する，ひとりではできない
　更衣
自立：戸棚や引出しから衣類を取り出す；下着，上着，補装具を着ける；ファスナー操作；靴紐の操作は除く
依存：ひとりでは着られない，一部が着られない
　トイレへ行く
自立：トイレへ行く；出入りする；下着を整える；排泄の後始末をする；（夜間，便器の操作）
依存：便器やコモードの使用，トイレ使用に介助を要する
　移乗
自立：ひとりでベッドやいすに出入りする（機械的支持はあってもよい）
依存：ベッドやいすの出入りに介助を要する
　尿便禁制
自立：排尿，排便はひとりで可能
依存：失禁；下剤やカテーテル，便器を要する
　食事
自立：皿から口へ食物を運ぶ（肉を切ること，パンにバターをつけることなどを除く）
依存：上記に介助を要する；経管栄養

　入浴，更衣，トイレ動作，移乗，尿便禁制，食事について表の基準で自立か依存かに評価する．それに基づきA－Gに分類する．

(Katz et al.1963)

表3-2-7　老研式活動能力指標

　毎日の生活についてうかがいます．以下の質問のそれぞれについて，「はい」「いいえ」のいずれかに○をつけて，お答え下さい．質問が多くなっていますが，ごめんどうでも全部の質問にお答え下さい．
(1)　バスや電車を使って一人で外出できますか……………1．はい　　2．いいえ
(2)　日用品の買い物ができますか……………………………1．はい　　2．いいえ
(3)　自分で食事の用意ができますか…………………………1．はい　　2．いいえ
(4)　請求書の支払いができますか……………………………1．はい　　2．いいえ
(5)　銀行預金・郵便貯金の出し入れが自分でできますか…1．はい　　2．いいえ
(6)　年金などの書類が書けますか……………………………1．はい　　2．いいえ
(7)　新聞を読んでいますか……………………………………1．はい　　2．いいえ
(8)　本や雑誌を読んでいますか………………………………1．はい　　2．いいえ
(9)　健康についての記事や番組に関心がありますか………1．はい　　2．いいえ
(10)　友だちの家を訪ねることがありますか…………………1．はい　　2．いいえ
(11)　家族や友だちの相談にのることがありますか…………1．はい　　2．いいえ
(12)　病人を見舞うことができますか…………………………1．はい　　2．いいえ
(13)　若い人に自分から話しかけることがありますか………1．はい　　2．いいえ

資料：古谷野亘「地域老人における活動能力の測定」『日本公衆衛生雑誌』34巻3号，113頁，1987年．

3 リハビリテーションにおける福祉用具の役割

1 リハビリテーションで用いられる福祉用具の種類と内容

「福祉用具の研究開発及び普及の促進に関する法律」において「『福祉用具』とは，心身の機能が低下し日常生活を営むのに支障のある老人（以下単に「老人」という。）又は心身障害者の日常生活上の便宜を図るための用具及びこれらの者の機能訓練のための用具並びに補装具をいう」（第2条）と定義されている。このうち補装具とは厚生労働省の定義によると，以下のいずれにも該当するものになる。

❶ 障害者等の身体機能を補完し，または代替し，かつその身体への適合を図るように製作されたものであること
❷ 障害者等の身体に装着することにより，その日常生活においてまたは就労もしくは就学のために，同一の製品につき長期間にわたり継続して使用されるものであること
❸ 医師等による専門的な知識に基づく意見または診断に基づき使用されることが必要とされるものであること

医学的リハビリテーションにおいて使われる福祉用具は主に補装具である。

表3-2-8　補装具の種目

●義肢　●装具　●姿勢保持装置　●車いす　●電動車いす　●視覚障害者安全つえ　●義眼　●眼鏡　●補聴器　●人工内耳（人工内耳用音声信号処理装置の修理に限る）　●車載用姿勢保持装置　●起立保持具　●歩行器　●排便補助具　●歩行補助つえ　●重度障害者用意思伝達装置

(1) リハビリテーションにおける補装具の役割

補装具は，体外から身体に作用して，その運動を制御するものである。身体障害に対するリハビリテーションにおいては，運動療法が廃用の予防と回復，機能が低下した運動器の回復，代償運動の獲得を目的として行われる。補装具はこのような運動療法において活用される。

① 補装具の目的

補装具を手段として用いる療法を装具療法という。装具療法の臨床的目的を**表3-2-9**に示す。

表 3-2-9　装具療法の臨床的目的

- 立位歩行の補助
- 局所安静，良肢位保持
- 変形矯正，予防
- 変形足の収納
- 運動療法，エクササイズの補助

　局所の安静は局所の廃用をもたらすが，それによって局所の治癒促進効果をもたらす。また装具で局所が固定されるため，他の部位を動かすことができるので，全身的な廃用の予防につながる。

　エクササイズの補助としては，上肢の手指腱縫合後や脳性麻痺の立位歩行訓練の際に使用されることがある。これらの補装具は訓練の際に使われ，実用性を求めてはいない。歩行練習の際には，補装具を使うことによって機能低下した関節の制御を行い，代償することによって歩行練習を早期から始めることができる。

② 装具の生体に及ぼす物理作用

　装具は関節運動に作用するものである。その作用としては，**表 3-2-10**に示すとおりである。関節運動の補助としては，バネやゴムによる運動の補助が考えられる。アライメント（Alignment）の変更は，目的とする肢位での固定とバネ等を使って矯正力をもたせたものがある。変形部位の収納は靴型装具によるものが多い。

表 3-2-10　装具の生体に及ぼす物理作用

- 関節の固定
- 関節運動の制限
- 関節運動の援助
- Alignmentの変更
- 変形部位の収納

③ 装具の基本構造と生体

　四肢に対する装具について説明する。装具は関節運動を制御するものである。そこで，関節を挟んで支柱を沿わせ，その支柱に対して四肢を留めれば関節の位置を固定することができる。装具は，支柱と生体に支柱を固定するカフ，および関節の動きを制御する継ぎ手からなる（**図3-2-7**）。さらには補助的に膝当て，ストラップなどを用いる。支柱とカフによって屈伸と内外転の動きは制御できるが，ほぼ円筒形をした肢節の回旋を留めることは困難であり，股関節の回旋であれば足部を，肩関節の回旋であれば前腕を，前腕の回内外の制御は手を装具に含めて，制御することになる。現在では，下肢装具はプラスチック製が主流を占めている（**図3-2-8**）。

④ 装具の処方と適合

●対象疾患

　装具の対象となる疾患，運動障害の範囲は広い（**表3-2-11**）。身体に合っているかどうか

図3-2-7　装具の構造

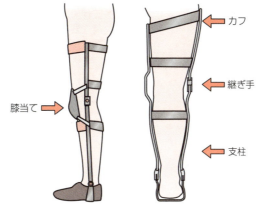

図3-2-8　下肢装具

は，装具として一般的な条件を満たしているかどうか（当たらない，大きすぎないなど）にあり，疾患による関節運動を代償しているか，過剰に制限していないかなどの2側面から考える必要がある。

● 装具の一般的条件

一般的に過剰に体表を被わず，最小限の面積で最大限の効果を発揮するように作製されている（**表3-2-12**）。

(2) **リハビリテーション治療，訓練で使われる補装具の実際**

リハビリテーションは生活の自立をまずは目指すものである。身体に障害を負ったときでも，できる限り自分で自分のことができるようにならなければならない。しかしそうはいっても健常者と同じようにはできない。そのような場合に使用されるように，開発・工夫されたものが福祉用具である。

医学的リハビリテーションにおいては，補装具が使われることが多い。例えば，事故やその

表 3-2-11 装具の対象疾患

- 運動器外傷（骨折，靱帯損傷，ねんざ等）
- 術後の固定（脊椎，関節等）
- 変形性関節症
- 変形（内反足，外反母趾等）
- 先天性股関節脱臼
- 免荷を要する疾患（ペルテス病等）
- 麻痺性疾患（末梢神経，脊髄障害，脳原性麻痺）

表 3-2-12 装具の条件

- 体表を過剰に被わない
- 関節運動を必要以上に制限しない
- 形状が身体形状に沿っている
- 軽量である
- 外観がよい，目立たない
- 装着が容易である
- 安価である

他の理由で手足を失った人はその代償となる義肢を身につける。また，関節の痛みや運動の障害のある人は，関節の動きをコントロールできるような装具を身につけて，歩行やその他の動作がスムーズに行えるようにする。その他，つえや車いすなども使用される。使用される福祉用具は，利用者の医学的問題や障害に強く関連するので，医師の意見書や判定書を必要とする補装具が使用される。

(3) 自助具

ちょっとした工夫で，字を書けたり，スプーンを持てたりする場合には，自助具というものを使用する。このような道具や機器は一見特別なもののように思われるが，しかしよく考えてみると暮らしのなかではさまざまな道具や機器が使われている。食事する際には箸やスプーンが使われ，書字のためのペン，はさみなどが使われている。これらの器具はどれも，身体の不自由のない人のためにつくられている。福祉用具は同じようなものが障害に合わせてつくられており，結局は健常者が生活のなかで道具を使用するのと同様に使用しているだけということになる。このような自助具は市販されているものも多いが，作業療法士が一人ひとりの患者の必要に応じて作製したりもする。

リハビリテーションを終えて在宅生活に戻る際には，地域のケアマネジャー等とも相談し，住宅改造や生活様式に合わせた福祉用具を選択する。

補装具以外の福祉用具の適用にあたっては，使用しようとする福祉用具が障害者の生活を快適にし，豊かにするかどうか，その障害者の必要や希望に沿ったものかどうか，機能低下をもたらさないものかどうかをよく見きわめる必要がある。またすでに使用している補装具等が利用者のどのような部分を代償しているのかも理解する必要がある。

福祉用具は障害者の生活を快適にし，豊かにするものである。個人の生活が人それぞれであるように，障害者にとって福祉用具の必要性はその人によって異なる。また，本来，生活というものは安楽に送るべきものであり，生活のなかに機能訓練的要素をあまり持ち込むことは好ましくない。というのも，機能訓練というものはしばしば実行するために何らかの我慢や努力

しかし、そうはいっても安楽と機能維持とはしばしば矛盾対立する。例えば、つえ歩行を行うことと、電動車いすに乗ることを比べれば、後者のほうが安楽ではあるが、機能状態は悪化する。これを続ければ、つえ歩行が不能になる可能性もある。しかし、快適に生活を送るという点では後者のほうが楽である。どちらを選ぶかは、本人の判断を待つ以外ないが、適切なアドバイスを専門家に求めるように伝えることも重要である。

(4) 福祉用具による安楽さと機能

障害者はリハビリテーションの後に社会で再び生き始める。これを社会復帰という。社会復帰後の生活は、それ以前の生活と形態的には異なっても本質的には同じである。すなわち、寝て起きて、日常生活動作を行い、働き、学び、人と付き合い、趣味活動をする。これらの一連の動作のなかで福祉用具が活躍する。これらは健常者の社会における移動の補助手段としてのバス、電車、自転車、自家用車といった類のもの、エレベーターや動く歩道など、キャスター付きトランク、スーパーマーケットのカート等の運搬の補助手段、スポーツを行うための特殊な道具や設備（テニスのラケット、球技場やコートなど）と同じである。健常者が生活するために使って当たり前と思っているようなものもまた、障害者が当たり前に利用できなければならない。地域にこのような仕組みが整備されることをバリアフリーというが、福祉用具も生活にとって必要最低限のものだけでなく、QOLの向上の観点から、趣味活動やスポーツレクリエーションに必要なものまで用意されている。

このように福祉用具は障害者の生活上の支障を防ぐだけでなく、そのQOLの向上にも役立っている。しかしその知識は必ずしも十分普及しているわけではない。障害者の住む地域にどのような施設があり、必要なものはどのようにして手に入れることができるかといったことは、医学的リハビリテーションが終わった段階では、障害者には十分つかみきれていない。福祉用具を利用することによってさらに豊かな生活を送れることを知れば、障害者はさらに前向きに生活を送ることができるであろう。

福祉用具は生活を便利にし、豊かにするものではあるが、だからといってすぐに高齢者や障害者に受け入れられるものではない。重量、大きさ、色、音、装着の難しさや装用の煩わしさ、使用法の難しさ、価格等、受け入れを拒否される要素は多い。丁寧な説明と装着や使用の練習、福祉制度による購入・借り入れの援助等に対する情報提供が必要である。

2 リハビリテーション専門職との連携

病院でのリハビリテーションを終え、地域に戻り、在宅生活を始める障害者（利用者）は強い不安を抱く。それは、生活を送ることができるかどうかというものであるが、さらに具体的

には次のようなことがあげられる。
・経済的にやっていけるかどうか
・福祉サービスはどのように利用できるのか
・どのように機能の向上を図ることができるのか
・家族の負担はいかほどか
・地域には自分を理解してくれる人がいるのか，受け入れてもらえるのか　　など

　これらの不安を解消するのが病院におけるリハビリテーション専門職と地域における福祉専門職やリハビリテーション専門職との連携である。

(1) 生活の準備

　病院における保護的な環境に対し，家庭環境はハード面もソフト面もそれと異なり，劣る。病院では，呼べば看護師が駆けつけ，相談に乗ってくれるケースワーカー，理学療法士，作業療法士，医師，看護師がいたが，自宅に戻れば家族しかいない。これらの不安の解消のためには，利用者および家族に地域のリハビリテーションの仕組みについて十分理解してもらう必要がある。また，家の改造，福祉機器のレンタルなど，退院までに済ませておかねばならないことがいくつかある。また，介護に訪問看護師や訪問介護員がかかわる予定があれば，サービス申請の手続きを退院までに完了していることが重要である。病院においては，訪問看護指示書，障害者手帳の取得，障害支援区分の認定，または要介護認定を受ける必要がある。病院の医療ソーシャルワーカー，地域のケースワーカー（地方自治体所属），ケアマネジャーがその任にあたる。ただし，請け負うのではなく，あくまでも利用者の家族主体で動けるように指導する。

(2) 福祉制度の利用と経済的基盤

　障害をもつことになれば，その障害の程度によって，「障害者の日常生活及び社会生活を総合的に支援するための法律」（障害者総合支援法）における援助が受けられる。高齢者の場合には介護保険法が優先されるので，退院までに要介護認定を受ける必要がある。医療ソーシャルワーカーが利用者家族に手続きについて援助する。また，障害の程度によって，厚生年金，国民年金等の給付が始まる。労災年金の手続きも必要になる場合があり，医療ソーシャルワーカーが対応する。必要があれば生活保護を受けることもできる。

(3) 福祉制度の利用法

　65歳以上あるいは40歳以上65歳未満の人で介護保険法上の特定疾病の対象になる場合は，要介護認定を入院中に受け，医療ソーシャルワーカーが援助する。要介護認定の要件を満たさない場合には，障害者手帳を取得する要件を満たせば，障害者総合支援法の援助が受けられる。このような手続きは，退院日が決まっていれば入院中に済ますこともできる。実際にどのようなサービスを受けるかは，利用者家族と地域のケアマネジャー，市町村の福祉担当者と相談する。その際には，病院における介護看護の情報，福祉用具のニーズ等を地域の訪問看護ステー

第2節　リハビリテーション

ション，かかりつけ医等とやりとりをする。ケアマネジャーが病院スタッフと直接会って相談をすることもある。

(4) 維持期リハビリテーション

退院したといっても機能の維持や向上を目指してリハビリテーションは続く。また，生活のリズムをつくり，引きこもらないで他者との交流を維持することも必要である。その場合には，訪問リハビリテーション，通所リハビリテーション（デイケア），通院リハビリテーションなどのサービスを利用する。また，デイサービスは通所介護であるが，他者との交流の場ともなり，その間家族は介護から離れて自分の時間を過ごすこともでき，無理のない日常生活のリズムをつくり出すうえでも重要である。ケアマネジャーは地域の情報を利用者家族に伝え，これらのサービスを利用者家族が選択できるようにする。

(5) 介護の社会性

退院後の生活は障害を負った当事者のみならず，その家族にとっても新たな生活の始まりである。気負って何もかも自分で請け負ってしまわないように支えることが重要になる。デイケア，デイサービスの利用，訪問介護員，介護福祉士，訪問看護師等とともに介護を分担し，利用者と家族がともに社会から遠のかないようにする。このような段取りは，病院の医療ソーシャルワーカー，地域のケアマネジャー，社会福祉士が連携し，またそれぞれの実務担当者が情報交換し合って，利用者が社会に復帰できるようにする。

(6) 地域リハビリテーション

患者会や地域のイベント，福祉センター，福祉会館と呼ばれる地域の福祉施設での障害者，健常者を含めたレクリエーションやスポーツに参加することによって，情報交換や交流ができる。退院直後は生活を立て直すことが重要で，そこまでは目が行き届かないが，退院後も通院する病院と，地域との連携で，利用者とその家族の地域での社会参加，QOLの向上を図ることができる。

(7) 補装具の使用

補装具の使用にあたっては，医師やその訓練をした理学療法士や作業療法士等と連絡を取り，取り扱いの注意点や，使い方などを理解する必要がある。自助具の使用にあたっては，作業療法士がその訓練をしたり，選定をしているので，その使い方や装用についても知っておく必要がある。義肢装具は義肢装具士が製作するが，歩行訓練や義手の訓練は理学療法士や作業療法士が行うので，療法士からその使用上の注意などを聞くことができる。直接的な連携が困難な場合には，ケアマネジャーを通じて情報を得ることも必要である。また，片麻痺のように状態が変化する疾患では，長期的には補装具が利用者にとって必要な機能と合わなくなってくることも多く，病院受診を勧めるなどの援助が必要になる。

第3節 高齢者の日常生活の理解

- 高齢者等の日常生活の個別性や家族との関係など，生活全般を捉える視点を修得する。
- 基本的動作や日常生活動作（ADL）・手段的日常生活動作（IADL）の考え方，日常生活を通じた介護予防の視点を理解する。

 到達目標

- 日常生活には個別性があることを理解し，生活リズム，生活歴，ライフスタイル，家族や地域の役割等を列挙できる。
- 基本的動作や日常生活動作（ADL）・手段的日常生活動作（IADL）の種類を列挙できる。
- 自宅や地域での日常生活を通じた介護予防を列挙できる。

1 日常生活について

1 生活とは

　生活とは，生命，生存を含む人間の日常的行為が，環境との相互作用のなかで生物的，精神的，社会的，経済的，文化的に暮らしを立てていくことであり，絶対的かつ現実的なものと定義されている。一番ケ瀬康子は，生活の概念は以下の3点であるとしている。「第一に生活とは，"生命活動の略"であり，日常的継続性をもっている。それは，死に至るまで一瞬の休むことなく，一定のリズムをもって展開している」「第二に，生活とは，単なる生存ではなく，人間の生活である。……主体的創造的である」「第三に生活は歴史的なものであり，社会的生活を内包している。……一方生活は独自性をもって展開される」。

　生活（Life）には，三つの要素とその基本構造がある。

　生活（Life）は「命」と「日常生活」と「生涯（人生）」という三つの意味がある。その構造には「身体という自然」と「役割という社会関係」「歴史という時間」の三つの要素がある。個人の生活は，人が生まれてから死ぬまで休むことなく日々営み続けられていく。

> **三つの要素**
> ❶　生命（身体）という営みは，一定のリズムで繰り返され，食事と排泄，睡眠は生命維持機能として不可欠なもの（生理的リズムがある）。
> ❷　これらは，社会的規範や作法に準拠する生活行為というスタイルで日常的な行為として行われている（生活様式，生活習慣，社会的役割）。
> ❸　人生という限りある時間のなかで人は生きる。生きていくうえでの「意思（夢・目的・希望・期待）」が存在する。ありたい自分に近づく。生きたいように生きる。

2 日常生活とは

　日常とは辞書では「つねひごろ」とか「ふだん」のこととある。小関三平は，「人間のあらゆる次元にわたる『行為』の連関である」日常生活を捉える枠組みには「生活者─生活力─生活手段─生活関係─生活の場」があるとしている。

●日常生活を捉える視点

　日常生活について述べられている学問は，生活学や社会学である。しかし，その他にも家

政学，民俗学，文化人類学，経済学，哲学などの分野においても多様な考え方がある。日常生活は，あまりにも日常的で個性的，複雑で多面的であり，日々の生活状態や価値観を捉えることが難しく，多様な領域が関係している。ここでは，生活学や社会学，医学から日常生活の機能的な面を理解するとともに，日常生活のもつ固有性について理解を深めていく。

●日常生活の構造的理解

日常生活をより具体的に捉える視点として，小関三平は，日常生活を「人間のあらゆる次元にわたる『行為』の連関である」とし，「この連関は，時間軸では非連続的に連続し，空間的には他者のそれと葛藤し交錯する」としている。そして，日常生活を大きく捉える考え方は，「生産力―生産手段―生活」とし，個別の日常生活を捉える枠組みには，「生活者―生活力―生活手段―生活関係―生活の場」があるとしている。日常生活を捉えるには，「一つひとつの行為が，空間，位置，時間に応じてどう差異・変異し，その過程と結果が，個々人の肉体・感覚・意識をどのように変化するかを，多面的に見極めなければならない」としている。

また，山岸茂則は，日常生活とは「社会，文化，パーソナリティの交錯するところ」であるとし，それには社会的・文化的世界，時間的・空間的世界，集団・制度，意味・価値・規範，地位・役割，社会行動などがかかわるとしている。基本的に日常生活を支えているのはコミュニケーションであり，人との関係であるとしている。言い換えれば，日常生活は関係性であり，意味・価値・規範の基礎にたって，社会的および文化的関係のなかで成り立っている。

松原治郎は『家庭の生活設計』のなかで，生活は六つの生活構造因子と六つの生活行動から成り立ち，それはまた相互に密接に関係しているとしている。六つの生活構造因子は時間，空間，金銭，手段，役割，規範であり，六つの生活行動は生産的，社会的，文化的，家政的，家事的，生理的行動に分けられるとしている。

生活構造の視点

❶ 衣食住の物質的生活基盤や家族生活，職場生活など社会的基盤の全体が行為主体に即して時間的，空間的に構造化されたもの
❷ 六つの生活構造因子は，時間，空間，金銭，手段，役割，規範
❸ 六つの生活行動は，生産的，社会的，文化的，家政的，家事的，生理的行動

●日常生活の機能的理解

日常生活を成り立たせるための能力を捉えようとしているのが生活機能の視点である。Lawtonは，生活機能の自立性を規定する活動能力を，生命維持，健康的機能度，知覚―認

知，身体的自立，手段的自立，状況対応，社会的役割の七つの段階に分け，日常生活動作（ADL）は，身体的自立を測定するものであり，手段的日常生活動作（IADL）は，手段的自立に関するものであるとした。IADLとは，複雑な学びといった活動であり，適度な運動性，手先の動作，感覚と知覚機能を要する活動として，ADLと区別している。

江藤文夫は，ADLには第一に呼吸・循環といった直接的生命機構と，第二に四肢筋力などの身体機能に裏打ちされたもので，社会的行動として拡大される側面と，第三にその活動の巧緻性や自主選択にかかわる精神機能を反映するものがあるとしている。また，ADLは以下のような階層性に分類できるとしている。基本的ADL（BADL）は，歩行など移動に関するものと食事や更衣などの身の回りの動作と，さらにセルフケアに関するものを示す。次に個人の生活の場を重視し地域社会における生活活動として，手段的日常生活動作，社会的動物として拡大される側面として，拡大生活活動（AADL）があり，BADL，IADL，AADLは階層構造をなしていると述べている（**図3-3-1**）。

> **生活の機能的視点**
> ❶ 生きる力（身体的・情動的・社会的・生物的機能―体温・呼吸等などの調節力→自律性）
> ❷ 生活する力（IADL，BADLの対処能力→自立性）
> ❸ プロダクティビティ（AADL，役割，生き甲斐感）

図3-3-1　ADLの構造

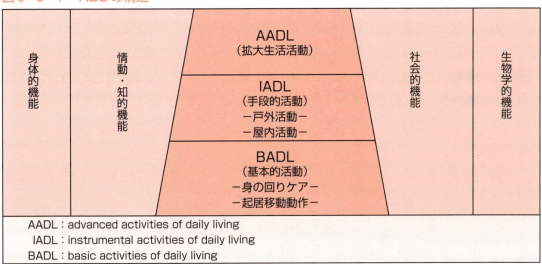

AADL：advanced activities of daily living
IADL：instrumental activities of daily living
BADL：basic activities of daily living

●日常生活のもつ固有性（生活リズム，ライフスタイル，生活歴）

① 生活リズム

日常生活の理解は，あまりにも日常的で個性的であり，日々の生活状態や価値観を捉える

ことが困難であるという固有性がある。障害者にとって好ましい生活条件を説明するものとしてノーマライゼーションの理念がある。ノーマライゼーションの理念は，「ノーマルな生活」「生活様式とライフサイクル」「生活リズムと日課」から生活の日常化の重要性を教えている。その理念から日常生活のもつ固有性を捉えることができる。

ニィリエは，ノーマルな生活とは，「1日のノーマルなリズムを提供すること」「ノーマルな日課を提供すること」「1年のノーマルなリズムを提供すること」「家族と共に過ごす休日や家族単位のお祝いや行事等を含む」「ライフサイクルを通じてノーマルな発達的経験をする機会を持つこと」であるとした。ニィリエは，日々の生活の重要性を時間＝リズムという概念で捉えており，日常生活が当たり前の暮らしであると同時に常に社会に開かれており，自己発達，自己再生産を目指す発達の視点の重要性を示唆している。

② ライフスタイル

私たちの日常は，程度の差こそあれ，毎日・毎週・年間の生活のなかで，同じようなことを一定のリズムで保ち，繰り返すという生活スタイル，サイクルをつくっている。ある意味そうした「繰り返し」から日常性が構成されている。また，私たちは習慣づけられた日常生活をほとんど意識していない。日常的なものは状況が変わったとき，生活の場を変更したときに，初めて意識される。

哲学者であるアンリ・ルフェーブルは「日常生活とは，ルーティン化され，一定の法則を持つ『土台』としての『日常生活』と，その上に立つところの，構造化されにくい，飛躍と創造性に満ちた『非日常生活』とを分ける」と述べている。また，山岸は民俗学にしたがって，ハレとケとして表現している。ケとは公でないことであり，ふだん，常，私という言葉で説明できる。ハレは，公，表向き，正式，晴れがましいことと解され，私たちの生活は，各種の行事によって秩序づけられているとしている。そして，日々繰り返して行われる活動は，一定期間繰り返されるリズム，サイクルをもち機能し，「くりかえし＝習慣」の型（様式）をもっている。日常性は，連続性，習慣性，反復性，恒常性などに特徴づけられる。

③ 生活歴

日常生活は，暦による1年，1か月，毎日と日々繰り返される活動を組み立てて時間配置したスケジュール（構造），すなわち「日課」があり，繰り返し行われる活動は，一定期間繰り返される「リズム」「サイクル」をもち連続性，習慣性，反復性，恒常性をもって機能している。さまざまな活動内容が調和のある形で日常のなかに存在し，常に個性的で多様な生活リズム，ライフスタイルがある。個性的で多様である私的な時間・空間を生きることに重要な意味があり，それらが生活歴として，その人を形づくる。

★ 現代の日本人の平均的な生活

総務省は，国民の生活時間の配分および自由時間における主な活動について調査し，各種

行政施策の基礎資料を得ることを目的とし，社会生活基本調査で5年ごとに実態を調査している。年齢別の特徴としては，高齢になるほど睡眠や受診・療養の時間が長くなり，仕事の時間が短くなる。特に85歳以上の高齢者には，顕著にその特徴がうかがえる。

●家族や地域の役割等

日本人が捉えている家族は，夫婦の配偶関係や親子，兄弟などの血縁関係によって結ばれた親族関係を基礎にして成立する小集団として，社会構成の基本単位としている。世帯とは，一つの戸内で生計をともにしている家族を示している。

家族の類型

① 核家族：1組の夫婦と未婚の子供からなる。
② 直系家族：親夫婦とその1組の子供夫婦および彼らの子供からなり，世代の異なる二つの核家族の結合からなる。
③ 複合家族：親夫婦とその複数の子供夫婦，および彼らの子供からなる。

家族の機能（フリードマンによる五つの家族の機能）

① 情緒機能：成人のパーソナリティの安定をもたらす。家族員の心理的ニードに応じる。
② 社会化と社会付置機能：生産的な社会人を輩出するために，子供への初期の社会化を担う。
③ 生殖機能：家族の連続性を世代から世代へと保証し，人間社会を存続させる。
④ 経済機能：十分な経済的資源を提供し有効に配分する。
⑤ ヘルスケア機能：食物，衣類，住居，ヘルスケア等の人間が生きていくうえで最低限必要なものを提供する。

わが国では，少子高齢化，晩婚化，非婚化など社会的変化が大きく，わが国の家族形態の特徴としては，単独世帯が中心になりつつある。高齢者世帯の構造からみても，単独世帯が増加し，三世代世帯は激減している（**図3-3-2**）。総人口が減少していく一方で，個人として生きる人々が増加している。

特に日本は，諸外国に例をみないスピードで高齢化が進行しており，団塊の世代（約800万人）が75歳以上となる2025（令和7）年以降は，家族介護力の低下と扶養意識の変化により，国民の医療や介護の需要が，さらに増加することが危惧されている。

国は，2025（令和7）年を目途に，高齢者の尊厳の保持と自立生活の支援の目的のもとで，可能な限り住み慣れた地域で，自分らしい暮らしを人生の最期まで続けることができるよう，地域の包括的な支援・サービス提供体制（地域包括ケアシステム）の構築を推進しようとし

図3-3-2　65歳以上の者のいる世帯の世帯構造の年次推移

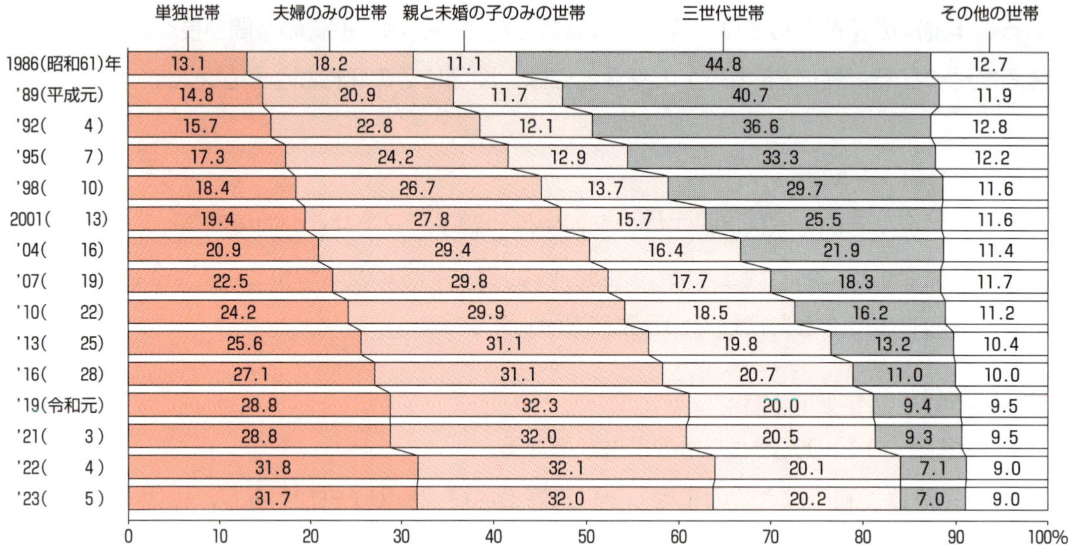

年	単独世帯	夫婦のみの世帯	親と未婚の子のみの世帯	三世代世帯	その他の世帯
1986(昭和61)年	13.1	18.2	11.1	44.8	12.7
'89(平成元)	14.8	20.9	11.7	40.7	11.9
'92(4)	15.7	22.8	12.1	36.6	12.8
'95(7)	17.3	24.2	12.9	33.3	12.2
'98(10)	18.4	26.7	13.7	29.7	11.6
2001(13)	19.4	27.8	15.7	25.5	11.6
'04(16)	20.9	29.4	16.4	21.9	11.4
'07(19)	22.5	29.8	17.7	18.3	11.7
'10(22)	24.2	29.9	18.5	16.2	11.2
'13(25)	25.6	31.1	19.8	13.2	10.4
'16(28)	27.1	31.1	20.7	11.0	10.0
'19(令和元)	28.8	32.3	20.0	9.4	9.5
'21(3)	28.8	32.0	20.5	9.3	9.5
'22(4)	31.8	32.1	20.1	7.1	9.0
'23(5)	31.7	32.0	20.2	7.0	9.0

注：1）1995（平成7）年の数値は，兵庫県を除いたものである。
　　2）2016（平成28）年の数値は，熊本県を除いたものである。
　　3）「親と未婚の子のみの世帯」とは，「夫婦と未婚の子のみの世帯」及び「ひとり親と未婚の子のみの世帯」をいう。
資料：厚生労働省「2023（令和5）年国民生活基礎調査」

てきた（85頁の図2-1-9）。しかし，家庭の機能の縮小によって，地域社会への依存傾向を強めようとしても，旧来の地域共同体は崩壊してきており，地域社会における連帯意識も減退している。都市部においては，近所付き合いの減少，地域に対する親近感の希薄化が進んでおり，どのように連帯意識を強め，地域を再生するかという課題がある。また，人口流出の激しい過疎地域では，防災や保健など地域社会の基礎的条件の維持が危ぶまれている。高齢になり足腰が弱くなってくると，買い物や通院などの生活に支障をきたし，地域生活そのものが困難になってきている。

　このように日本では，個人と家庭が中心となり，地域の人や他人に煩わされない生活が重視されるようになった。その反面，人と人とのつながりが希薄となり，孤立感が強まり，個人の力では処理できない問題が生じたときには，不安感や不満感，無力感が増大する。今後，地域社会には職場や家庭に次ぐ「生活の場」としての新しい役割が求められていくものになるであろう。

　私たちは，地域で生まれ，地域で育ち，自分の好きなことを楽しみ，年老いて一人暮らしであったとしても，自分で食事ができなくなっても，近所に見守られ，サービスを利用して，みんなのつながりを大切にしながら最後まで安心して自宅で暮らせる地域をつくる。そのためには，地域の人たちでどうするかを話し合い，これまでのつながりを大切にしながら，みんなで，みんなの幸せのために自分たちにふさわしい地域をつくることを目指していく時期

第3節 高齢者の日常生活の理解

2 基本的動作や日常生活動作（ADL）の考え方

1 身体のつくり

　ヒトは立位をとることによって，両手は高い機能が自由にできるようになり，道具を用いて活動することができ，二本の足で歩いて自由に行動できるようになった。日常生活で当たり前と思っている運動や動作がどのように活用されているかを知るには，人間の構造や機能を理解したうえで，日常生活の基本的な動きや活動を捉えていくことが必要である。

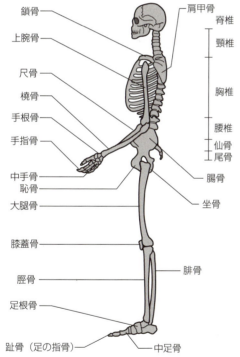

図3-3-3　骨格—側面像

資料：John K. Inglis 著，中村隆一監訳『人間生物学』三輪書店，58頁，1998年。

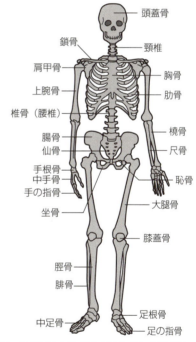

図3-3-4　骨格—正面像

資料：介護福祉士養成講座編集委員会編『新・介護福祉士養成講座⑭　こころとからだのしくみ（第3版）』中央法規出版，43頁，2014年。

2 基本体位の種類と内容

　基本体位には大きく分けて，臥位，座位，立位の3種類がある。

● 臥位

臥位は大きく分類すると，以下のように三つある。

(1) 仰臥位

上を向いて寝た状態。脊柱の主な機能としては，体の土台としての機能，体幹運動の機能，内臓および血管の保護機能があげられる。脊柱の骨は靱帯，筋でしっかりと補強されている。四足動物は内臓を支持しなければいけないために，棘突起(きょくとっき)が発達しているが，ヒトは二足歩行なので，棘突起の隆起がなだらかで，仰臥位が可能である。仰臥位は重心が低く安定しており，エネルギー消費を最も抑えられる体位である。患者の安静や休息などを目的に，しばしば用いられる。ただし，仰臥位は仙骨に重心があるため，長時間にわたる仰臥位は褥瘡の原因になり得る。

(2) 横臥位／側臥位

身体の片側（片腕・片足）を下にして横たわること。横向きは不安的な姿勢であり，肩，大転子，外果（外くるぶし）の圧が高まる。

(3) 伏臥位／腹臥位

臥位の一つで，下を向いて寝た状態であり，うつぶせの姿勢（体位）のことをいう。股関節や膝関節を伸ばすのに効果的で，支持面が広く安定した体位であるが，胸部が圧迫され，呼吸がしにくくなることがある。

● 座位

座位は，大きく分けて三つある。

(1) あぐら（胡坐）座り

股関節で構え，脚を曲げ大きく膝を開く。股関節の屈曲・外転・外旋という複合動作ができて可能になる。

(2) 正座

膝関節がしっかり曲がり（屈曲），かかとが臀部に付く。下腿の前面と足の甲（足背）の面が同じ平面を形成する。

(3) いすに座る

いすに腰掛ける際に必要な土台になるのが，坐骨結節という骨盤を形成する坐骨の突出部である。骨盤は左右の寛骨と腸骨，坐骨，恥骨を示す。坐骨結節を土台にしながら腰掛ける際には，臀部に付いた筋が1か所に圧のかかることを防いでいる。臀部はヒトで驚異的に発達した大臀筋である。長時間座っていられることを可能にしている。

● 立位

　直立位であり，股関節，膝関節が伸びて，抗重力筋に支えられて立っていることができる。重力に対抗して立位姿勢を保持に働く筋群を抗重力筋という。抗重力筋は筋力の衰えにより姿勢の悪化にも影響する。高齢になるほど腰が曲がってくるのは，骨の衰えとともに抗重力筋の衰えが影響する。抗重力筋には，僧帽筋，広背筋，大臀筋，腓腹筋，前脛骨筋，大腿四頭筋，腹筋群，腸腰筋がある（**図3-3-5**）。

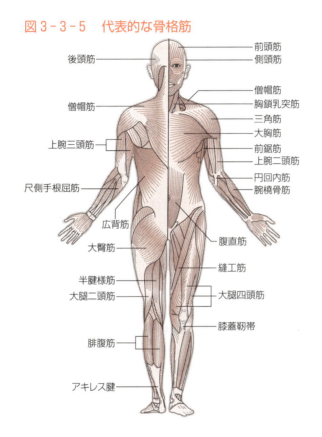

図3-3-5　代表的な骨格筋

3　基本的動作の種類と内容

　人間はさまざまな環境で生活している。その環境のなかで日常生活上の目的を達成するためには，種々の動作を組み合わせている（活動は一つひとつの動作の集合体）。生活上で動作が困難になった時点で，動作の集合体を細分化してみていき，何ができなくなったか，一つひとつの動作をみていくことが大切である。それと同時に環境という条件によっても必要な動作は異なってくるため，環境に合わせた動作をみていくことも重要である。

● 寝返り

　寝返り動作とは，仰臥位から側臥位へと体を回旋させて，側臥位で運動を静止させる動作などである。寝返り動作は頸部の動きが生じ，肩や上肢が前方へ突出し，残っている上半身，下半身が付随して運動（体軸内回旋）が生じる（**図3-3-6**）。

図3-3-6　寝返り動作

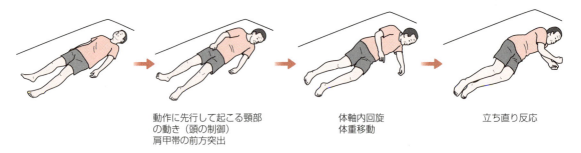

動作に先行して起こる頸部の動き（頭の制御）肩甲帯の前方突出　　体軸内回旋　体重移動　　立ち直り反応

● 起き上がり

　起き上がり動作はさまざまである。一つは体をまっすぐに起こす方法で，これは相当筋力があり元気な人の起き上がり方である。もう一つは，横に寝返り，頭で弧を描くようにして，腕の力を利用して起き上がる方法である。起き上がり動作は寝返り動作よりも，より複雑で難しい。動作としては下側の上肢を伸ばして，頭部が円を描くように上半身を持ち上げる。主な機能としては，仰臥位から頭部挙上，頸椎を屈曲させ，上肢と胸椎を回旋し身体の重心の円滑な側方，上方，前方移動をする（**図3-3-7**）。

図3-3-7　起き上がり動作

● 立ち上がり

　いすからの立ち上がりの場合には，まず，頸部，体幹が前傾し，臀部が座面から離れる。頸部・体幹・両股関節の屈曲角度を増大させることにより，重心が前方へ移動していく。両股関節，膝関節が屈曲から伸展をし，重心を移動させて体幹を鉛直にする（**図3-3-8**）。臀部がいすから離れ，片脚立位での安定性を保つのに中臀筋が大きな役割を担っている。支持基底面は足底面だけとなり立ち上がる。

図3-3-8 立ち上がり動作

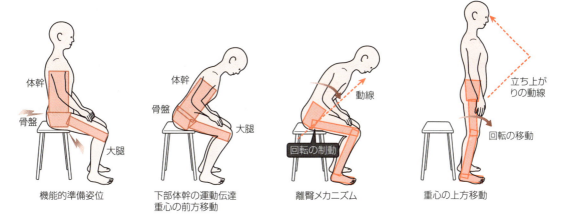

●またぎ

片脚立位での安定性を保つのに中臀筋が大きな役割を担っている。敷居や浴槽をまたぐときの姿勢であり，片脚立位のバランスには体幹の安定が大きく影響する（**図3-3-9**）。

図3-3-9 またぎの姿勢

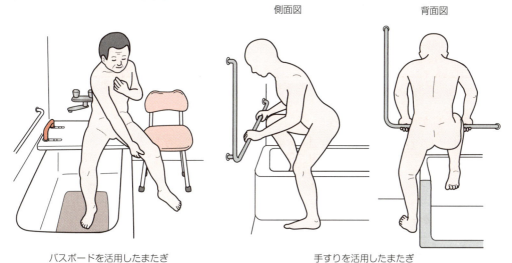

●歩行

歩行では，まず片足で立つことが必要になる。重心を支持脚に移動して振り出す下肢の荷重をなくし，その下肢を進行方向に移動させて接地した後，再び荷重し，反対側の下肢を振り出す動作の繰り返しである。右足が振り出されるときには，右腰が前方に動く。左足が振り出されるときには，左腰が前方に動く（**図3-3-10**）。

歩行は，生活のなかで最も重要な機能である。人間はすべての活動を動いて行動し，自分の生活をつくっている。健常者では60歳くらいまでは日常の歩行速度の低下はほとんどな

い。しかし，その後80歳までに年1～2％ずつ低下するとされる。高齢者は，歩行には片足が地に着いているときと両足が地に着いているときがあるが，歩行速度が低下すると両足が着いている割合が増加し，歩幅は短縮する。踵やつま先が上がったつもりが上がっていない。すり足になり，転倒しやすくなる。歩行バランスの基本である立位姿勢の保持能力が衰え，前傾姿勢になり，閉眼すると片脚立ちを維持できる時間は若年者の約7分の1までに短縮してしまう。ましてや動かないでいると，筋力低下は1週間の安静でおよそ10～15％の低下がみられるなどの特徴がある（**図3-3-11**）。

図3-3-10　歩行

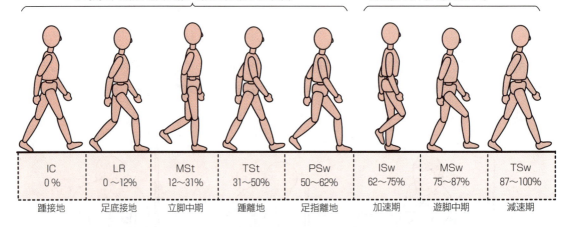

図3-3-11　高齢者の歩行の特徴

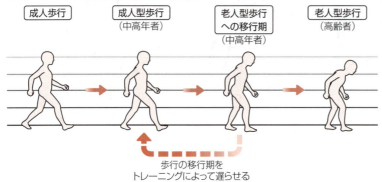

- 姿勢が悪くなる
  （背中が曲がる，膝が曲がる）
  腹筋力，背筋力の弱まり
- すり足になる
  前傾骨筋力，
  腓腹筋力の弱まり
- 歩幅が狭くなる

● **階段昇降**

　日常生活における移動動作は，一般には平地歩行が最も多く，次いで階段や傾斜面の昇降が多い。階段の昇降は歩行動作の応用動作である。階段や坂道は，平地歩行に比べ，負荷が大きい動作である（**図3-3-12**，**図3-3-13**）。階段昇降と平地歩行の大きな違いは，膝関節や股関節の屈曲角度が広くなり足関節の運動も大きくなって，筋肉への負荷がかかることで

図 3-3-12 階段昇降　　　　図 3-3-13 坂道昇降

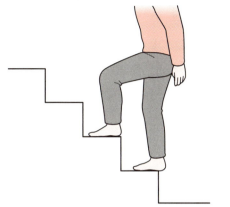
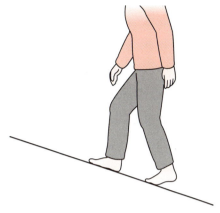

ある。

4 日常生活動作（ADL）と手段的日常生活動作（IADL）

　医学の世界に「生命」の視点から「生活」の視点を導入したのは，ADL の概念を導入したことに始まる（George G. D., Brown. M. E.：1945）。それまで医学では，「生命」の視点が支配的であり，医学モデルによって診断治療が行われていた。ADL の概念は，画期的なものであり，ADL の生活重視の思想に基づき，現代的なリハビリテーション医学への道を開くものとなる。ADL に関しては，1950 年代に数多くの評価リストが生まれ，移乗，歩行，更衣，トイレ，食事，排泄などの基本的な活動やコミュニケーションに関する活動を含めたものもある。これらの動作は，私たちが日常何気なく繰り返している身の回りの動作である。

　ADL とは主に，以下の 10 項目である。

日常生活動作（ADL）の項目
❶食事　❷移乗　❸整容　❹トイレ動作　❺入浴　❻平地歩行　❼階段　❽更衣
❾排便管理　❿排尿管理

スコアリングして，高齢者や障害者の自立度を表現するために用いる。
　ADL はとても重要な概念であり，ADL が自立しているという場合，普通は介護を必要としない状態であると考えることができる。また，ADL と似ている言葉に，IADL がある。IADL は日常生活を送るうえで必要な動作のうち，ADL より複雑で高次な動作を指す。例えば，外出や食事の支度等の家事全般や，金銭管理や服薬管理，交流等である。

> **手段的日常生活動作（IADL）の項目**
> ❶バスや電車を使っての外出　→　移動　❷日用品の買い物
> ❸食事の用意（炊事）　→　食事　❹掃除，洗濯などの家事
> ❺請求書の支払い　→　金銭管理，生活運営（認知，判断，推理）
> ❻預金の出し入れ，年金の書類への記入　❼新聞を読む　→　情報収集（認知）
> ❽本を読む　❾健康についての番組や記事への興味
> ❿友人の家を訪ねる　→　コミュニケーション　⓫家族や友人の相談にのる
> ⓬病人を見舞う　⓭若い人に自分から話しかける

　1970年代半ばに，リハビリテーション医療に大きな思想が加えられた。アメリカの自立生活運動（Independent Living Movement：IL運動）のなかから生まれた思想である。これまでのリハビリテーションは，ADLの向上，自立の達成こそがリハビリテーションの目標と考えられていたが，IL（自立生活思想）では，ADLにおいては，完全な自立を達し得ず，最大の自立を追求することから有益な職業的，社会的役割を果たすことができれば，それが立派な社会的自立であるとした。それ以後，ILとそれに対応する生活の質（QOL）重視の考えが起こり，ADLの拡大概念が提唱される。ILとQOLの思想からの批判に基づくADLのあり方への反省は，非常に大きな思想転換となる。

　日本のリハビリテーション医学の第一人者である上田は，障害の理解にあたり，障害は単一なものではなく，構造をもっていることを指摘していた。そして，2001年に新たに医学モデルと社会モデルの統合に基づいた生活の機能と障害のモデルとして，WHOの国際生活機能分類[1]（International Classification of functioning, Disability and Health：ICF）が提示された。このモデルは，障害をもつ人の生活を理解するための考え方と方法を示している。障害部位に対するケアではなく，障害者の全体像をみるという視点に立ち，対象の問題解決にあたる諸要因を環境と個人の因子に関連づけて思考できるように示している。

　ICF以前は，国際障害分類（International Classification of Impairments, Disabilities and Handicaps：ICIDH）として，障害の概念（三つのレベル）に対する考え方「機能障害―能力障害―社会的不利」が提唱され，リハビリテーション・福祉その他の対策・施策を考えていく重要な枠組みとして用いられてきた（137頁の**図3-2-1**）。

　ICFは，国際疾病分類とともにWHOの国際分類として中立的・肯定的な用語を採用し，健康のさまざまな次元を生物学的，社会的なレベルの双方からなる首尾一貫した見方で統合した。

▶1　日本政府は，保健・医療・福祉・教育・行政などすべての職域，領域を超えて，ICFを共通の概念，用語として用いることを決めた。

ICFは単なる障害を分類した道具ではなく,生活を構成するさまざまな機能についての考え方や視点を分類整理したリストであるとともに,生活の質や生活の水準(well-being)を表すものでもある。約1500項目の生活に関連する機能等の項目があげられ,それらを体系的に分類したリストである。生活に関連する諸機能を大分類,中分類,小分類と整理し,加えて,それらの間の関連についてもわかりやすい図式を提案している(138頁の**図3-2-2**)。

　ICFは,生活機能を中心に語られており,背景因子は,生活機能に影響を与える因子として位置づけられた。ドイツの社会法典第9編では,慢性疾患または障害のある人々の受給資格やサービス給付を決めるうえでICFを参照している。また,サービス給付においては,ICFを生活機能情報の記録とコーディングに活用し,患者ニーズの把握,保健計画や社会保障計画の策定のほか,心身機能,個人の活動,社会参加,環境因子の複数の領域にまたがる介入の影響測定に役立たせることが可能になった。また,最近では,ICFのさまざまな疾病分野における保健ニーズの把握や医療現場における医療介入成果を測る目的で,ICFやWHODAS 2.0[2]のようなICF関連ツールを活用する動きもみられる。ICFでは,人の「生きることの全体像」をみるための活用を図るものとして,さらに開発され,活用されるものである。

(参考1)ICFの用語の説明

健康との関連において
　心身機能(body functions)とは,身体系の生理的機能(心理的機能を含む)である。
　身体構造(body structures)とは,器官・肢体とその構成部分などの,身体の解剖学的部分である。
　機能障害(構造障害を含む)(impairments)とは,著しい変異や喪失などといった,心身機能または身体構造上の問題である。
　活動(activity)とは,課題や行為の個人による遂行のことである。
　参加(participation)とは,生活・人生場面(life situation)への関わりのことである。
　活動制限(activity limitations)とは,個人が活動を行うときに生じる難しさのことである。
　参加制約(participation restrictions)とは,個人が何らかの生活・人生場面に関わるときに経験する難しさのことである。
　環境因子(environmental factors)とは,人々が生活し,人生を送っている物的な環境や社会的環境,人々の社会的な態度による環境を構成する因子のことである。
　個人因子(personal factors)とは,性別,人種,年齢,その他の健康状態,体力,ライフスタイル,習慣,生育歴,困難への対処方法,社会的背景,教育歴,職業,過去および現在の経験(過去や現在の

▶2　WHODAS 2.0は,WHOが開発した健康と障害について文化的影響を除いて測定する標準ツール(ICFの考えをもとに開発したアセスメントツール)である。
　　生活の六つの領域における生活の機能のレベルを把握する。
　　　第一領域:認知―理解することおよびコミュニケーションをとること
　　　第二領域:可動性―動くことおよび動き回ること
　　　第三領域:セルフケア―身の回りの衛生に気をつけること,更衣,食べること,一人でいること
　　　第四領域:人との交わり―他の人とのかかわり
　　　第五領域:生活―家庭での責任,レジャー,職場や学校
　　　第六領域:参加―コミュニティ活動に加わること,社会への参加

人生の出来事），全体的な行動様式，性格，個人の心理的資質，その他の特質のことである。

引用文献
1）上田敏「日常生活動作を考える」『理学療法と作業療法』第9巻第4号，170～172頁，1990年。
2）WHO HP　http://www.who.int/en/

5　自宅や地域での日常生活を通じた介護予防

　地域で自立して暮らし続けるためには，第一には，本人が健康であること，第二には，地域の関係機関やボランティア，それらのネットワークなど社会資源を活用しながら，地域の実情に応じた支援が必要である。

　厚生労働省によると，介護予防とは「要介護状態の発生をできる限り防ぐ（遅らせる）こと，そして要介護状態にあってもその悪化をできる限り防ぐこと，さらには軽減を目指すこと」と定義される。

　要介護になる要因は，病気のほか，生活から受ける影響も大きい（**図3-3-14**）。できる限り介護を受ける状態になることを予防し，「ぴんぴんころり」を願う人が多い。そのためにも，地域で介護予防に取り組んでいく必要がある。

　介護予防とは，単に高齢者の運動機能や栄養状態といった個々の要素の改善だけを目指すものではない。むしろ，これら心身機能の改善や環境調整などを通じて，個々の高齢者の生活行為（活動レベル）や参加（役割レベル）の向上をもたらし，それによって一人ひとりの生きがいや自己実現のための取り組みを支援して，QOLの向上を目指すものである。介護予防には，閉じこもりの予防，運動能力の低下，認知症の予防が重要である。

図3-3-14　閉じこもり症候群

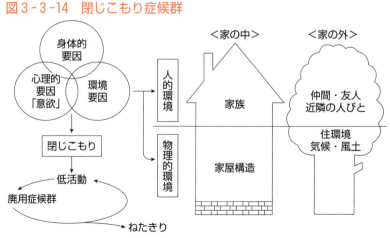

資料：竹内孝仁『通所ケア学』医歯薬出版，22頁，1996年。

●閉じこもりの予防

閉じこもり予防は，寝たきりの予防にとって重要であるが，閉じこもりがなぜ寝たきりにつながるのであろうか。

閉じこもりとは，高齢者が家に閉じこもると生活水準の低下を引き起こし，寝たきりになることをいう。閉じこもりが生活不活発病として廃用症候群（118頁参照）を招く。

★閉じこもりを防ぐヒント

① 生活リズムを規則正しくしましょう
② 1日30分以上，体を動かしましょう
③ 定期的に健康診断を受けましょう
④ 心の健康づくりを目指し，いつも笑顔を心がけましょう
⑤ 自分でやれることは自分でやりましょう
⑥ 積極的に自宅から外に出てみましょう
⑦ ボランティア活動に参加しましょう
⑧ 趣味を楽しみましょう
⑨ 安全，安心な住まいづくりの工夫をしましょう
⑩ 地域のサービスや情報を利用しましょう

●運動機能の低下の予防

健康な人であっても身体を動かさないと，筋肉の萎縮や関節の拘縮が意外と速く進行する。安静による筋力低下は，1週目で20％，2週目で40％，3週目で60％にも及ぶ。この筋力低下を回復させるためには意外に時間が長くかかり，1日間の安静によって生じた筋力低下を回復させるためには1週間かかり，1週間の安静により生じた筋力低下を回復させるには1か月かかる。このような安静によって生じる臓器の退行性の変化，臨床症状を廃用症候群というが，筋肉や関節だけではなく，さまざまな臓器に生じるため，生き生きと日常生活を送ることが介護予防の原点となる。すなわち，高齢者に生きがいをもって，自分らしい生活をつくってもらうためには，より多くの「参加」の機会を保障することも大切である。

★ロコモティブ（Locomotive）

ロコモティブとは，「運動の」という意味である。「機関車」という意味もある。能動的な意味合いをもつ言葉で，「運動器」は広く「人の健康の根幹である」という考えを背景とし，「年齢」に否定的なイメージをもち込まないことが必要だという考えを導く意味合いがある。

運動器症候群，ロコモティブ症候群（Locomotive Syndrome）とは，運動器の障害により要介護になるリスクの高い状態になることである。運動器の障害の原因には，大きく分けて，「運動器自体の疾患」と「加齢による運動器機能不全」がある。

ロコモティブ症候群は，寝たきりや要介護の主要な原因となる。

（参考2）運動器（Locomotive Organs）とは

運動器とは，骨，関節，靱帯，脊椎，脊髄，筋肉，腱，末梢神経など，体を支え（支持），動かす（運動・移動）役割をする器官の総称のことである。

図3-3-15　ロコモティブ症候群の原因

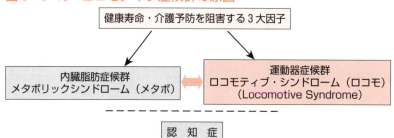

資料：一般社団法人日本臨床整形外科学会HP

（参考3）ロコチェック

① 片脚立ちで靴下がはけない。
② 家の中でつまずいたり滑ったりする。
③ 階段を上がるのに手すりが必要である。
④ 横断歩道を青信号で渡りきれない。
⑤ 15分くらい続けて歩けない。
⑥ 2kg程度（1リットルの牛乳2パック程度）の買い物をして持ち帰るのが困難である。
⑦ 家のやや重い仕事（掃除機の使用，布団の上げ下ろしなど）が困難である。

（日本臨床整形外科学会HPを一部改変）

6　おわりに

　毎日の日常生活は，毎日毎日きまりきったことを繰り返すことによって，わたしたちは日常生活を当たり前のことと考えている。ルーティーン化した行動には自覚的意識や知的判断の欠けていることが多い。毎日の生活の積み重ねが今日の自分をつくっていることを意識し，より健康的に日常生活を送ることで健康寿命を延長することができる。運動に限らず，日常生活全般において身体を動かすこと（生活活動）を含めた「身体活動」が重要である。

　私たちは，日々生活するなかで，成長発達をしている。日常生活の支援においては，その人が全面的に発達し，自立を可能としていく「生活力」の確保がいかに保障されてきたかということが要点になる。その過程で，生活手段に生活用具や生活設備などが含まれることを確保し活用することがどのように保障されるかは，その「生活力」の実現に大きく作用する。また，

生活がどのような「生活関係」において展開しているか，また，どのような「生活条件」（時間的，空間的条件など）においてなされているかが，「生活力」の向上につながり生涯の健康に影響するのである。

参考文献

アンリ・ルフェーブル，田中仁彦訳『日常生活批判』現代思潮社，1968年。
一番ケ瀬康子『生活学の展開―家政学から社会福祉へ』ドメス出版，1984年。
上田敏「日常生活動作を考える」『理学療法と作業療法』第9巻第4号，1975年。
小澤利男，江藤文夫，高橋龍太郎編『高齢者の生活機能評価ガイド』医歯薬出版，1999年。
家庭の生活設計研究会編『家庭の生活設計』全日本社会教育連合会，1969年。
河野あゆみ「在宅障害老人における閉じこもり現象の構造に関する質的研究」『日本看護科学会誌』第19巻第1号，1999年。
小関三平「私説・日常生活論の課題と限界」『社会学評論』第37巻第1号，1986年。
ベンクト・ニィリエ，河東田博他編訳『ノーマライゼーションの原理―普遍化と社会変革を求めて』現代書館，1998年。
マリリン・M・フリードマン，野嶋佐由美監訳『家族看護学―理論とアセスメント』へるす出版，1993年。
山岸健『日常生活の社会学』日本放送出版協会，1978年。
山岸茂則『臨床実践 動きのとらえかた―何をみるのか その思考と試行』文光堂，2012年。

第4節 介護技術

- 日常生活動作ごとの介護の意味と手順を踏まえ，福祉用具の選定・適合に当たって着目すべき動作のポイントを理解する。

- 日常生活動作（ADL）に関連する介護の意味と手順について列挙できる。
- 各介護場面における動作のポイントと，それを支える福祉用具の役割を列挙できる。

1　福祉用具専門相談員が介護技術を学ぶ理由

　福祉用具は，利用者の日常生活を支え，介護者の負担を解消または軽減するものであり，その人に合った福祉用具を活用することで，生活動作の自立や拡大につながる。

　利用者や介護者のニーズに対応した福祉用具の選定には，福祉用具に関する知識だけでなく，利用者の心身の状態や障害の程度，住宅環境，介護者の状況などを把握したうえで，利用者がどのように身体を動かしているのか，生活のしづらさがどこにあるのかを理解することや，介護者がどの場面でどのように介護しているのかを理解することが求められる。さらに，福祉用具専門相談員が，移動や食事，入浴などの日常生活動作に関連する基本的な介護技術を理解していることで，利用者や介護者に合った福祉用具の選定や活用方法の提案につながる。

　福祉用具の選定にあたっては，福祉用具を使う利用者自身や介護者に適合させることが求められる。車いすの大きさが利用者の身体に合っていなくて自分で操作できない，移動用のリフトが大きすぎて介護者が扱えないなどといったことがないように，福祉用具を使う人の心身機能への配慮が必要となる。また，福祉用具を使用するスペースや段差の有無など，環境との適合も求められる。福祉用具の導入後も，利用者や介護者が福祉用具を使用することについてどのように感じているか，使用している福祉用具の適合具合はどうなのかなど，利用者や介護者とのコミュニケーションを通じて思いを把握し，福祉用具を調整したり新たな提案を行ったりすることも，福祉用具専門相談員の重要な役割である。

　また，日常生活動作（ADL）における基本的な介護技術を理解しておくことで，利用者の日常生活を支援する介護職や，療養・リハビリテーション等を支援する看護師，理学療法士・作業療法士等との連携もよりスムーズになる。

2　介護を必要とする利用者の状態像

　社会福祉士及び介護福祉士法では，介護の対象を「身体上又は精神上の障害があることにより日常生活を営むのに支障がある者」と規定している。介護を必要とする利用者には，加齢に伴い身体機能や精神機能が低下した高齢者や障害のある人があげられる。

1　高齢者

　高齢期には加齢とともに身体機能や精神機能の低下が現れる。そのため，高齢期には病気や

けがをしやすく，医療機関の受診率も高くなる。また，病気への予備力や現れる症状，予後の個人差が大きい。介護が必要となる主な要因としては，認知症，脳血管疾患，骨折・転倒などがあげられる。同居の有無や同居者との関係性によって，介護が必要になったときにどのような生活を送るのかに影響が現れる。

2 障害のある人

　障害には，身体障害（肢体不自由，視覚障害，聴覚障害，言語障害，内部障害等），精神障害，知的障害等がある。障害の種別や障害の程度によって，また，先天性の障害なのか後天性の障害なのかによって，必要とされる介護は異なる。障害のある人の生活上の問題には，障害の発生の時期による影響も大きい。発達・成長過程や就学・就業などのライフステージごとの生活課題に向き合っていくこととなる。

3 日常生活動作（ADL）に関連する介護の意味，手順，福祉用具

　身体介護を行う際は，利用者の疾患や障害，筋力や可動域，痛みの有無などに応じた介護方法を選択するが，介護者の体格や体力，介護を行う環境なども介護方法の選択に影響する。また，利用者の体調や状況によって，介護の方法を変える必要がある。
　室内では伝い歩きで移動している利用者でも，屋外では車いすを使用することや，車いすを自分で操作できる利用者であっても，体調が悪いときや急いでトイレに行きたいときには介護者が介助するなど，利用者の体調や気持ち，場面や状況に応じた判断が求められる。

1 移動・移乗介護

(1) 移動・移乗介護の意味
　移動とは，ある場所から他の場所へ位置を変えることをいう。寝返りをうつことや起き上がることにより姿勢を変えること（重心の位置を変えること）も移動に含まれる。
　移動は日常の行動の基本行為であり，すべての生活行為に関連している。起き上がって食堂でご飯を食べる，トイレで排泄する，脱衣所で服を脱ぎ浴槽につかるという，日常生活動作（ADL）をどのように行うのかということに大きく関係するとともに，生活の質（QOL）に大きな影響を及ぼす。外食する，買い物に出かけるなど，移動によって行動範囲が広がり，親しい友人と会う，カラオケ教室に通うなど，社会とのかかわりも広がる。行動範囲の拡大は心身

状態や精神状態の維持・向上に影響するため，このことを十分に理解したうえで利用者の自立に向けた支援を行うことが求められる。

また，同じ姿勢を長時間とり続けていると，身体を動かせないことによるストレスや身体的な緊張により，疲労を感じやすくなる。筋力の低下や血液の循環不全による褥瘡などの廃用症候群のリスクも生じる。廃用症候群とは，寝たきりや安静状態が続くことによって生じる心身機能の低下をいい，①筋肉の萎縮や関節の拘縮，②骨粗鬆症，③褥瘡，④起立性低血圧，⑤便秘や尿路感染症，⑥誤嚥性肺炎，⑦認知機能の低下など，さまざまな症状の総称である。

(2) 移動・移乗介護の手順と留意点

移動・移乗介護の手順と留意点は次のとおりである。なお，移動・移乗はすべての日常生活動作（ADL）に関連しているため，介護の基本的な視点として押さえておく必要がある。

---

❶ 利用者にこれから行う介護行為を説明し了解を得る
・多くの動作に介助を要する利用者であっても，その行為の主体は利用者自身である。「立ちましょう」だけでなく，何を目的に立ち上がるのかを説明し，本人の了解を得る。

❷ 利用者の状態を確認する
・利用者の気分や体調，身体に痛みがないかなどを確認する。

❸ 必要な物品を用意し，環境を整える
・本人の状態や場面に合った自助具や福祉用具を用意し，つえのゴムや車いすのブレーキなど，使用する物品を点検する。
・周囲に危険なものはないかを確認し，十分なスペースを確保する。
・入浴や排泄，更衣の介護の場合は室温に留意する。

❹ 声かけをして，自立した動作を促す
・自助具や福祉用具を用いるなどして，利用者が自分でできるように工夫する。
・介護者が介助する場合も福祉用具を用いるなどして，安全・快適に介護を行う。

❺ 体調の変化等を確認する
・長時間臥位でいた人が急に起き上がると起立性低血圧を起こすことがある。食事や排泄，入浴などの行為も体調の変化をもたらすことがあるため，介護を終えたら体調の変化や苦痛の有無，他に必要なことはないかを確認する。

❻ 情報共有を行う
・観察したことや気づいたことについて，記録や申し送りなどで情報共有する。

移動・移乗の介護は，利用者・介護者双方の安全と安楽を守ることが重要である。そのためには，利用者自身の自然な動きを阻害せず，利用者自身がもっている力を引き出すことや，ボ

ディメカニクスを活用すること，福祉用具（例えば，つえや歩行器）を用いて転倒のリスクや介護者にかかる負荷を軽減することが大切になる。重心と支持基底面の関係（**図3-4-1**）を理解したうえで，移動動作がどのようにして成り立っているのか，一連の動作を運動学的に理解しておくことが求められる。

図3-4-1　重心と支持基底面

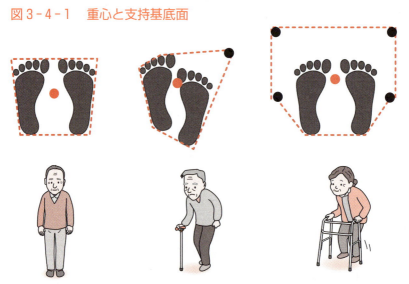

つえを使うことで支持基底面が広がり，重心が支持基底面の中心にくるため安定した姿勢になる。

【移動場面における動作のポイント例——いすからの立ち上がり】

いすからの立ち上がり介助で利用者の自然な動きを妨げないようにするためには，**図3-4-2**のような対応が必要となる。

図3-4-2　いすからの立ち上がり介助

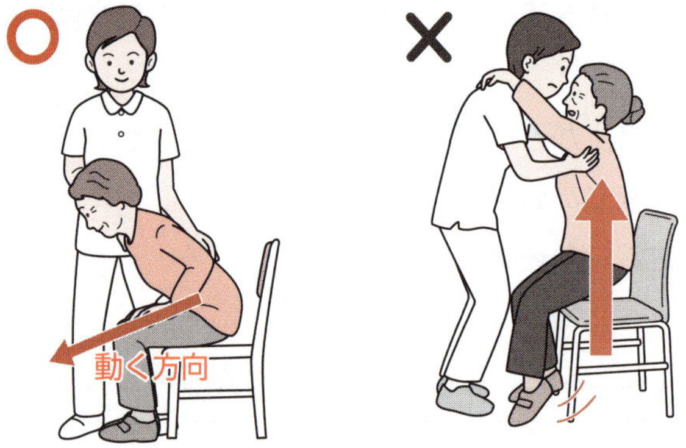

目の前に介護者が立つと，利用者は臀部から足底への体重移動がしにくくなる。

(3) 移動・移乗介護の福祉用具

246，284頁参照。

2 食事介護

(1) 食事介護の意味

　人間にとって口から食べて排泄をすることは、生命を維持していくための重要な一連の流れである。なかでも食事は、健康の増進や病気の予防・回復にかかわる重要な営みであり、生活のなかでの楽しみでもある。例えば、お正月のおせち料理や節分の恵方巻などの行事食や、季節ごとの旬の食材を楽しむこと、地域を感じることができる郷土料理などは、食習慣や食文化を反映したものであり、生活に深く根ざしている。誰と、どこで、何を食べるのかということも食事の楽しみ方の一つであり、生活の質（QOL）に大きくかかわる。食事は、身体に必要とされるエネルギーや栄養を補うだけの行為ではなく、五感を用いて楽しみ、生活や人間関係を豊かにするものである。

　食事の介護においては、利用者の疾患や障害、その時々の体調に応じた栄養バランスや摂取量など、適切な食事が摂れているかも重要である。特に高齢期は、糖尿病や高血圧等により食事のコントロールが必要となることや、低栄養や脱水などが生じやすいことにも留意したうえで、本人の好みを尊重した食生活を支援する。

(2) 食事介護の手順と留意点

　食事の介護は、何を食べるのか食事の用意を含めて介護を考えることが、利用者の健康の維持・向上や生活の質（QOL）に影響する。食事行動のプロセスのどこに介護が必要なのかを分析し、適切な支援方法を検討しなければならない。

　手順と留意点は次のとおりである。

---

❶　食事を用意する

・食材を買いに行くことや調理は、手段的日常生活動作（IADL）に含まれる。在宅においてこれらが難しくなった場合は、訪問介護による買い物や調理のサービス、地域にある配食サービスの利用などの方法を検討する。

❷　食事の姿勢をとる

・食卓まで移動し、食事の姿勢をとる。食事の姿勢は座位が望ましい。座位が難しい場合はベッド上での食事となるが、その場合にはギャッチアップし、クッションやタオルで嚥下しやすい姿勢を整える。

❸　食べ物であることを認知する

・認知機能の低下により食事を認識できなかったり、食べ方を忘れていたりすることがある。その場合は声をかけたり、目の前でやってみせたりする。視覚に障害がある場合は、目の前に何が並んでいるのかを具体的に説明する。

第3章　高齢者と介護・医療に関する基礎知識

❹　食べ物を口に運ぶ
・麻痺や拘縮などによって，箸やスプーンを持つことができない，もしくは，箸やスプーンを持ててもうまく使えない，食べ物を口まで運ぶことができない場合は，本人に合った自助具を活用する。

❺　咀嚼し，嚥下する
・利用者の咀嚼（噛み砕く）や嚥下（飲み込む）の状態に合わせ，食事を刻む，ミキサーにかける，とろみをつけるなど，摂取しやすい形状にする。

❻　口腔ケア（整容の介護）
・食後は，口腔内に食物残渣が残らないように口腔ケアを行う。

【食事場面における動作のポイント例──正しい姿勢の整え方】
　起き上がれる利用者は，椅座位で食事を摂るようにする。その際，テーブルに肘が乗り，膝を直角に曲げた状態で足底がしっかりと床につくように，テーブルといすの高さを調節する。
　ベッドから起き上がることができない利用者は，ベッドのギャッチアップ機能を使って身体を起こし，枕やクッションなどを使って安定した姿勢に整える。麻痺がある場合は，麻痺側を上にした半側臥位にし，顎を軽く引き頸部が前屈できる姿勢に整える（**図3-4-3**）。

(3)　**食事介護の福祉用具**
　377頁参照。

図3-4-3 適切な食事姿勢と前屈が必要となる理由

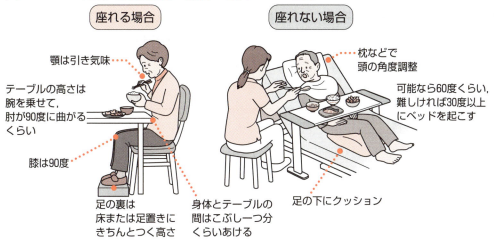

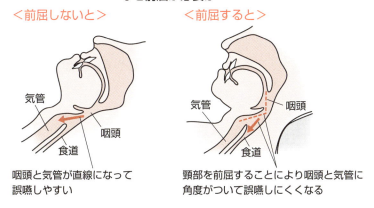

3 排泄介護

(1) 排泄介護の意味

　排泄とは，尿や便，汗など，体内の老廃物を体外に排出することであり，生命を維持し健康を保つうえで欠かせない。排泄に介護が必要になると，介護を受ける精神的苦痛や身体的負担から意識的に水分摂取を控えたり，常に排泄が気になり精神的に不安定な状態になったりすることがある。そのため，利用者の疾患や障害の程度を把握し，自分自身で排泄できるための方法や用具を検討することが重要である。

　排泄行為の自立は，生活を快適に営むうえで大きな意味をもつ。介護をするにあたっては，利用者の生活習慣や生活リズムを守ること，羞恥心やプライバシーに配慮し，安心して排泄できる環境を整える。

(2) 排泄介護の手順と留意点

　排泄行為は，尿意・便意を感じてから排泄する場所まで移動し，排泄をすませて元の場所や次の場所に移動するまでの一連の行為から成り立つ。この排泄行動のプロセスのどこに介護が必要なのかを分析し，適切な支援方法を検討する必要がある。

　手順と留意点は次のとおりである。

> ❶　尿意・便意の知覚
> ・尿意や便意がない場合，その理由によって介護方法の検討が必要になる。直腸・膀胱機能障害によるものや認知機能の低下によるものなど，その理由はさまざまである。
> ❷　トイレへの移動
> ・自力でトイレに行けない場合もトイレに誘導する，ポータブルトイレや尿器・便器を使用するなど，排泄の場所と用具を適切に選択する。
> ・片麻痺がある人は，トイレのドアや便座のふたを開けるときに立位が不安定になりやすいため，転倒に注意する。
> ❸　衣類の上げ下ろし
> ・手指に障害がある場合などは，ズボンの上げ下ろしがしやすい衣類を選択するなど工夫する。
> ❹　排泄の姿勢をとる，排泄する
> ・腹圧をかけ，排泄しやすいように座位の前傾姿勢をとる。
> ❺　後始末

【排泄場面における動作のポイント例――排泄しやすい姿勢の整え方】

　立位や座位では腹部の臓器が下垂し，尿と便の重量が作用して自然に排泄される力が生まれる。特に，前傾した座位姿勢は，腹圧がかけやすいことや直腸と肛門の角度が一直線に近くなることによって排泄しやすくなる（**図3-4-5**）。

　排泄しやすい座位姿勢を保持するためには，トイレやポータブルトイレの高さや大きさ，肘掛け，手すりなどを整えることも大切である。

第4節　介護技術

図3-4-4　排泄方法の選択のフロチャート

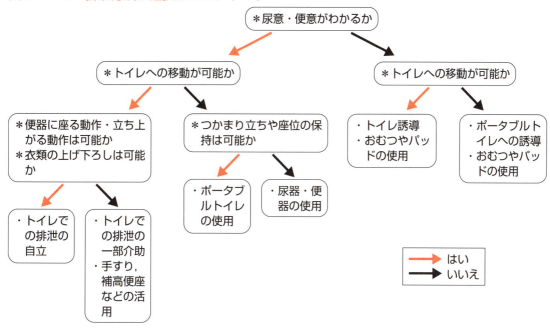

図3-4-5　排泄しやすい姿勢

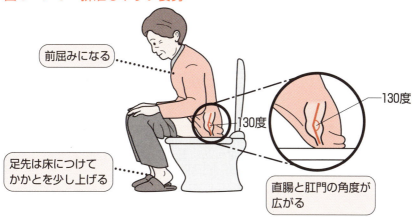

(3)　排泄介護の福祉用具

316，381頁参照。

4　入浴の介護

(1)　入浴介護の意味

入浴には，身体をきれいにするということだけでなく，心理的・生理的・社会的な意味が多

く含まれる。入浴することで血行が促進され新陳代謝が活発になり，疲労が回復したり排便機能が高まったりする。また，身体を洗うことで，汗や老廃物などの汚れを取り除き，皮膚を清潔にし，感染を予防する。浮力作用や温熱作用により関節の動きがよくなり身体が動きやすくなるなどの効果もある。心身ともにリラックスした入浴は，入浴後の爽快感をもたらし満足感につながる。さらに，清潔に保たれることで，周囲との交流や社会生活をスムーズに行うことができるなど，心理的にも社会的にも意義がある。

　一方で，入浴時には血圧の変動や体力の消耗などによる体調の変化を起こしやすい。心臓発作や脳血管疾患，溺水など，高齢者の入浴中の死亡事故は，交通事故による死亡者数よりも多くなっている。入浴に介護が必要な場合は，これまでの生活習慣や羞恥心・自尊心への配慮が必要になる。

(2) **入浴介護の手順と留意点**

　手順と留意点は次のとおりである。

---

❶　入浴の準備
・満腹時や空腹時の入浴は避け，脱水防止のために水分補給をしておく。
・ヒートショックを避けるため，冬場は，脱衣室や浴室を温めておく。
❷　脱衣室への移動
・移動前に体調確認を行い，排泄をすませる。
❸　衣服を脱ぐ
・褥瘡（発赤）や湿疹，傷や内出血などがないか，手足の浮腫がないかなどを観察する。
❹　浴室へ移動する
・入浴中はやけどや転倒などの事故を起こしやすい。床に残った石けん水は十分に洗い流す，浴室や浴槽の床に滑り止めのゴムマットを敷く，浴室内に手すりを付けるなど環境を整えておく。
❺　洗髪・洗身する
・自助具などを活用し，自分でできるように支援する。
❻　浴槽に入る
・浴槽の縁をまたぎにくい場合は，バスボードや移乗台などを活用する。
❼　浴槽から出て脱衣室へ移動する
❽　身体を拭き，着替え，整髪する
❾　水分補給する

(3) 入浴介護の福祉用具

337, 383頁参照。

5 更衣介護

(1) 更衣介護の意味

　私たちは，外気温に合わせて衣服を着用することで体温調節をしたり，紫外線や虫などの外部刺激から肌を守ったりしている。身体は新陳代謝を繰り返しており，皮膚からは脂や汗，垢が出る。これらが汚れとなって衣服に付着することから，肌着などは適宜取り換え，清潔を保つ必要がある。

　起床し，寝衣から普段着に着替えて1日過ごし，夜にまた寝衣に着替えるなど，更衣には生活のリズムをつくったり，気分を変えられたりする心理的な意味がある。さらに，目的や活動，場に合った衣服を選んで着用することは，社会生活を円滑にすることにつながる。また，自分らしい好みの衣類を着用することは自己表現でもあり，自信や満足感を高めることにつながる。

(2) 更衣介護の手順と留意点

　手順と留意点は次のとおりである。

> ❶　環境を整える
> ・入浴や排泄などで衣類を脱ぐ場合も含めて，室温やプライバシーに配慮する。
> ❷　衣服を選択する
> ・活動や気温，目的に合った衣服を利用者が選ぶための支援をする。
> ・利用者自身で更衣がしやすいように，伸縮性のある素材のものや大きめのボタンのものなど，利用者の身体機能に合わせた衣服を工夫する。
> ❸　衣服を脱ぐ・衣服を着る
> ・四肢に痛みや麻痺がある場合は，脱ぐときは痛みや麻痺のない健側から脱ぎ，着るときは患側から着る。
> ・更衣には，上肢や下肢の挙上や曲げ伸ばし，ベッド上での更衣の場合は体位変換などの動きが伴う。利用者の可動域に応じた自助具を用いるなど，自分でできるように支援する。
> ❹　衣服を整える
> ・衣服のしわやたるみは，見た目や着心地の悪さだけでなく，褥瘡や歩行の際のつまずきの原因にもなるため注意する。
> ・着心地は見た目だけではわからないため，本人に確認する。

【更衣場面における動作のポイント例——着脱の順序】

　痛みや麻痺がある場合は，脱ぐときは健側から，着るときは患側から行うと，患側の可動域が小さくすみ，患部に負担がかかりにくい（**図3-4-6**）。

図3-4-6　脱健着患

（3）更衣介護の福祉用具

　353，380頁参照。

6　整容介護

（1）整容介護の意味

　整容は，洗顔，整髪，歯磨き，爪切り，髭剃り，化粧などの身だしなみを整える行為をいい，更衣も整容に含まれる。これらの行為は，身体の清潔を保つだけでなく，生活のリズムを整えることや自分らしさを表現すること，生活の楽しみであり，社会のなかで他者との関係を維持するために大切な行為でもある。

　食事や排泄などの生理的な欲求と比べると，髪型を整えることや化粧などの整容はおろそかにされがちであるが，衣服を選び髪型や髭を整えることや，化粧をすることは，自分自身への関心に向かうものであり，生活への意欲や自信を引き出すために重要である。特に整容は，個人の生活習慣や嗜好が伴うものである。介護が必要になっても，整容に関連する行為が維持できることは，生活の質（QOL）に大きな影響を及ぼす。

　なかでも口腔内の清潔は，健康状態や生活の質（QOL）に大きな影響を及ぼす。口腔内の清潔が保たれなくなると，味覚の低下や口腔内粘膜の異常，口臭の発生などをもたらす。また，口腔内の食物残渣は，虫歯や歯周病の原因になるだけでなく，肺に入ることで誤嚥性肺炎にもつながりかねない。虫歯や歯周病により歯を失うと，咀嚼や嚥下に影響が現れたり，義歯の不具合などにより会話に影響を及ぼしたりすることもある。

（2）整容介護の手順と留意点

　整容行為の手順はそれぞれの行為によって異なるが，いずれの行為も手先の巧緻性や上肢の

痛みや麻痺などが自立度に影響することから，本人の心身の状態に合わせた自助具を用意する。

(3) 整容介護の福祉用具

353，378頁参照。

7 介護におけるコミュニケーション

(1) 介護におけるコミュニケーションの意味

コミュニケーションとは，対人的なやりとりにおいて，意思や感情，思考などを伝達し，共有し合うことをいう。介護におけるコミュニケーションには，利用者との信頼関係の構築や利用者理解，支援の促進など，さまざまな目的がある。また，効果的な支援を行うためには，職員間での報告・連絡・相談や他の職種や事業所等との情報共有なども必要になる。ここでは，利用者とのコミュニケーションを中心にみていく。

(2) 介護におけるコミュニケーションの留意点

留意点は次のとおりである。

---

❶ 相手にわかる言葉，わかる方法で伝える

- 相手にわかる言葉で話し，専門職からの一方向的な情報提供にならないようにする。
- 介護を必要とする人には，認知症の人や聴覚や視覚に障害がある人もいる。利用者に合わせたコミュニケーションの方法を用いる。

❷ 言語だけでなく非言語の部分もあわせて聴く

- 言葉や文字によるコミュニケーションを言語的コミュニケーション，言葉以外の表情や目線・声のトーン・姿勢・身振りなどを非言語的コミュニケーションという。利用者が感情や思いをうまく言葉にできないことや意図的に表現しないこともあるため，非言語の部分や前後の文脈もあわせて聴き取る。

❸ 積極的に傾聴する

- 利用者を理解するためには，積極的に話を聴くことが必要となる。そのためには，うなずく，あいづちをうつ，相手の言葉を繰り返す，適切な質問をするなどが効果的である。また，相手が沈黙したときは，無理に話を進めようとせず，沈黙の意味を考える。

---

(3) 介護におけるコミュニケーションの福祉用具

コミュニケーションに障害が生じると，不安や疎外感を感じ，他者とのかかわりや社会参加の機会が減少する。また，情報が入りにくくなるなど，さまざまな面で生活の質（QOL）の低下につながる。利用者の障害の種類や程度に合わせて福祉用具を選択する（388頁参照）。

第5節 住環境と住宅改修

- 高齢者の住まいにおける課題や，住環境の整備の考え方を理解する。
- 介護保険制度における住宅改修の目的や仕組みを理解する。

 到達目標

- 高齢者の住まいの課題を列挙できる。
- 住環境の整備のポイントを列挙できる。
- 介護保険制度における住宅改修の目的や仕組みを概説できる。

1 高齢者の住まい

1 高齢者の住まいにおける課題

　今日では，新築住宅のバリアフリー化は着実に普及しつつある。住宅屋内の床面にみられる段差は減少し，手すりの取り付け箇所も増えている。これに対して建築してから年数が経過した住宅では，現在も住宅内に段差が残るのが現状である。しかし，現在では健康寿命の考え方が普及し，高齢者の住まいには，これまでのバリアフリー化で求められてきた転倒・転落事故の防止だけではなく，新たに外出環境の整備や，室温管理によるヒートショックの防止，高齢期の快適な生活への配慮などによる健康寿命延伸への貢献が求められている。[1]

　身体機能が低下して生活に何らかの支援や介護が必要になると，一般的なバリアフリーを備えるだけでは十分とはいえず，住まいには高齢者一人ひとりの生活を踏まえたうえでADLに適した環境が求められることを理解する。これは福祉用具の活用に至らない場合であっても，高齢者の生活を支援する専門職である福祉用具専門相談員として備えるべき重要な視点である。したがって，移動環境の整備を検討する際には，移動方法や福祉用具，介助の方法だけに着目するのではなく，生活における移動の改善の位置づけや重要性，そして生活動線（生活における移動の経路）にも着目する。住宅構造や住宅設備を理解して，広い観点で福祉用具と住環境の整備を捉えたい。

2 住宅構造・設備・間取りの理解

(1) 住宅の主な構造

　日本の住宅の主な構造としては，木造，鉄筋コンクリート造，鉄骨造等がある。木造の場合には，主に木造在来構法と木造枠組壁工法に分かれるが，ほかにも新しく開発された工法がある。なお，木造では，建物の構造や木材の構成方法を指すときには構法と表し，主として木造の施工方法を指すときには工法と表す。

　ここでは主な戸建て住宅の工法である木造軸組工法と木造枠組壁工法について紹介する。

① 木造軸組工法（木造在来工法）（図3-5-1）

　木造軸組工法は，日本で伝統的に用いられてきた木造の工法である。柱・梁(はり)・筋(すじ)かいを組み合わせて主要な構造を構成する。基礎に載せた土台に柱を立て，梁(はり)を渡して建物の骨組み

---

[1] 国土交通省「高齢期の健康で快適な暮らしのための住まいの改修ガイドライン」2019年。

図3-5-1　木造軸組み構造の各部位の名称

資料：伊藤勝規ほか「福祉用具シリーズ Vol.21 自立支援のための住環境整備——福祉用具専門職のための建築基礎知識」公益財団法人テクノエイド協会，28頁，2016年。

を造る。壁面には斜めに筋かいを入れて耐震性を補強する。柱・梁の上に屋根を載せた後に壁面を造る。柱で建物の荷重を支えるので柱の取り外しには慎重な検討が必要であるが，その反面，構造に支障がない柱や間仕切り壁の取り外しができるので，間取りの変更や，部屋と部屋を仕切る壁に出入り口を新設する等の住宅改修を行いやすい。

② 木造枠組壁工法（ツーバイフォー工法）

　　木造枠組壁工法は，2インチ×4インチの角材と合板で壁面や床面，天井等の大型パネルをつくり，パネルの面をつなぎ合わせて建物を組み立てる北アメリカから伝わった工法である。1階の床面・壁面を組み立てた後に2階の床面・壁面を組み立て，最後に屋根を載せる。柱はない。新築時の工事期間が比較的短いが，壁面を構成するパネルの面で建物の荷重を支えるので，壁面の取り外しを伴う間取りの変更や，出入り口の新設，出入り口の幅の変更等は行いにくく，住宅改修の工事は木造枠組壁工法の施工技術がある建築会社に限定されやすい。

③ 集合住宅の構造的特徴

　　集合住宅では，低層・中層・高層等の高さによって木造，鉄骨造，鉄筋コンクリート造（RC造），鉄骨鉄筋コンクリート造（SRC造）等さまざまな構造が用いられる。これらの集合住宅で共通する構造的特徴としては，木造を除いて各住戸の内側の空間の間取りを変更しやすい点があげられる。耐力壁や躯体（建物を構造的に支える骨組み部分）を除いて壁面は撤去することができる。ただし，上階から下階へつながる水道管・ガス管等の位置を変更することはできないので，水回りの部屋の位置を変更することは難しい。小規模な住宅改修での入り口位置の変更や入り口の幅を広げることは容易である。

ただし，集合住宅では，手続きを含めてさまざまな条件や制約が付く場合があるので，管理会社や管理組合に確認する必要がある。

(2) 住宅の設備

住宅の設備は一般的に電気設備，ガス設備，水道設備（給水設備，排水設備），冷暖房機器等である。具体的には，給湯器，キッチンの調理機器，浴槽，便器，洗面台，エアコン等がある。住宅設備工事はこれらの設備に関する工事を指す。

住宅の電気設備には，電気配線，照明設備（照明機器や照明スイッチ），コンセント，エアコン設備，インターホン，分電盤などが含まれる。照明機器やコンセントの増設・位置変更等は電気設備工事である。分電盤は各室や設備に適切な電力を供給する装置で，部屋ごとに分配される電流が規定以上に流れると自動的に電気を遮断する（ブレーカーが落ちる）。エアコンのように消費電力が大きい電気製品を新規に設置する場合には分電盤から専用の回線を増設する必要がある。

また，消防法により火災報知器の設置が義務づけられている。間取りを変更することで部屋の用途を変えると火災報知器の増設が必要になる場合があるので注意する。

水道設備は給排水設備とも呼ばれ，水道管，配水管，便器の水洗用の設備，給湯設備などがある。水道設備工事は，水道管を敷設して水道を建物に届ける給水工事，建物内の配管工事，配水管を敷設して排水を下水道に流す下水道工事に分かれる。水道メーターを境界にして，道路下の管までの工事は水道局の公共工事であり，水道メーターから建物側の水道工事は建物の所有者が負担する工事である。建物内の配管工事は，浴室やトイレ，キッチン，洗面台，給湯器等の水回り設備に配管を接続する工事である。浴槽や便器の交換，位置変更や増設で必要な工事である。

介護保険における住宅改修費給付制度では，給排水工事の助成対象範囲が定められているので確認を必要とする。

(3) 間取りの理解（図3-5-2）

間取りとは，住宅の各部屋の配置（位置関係）を意味する用語である。間取りを平面に表した図を間取り図という。間取り図には各部屋の配置とともに部屋の形状や大きさの概要を示す。間取り図を作成したり確認することで，住宅全体の構成を把握することができる。住宅を新築する場合には，設計の初期の段階で間取り図を用いて希望の部屋の配置を検討する。部屋の配置の検討ではゾーニングも重要である。

ゾーニング（zoning）は住宅内の部屋や空間を用途や機能が類似した空間ごとに区分して部屋の配置を決めることをいう。住宅のゾーニングでは，一般的に家族が集まるリビングやダイニングの空間，寝室等の個人の空間，キッチン・浴室・トイレ等の生活の機能にかかわる空間に分けられる。部屋と部屋の関係性を検討し，関連性のある部屋を隣接させたり近距離に配置

図3-5-2　各空間・各室のつながり

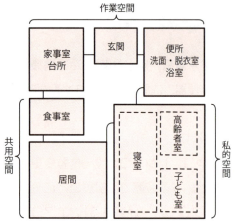

資料：野村歓「住環境と住宅改修」一般社団法人シルバーサービス振興会編『新訂福祉用具専門相談員研修テキスト第2版』中央法規出版，207頁，2018年。

することで，短時間での円滑な移動や作業効率の向上を実現することができる。また，滞在時間が長いリビングや高齢者の寝室は日当たりや風通しを考慮して配置することが望ましい。

　住宅改修でも，間取り図を用いて，またゾーニングの考え方を取り入れて改修内容の検討を行う。間取りの変更を検討する場合には，室間の移動や介護のしやすさをイメージして部屋の配置や広さ，出入り口の位置等を決める。

2　住環境の整備技術

1　住環境整備の考え方～基本姿勢と進め方～

　住環境整備とは，対象となる人と家族の生活を支え，安全で円滑な移動や生活動作を実現するための環境面からの支援を指す。広義には，住宅改修に限らず生活用品の整理整頓，ベッドや家具の配置変更による環境調整，福祉用具の活用，住宅改造，増築，建て替え等を含めて環境の改善を捉えた考え方である。したがって，住宅改修を検討する場合には，これまでの環境の問題点と課題を把握したのちに，既存の環境の工夫による環境調整や福祉用具の活用と組み合わせて考える。その結果として，住宅改修を行わず課題の解決を図る場合がある。また，福祉用具の活用に至らず，環境調整や住宅改修で対応する場合もある。

　住環境整備の検討では，生活課題を理解したうえで，さらに生活状況の把握を行う。対象となる高齢者の心身状況，日常生活動作（ADL）の自立度，住宅の情報，家族の考え方や対応の情報，費用負担に関する経済面の情報は不可欠である（**表3-5-1**）。できればこれらにとどまらず，さまざまな情報の収集を心掛ける。住宅改修の要望は，得られた情報と組み合わせて整理する。これは，住宅改修の目的を明確にして，得られる効果を具体的に想定するための作業である。具体的には，住宅改修で解決できること，できないこと，住宅改修よりも適切な対応方法があるか等を明確にすることである。例えば，目的が明確ではないままに「あれば使う」「とりあえず取り付けておく」と要望されて取り付けた手すりは，適切な対応であったのか，

表3-5-1　住宅改修の検討に必要な4項目と相互関係

	心身	住宅（建築）	家族	経済
心身	・生活動作能力 ・心身機能評価（※） ・障害に関する今後の予測	・移動方法と補装具 ・駐車スペース	・世帯上の地位 ・介助の必要性	・職業の有無
住宅（建築）		・敷地からの検討 ・構造からの検討 ・設備からの検討 ・法規からの検討	・介助スペース ・専用室の確保 ・衛生設備空間の専用・共用など	・検討案の規模および内容（新築，増築，改築，模様替えなど） ・使用材・使用器具の質 ・維持費（電力，ガスなど） ・施工業者の選定
家族			・家族人員 ・家族構成 ・誰が介助するか	・収入（改造に対する支払能力）
経済				・改造費用

※モチベーション，精神面からみた生活継続性を含む
資料：野村歡監，野村歡・橋本美芽ほか『OT・PTのための住環境整備論 第3版』三輪書店，46頁，2021年．

想定された効果は得られたのか等の疑問が残りやすい。福祉用具専門相談員は住宅改修にかかわる専門職として，単純に高齢者や介護者の要望を技術的に解決すればよいと考えるべきではない。

なお，障害や疾患のある高齢者を対象とする場合には，住環境整備の検討の前に，障害の特徴や疾患の特性の理解に努める。例えば，パーキンソン病等の進行性疾患の場合には，短期的だけでなく長期的な身体状況の変化にも配慮して整備の方針を検討する。高齢者の医療情報，身体状況については，主治医や看護師，理学療法士・作業療法士などの専門職に相談することも有効である。高齢者の個別性の理解があいまいなままで整備方針を決定し，住宅改修を進めることは避ける。

2　基本的な整備のポイント

ここでは，実際の住環境整備で求められる基本的な内容について紹介する。主な内容は住環境整備，特に住宅改修で各部屋に共通する基礎知識である。ただし，住まいの整備は，生活課題が異なる高齢者一人ひとりのための環境の改善なので，高齢者の心身の状況や，ADLの自立度，活用する福祉用具等には個別性があることに留意することが重要である。住宅改修の内容も一律に考えるべきではない。

なお，ここで示す数値は標準的な日本人の体格を想定した標準的な数値である。言いかえれば目安であり，このことを理解したうえで，対象となる高齢者一人ひとりのための最適な数値

を求め，適用することに努めてほしい。

(1) 手すりの取り付け

手すりの取り付けは，住宅改修で最も要望が多い主要な工事項目であり，住宅内のさまざまな場所に取り付けるので基礎知識の習得は不可欠である。特に取り付け位置は個別性が高いことに留意する。

① 手すりの形状

手すりの標準的な形状の断面は円形である。直径は 32～36mm が適する。ただし，手指に障害があり巧緻性が低下して手すりを握ることが困難な場合には，上面が平型の手すりを使用することがある。例えば関節リウマチでは手すりに前腕をのせて使用するので，平型の手すりが適する。

② 手すりの取り付け高さ

廊下等の移動用として取り付ける水平手すりの場合，標準的な高さは床面から手すりの上端（上面）まで 75～80cm 程度である。これはつえの長さの決め方を応用しており，大腿骨大転子の高さに合わせている。ただし，対象となる高齢者の身長や身体状況を考慮して個別に最適な高さを検討する。なお，手すりに前腕をのせて使用する場合には，肘の高さより少し低い程度が適しており，円形の手すりよりも取り付け高さは高い位置になる（**図 3-5-3**）。

縦手すりは，段差の昇降動作や戸の開閉動作の安定性を高める目的で使用する場合を想定して，手すりの下端は水平手すりの高さに揃え，上端は肩の高さより 10cm 程度上方の高さが目安である。段差の昇降に用いる場合は，手すりの下端を低い側の床面から測る。

図 3-5-3 手すりの取り付け高さ

床面から 75～80cm ／ 床面から 85～90cm （ブラケット）

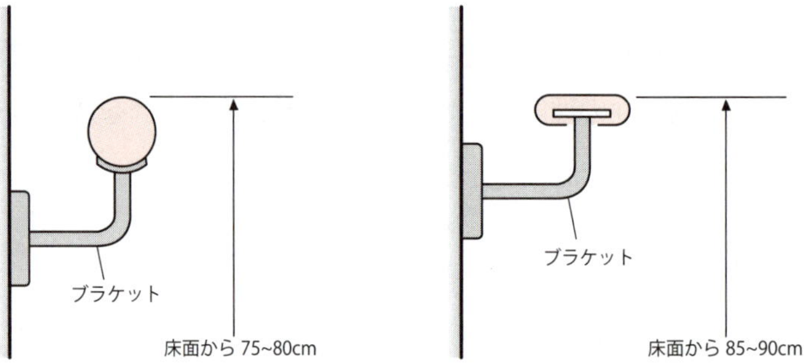

資料：野村歡監，野村歡・橋本美芽ほか『OT・PT のための住環境整備論 第3版』三輪書店，226頁，2021年。

③ 手すり端部間の距離

歩行用の水平手すりはできるだけ切れ目なく連続するように取り付ける。これは，移動中の握り替えをできる限り最小限に抑えるためである。やむを得ず切れ目ができる場合は手すり端部間の距離を最小限に抑えて握り替えやすいように配慮する。握り替えの際に両手とも

に手すりから離れる環境は避ける。

④ 出入り口・戸のまわりの手すり

戸の開閉動作で姿勢を崩して転倒することを避けるため、戸の開閉位置の壁に手すりを取り付ける。立位姿勢の安定が目的なので縦手すりが適する。特に開き戸を身体側に引いて開ける場合や出入り口に段差がある場合には、姿勢の安定性を高める手すりの取り付けは有効であり、戸の壁を挟んだ両側に取り付けを検討する。

⑤ その他の配慮

廊下等の水平手すりは、手すり下部から受け金具（ブラケット）で支えるように取り付ける。横から手すりを支える金具では手すりを握りながら歩くと金具に当たり適切ではない。また手すり端部は壁側に曲げる。これは端部に衣類の袖口を引っ掛ける、腰をぶつける等の危険性を避けるためである。

手すりは、壁の色と見分けやすい色にする。壁と見分けにくい色では視機能が低下している高齢者には識別しにくい。

⑥ 手すりの取り付け方法

手すりの取り付けでは、荷重を受ける壁の強度が重要である。柱に直接手すりを取り付ける場合と壁に取り付ける場合が考えられるが、壁に手すりを取り付ける場合は注意を要する。通常は壁の下地材に石こうボードが貼られているが、石こうボードには身体を支える強度はないので壁の補強が必要である。主な補強方法としては、手すりにかかる荷重を受けるための補強板を壁の表面に取り付ける方法と、壁内部の下地材を補強板に交換する方法がある。

補強板を壁の表面に取り付ける場合は、壁を壊すことなく補強板を柱から柱まで渡して取り付け、その表面に手すりを取り付ける。壁内部の下地材を交換する場合は、壁を一度取り外し、柱から柱まで手すりの受け材を取り付けて下地補強を行い壁を貼り直す（**図3-5-4**）。

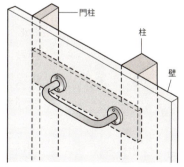

図3-5-4　壁面の補強方法

資料：野村歡監，野村歡・橋本美芽ほか『OT・PTのための住環境整備論 第3版』三輪書店，220頁，2021年。

(2) 段差の解消

住まいにおいて、段差は歩行や車いすの移動を妨げる主な原因となっている。歩行能力の低下とともに転倒を予防する安全な環境の重要性は増す。段差の解消方法の考え方や知識の習得は、福祉用具専門相談員として高齢者の安全で円滑な移動と福祉用具の活用を支援する技術を身につけることであり、効果的な住宅改修を実現することに結びつくといえる。

① 屋内段差の解消方法

屋内の段差は、玄関上がり框（かまち）、和室入り口の段差、トイレ入り口の段差、浴室と脱衣室間の段差などが代表的である。段差には、和室入り口のように1段上がる形状の「単純段差」と、戸の下枠部分の立ち上がりのように段差が床面から突出しておりまたぐ形状の「またぎ段差」がある。単純段差の通行には段差の上り下りの昇降動作が求められるが、またぎ段差ではさらに突出部分をまたぐために歩幅を広げる能力が求められる。高齢者の安全な移動や移動用福祉用具の活用を妨げる原因になりやすいので、小さな段差であっても通行の妨げにならないかを検討し、段差解消を行う。

● 和室の敷居段差解消

和室に敷く畳の厚さは5〜6cm程度であり、洋室の代表的な床材であるフローリングの厚さは1.2〜1.8cm程度であることから、和室の床面は洋室より高くなり和室入り口の敷居部分に3〜4cmの段差が生じやすい。

高齢者の歩行が比較的安定している場合には、段差の撤去よりも簡易な改修方法として、段差にミニスロープ（すりつけ板）を取り付けて通行しやすくする方法がある。段差自体に手を加えることはないので安価であり、短期間で改修することができる（**図3-5-5**）。ただし、スロープの傾斜角度や長さによっては高齢者の移動に適さない場合があるので注意が必要である。例えば、短下肢装具の使用により足関節角度と傾斜角度が合わず不安定になる、傾斜面についたつえは不安定になり体重を掛けられない、多脚つえの先を平坦な床面にのせるため傾斜面を越えて離れた位置に進める必要がある、車いすで傾斜面を上ることができない等が考えられる。対象となる高齢者の移動方法や身体機能の状態に留意して、適するかどうかを慎重に検討する必要がある。

ミニスロープ（すりつけ板）の取り付けでは、ほかに、傾斜面は滑りにくい仕上げとする、部屋の入り口幅より横幅を長くしてつえの踏み外しや車いすの落下を防ぐ、ミニスロープの両端部の断面も傾斜面となるよう仕上げ

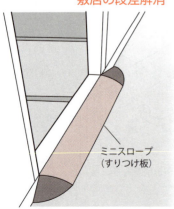

図3-5-5　ミニスロープ（すりつけ板）による敷居の段差解消

てつまずきを防ぐ等を工夫する。

● 低い床面のかさ上げ

2室間の床面の高低差を解消する方法として、低いほうの床面をかさ上げする方法がある。既存の低いほうの床の上に木材を挟んだり合板を載せてかさ上げし、高さを調整した上部に床面を新設する（**図3-5-6**）。ただし、この方法は、かさ上げした床面が周囲の戸の開閉に干渉する、別の場所に段差が残る等の可能性があるので、慎重に検討する。

● 高い床面を下げる

既存の床の高さを下げるには、床を支えている床組み（床を支える構造部分）を解体して高さを調整し直す工事が必要である。また、下がった床と既存の戸の間に隙間ができて部屋の気密性が低下する、室内のこれまで見えなかった床付近の壁が露出する等を補修する費用が別途必要であり、工事規模が大きく高額になりやすい。したがって、この方法は車いすの自立使用のように、移動方法の特性により特に必要な場合に限られやすい。

● 分割による段差の緩和

高齢者の歩行能力を上回る高さの段差については、踏み台を設置して段差を分割し、1段の高さを低く抑えて昇降しやすくする方法がある。特に玄関の上がり框（かまち）部分の段差で用いられる。既存段差の加工はせずに踏み台を固定設置するため、短時間で工事が可能である。ただし、段差は2段の階段形状になる。手すりのない階段の昇降は不安定な動作と転倒の危険性を生じさせるので、必ず手すりの取り付けと組み合わせた改修工事を行う。

図3-5-6　床面のかさ上げ

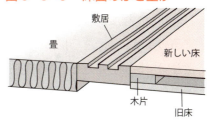

洋室（廊下）の床面に木片を釘打ちし、その上に新しい床をつくる

資料：野村歓「住環境と住宅改修」一般社団法人シルバーサービス振興会編『新訂福祉用具専門相談員研修テキスト 第2版』中央法規出版，218頁，2018年．

② 屋外段差の解消方法

木造住宅では、地面と1階床面との高低差が大きい。これは床下に空間を確保して風通しをよくし、木材の乾燥状態を保つためである。建築基準法により、1階床面は原則として地面より45cm以上高く造ることが定められている。新築時であれば1階床面の高さを低く造る方法があるが、すでにある1階床面を大きく下げて屋内外の高低差を小さくすることは難しい。さらに、地面と道路面との間に高低差がみられる場合もある。屋内外の高低差の整備は外出路の確保を目的とするので、道路から玄関までの全体の高低差について総合的に解消方法を検討する。

● 階段の整備

道路面から敷地（家が建つ土地）までの間に高低差がある環境では、段差を数段に分割して階段状に造られている場合が多い。既存の環境を造成し直して高齢者が昇降しやすい環境にする場合は、1段ごとの蹴上げ（け あ）（1段の高さ）寸法と踏面（ふみづら）（1段の奥行）寸法を均一にす

る。蹴上げ寸法は高齢者が容易に昇降しやすい高さに分割する。標準的な蹴上げ寸法は11〜16cm程度，踏面寸法は30〜33cm程度である。階段は必ず手すりと組み合わせて整備する必要がある。さらに，照明の設置や通路面を滑りにくい仕上げにする等の配慮も行うことが望ましい。ただし，屋外通路の階段を造成し直す整備は大規模な改修工事であり，時間と費用の確保が求められる。

敷地から1階床面の高さまでの高低差については，玄関の土間部分に踏み台を設置するか，玄関以外の掃き出し窓（通行することができる床面に接した窓）の外側に階段や踏み台を設置するかを選択する。掃き出し窓側に踏み台を設置する場合は，昇降しやすい蹴上げ寸法と踏面寸法に合わせることを重視する。段差を数段に分割する場合には，手すりと組み合わせてコンクリート等で強固に整備する場合と，屋外対応の踏み台を固定する場合がある。屋外対応の踏み台は手すりと一体型のものとする。

●スロープによる整備

高齢者が車いすで外出する場合には，スロープの設置が適する。スロープは介護者が車いすを操作しやすい緩やかな勾配（傾斜面の傾きの程度）であることが望ましい。勾配は，スロープを構成する水平方向の距離と高低差の比で表す（**図3-5-7**）。標準的なスロープの勾配は，1/12（スロープの水平距離が高低差に対して12倍）〜1/15（同15倍）である。実際には，高低差45cmに対し12倍の水平距離は5.4mの長さであり，これに加えてスロープの上下端部に車いすが停止できる水平なスペースも設ける必要がある。スロープの設置は，敷地に一定の広さが確保できることが条件となる。

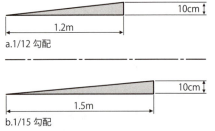

図3-5-7 勾配の考え方

1/12の勾配とは，10cmの高さに対して水平距離が12倍の1.2mで構成される傾斜面をいう。1/12よりも1/15のほうが，底面が長い緩やかな傾斜面となる

a.1/12 勾配

b.1/15 勾配

資料：橋本美芽「住宅改修方法の基礎知識」『2023年度版 福祉機器選び方・使い方テキスト』一般財団法人保健福祉広報協会，155頁，2023年．

車いすは介護者が操作する場合と，高齢者が自立して操作する場合がある。手動車いすか電動車いすであるか，介護者の健康状態や体力，高齢者の操作能力等を考慮する。現実的な選択肢である場合にはスロープの設置を選択する。なお，パーキンソン病の人のように一部の高齢者はスロープが適さないことに留意する。

●機械力（段差解消機）による整備

敷地内にスロープの設置スペースが確保できない場合やスロープによる解決が適さない場合には，代替方法として段差解消機の設置を検討する。段差解消機は人や車いすを乗せたテーブル面を垂直に昇降させて段差を解消する機器である。設置方法としては，長期的な使用を想定した固定設置と機器を据え置くだけの簡易設置が考えられ，据置き型の段差解消機

は介護保険の福祉用具貸与の対象となる。ただし，固定設置と据え置きのどちらの場合も，段差解消機の荷重を支えられるように設置面を整備する必要がある。設置面に据え置く場合には，機器降下時であっても機器の厚み分の段差が生じるので，テーブル面に乗り込むためのスロープを必要とする。固定設置の場合には，機器降下時の厚みを収めるピットの造成や，雨水の排水設備等の付帯工事が必要である。また，段差解消機の設置には，上昇時の転落事故や足のつま先の挟み込み事故の防止対策を講じることが求められる。

(3) 床材の変更

床面の滑りやすさは，高齢者が転倒する原因になりやすい。車いすを使用する場合には，畳や毛足の長いカーペットは擦り切れやすいので適さない。また，車いすの車輪は毛足の長いカーペットに埋まり動かしにくい。これらの不具合がある場合には床材の変更が必要になる。床の滑りやすさは，使用する履物との組み合わせにより，さらに滑りやすくなることにも留意して，床材変更の必要性を検討する。

床材の選定では，滑りにくさが重要である。乾いた状態だけでなく，水に濡れた際の滑りやすさも考慮する。転倒を繰り返す高齢者の場合には，転倒してもけがをしにくいよう，弾力性のある床材が適する。

代表的な床材としては，フローリングや塩化ビニル系床材（クッションフロア）があげられる。フローリングは，合板などの木質系材料の表面に薄い木材を貼り重ねた床材で，一般的に用いられる床材である。フローリングの選定では，滑りにくさ，手入れのしやすさ，傷つきにくさなどに留意する。フローリングはワックスを掛けることで滑りにくくなるが，定期的な管理が必要である。またフローリングは板の継ぎ目に水がしみ込むと拭き取りにくいため，食べこぼしや尿のにおいが取り切れないことがある。車いすを使用する場合には，屋外から砂や小石を持ち込むとフローリングを傷つけやすいので，傷が目立ちにくい色を選ぶとよい。

塩化ビニル系床材（クッションフロア）は，シート状の床材である。水を弾くので，一般的にキッチンや洗面室・トイレなどの水回りの床材に使用される。拭き掃除が容易であることから，水回りに限らず尿の汚れが付きやすい場所の床材として適する。また，柔らかく弾力性がある。フローリングに比べて遮音性が高いことも特徴である。

また，弾力性を高めるために毛足の短いカーペットを貼る場合もある。

屋外通路の路面は，凹凸がありつまずきやすく車いすで通りにくい場合や，滑りやすい石や砂利が敷かれていてバランスを崩しやすくつえをつきにくい場合には，通路面の舗装材を変更して安全な通路に整備する。コンクリートで通路面を平坦に舗装することで，歩きやすく，また車いすが移動しやすくなる。コンクリートの表面に細かく溝を引く工夫をして，滑り止めの効果を高めてもよい。

(4) 引き戸等への扉の取り替え

　住宅内で使用する主な戸は，開き戸または引き戸である。ほかに引き違い戸，折れ戸，アコーディオンカーテンなどが用いられる。このうち，開き戸の開閉動作は高齢者の安全な歩行を妨げやすい。これは，開き戸を開閉する際に，戸を押しながら進むか，手前に開きながら身体を回転させ下がる動作を伴うためである。この動作はバランスを崩しやすく，ときには転倒の原因になる。これに対して，引き戸の開閉動作は，立ち位置を変えることなく容易に行うことができる。高齢者の歩行が不安定な場合には，開き戸を安全性が高い引き戸へ交換する。このとき，引き戸に取り付ける取っ手の形状に配慮する（**図3-5-8**）。また，引き戸に戸車を取り付けると，軽い力で開閉しやすくすることができる。これは，戸の下部を加工して戸車を取り付け，床面には戸車に適合したレールを取り付ける方法である。レール部分が床面から突出するとつまずきの原因になるので，床面に埋め込むV溝レールとこれに適合する戸車の組み合わせがよい。埋め込みが難しい場合には薄型のフラットレールを採用するとよい（**図3-5-9**）。

　引き戸に交換する際には，入り口の開口幅員を確認する。戸枠の内側に引き戸の取っ手部分が残り，実際の有効開口幅員を狭くする場合がある（**図3-5-10**）。特に介助歩行の場合には介護のしやすさに影響を与えやすいので留意する。

　引き違い戸の場合には，3枚引き戸へ取り替えると実際の有効開口幅員が広がり，車いすの通行や介助歩行を容易にすることができる（**図3-5-11**）。

　引き戸への交換が難しい場合であっても，ドアノブ（握り玉）をレバーハンドルに交換して，戸の開閉を容易にすることができる（**図3-5-12**）。

　また，廊下に面する開き戸が通行を遮る向きに開く場合には，戸を再利用して，戸の吊元（つりもと）（戸の開閉の際に軸側となる辺）を左右逆に変更する方法を検討する。歩行を遮らない向きに戸の開き方を変更することで，入り口の通行は容易になる（**図3-5-13**）。

図3-5-8　握りやすい取っ手の形状

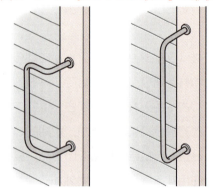

図3-5-9　戸車とV溝レールの組み合わせ

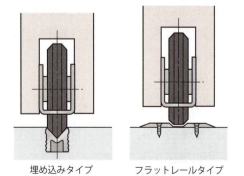

埋め込みタイプ　　　フラットレールタイプ

資料：伊藤勝規ほか「福祉用具シリーズ Vol.21 自立支援のための住環境整備――福祉用具専門職のための建築基礎知識」公益財団法人テクノエイド協会，16頁，2016年．

図3-5-10　開口幅員を狭くする戸の引き残し

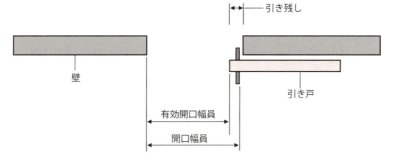

図3-5-11　3枚引き戸に変更

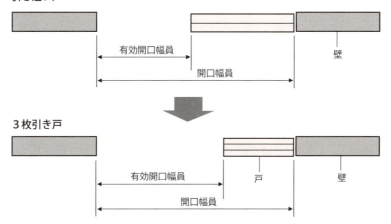

図3-5-12　開き戸用の取っ手

図3-5-13　開き戸の吊元の変更

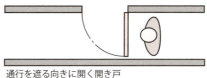
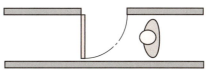

資料：橋本美芽ほか「住宅改造」『福祉用具プランナーテキスト　第10版』公益財団法人テクノエイド協会, 434頁, 2019年。

(5) 便器の取り替え

　便器の取り替えは、一般的に和式便器から洋式便器（腰掛便器）に交換する工事を想定している。和式便器の使用は、高齢者にとって負担が大きい立ちしゃがみの動作や、排泄中のしゃ

がみ姿勢を伴う。洋式便器（腰掛便器）に交換することで立ち座りの動作は容易になり，高齢者の負担を軽減することができる。さらに排泄姿勢の安定や，便器からの立ち上がり動作の安定を図るため，手すりの取り付けと組み合わせる。

① 和式便器から洋式便器（腰掛便器）への交換

和式便器の取り外しは，床面に埋め込まれた便器周囲の床面を壊して行う。また，和式便器の下に配置された排便管を洋式便器の取り付け位置へ変更する配管工事，床面の作り直し工事を必要とする。トイレの中に段差を設けて設置する小便器兼用和式便器（汽車式便器，両用便器）を取り外す場合には，床の解体や壁の補修を伴うために工事範囲が大きくなる。

温水洗浄便座を取り付けた場合の洋式便器の便座高さは42cm程度である。小柄な高齢者は，便座に深く腰掛けると足が浮き排泄姿勢が不安定になる場合があるので留意する。

② 簡易改造便器の固定による洋式便器への変更

トイレ内に段差を作り一段高い位置に設置する小便器兼用和式便器（汽車式便器，両用便器）の場合には，既存便器を壊さずに簡易改造便器を上に載せて固定し，洋式便器としての使用を可能にする簡易な工事方法がある（**図3-5-14**）。温水洗浄便座を取り付けることも可能である。ただし，簡易改造便器は床面に固定することが必要であり，既存便器に載せるだけの腰掛便座は住宅改修の対象ではない。

(6) その他

① 照明

高齢者は視機能の低下により，暗い場所での段差が見えにくい。夜間にトイレまで移動する通路は天井照明の増設や足元灯の設置により明るい空間にすることが望ましい。実際には，より簡易な方法として市販の足元灯を床面に置き，影を分散させて足元周りの暗がりを明るくする工夫がある。

② 冷暖房

冷暖房機器を活用して室温管理に配慮する。特に，暖かい部屋から寒いトイレや浴室に移動すると，温度差により血圧が急激に変動してヒートショックを引き起こすことがある。対策として，トイレ・洗面室・浴室に暖房設備を取り付ける。浴室には浴室用の暖房機器を取り付けるとよい。

図3-5-14　簡易改造便器の取り付け

資料：伊藤勝規ほか「福祉用具シリーズVol.21 自立支援のための住環境整備——福祉用具専門職のための建築基礎知識」公益財団法人テクノエイド協会，21頁，2016年。

3 主要室の住宅改修

ここでは、前項の「基本的な整備のポイント」の内容に即して、主要な部屋ごとの配慮事項と住宅改修について述べる。各部屋の特性により配慮すべき内容を理解する。

(1) 玄関

玄関では、高齢者が安全に上がり框（かまち）の段差昇降や、靴の脱ぎ履きを行えるように手すりの取り付けを検討する。上がり框の段差が1段の場合には、段差の直上の位置に縦手すりを取り付ける。縦手すりの下端は高齢者が玄関土間に立った場合の大腿骨大転子の高さに合わせ、上端は玄関ホール側に立った場合の肩の高さから10cm程度上方の高さとする（**図3-5-15**）。ただし、踏み台を設置すると上がり框の段差は階段とみなすことができ、縦手すりは適さない。階段の手すりの取り付け高さ、取り付け位置の決め方に準じて手すりを取り付ける（**図3-5-16**）。

上がり框の段差が高く、高齢者の安全な昇降が難しい場合には、踏み台を設置して段差を2段に分割し、昇降しやすい高さに抑える。この際には必ず対象となる高齢者が昇降しやすい高さを確認し、必要であれば段差を3段に分割することも検討する。踏み台の奥行きは30cm以上を確保する。また、踏み台の幅は50cm以上とする（**図3-5-17**）。ただし、昇降動作につえを用いる場合や、身体を壁方向に向けて横向きに段差を昇降する場合もあるので、動作に合わせて踏み台の寸法を検討する。

なお、靴の脱ぎ履きはバランスを崩しやすい動作であり、段差の昇降動作とは切り離して平坦な場所で行う。いすを用いて座位で行う場合には、いすの立ち座り動作用に手すりを取り付ける。

図3-5-15 上がり框段差の縦手すりの取り付け

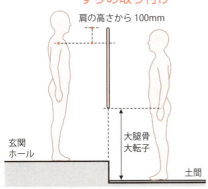

資料：野村歓監、野村歓・橋本美芽ほか『OT・PTのための住環境整備論 第3版』三輪書店、238頁、2021年。

図3-5-16 踏み台と手すりの設置例

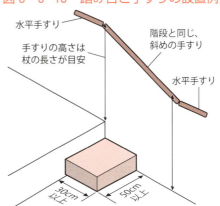

資料：橋本美芽「住宅改修方法の基礎知識」『2023年度版 福祉機器選び方・使い方テキスト』一般財団法人保健福祉広報協会、157頁、2023年。

図3-5-17 踏み台の寸法

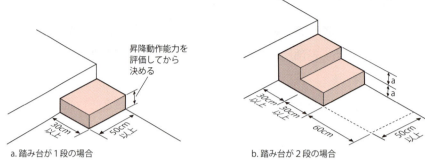

a. 踏み台が1段の場合　　　b. 踏み台が2段の場合

資料：野村歓監，野村歓・橋本美芽ほか『OT・PTのための住環境整備論 第3版』三輪書店，236頁，2021年を一部改変。

(2) 階段

階段には必ず手すりを取り付ける。階段の両側に取り付けることが望ましい。片側のみに取り付ける場合は，下りるときの利き手側に取り付けることを基本とする。また，曲がり階段では外周側に手すりを取り付ける。

なお，片麻痺がある高齢者の場合には常に健側（麻痺のない半身側）の手で手すりを握るので，上るときと下りるときでは反対側の壁の手すりを使用する。必ず両側の壁へ取り付けが必要である。やむを得ず片側のみに取り付ける場合は階段を下りるときに利き手となる側に取り付けるが，必ず高齢者の階段昇降動作を確認して安全性が確保できるか慎重に検討する。また，階段の途中で手すりを握り損ねる危険を避けるため，手すりは階段の上端部から下端部まで途切れることなく取り付ける。

図3-5-18 階段の手すりの取り付け位置

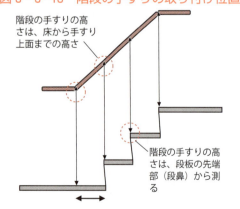

階段の最下端では，下階の床に足が着くまで手すりが必要　手すりは階段1段分だけ長く取り付ける

資料：橋本美芽「住宅改修方法の基礎知識」『2023年度版 福祉機器選び方・使い方テキスト』一般財団法人保健福祉広報協会，162頁，2023年。

階段の手すりの高さは，廊下の歩行用水平手すりの高さに揃える。ただし，階段の手すりは各段の段鼻（段板の先端の角）位置で測り，取り付け高さを一定にする。また，階段を下りる動作は最下段を下りて両足が下階の床に着くまでである。この位置まで手すりを握り続けるため，手すりは最下段の段鼻よりも1段分の奥行きを延長した位置まで取り付ける（**図3-5-18**）。

階段の滑りの防止には，各段の段鼻部分にノンスリップなどの滑り止めを取り付けるとよい。ただしノンスリップが厚いとつまずきやすくなり危険なので，薄型のノンスリップを選定

する。

(3) トイレ

　トイレでは，便器からの立ち上がり動作や便器上での排泄姿勢の安定性を高めるために，便器周囲に手すりを取り付ける。

　便器の横の壁には，立ち上がり動作用の縦手すりと排泄姿勢を安定させる横手すりを組み合わせた形状のL型手すりを取り付ける。立ち上がり動作では，頭部と体幹を前方に傾けながら手すりを引っ張り，身体の重心を前方へ移動させて臀部を持ち上げやすくするので，縦手すりを引っ張りやすい位置に取り付けることが重要である。縦手すりは便器の先端より25〜30cm程度離れた位置に取り付ける（**図3-5-19**）。ただし，この寸法は目安であり，必ず高齢者とともに使いやすい手すりの位置を確認してから取り付ける位置を決定する。縦手すりは，便器前に立って下衣を脱ぎ着する際に握る，または寄りかかり姿勢を保つことにも用いる。L型手すりの縦手すりは寄りかかりを想定して80cm程度の長さが採用されている。

　また，便器上での座位や排泄の姿勢を保ちやすくするために，L型手すりの横手すり部分を使用して肘を乗せたり手すりを握ったりする。横手すりの高さは，便座から22〜25cm程度上方の位置である。さらに，手すりに手が届きやすいよう，便器と壁の距離も重要である。便器の中心線と壁までの距離は40cm程度とする。これよりも便器と壁が離れると手すりを握りにくくなる。特に脳血管障害による片麻痺者のように，利き手を活かしやすい手すりの配置が重要な場合には，便器の配置に配慮する（**図3-5-20**）。

　便器の交換については，前項を参照していただきたい。

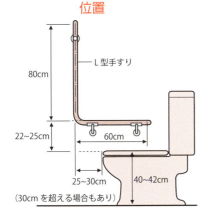

図3-5-19　L型手すりの取り付け位置

資料：橋本美芽「住宅改修方法の基礎知識」『2023年度版 福祉機器選び方・使い方テキスト』一般財団法人保健福祉広報協会，166頁，2023年。

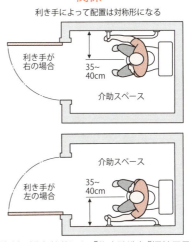

図3-5-20　便器と手すりの位置関係

資料：橋本美芽ほか「住宅改造」『福祉用具プランナーテキスト 第10版』公益財団法人テクノエイド協会，442頁，2019年。

(4) 浴室

　浴室の入り口には10〜15cm程度の段差がある。脱衣室へ水の侵入を防ぐ目的で浴室床面（洗い場）を下げて造るためであるが、浴室への移動を妨げる原因になりやすい。浴室の床面をかさ上げして段差を小さくすると浴室内に入りやすくなる。ただし、浴室床面をかさ上げすると、浴槽は現状よりも床面に深く埋められ、浴室床面から浴槽縁までの高さは低く、浴室床面と浴槽の底の高低差は大きくなる。これは浴槽をまたぎにくく、特に浴槽から出にくくする環境への変更であり、安全性への負の影響が大きい。特に洗い場から浴槽縁までの高さが35cm以下になる場合には、入り口段差の解消を優先することは適切ではない。このように、浴室入り口の段差と浴槽縁までの高さ、浴槽の底の高さは相互に関係し合っている。入り口段差の解消と浴槽のまたぎやすさの両方を改善するには、浴槽の設置高さを修正する必要があり大がかりな工事となる。浴槽の交換と組み合わせる工事の際に検討する場合が多い。

　浴室床面のかさ上げにより入り口段差を解消する場合には、脱衣室への湯水の侵入を避けるために入り口前に排水溝を設置する。排水溝には滑りにくく通行しやすい形状のグレーチング（排水溝のふた）を取り付ける（図3-5-21）。

　浴槽には、和式浴槽、洋式浴槽、和洋折衷式浴槽がある（345頁参照）。高齢者の出入り動作や入浴姿勢に最も適する浴槽は、和洋折衷式浴槽である。

　浴槽をまたぐ動作は片足立ちになる瞬間がありバランスを崩しやすい。必ず手すりを取り付けてまたぎ動作を安定させる（図3-5-22）。浴槽内の立ち上がり動作、入浴姿勢の安定には、浴槽横の壁にL型手すりを取り付けるとよい（図3-5-23）。

図3-5-21　排水溝とグレーチング

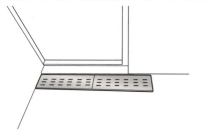

図3-5-22　浴槽またぎ動作用の手すり

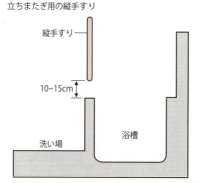
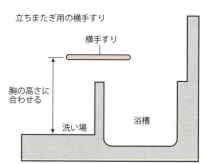

資料：橋本美芽「住宅改修方法の基礎知識」『2023年度版 福祉機器選び方・使い方テキスト』一般財団法人保健福祉広報協会，172頁，2023年。

図3-5-23　入浴動作用の手すり

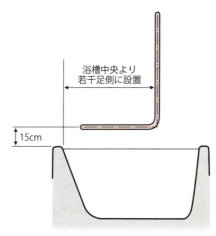

3　介護保険制度における住宅改修

　身体機能が低下して要支援または要介護状態となった高齢者は，介護保険制度を利用して住宅改修費の支給を受けることができる。要支援者は「介護予防住宅改修費」による支給，要介護者は「居宅介護住宅改修費」による支給を受ける。

1　介護保険制度における住宅改修費支給の考え方

　介護保険制度における住宅改修費の支給では，高齢者の自立を支援するために，福祉用具導入の際に必要となる段差の解消や手すりの設置などの工事を支給の対象としている。これは，住宅改修は個人資産の形成につながらないように，また，持ち家の居住者と改修の自由度が低い借家の居住者とが等しく受益できるように考慮された結果である。実際には，支給対象となる工事は高齢者に共通して需要が多くかつ比較的小規模な改修工事であることとされている。高齢者に共通して需要が多い住宅改修とは，起居移動の改善を目的とした住宅改修項目を指す。支給額には比較的小規模な改修工事を想定した上限額が設定されている。

2　支給限度基準額と自己負担額

　介護保険制度における住宅改修費支給では，支給の上限額である支給限度基準額を設けている。支給限度基準額は，居宅介護住宅改修費と介護予防住宅改修費ともに同額の20万円である。このため，住宅改修の工事に費やした20万円までについて住宅改修費の支給申請をすることができ，自己負担割合が1割の場合は9割（上限18万円）が保険で支給され，自己負担額は2万円となる（自己負担割合が2割の場合は8割（上限16万円）支給で自己負担額は4万円，同様に自己負担割合が3割の場合は7割（上限14万円）支給で自己負担額は6万円）。なお，住宅改修の費用が20万円を超えた場合には，その部分は全額自己負担となる。

　住宅改修費は20万円の支給限度基準額の範囲であれば，複数回の支給申請が可能である。また例外として，介護の必要の程度が3段階以上重くなった場合（3段階上昇時）には，再度，20万円まで支給を申請することができる。転居した場合にも転居前の支給状況とは関係なく，転居後の住宅について20万円まで支給を申請することができる。

3　住宅改修費が支給される工事項目

　介護保険における住宅改修費の支給対象となる工事の範囲は以下のとおりである。

(1) **手すりの取付け**

　「手すりの取付け」とは，廊下，便所，浴室，玄関，玄関から道路までの通路等での転倒予防や移動，移乗等の動作を支えることを目的として取り付けるものをいう。例えば，「玄関ポーチおよび道路に出るための屋外通路部分の手すり」「玄関が使用できずテラスから出入りする場合の手すり」はこれに準じる。ただし，「取り外し可能な手すり」は福祉用具とみなされ，対象外になる。

(2) **段差の解消**

　「段差の解消」とは，居室，廊下，便所，浴室，玄関等の各室間の床の段差，玄関から道路までの通路等の段差，または傾斜を解消するための工事である。具体的には，敷居を低くする工事，スロープを設置する工事，浴室の床のかさ上げ等を想定している。ただし，「段差解消機の設置工事」は対象外とされ，取り外し可能な「スロープ」や「浴室内すのこ」は福祉用具とみなされる。

(3) **滑りの防止及び移動の円滑化等のための床又は通路面の材料の変更**

　具体的には，居室の床材の畳敷からフローリングや塩化ビニル系床材等への変更，浴室の床の滑りにくい床材への変更，通路面の滑りにくい舗装材への変更等をいう。例えば，「道路に出るための屋外通路部分」はこれに準じる。「滑り止めのマットを浴室などに敷く」だけでは対象

外である。

(4) 引き戸等への扉の取替え

開き戸を引き戸や折れ戸，アコーディオンカーテン等に取り替えるといった扉全体の取り替えのほか，扉の撤去，ドアノブの変更，戸車の設置等も含まれる。例えば，「重い戸を軽くする工事」「ドアの吊元の変更」「取っ手（ドアノブ）を棒状取っ手に変更」はこれに準じる。また，「引き戸の新設」は対象になることがある。ただし，自動ドアに変更した場合，自動ドアの動力部分は対象外である。

(5) 洋式便器等への便器の取替え

便器の取り替えは，立ち上がり動作を容易にすることを目的とする。例えば，「和式便器から洋式便器（暖房便座，温水洗浄機能付きも可）への取り替え」「便器を高くする工事（補高便座を置く場合は除く）」「居室から遠い和式トイレを取り壊し，居室近くに洋式トイレを新設」「便器の位置や向きを変更する工事」はこれに準じる。また，「1階と2階の2か所のトイレを改修すること」は日常生活を検討したうえで必要と認められれば対象になり，「洋式トイレを和式トイレへ変更する工事」は場合によって対象になる。ただし，「暖房便座もしくは温水洗浄機能付き便座への便器または便座の交換」「和式便器の上に置いて腰掛け式に変更する腰掛け便座」は対象外である。また，非水洗和式便器から水洗または簡易水洗洋式便器への取り替えでは，非水洗から水洗化する給排水設備工事部分は対象外である。

(6) その他前各号の住宅改修に付帯して必要となる住宅改修

この項に該当する付帯工事は，「手すりの取り付けのための壁の下地補強」「浴室の床の段差解消（浴室の床のかさ上げ）に伴う給排水設備工事」「床材変更のための下地の補修や根太の補強」「通路面の材料の変更のための路盤の整備」「扉の取り替えに伴う壁または柱の改修工事」「便器の取り替えに伴う給排水設備工事（水洗化または簡易水洗化に関わるものを除く）」「便器の取り替えに伴う床材の変更」等を想定している。

4 住宅改修費支給の手続き

住宅改修費の支給申請では，改修工事の着工前に支給の事前申請を行い，市区町村から保険給付の対象として適当であることの確認を受ける。また，工事完了後に必要書類を提出して正式な支給申請を行う。市区町村が事前申請のとおり工事が行われたことを確認して正式に決定する。決定後，住宅改修費が支給される。

住宅改修費支給の申請手続きは，原則として以下の手順による。

① **担当ケアマネジャーに相談**
- 住宅改修を申請するときに，ケアマネジャー等が作成する「住宅改修が必要な理由書」が必要になるので，必ず事前に相談する。
- ケアマネジャーがいない場合は各自治体の介護保険担当課に相談する。

② **保険者に住宅改修費の事前申請**
- 工事着工前に保険者に申請を行う。
- 申請に必要な書類は次のとおり。
    - 介護保険給付費支給申請書
    - 住宅改修が必要な理由書
    - 工事見積書
    - 完成予定の状態がわかる図面類
    - 受領委任払いの場合は受領委任状
    - 工事施工前の写真

③ **保険者から住宅改修費の事前承認**

④ **施工・完成**

⑤ **事後申請と支給決定**
- 以下の書類を保険者に提出
    - 領収書
    - 工事費内訳書
    - 工事施工後の写真
    - 住宅の所有者の承諾書
- 住宅改修費が支給される。支給方法には「受領委任払い」と「償還払い」がある。
- 「受領委任払い」とは，申請者が負担割合に応じて費用の1割（または2割，3割）の額を負担し，保険者が住宅改修施工者へ残りの9割（または8割，7割）の額を支払う方法。
- 「償還払い」とは，申請者が先に費用の全額を住宅改修施工者に支払った後に，保険者から負担割合に応じて9割（または8割，7割）の額の支払いを受ける方法。

参考文献

伊藤勝規ほか「福祉用具シリーズvol.21 自立支援のための住環境整備——福祉用具専門職のための建築基礎知識」公益財団法人テクノエイド協会，2016年。

住宅リフォーム・紛争処理支援センター編『増改築相談員テキスト バリアフリーリフォーム』公益財団法人住宅リフォーム・紛争処理支援センター，2023年。

東京商工会議所編『福祉住環境コーディネーター検定試験2級公式テキスト 改訂6版』東京商工会議所，2022年。

野村歡監，野村歡・橋本美芽ほか『OT・PTのための住環境整備論 第3版』三輪書店，2021年。

橋本美芽「住宅改修方法の基礎知識」『2023年版 福祉機器 選び方・使い方テキスト』一般財団法人保健福祉広報協会，2023年。

橋本美芽ほか「住宅改造」『福祉用具プランナーテキスト 第10版』公益財団法人テクノエイド協会，2019年。

第4章 個別の福祉用具に関する知識・技術

第1節 福祉用具の特徴と活用

 **ねらい**

【特徴について】
- 福祉用具の種類，機能及び構造を理解する。
- 基本的動作や日常の生活場面に応じた福祉用具の特徴を理解する。

【活用について】
- 福祉用具の基本的な選定・適合技術を修得する。
- 高齢者の状態像に応じた福祉用具の利用方法を修得する。

 到達目標

【特徴について】
- 福祉用具の種類，機能及び構造を概説できる。
- 基本的動作と日常の生活場面に応じた福祉用具の関わりや福祉用具の特徴を列挙できる。

【活用について】
- 各福祉用具の選定・適合を行うことができる。
- 高齢者の状態像に応じた福祉用具の利用方法を概説できる。

1 起居関連用具

「起居関連用具」とは…

筋力の低下や麻痺などの疾患によって，寝返りや起き上がりが困難になってくると，生活範囲が狭くなり，廃用症候群を起こしやすくなってしまう。離床を助ける用具としても重要な，寝返りや起き上がりなどの起居動作を助ける用具を「起居関連用具」という。

1 介護用ベッド

起居動作のなかで介護用ベッドの果たす役割は大きい。しかし，利用者がベッドのなかで生活をするためではなく，ベッドから離れてどのような生活をするのかということを考えて，ベッドを選択しなくてはならない。

日本人の生活様式から考えてみると，寝具といえばすぐに布団を思いつくほど布団は日本人にとって馴染み深いものである。また，布団を敷けば寝室となり，布団を上げれば居間に早変わりするのも特徴である。寝具としての布団の利点は上げ下ろしができることであるが，上げ下ろしをしなければならないことは欠点でもある。高齢になると起居動作や離床動作が困難になってくると同時に，布団の上げ下ろしに肉体的負担が生じてくる。筋力低下により布団を抱え上げたときの負担や，加齢によるバランス能力低下により布団を抱え上げたときのふらつきなど，ベッドに比べると布団のほうが危険な動作が多いといえるだろう。

和式の生活とは畳に直接座ったり寝ころんだりする生活といえるが，その前に靴を脱ぐ生活ともいえる。玄関で靴を脱いで家のなかに入る生活こそが和式の生活であり，和式というものは，いすではなく座布団を使った生活でなければならないということではない。「2022（令和4）年 国民生活基礎調査」（厚生労働省）によると，**表4-1-1-1**のように要支援者および要介護者では介護が必要になった原因の第3位に骨折・転倒がある。布団や座布団からの立ち上がり動作は上下の重心移動が多く，筋力やバランス反応が低下してくると転倒の危険が増す動作ということであり，高齢になるといつかは，床から立ち上がるよりもいすから立ち上がる動作のほうが安全で，快適な生活を送ることができるようになり，そのように生活習慣を変えなけれ

表4-1-1-1　現在の要介護度別にみた介護が必要となった主な原因（上位3位）

（単位：％）　　　　　　　　　　　　　　　　　　　　　　　　　　　　　　　2022（令和4）年

現在の要介護度	第1位		第2位		第3位	
総数	認知症	16.6	脳血管疾患（脳卒中）	16.1	骨折・転倒	13.9
要支援者	関節疾患	19.3	高齢による衰弱	17.4	骨折・転倒	16.1
要支援1	高齢による衰弱	19.5	関節疾患	18.7	骨折・転倒	12.2
要支援2	関節疾患	19.8	骨折・転倒	19.6	高齢による衰弱	15.5
要介護者	認知症	23.6	脳血管疾患（脳卒中）	19.0	骨折・転倒	13.0
要介護1	認知症	26.4	脳血管疾患（脳卒中）	14.5	骨折・転倒	13.1
要介護2	認知症	23.6	脳血管疾患（脳卒中）	17.5	骨折・転倒	11.0
要介護3	認知症	25.3	脳血管疾患（脳卒中）	19.6	骨折・転倒	12.8
要介護4	脳血管疾患（脳卒中）	28.0	骨折・転倒	18.7	認知症	14.4
要介護5	脳血管疾患（脳卒中）	26.3	認知症	23.1	骨折・転倒	11.3

注：「現在の要介護度」とは，2022（令和4）年6月の要介護度をいう。
資料：厚生労働省「2022（令和4）年 国民生活基礎調査の概況」

ばならないときがくると思われる。その生活習慣の見直しをすることが高齢者にとっての自立支援になるのではないかと考えられる。

　その点から寝具を考えてみても，布団からベッドの生活に変える時期を検討しなければならないだろう。そのときの注意点は，寝室を独立させることである。寝室を独立させることで，日中ベッドもしくは布団から離れる生活を送ることができるからである。そのためには，布団の生活ができなくなってからベッドの生活に変えるというのではなくて，生活習慣の変更に適応できるときに布団の生活からベッドの生活に変えることを考える必要がある。

　ベッドの利点としては，以下のような点がある。

❶　布団の上げ下ろしをしなくてもよい
❷　背上げ機能を利用すると起き上がりがしやすい
❸　昇降機能を利用すると立ち上がりがしやすい
❹　付属品のベッド用手すりを利用すると立ち上がりがしやすい
❺　端座位からの移乗がしやすい
❻　昇降機能を利用して介護を行うと介護者の腰痛を予防できる

　ベッドの欠点としては，以下のような点がある。

❶　生活習慣が変わる
❷　布団に比べてマットレス幅が狭く感じる
❸　部屋が狭くなる（もしくは寝室となる）

❹ 手足移動や座位移動ができなくなる

1 介護用ベッドの役割

　ベッドの役割として重要なのが，寝心地のよさである。寝具として最も優先しなければならない点である。介護用ベッドを必要とする利用者は何らかの疾患により介護が必要になってきた人であり，その利用者がベッドを利用するには，ベッド本体の背上げ機能ばかりでなく，マットレスの機能，すなわち，軟らかさ，硬さ，体圧分散性，通気性などが影響する。その意味でもベッド本体だけでなくマットレスを含めて寝具として捉えなければならない。なお，硬めのマットレスか軟らかめのマットレスかの好みは主観的な要素が強いため，客観的な判断ができないが，寝返りのしやすさからは反発力，褥瘡予防の点からは体圧分散を測定することにより客観的な指標となる。なお，要介護度が高い利用者で心臓や呼吸器に疾患のある場合は，よく眠れるように軽く背上げを行うとよい。腰痛等を軽減させる姿勢はセミファーラー位（**図4-1-1-1**）といい，軽く背上げし膝上げした姿勢である。

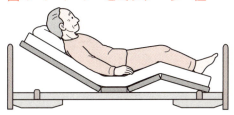

図4-1-1-1　セミファーラー位

　次の役割として，離床動作のしやすさがあげられる。離床動作とは，寝返り・起き上がり・端座位・立ち上がりなどの動作をいう。ベッドはあくまでも睡眠をとる場所であり，日中は起きて過ごすという生活を支援するための役割がある。離床動作を支援する場合には，離床動作とベッドおよびマットレスの機能を合わせて考えなければならない。介護用ベッドであれば，離床動作が楽なのではなく，ベッドの使い方，起き上がり・端座位・立ち上がりの仕方などを正しく伝えることが必要である。

　そして最後に床上動作と介護のしやすさである。床上動作とは，ベッド上で食事・清拭・排泄など生活を行う動作のことである。疾病によりどうしてもベッド上で生活をしなければならない人に対して，ベッド上での生活のしやすさと介護のしやすさ，そして介護方法を介護者に伝えなくてはならない。

2　ベッドの機能

① **背上げ機能**

　背ボトムが70度から75度程度まで上がり，自分で起き上がるのが困難になってきたときの起き上がりを補助する。食事介助時には，30度程度背上げを行う。

② **膝上げ機能**

　膝だけが上がる機能は，背上げをしたときに身体が足側に滑ることを防ぐために使用する。下腿部全体が水平に上がる機能の場合，むくみの軽減を図ることができる。

③ **昇降機能**

　立ち上がりやすい高さにする，端座位を安定させるために利用者の下腿長に合わせた高さにする，介助動作がしやすい高さにする，などの調整の仕方がある。垂直に昇降するものと円弧状に昇降するものがある。

3　介護用ベッドの構造（図4-1-1-2）

① **ベースフレーム**

　ベッド本体を支えている部分で，昇降時にベースフレームは昇降しない。

　ベースフレーム下部の高さは，床走行リフトなどの脚部が入るかどうかに影響する。

② **床板（ボトム）**

　床板の分割枚数や長さ，材質にはいろいろな種類があり，背上げ時の身体のラインに合わせて，ずれや圧迫が少なくなるよう研究開発がなされてきた。しかし，背上げを行うと背部や腹部が圧迫され，寝ている際の位置が足側に下がっている状態など背上げの軸からずれると，背部や腹部の圧迫はさらに強くなる。分割枚数は，4分割がもっとも多く使用されている形状であり，背ボトム・腰ボトム・膝ボトム・脚ボトムに分かれている。長さでは，大腿部に相当する膝ボトムの長さを身長に合わせて選択できたり，調整できる機種もある。材質では，メッシュボトム・プラスチックボトム・鋼板ボトムなどがある。マットレスの下は汗で蒸れてかびが生じることなどがあるので，通気性が問題となることが多い。

③ **ヘッドボード・フットボード**

　ヘッドボードやフットボードにつかまって，伝い歩きをする人もいる。はずしてシーツ交換や洗髪，ずれた身体の修正を行う場合もある。ボードの固定性，着脱機構，着脱のしやすさを確認することが必要である。

④ **手元スイッチ**

　背上げ機構を「あたま」，膝上げ機構を「あし」，昇降機構を「たかさ」と表示し，昇降を

図4-1-1-2　ベッドの構造

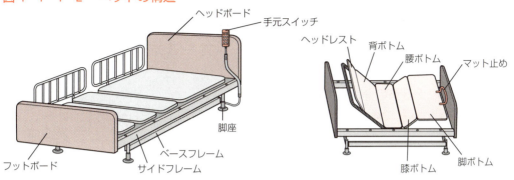

「さがる」「あがる」の言葉や，矢印で表示しているものがある。形状的な持ちやすさ・押しやすさのみならず，視覚的に大きく表示されているか，文字の配色により読みやすいか，「通電表示ランプ」がわかりやすいか，また，コードの形状などにも注意が必要である。

4　特殊寝台付属品

① サイドレール

　寝具や身体の落下予防および寝返り，起き上がりなどの初期動作に利用する。

② ベッド用手すり

　端座位を安定させるときに使用したり，端座位から立ち上がるときの補助に使用したりする。立ち上がるときの補助に使用する場合，バーを握って前傾姿勢をとった後，バーを押して立ち上がる動作を補助する。

③ ベッドサイドテーブル

　テーブルには板型・門型・コの字型・端座位型がある。板型テーブルはベッド柵に載せて使用するテーブルだが，高さ調節ができず取り外しをしなければならない。門型テーブルはテーブルの両側に脚がありキャスタがついていて，高さ調節ができるがベッドの幅がテーブルの脚の幅よりも広いと使用することができない。コの字型テーブルはベッドの下に差し込んで使用することもでき，端座位で使用することもできるが，端座位で使用するときにテーブルの脚部と足が干渉してしまう場合がある。また，両側で支えているわけではないのであまり重いものを載せることはできないことと，脚部がベースフレームと干渉することが欠点である。端座位型テーブルは端座位で使用するテーブルで，背上げをしたときには使用できない。テーブル高さの調節ができるが，脚部がベースフレームと干渉することがある。

④ マットレス

　マットレスの重要な機能として寝心地がある。それには，適度な軟らかさ，通気性などが

重要である。寝心地のほかには，寝返りのしやすさ，起き上がりのしやすさ，端座位の安定性が重要になる。さらに，ベッドの背上げ・膝上げに対する追従性も重要な機能である。マットレスの素材としては，合成繊維，ウレタン，エアー，ウォーターなどがある。

⑤　介助用ベルト

※　詳しくは，285頁の介助用ベルトを参照。

⑥　スライディングボード（移乗ボード）・スライディングシート（移乗シート）

※　詳しくは，287頁のスライディングボード（移乗ボード），289頁のスライディングシート（移乗シート）を参照。

5　起居動作

起居動作を行ううえで，どのようにベッドを利用して動作を行うのか，背上げの方法，自立での寝返りの方法と起き上がりの方法を紹介する。

背上げを行う際，膝ボトムを上げずに背上げだけを行うと，身体が足側のほうにずれてしまう。これはベッドの背上げ時，ボトムの水平方向に対する力が加わることにより，身体が足側にずれてしまうからである。これを防ぐためには，最初に膝上げを行い，次に背上げを行わなくてはならない。しかし，先に膝ボトムを上げても，ボトムの水平方向に対する力が，胸部・腹部を圧迫してしまうため，このような動作を行ったときには，背部の圧迫をとる背抜きを行わなくてはならない（図4-1-1-3）。

起き上がるために背上げ機能を使用する場合には，利用者の状態を把握して，起き上がりができる角度だけ背上げ機能を使用するとよい。

自立の寝返りの方法として多く行われているのが，頭部を回旋させ，寝返る側のサイドレールに（寝返る側の反対側の手で）つかまり，肩・腰・足の順に回旋して側臥位をとる方法である（図4-1-1-4）。

自立の起き上がりの方法としては，

❶　腹筋を使用して正面に起き上がる（図4-1-1-5）
❷　両手をマットレスに突き正面に起き上がる（図4-1-1-6）
❸　両手でサイドレールの端を引っ張りながら正面に起き上がる（図4-1-1-7）
❹　ベッドの背上げ機能を利用し起き上がる（起き上がれる程度まで背上げを利用する）（図4-1-1-8）
❺　側臥位をとり，両足をベッドから下ろして電動の背上げ機能を使用し，端座位をとる（図4-1-1-9）

第1節　福祉用具の特徴と活用　　1　起居関連用具

図4-1-1-3

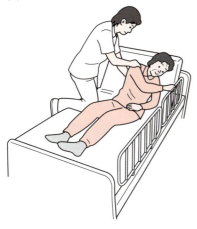

図4-1-1-4

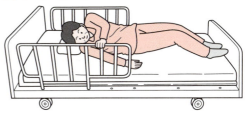

図4-1-1-5

図4-1-1-6

図4-1-1-7

図4-1-1-8

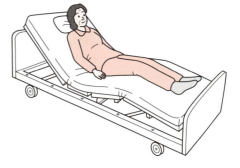

図4-1-1-9

231

などがある。

　自立の立ち上がりの方法としては，ベッド上で，端座位をとった両下肢の足底が床につく高さにベッドを設定し，

> ❶　ベッドに少し浅く腰掛け，ベッドの昇降機能を使用し立ち上がれる高さまでベッドを高くして立ち上がる
> ❷　ベッド用手すりを使用し，ベッド用手すりに手を押し付けながら立ち上がる

などの方法がある。

6　水平感覚

　ベッドの背下げを行ったとき，多くの人は背上げ10度前後で水平と感じてしまう。したがって背上げ角度を0度にすると，頭部が下に落ちたような感覚を生じ非常に不快感を感じてしまう。この不快感をとり除く方法は，ベッドを水平にしてから，介助者はビニール袋やグローブに入れた手で，背中から臀部，踵までさするとよい。

7　股関節軸の合わせ方

　ベッドの背上げを行うときは股関節が軸となる。これは触診できるものとしては大腿骨の大転子に相当するが，立位もしくは臥位のときの大転子の位置は手首の位置に相当する。この大転子を中心として背上げを行うための一般的な軸の合わせ方は以下のとおりである。

> ❶　仰臥位の利用者の最初の位置を上方に移動する（ヘッドボードに枕を付け，その枕に頭を乗せる）
> ❷　脚上げを20度程度行う
> ❸　背上げを40度程度行う
> ❹　脚上げをさらに行う
> ❺　背上げを60度から70度程度行う
> ❻　脚上げを10度程度下げる
> ❼　この状態で股関節軸と背上げ軸がほぼ一致する
> ❽　背下げ・脚下げを行う

　おおむねこの合わせ方を行えば，この後，脚上げ・背上げを行ったときに背のずれや圧迫感も比較的少なく行うことが可能となるが，圧迫の除去は行ったほうがよい。

2 利用が想定される状態像

利用の目的として，寝返り自立のため，起き上がり自立のため，立ち上がり自立のため，起き上がり介助を楽にするため，ベッド上起座位をとるため，立ち上がり介助を楽にするため，ベッド上介助動作を楽にするため，などがある。したがって，利用が想定される状態像としては，

① 何かにつかまれば寝返りができる人
② 何かにつかまれば起き上がりができる人
③ 昇降機能を利用すれば立ち上がりができる人
④ ベッド用手すりを使用すれば立ち上がりが安定する人
⑤ 背ボトムを上げれば起き上がりができる人
⑥ 端座位は不安定であってもベッド上で起きて過ごす人
⑦ 食事介助が必要な人

などが考えられる。

そして特殊寝台の利用前後の動作において，車いすや手すり等の他の福祉用具を活用する際は移乗しやすい設置位置を検討するとよい。

3 介護場面，または利用者自身による使用方法

●ベッド上での介助動作

　ベッド上で背上げをしたり，ベッドに戻るときにベッドの足側に座り，そのまま横になったりしたとき，寝返りを介助するときなどには臥位の位置修正を行わなくてはならないことが多い。ベッド上での上方への位置修正（下方へずれていた場合）の基本としては，摩擦抵抗が生じるところへ滑る素材を敷くことである。その方法は以下のとおりである。

> ❶　利用者本人の腕を組み側臥位になり，スライディングシート（移乗シート）を枕の下から肩甲骨まで敷き込む。できるだけ頭部は自分で上げてもらうようにする。次に，膝を屈曲位にして，臀部を自分で持ち上げてもらい上方に滑らせる（**図4-1-1-10**）
>
> ❷　臀部を自分で上げられない人へは，枕から臀部に長さ120cm程度のスライディングシート（移乗シート）を敷き（**図4-1-1-11**），介助者は臀部を押すが，利用者本人が片手でも動かせる場合は，自分でサイドレールの上のほうをつかんで引っ張ってもらうと，自ら上方へ移動することができる（**図4-1-1-12**）

図4-1-1-10

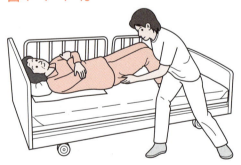

図4-1-1-11

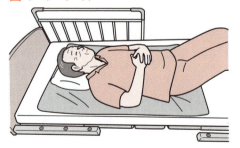

図4-1-1-12

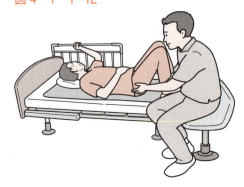

【機能の多様性と事故軽減機能】

　特殊寝台にもさまざまな機能があり，ヘッドアップ機能（**図 4 - 1 - 1 -13**）や傾斜機能（**図 4 - 1 - 1 -14**）などが付いているものもある。機能が増えたことによってリモコンのボタンも多くなった（**図 4 - 1 - 1 -15**）ので，使用方法をわかりやすく説明する必要がある。

　また，2007（平成 19）年 10 月 26 日付で厚生労働省から「福祉用具使用の際の重大事故発生に関する注意喚起のお願いについて」，経済産業省からは「高齢者等の要介護者等における重大製品事故発生に関する注意喚起のお願いについて」が通知されており，手足の挟み込みや転落等の事故に関する注意喚起を行う必要がある。

　リモコンのボタン操作をしないと自動的に電源がオフになったり，ベッド用手すりのスイングアーム部分にロックがかかるようになっている（**図 4 - 1 - 1 -16**）ので，操作方法の説明をわかりやすく行うことと，操作ができているかのモニタリングやフォローアップが重要である。

図 4 - 1 - 1 -13

図 4 - 1 - 1 -14

図 4 - 1 - 1 -15

図 4 - 1 - 1 -16
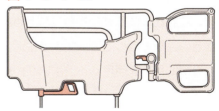

4　利用上の注意点

　ベッドを選択するときには，今まで記述してきたベッドのどの機能を利用者が使用するかを確認するために，利用者の身体機能，介護者の能力，寝室環境を把握し，ベッド選択のためのアセスメントを行わなければならない。そして，ベッドを使用してどの動作が楽にできるようになるのか，どのような介助方法が楽になるのか，などの使用方法まで説明ができなければならない。

　また，設置場所はどのように検討されているのであろうか。利用者の身体機能，生活動作や生活動線，介護者の介護動作を考慮すると，本人の麻痺側，トイレや居間への動線，北枕などの方角，介助方法，それまで使用していたベッドと同様の設置場所にするかどうか（認知症などのケース），寝室家具等の関係，利用者の背上げを行ったときの視線および介護者からの視線，同室に寝る人のスペース，などから優先順位をつけて検討しなければならない。

5　立ち上がり補助用具

　立ち上がり補助用具（立ち上がり補助いす）は，立ち上がりの際に臀部を押し上げて，座面の高さが昇降することにより，利用者の起立を補助するものであり，利用者の下肢筋力を補助することができる。

　立ち上がり補助用具の種類としては，いす式（図4-1-1-17）と座いす式（図4-1-1-18），座面回転式（図4-1-1-19）のものがあり，昇降機能としては，バネやガススプリングを利用したもの，座面を電動で動かすものがある。

　選ぶときの注意点としては，いすの生活，いわゆる洋式の生活をしている場合にはいす式の立ち上がり補助用具を使用するとよいが，座布団など和式の生活をしている場合には座いす式のものを選択するとよい。また，座面回転式のものの場合，車いすから座位で移乗することもできるので，必ずしも立ち上がりを補助するばかりでなく，座位移乗用具といすを兼ねたものということもできる。

　機能としては，昇降機能だけでなく，リクライニング機能（背もたれの角度調整機能）（図4-1-1-20）や座面回転機能（図4-1-1-19）が付いたものもあるので，利用者本人の身体状況や使用環境に応じて選択するとよい。

第1節　福祉用具の特徴と活用　　1　起居関連用具

図4-1-1-17　いす式

図4-1-1-18　座いす式

図4-1-1-19　座面回転式

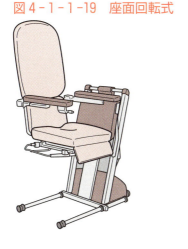

図4-1-1-20　リクライニング機能付き

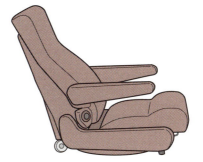

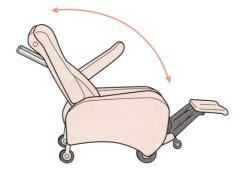

参考文献
　市川洌著者代表『福祉用具支援論―自分らしい生活を作るために』公益財団法人テクノエイド協会，2006年。
　和田光一監著『ガイドラインにそった福祉用具の選定・活用法』財団法人東京都高齢者研究・福祉振興財団，2007年。

2　床ずれ防止関連用具

「床ずれ防止関連用具」とは…

高齢になると，栄養状態が悪くてやせたり，突然脱水状態になるなど褥瘡のリスクが高くなる。褥瘡ができてから褥瘡を治すよりも，いかに褥瘡をつくらないようにするか，予防の視点で支援していくことが必要である。なお，褥瘡を予防するための福祉用具を「床ずれ防止関連用具」という。

1　褥瘡とは

褥瘡とは，血流阻害による皮膚組織の障害で，圧迫，ずれ，湿潤といった外力が骨突出部位に加わり，皮膚の血流が途絶え，組織障害を起こした状態のことをいう。

2　褥瘡発生のメカニズム

高齢になると，加齢等により低栄養を起こしやすくなったり，食事の量の低下などにより貧血や脱水症状も起こしやすくなったりする。また，やせていることや抵抗力の低下，組織の耐久性低下などによっても褥瘡を起こしやすくなる。

さらに，全身的な要因として，意識障害・神経麻痺・低活動・浮腫・拘縮・骨突出があると褥瘡発生のリスクは高くなり，そこに圧迫・ずれ・摩擦・湿潤・化学性刺激などが加わり，皮膚組織が壊死を起こして褥瘡になる。

3　褥瘡の原因

褥瘡の原因としては，圧迫・ずれ・湿潤・栄養不良が考えられる。

1 圧迫

　圧迫とは，皮膚に対する垂直な力をいう。参考基準値としては体表面接触圧 32mmHg 以下にして，体位変換は2時間以内といわれている。また，病的骨突出や関節拘縮，浮腫，意識状態の低下，感覚麻痺があるとより圧迫を起こしやすくなる。

★ 骨突出

　腹臥位に寝ていて仙骨部に対する臀筋の高さで骨突出度を測る方法である。側臥位で計測してもかまわないといわれている。骨突出が高度であるほど，褥瘡のリスクは高くなる（**図4-1-2-1**）。

図4-1-2-1　骨突出度の分類
①骨突出なし……臀筋の方が仙骨部より高い
②軽度……………臀筋と仙骨部の高さがほぼ同じ
③中等度…………臀筋より仙骨部の方が高い（2cm未満）
④高度……………臀筋より仙骨部の方が高い（2cm以上）

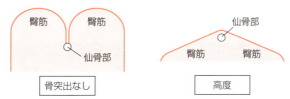

資料：市川洌著者代表『福祉用具支援論－自分らしい生活を作るために』財団法人テクノエイド協会，191頁，2006年を一部改変。

2 ずれ

　皮膚に対する平行な力をずれ力という。体表面のずれは圧迫と同時に起こることが多くある。汗をかくからといってマットレスの上にバスタオルを敷いている利用者を見るが，バスタオルは通気性をよくするものではなく，また乾燥している状態であっても摩擦係数が高いので，ずれ力は大きくなってしまう。

3 湿潤

　皮膚が湿潤していると，皮膚のバリア機能（防御機能）が低下し，皮膚がふやけた状態では，皮膚の結合組織が脆弱になり，損傷を引き起こしやすくなる。また，失禁している場合，尿は放置しておくとアルカリ性に傾き，細菌感染しやすくなり皮膚刺激性が高まることから褥瘡が発生しやすくなる。そして，湿潤は，皮膚と寝具の摩擦係数を高め，ずれ力を増大させてしまう。

4 栄養不良

栄養不良を起こすということは，褥瘡発生予防のための必要な栄養がとれないことであり，褥瘡発生のリスクを高めるだけでなく，褥瘡の治癒を遅らせてしまう。目安としては，血清アルブミン値の低下・貧血・るいそう・浮腫・脱水があげられる。

4 皮膚の構造

皮膚の表面には表皮があり，その下には真皮，皮下組織（脂肪），筋肉，骨組織がある。

5 褥瘡の分類

皮膚を観察するうえでも，褥瘡の重症度を深さの分類から行うと把握しやすいので，ここではNPUAP (National Pressure Ulcer Advisory Panel)の分類を紹介する（**表4-1-2-1**）。

表4-1-2-1　NPUAPの分類

深部組織損傷疑い（suspended DTI）―深さ不明
ステージⅠ……圧迫を除いても消退しない発赤
ステージⅡ……真皮までにとどまる皮膚の傷害，水疱やびらんなどの浅い潰瘍
ステージⅢ……傷害が真皮を越え，皮下脂肪層にまで及ぶ潰瘍
ステージⅣ……傷害が筋肉や腱，骨にまで及ぶ潰瘍
ポケット………すでに発生している褥瘡に，ずれによる力が加わって空洞が生じる難治性の褥瘡
判定不能………皮膚又は組織の全層欠損―深さ不明

6 褥瘡のできやすい部位

仰臥位で褥瘡ができやすい部位は，後頭部・肩甲骨部・肘頭部・仙骨部・踵部である。また側臥位では，腸骨部・大転子部・外果部など，腹臥位では，陰部・足尖部などである（**図4-1-2-2**）。さらに座位では，肘・尾骨・坐骨結節で褥瘡ができやすい。

図4-1-2-2　褥瘡の好発部位

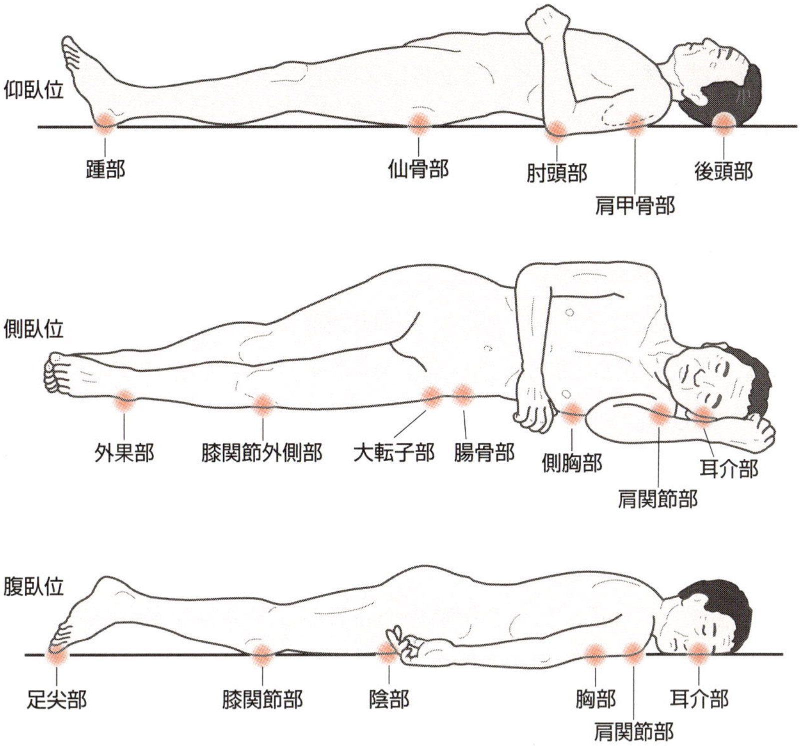

仰臥位: 踵部、仙骨部、肘頭部、肩甲骨部、後頭部

側臥位: 外果部、膝関節外側部、大転子部、腸骨部、側胸部、肩関節部、耳介部

腹臥位: 足尖部、膝関節部、陰部、胸部、肩関節部、耳介部

資料：水戸美津子編『新看護観察のキーポイントシリーズ　高齢者』中央法規出版，281頁，2011年。

7 床ずれ防止用具

1 床ずれ防止用具の役割

　床ずれ防止用具の役割は，圧の再分配である。圧の再分配とは，第一に身体を支える面積を広くするためにマットレスに沈めること，第二にマットレスの形を変える包み込む順応性，第三に接触面を時間的に変化させる接触領域の変化である。

　しかし，床ずれ防止用具を使用しても，ベッド上で背上げを行うとずれ力が発生したり，接触面積が広くなるため汗をかき，湿潤状態になったりして褥瘡発生のリスクが高くなることがあるので気をつけなければならない。

2　床ずれ防止用具の種類

　床ずれ防止用具には，オーバーレイ（マットレスの上に敷く上敷きタイプ）・リプレイスメント（マットレスをはずしてそのまま使用するタイプ）がある。そのなかで，体圧分散マットレス（静止型・高機能静止型）と圧切り替え型エアマットレス（**図 4 - 1 - 2 - 3**）があり，圧切り替え型エアマットレスのなかに高機能エアマットレス（**図 4 - 1 - 2 - 4**）と体位変換機能付きエアマットレスがある。体位変換機能付きエアマットレスのなかにはリモコンに体圧分散モニターが付き，臥床時は静止型マットレスとして体圧調整し，30 分体動がなければエアマットレスが圧切り換え型になり，また 30 分体動がなければ除圧のための低角度の体位変換を行う（**図 4 - 1 - 2 - 5**）ものがある。

　体圧分散マットレスの材質には，ウレタン，ウレタン＋エアセル，ウレタン＋ゲルのものがあり，圧切り替え型エアマットレス・高機能エアマットレス・体位変換機能付きエアマットレスの材質にはエアセルのものがある。

　オーバーレイの注意点として，底付き確認がある。ウレタン製の場合には体重を目安として材質が異なるものがあるので，利用者の体重に合わせて選択をするとよい。エアセルの場合には，マットレスとエアマットレスの間に手を入れ，仙骨部分とマットレスの間に第一関節程度のゆとりを確認するが，このとき仙骨部分のセルはエアが抜けている状態で確認をすることが必要になる。

図 4 - 1 - 2 - 3　圧切り替え型エアマットレス（エアセル）

図 4 - 1 - 2 - 4　高機能エアマットレス

図 4 - 1 - 2 - 5　体位変換機能付きエアマットレス

3 床ずれ防止用具の構造

体圧分散マットレスの構造は、クッション材によってマットレスと身体との接触面積を増加させることによって、身体による荷重を分散させる構造になっている。

圧切り替え型エアマットレスの構造は、セル内の圧力を変動させることによって、身体の保持部位を周期的に移動させる構造になっている。

8 体位変換器（起き上がり補助装置）

体位変換器とは、空気パッド等を身体の下に挿入し、てこ、空気圧、その他の動力を用いることにより、仰臥位から側臥位または座位への体位の変換を容易に行うことができるものをいう（図4-1-2-6）。また、仰臥位から座位への体位の変換を行う機器も給付対象となっている（図4-1-2-7）。そして、エアセルの下に小さな角度での体位変換を行うセルが付いている体位変換器もある。

体位変換については、単に変換することが目的ではなく、圧からの解放やリラックス、筋緊張の抑制などの目的に応じて、ポジショニングを行う必要がある。

体位変換での注意点として、90度側臥位をとると大転子部などに圧が集中し、褥瘡になる可能性が高くなってしまうことがあげられる。一般的には30度側臥位が推奨されるが、仙骨部および大転子部ともに圧の軽減を図ることができる体位だからである。

体位変換を行わなくてはならない利用者は、自分で寝返りを打つことができないばかりでなく、不安定な体位によりリラックスできないことが多いため、体幹および骨盤周囲が安定するようにポジショニングを行い、頸部・上肢・下肢の緊張をとることが必要である。

図4-1-2-6

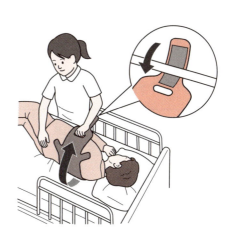

図 4-1-2-7

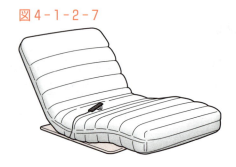

9 マットレスの選定

① 褥瘡のステージからマットレスの選定を行うと、ステージなし・ステージⅠ・ステージⅡの場合は、軽度リスク群として、静止型体圧分散マットレス・静止型高機能体圧分散マットレス・圧切り替え型エアマットレスが適用になる。ステージⅢ・ステージⅣの場合は中等度・高度リスク群として、静止型高機能体圧分散マットレス・圧切り替え型エアマットレス・高機能エアマットレス・体位変換機能付きエアマットレスが適用になる。
② リスク度から考えた場合、OHスケール（**表 4-1-2-2**）のレベルからみたマットレスの選定（**表 4-1-2-3**）を参考にしてみると、OHスケールのスコアが1〜3点の場合は軽度レベル、4〜6点では中等度レベル、7〜10点では高度レベルとなる。

表 4-1-2-2　OHスケール
褥瘡危険要因点数表（全患者版）「OHスケール」

①	自力体位変換能力 意識状態の低下 麻酔・安静度・麻痺	できる 0点	どちらでもない 1.5点	できない 3点
②	病的骨突出（仙骨部）	なし 0点	軽度・中程度 1.5点	高度 3点
③	浮　腫	なし 0点	あり 3点	
④	関節拘縮	なし 0点	あり 1点	

資料：堀田予防医学研究所 HP

表4-1-2-3　OHスケールレベルからみたマットレスの選定

合計点	患者の危険度レベル	マットレス
0点	リスクなし	普通・やや軟らかめ
1〜3点	軽度リスク	静止型マットレス
4〜6点	中等度リスク	高機能静止型マットレス 圧切り替え型エアマットレス
7〜10点	高度リスク	高機能エアマットレス 体位変換機能付きエアマットレス

参考文献

市川洌著者代表『福祉用具支援論―自分らしい生活を作るために』公益財団法人テクノエイド協会，2006年。
一般社団法人日本褥瘡学会　https://www.jspu.org/medical/glossary/

3 移動関連用具

「移動関連用具」とは…
　下肢の運動障害や麻痺などによって歩行が困難な状態や，ふらつき，転倒の可能性がある状態のときに，屋内外の経路の状況に合わせて，しっかりと立位や座位を支え，保ちながら移動できるようケアするための用具を「移動関連用具」という。

1 車いすの基礎知識

1 車いすとは

　車いすは福祉用具のなかではベッドの次によく知られている。最近，障害者が車いすで外出する機会も増えそのニーズの高まりとともに，使いやすいものが次々と登場してきている。また，公共建築物などにみられる車いすマークは，障害者のシンボルとして広く知られるようになった。

　車いすは，今や歩行が困難な人を移動させるだけの道具ではなく，障害者自身の足であり，身体の一部としての機能が求められている。最近では長時間座り続ける人も増えており，長く過ごす人にはいすとしての機能も欠かせない。座位がしっかりと保てるようにすることも大切になっている。身体を車いすに合わせるのではなく，車いすを利用者の身体の状態や体形に合わせたものでなくてはならない。最近はモジュールタイプといって車いすをいくつかのパーツとして捉え，身体の状態に合わせてパーツを組み立てて調節機能を重視したものが主流になってきた。例えば座幅が広すぎると身体が傾いてしまうし，自力では移動しにくくなる。座幅，座面の奥行，車輪の位置，肘掛けの高さなども調節できる。車いすは障害者の意識を変え，生活範囲の拡大に一役買っている。このことにより，日常生活動作（Activities of Daily Living：ADL）や生活関連動作（Activities Parallel to Daily Living：APDL），生活の質（Quality of Life：QOL）は著しく改善されている。

2 車いすの構造

車いすは，一般的には「いす」といわれているが，材質や構造からは「自転車」に近く，ブレーキや車輪も自転車と共通するものがある。

車いすの構造は，身体を支持するためのいす部，フレーム部（骨組み），車輪および駆動・制御装置などの四つの基本要素からなっている。フレームの構造は折りたたみ式，固定式，分解式のものがある。各部分の名称は**図4-1-3-1**に示すとおりである。

① グリップ（握り）

車いすを押すときに介助者が握る部分。坂道などが多い所では，介助者用の手元ブレーキを付けることをすすめたい。また，握りの高さを変えることができると介助者の腰への負担が少なくなるが，まだ一部の車いすにしか付いていない。

② バックサポート（背もたれ）

バックサポートは，座面（シート）との角度が変わらない固定式と，後方へ傾斜角度が変えられるリクライニング式とに分かれる。バックサポートの高さは肩甲骨最下部の位置を一つの目安とする（**図4-1-3-2**）。これは，車いすを移動させる場合，車いすのハンドリム（車輪の外側についている円形の握り）を回すときに，上肢に連動する肩甲骨の動きを妨げないようにするためである。リクライニング式では背もたれは上体を支えられなくてはならないために，頭部までの高さがあるものが一般的である。また，車に積み込みやすいように，肘掛け（アームサポート）の高さ付近で，バックサポートが折りたたみできるものが一般的

図4-1-3-1　車いすの構造（自走用標準型車いす）

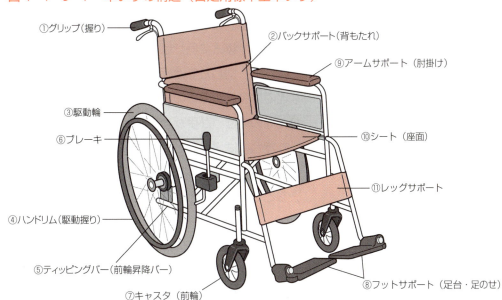

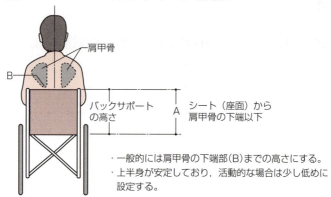

図4-1-3-2　バックサポートの高さ

・一般的には肩甲骨の下端部(B)までの高さにする。
・上半身が安定しており，活動的な場合は少し低めに設定する。

資料：財団法人介護労働安定センター編『自立支援・介護支援のための福祉用具の使い方』29頁，2003年。

である。

③　駆動輪

　自走用標準型車いすは，駆動輪が後方にある。駆動輪の大きさは，22，24インチが最も一般的に使用され，タイヤは，普通自転車のタイヤと同じ太さのものが多く用いられている。タイヤは空気入りのタイプと中空部分がないソリッドタイヤがある。屋内などの比較的平らな場所での使用では空気を入れる必要がないソリッドタイプをすすめたい。

図4-1-3-3　ハンドリムと部分図

④　ハンドリム（駆動握り）

　駆動輪の外側に固定されたタイヤよりひと回り小型の輪のこと。これを両手で回すことにより，駆動輪を回転させる。左右のハンドリムを同じ力で前方に回せば直進し，後方に回せば後退する。片方のハンドリムを回せば，回した側と反対に方向転換ができる。冬期などでは金属製のものよりも，プラスチックでつくられたもののほうが手が冷たくならないし，握力が低下した場合にはゴムなどの滑り止めを巻いたり，波形を付けたりして操作しやすくする。滑り止めが付いた手袋などもある。

⑤　ティッピングバー（前輪昇降バー）

　介助者が段差越えのときなどに，このバーを足で踏み，キャスタ（前輪）を持ち上げる。これにより段差越えが容易になる。バーは長めのほうが踏む力は少な

図4-1-3-4 ティッピングバーの部分図と使い方

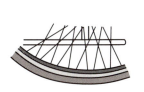

くてすむ。このバーに後方転倒防止用の車輪が付けられるものもある。自走用として使用するときには後方転倒防止用の安全装置となるものもある。

⑥ ブレーキ

左右の駆動輪のそれぞれにブレーキが付いており，レバー式とリンク式とがある。構造はレバー式のほうが簡単だが，操作するには少し力がいる。後方車輪のタイヤを直接押さえるものが一般的なために，タイヤの空気圧をいつも注意していないとブレーキのききが悪くなる。

⑦ キャスタ（前輪）

一般に車いすの前輪はキャスタ（自在輪）で，普通はソリッドタイヤが使われている。キャスタの役割は，方向転換，回転などの走行を自由にすることである。不整地などでの使用には空気入りタイヤのものもあるが，路面抵抗は大きくなる。

⑧ フットサポート（足台・足のせ）

車いす使用者の足部を支える部分。車いすのフレームと一体となっているものが多いが，ベッドに移るときにぴったり寄せられるように，スイングアウト式，取り外し式になっているものもある。取り外し式になっている車いすはまだ一部のものだけだが，移乗介助者への負担や屋内での操作性を考えるとこれからの車いすにはこの機能は絶対に必要なものである。

⑨ アームサポート（肘掛け）

肘を置いたり，座位のバランスを補助する。車いすに乗り降りするときの支えになり，動作が安定する。標準タイプとデスクタイプがあり，それぞれ固定式，取り外し式，両開き式などがある。デスクタイプは前方が低くなっており，机やテーブルにより近づくことができる。肘掛けの高さは座位保持の改善にも影響する。座面に乗せる体圧分散クッションはメーカーにより厚みが異なるので，肘掛けの高さを変えられるほうがよい。高さは肩の力を抜いて腕を下げ肘を直角に曲げた位置より1～2cm高めにするとよい（図4-1-3-7）。また，肘掛けが後方に移動することができたり，取り外すことができると，ベッドから移乗すると

きに頭や腰の上下動がない水平移乗が可能となり，本人の自立を助けることにも，介助者の介助量の軽減にも役立つ。

図 4 - 1 - 3 - 5　フットサポート長

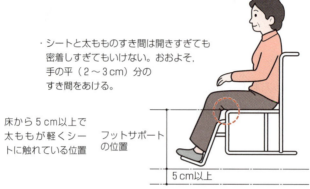

・シートと太もものすき間は開きすぎても密着しすぎてもいけない。おおよそ，手の平（2～3 cm）分のすき間をあける。

床から 5 cm 以上で太ももが軽くシートに触れている位置

フットサポートの位置

5 cm 以上

資料：図 4 - 1 - 3 - 2 に同じ，29頁。

図 4 - 1 - 3 - 6　アームサポートの標準タイプとデスクタイプの部分図

標準タイプ　　　デスクタイプ

図 4 - 1 - 3 - 7　アームサポートの高さ

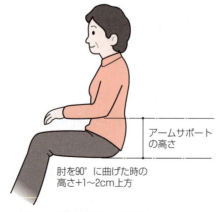

アームサポートの高さ

肘を90°に曲げた時の高さ+1～2cm上方

（高すぎる場合）
肩が押し上げられ疲れるため，アームサポートは使用せず，上肢を遊ばせておくことがある。

（低すぎる場合）
肩が下がり，前傾姿勢や後傾姿勢をとるため，腰部に負担がかかり疲れやすくなる。

・クッション使用時には，そのクッションの厚みを考慮する。

資料：図 4 - 1 - 3 - 2 に同じ，29頁。

⑩ シート（座面）

座席の部分で，一般的には使用者の腰幅に4～5cm余裕をもたせる。奥行は，膝の裏がシートに当たらないように約4～5cm短くする（**図4-1-3-8**）。通常はクッションを乗せて使う。使いはじめは左右にしっかりと張っており，座り心地もよいが，体重で徐々に伸びてくる。そのために臀部がはまってしまうのが欠点である。最近，この布シートの代わりに硬い板を使いながら，折りたたみが可能になった車いすが開発されている。以前と比べると座位時間は長くなっているので，できるだけ使用者の腰部の寸法や状態に合ったものを使用するようにしたい。

⑪ レッグサポート

下肢が後方に落ちないように支えるベルト。車いすへ移乗の際，邪魔になることもあるので不要であれば取り外すこともできる。

図4-1-3-8 シート（座面）の幅と奥行

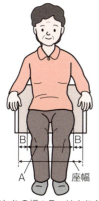

A：おしりの幅＋B：ゆとり4～5cm
・おしりの横で手のひらが両方とも入るくらいのゆとりが必要。

資料：図4-1-3-2に同じ，28頁。

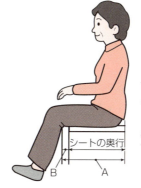

（座面の奥行が長い場合）
下肢の血行障害，皮膚の損傷のもとになる。

（座面の奥行が短い場合）
おしりにかかる圧力が大きくなり，ずり落ちやすくなる。

A：おしりの最後部～膝の後ろ部分－B：約4～5cm
・シートがおしりと太ももに添い，体重を分散させることが大切である。

3 車いす座位

　高齢者は，車いす上での姿勢が崩れやすく，車いすに座りたがらない場合がある。したがって，利用者の身体に合った車いすを選び適切な姿勢を保持できるようにすることが大切である。
　基本的な姿勢は次のようになるが，絶えずこの姿勢で座らなければならないわけではない。

- 骨盤が少し立った姿勢にする（**図4-1-3-9**）。
- 脊柱は全体としてS字の形をとり，腰椎は若干前弯し，胸椎は少し後弯する。
- 腰椎の後ろがバックサポートで支えられている姿勢である。
- 頭が脊柱の上に乗り，安定した状態である。
- フットサポートの高さを調節して，大腿部が座面できちんと支持されている状態にする。
- 前から見たとき，骨盤は水平で，脊柱は直立している。
- 上から見たとき，骨盤は平行で，大腿も左右対称になる。
- 腰椎の後ろが支えられると，骨盤が中立位になり，後傾しにくくなる。
- 下肢の重量を足部と大腿部で均等に負担する。身体のずれが小さくなり，体圧が平均化される。
- 骨盤が平行でないと，体幹が左右に傾きやすくなる。この傾きを修正するために，脊柱が曲がる。頭や体幹の重みによって脊柱はさらに曲がる方向に力が加わる。
- 骨盤の左右が前後にずれていると，体幹や首が回旋する。
- 骨盤が前傾すると，体幹が前に倒れやすくなり，アームサポートやテーブルに腕をついて体重を支えなければならなくなる。
- 骨盤が後傾すると，体幹と頭の重みによって骨盤が前に押し出され，脊柱が弯曲した姿勢になる（**図4-1-3-10**）。

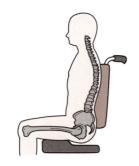

図4-1-3-9　望ましい姿勢

資料：財団法人東京都高齢者研究・福祉振興財団編『高齢者・障害者の生活をささえる福祉機器Ⅱ』100頁，2003年。

図4-1-3-10　骨盤が後傾した姿勢

資料：図4-1-3-9に同じ。

<高齢者の姿勢の崩れ>

●骨盤が後傾した姿勢

この姿勢が起こる原因の代表的なものは，次のとおりである。

❶座面の奥行が長すぎて腰椎後部が支えられない。

図4-1-3-11　座面の奥行が長すぎる

資料：図4-1-3-9に同じ，101頁。

❷肘掛けの高さが適正でない。

図4-1-3-12　肘掛けが低いため，骨盤が後傾している

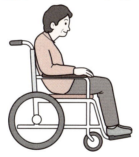

❸フットサポートと座面との距離が下腿長より長い。

図4-1-3-13　フットサポートと座面までの距離が長い

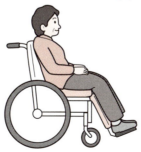

資料：図4-1-3-9に同じ，101頁。

❹骨盤を正しい位置にすると体幹バランスが悪くなる。これを改善するため臀部を少し前にずらし，骨盤を後傾させて体幹バランスを安定させている。

❺股関節の伸展拘縮や股関節筋の異常筋緊張など身体機能による場合。

【対策】

次のいずれか，あるいはいくつかを試してみる。

❶下肢の寸法に合わせる。

　座面の奥行を身体の大きさ（大腿長）に合わせる。膝裏に若干余裕がある程度の長さにする。

　フットサポートの高さを調節する。

❷座面角度をつける。

　座面の前を上げるとお尻が前に滑りにくくなり，骨盤の傾きが維持されやすくなる。ティルト機構[▶1]を利用すると，移乗時には座面を平らに，また必要に応じて座面角度をつけることができる。

　前が高くなっているクッション（**図4-1-3-14**）を使っても同じ効果が得られる。

図4-1-3-14　前が高くなっているクッション

資料：図4-1-3-9に同じ，101頁。

● **円背による姿勢**

　この姿勢を矯正すべきかどうかは理学療法士や作業療法士の判断を確認すること。

図4-1-3-15　円背

資料：図4-1-3-9に同じ，101頁。

【対策】

次のいずれか，あるいはいくつかを試してみる。

❶バックサポート形状を円背に沿わせる。

　バックサポートの張りを部分ごとに調整できる（**図4-1-3-16**）車いすを選び，背の当たる部分の張りを緩める。

▶1　車いす本体に対してシート（座面）の傾斜角度を利用者の身体状況に合わせて自由に変えられるようにしたもので，シートのみ傾斜するものとシート（座面）とバックサポート（背もたれ）のつくる角度を一定に保ったまま傾斜できるものがある。腰部が前方にすべりやすい場合や円背の人などには傾斜をつけたほうが座位姿勢が安定する。

図4-1-3-16 張りを部分ごとに調整できるバックサポート

資料：図4-1-3-9に同じ，102頁。

図4-1-3-17 バックサポートの角度を大きくし，背にあてものを入れる

資料：図4-1-3-9に同じ，102頁。

❷バックサポートの角度を大きくし，背にあてものを入れる（**図4-1-3-17**）。

● **骨盤が左右に傾く姿勢**

片麻痺などでよく見る姿勢。

体幹全体が麻痺側に傾き，骨盤自体も左右で高さが異なっている。両手を骨盤に当ててみると高さの違いでわかる。

体幹の傾きを修正するために，脊柱がＳ字状になりがちである。

【対策】

❶まずは理学療法士や作業療法士に相談してから対応を考える。
❷クッションを利用して骨盤の左右の高さを調整する。
（エア式クッションのなかに，左右で空気圧を変えられるものがある。）
❸アームサポートの高さを調節する。

● **両下肢が内側に寄る姿勢**

股関節筋の異常筋緊張で，大腿が内側に寄ってくる。これが原因で股関節の前後差が生じたり，骨盤の後傾が起こる。体幹も回旋したり，左右に傾いたりする。

【対策】

内転防止パッドを股の間に固定する（**図4-1-3-18**）等。

図4-1-3-18 内転防止パッド

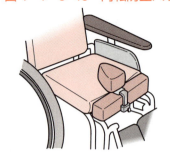

資料：図4-1-3-9に同じ，102頁。

● **体幹が左右に傾斜する姿勢**

　　体幹が左右に傾き，アームサポートにもたれたり，場合によっては横に崩れたりしてしまう姿勢である。体幹を直立する筋力が弱い場合や姿勢調節機能に障害がある場合に現れる。股関節の内転が原因になっている場合もある。

【対策】

次のいずれか，あるいはいくつかを試してみる。

❶アームサポートの高さを調節し，両肘をしっかりとアームサポートに乗せる。
❷座面がスリング・シート（帆布の座面）の場合は，合板を座面に固定して，その上にクッションや，船底型のクッション（**図4-1-3-19**）を使うなどし，座面を平らにする。
❸座面をティルトし，体重を広い面積で受けるようにする。

　　バックサポートクッション（**図4-1-3-20**）のなかには，これらの機能を備えた商品があるので，バックサポートクッションを使用することもよい。

図4-1-3-19　船底型クッション　　　図4-1-3-20　バックサポートクッション

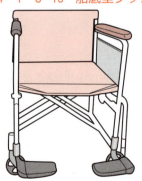 

資料：図4-1-3-9に同じ，102頁。

＜**姿勢修正のしかた**＞

　　車いすの姿勢保持機能が十分でないと，だんだん姿勢が崩れてくる。
　　骨盤が後傾した姿勢になったときは，いくつかの修正方法がある。

図4-1-3-21　後方から介助する方法

① ②

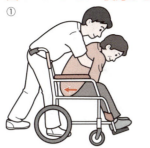
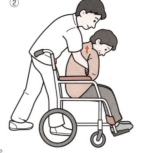

資料：図4-1-3-9に同じ，114頁。

●後方から介助する方法

❶介助者は足を広げ，腰を低くして介助する。正しい姿勢をとらないと，腰痛の原因になる。
❷介助者は車いすの後ろからかがみ込む。
❸本人の両肘を曲げ，両前腕をあわせて，手で持つ。
❹本人の体幹を前屈させて，介助者は本人の腕を自分の側に引き寄せるようにする（**図4-1-3-21**①）。

　体幹を前傾させればさせるほど，本人の臀部の体重負荷が減少するため楽に引き寄せることができる。

　この変形として，介助者が後ろから同様に腕を抱えて持ち上げる方法がある。
　クッションの滑りが悪いときや本人の体幹を前傾させられないときなどにはこの方法になる（**図4-1-3-21**②）。

　介助者にとってはこの方法のほうが腰に対する負荷が大きくなるため，正しい姿勢で介助することが必要である。

　簡単な道具を使う方法もある。
　片足の大腿の下にタオル等を敷き，後ろから若干持ち上げるようにしながら後ろに引く。
　反対側の大腿を同様にし，2～3回繰り返して骨盤が平行になるように調整する。

●前方から介助する方法

❶車いすのレッグサポートをはずす。
❷介助者は片足を本人の足の間に入れる。
❸本人の体幹を前傾させ，介助者の片側の骨盤で本人の肩を支える。本人の体幹を斜めにし，片側の臀部の負荷が小さくなるようにする。
❹浮いている側の臀部の下に手を入れ，持ち上げるようにしながら後ろ側に移動させる（**図4-1-3-22**①）。

図4-1-3-22　前方から介助する方法

資料：図4-1-3-9に同じ，114頁。

　このとき，本人の股関節に疾患などがなければ，膝を介助者の手と大腿部で後方に押すと楽に動く。

❺介助者は足を入れ替えて反対側の修正を行う（**図4-1-3-22**②）。

❻1～3回繰り返して，骨盤が平行になるように調整する。

＜座位姿勢を変える＞

　身体を動かせずに，長時間同じ姿勢で座り続けることは苦痛であり，また，褥瘡の原因になることもある。したがって，適度に座位姿勢を変える必要がある。

　上肢に筋力がある場合は，手でアームサポートを持ち，肘を伸ばす動作（プッシュアップ）で臀部にかかる圧力を軽減させる。

　体幹を左右に倒せる場合は，アームサポートにもたれるようにして，片側ずつ臀部の体重負荷を免荷する。

　自分ではまったく身体を動かせない場合は，ティルト機構，リクライニング機構を利用して臀部にかかる体重を分散させる。

　車いすにこの機構がついていない場合は，キャスタ上げを行う（**図4-1-3-23**）。

　いすを用意してそのままいすに座り，介助者の膝の上に車いすを安定させておくと楽に維持できる。

図4-1-3-23　キャスタ上げ

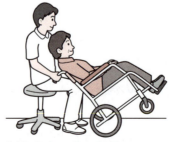

資料：図4-1-3-9に同じ，115頁。

4 車いす移乗

移乗が楽にできないと，車いすを使用する機会が減ってしまう。そのため，容易に移乗ができるような配慮が必要である。

●移乗の際の注意
・車いすは，移動距離が最短になるように，ベッドに対して斜めに置く。片麻痺がある場合は，麻痺のない側に車いすがくるように置く。
・しっかりブレーキをかけ，フットサポートを上げておく。
・立ち上がるときは，前に出したほうの足の上に頭を乗せるようにして，前かがみになって立ち上がると楽にできる。

【ブレーキのかけ方】
・片手でグリップをもって，車いすの横に回り，もう一方の手でしっかりブレーキをかける。タイヤの空気が抜けているとブレーキのききが悪くなるので注意する。
・昇降機能のついたベッドを利用している場合，移る側を2～3cmほど低くすると，移乗がしやすくなる。
・足の位置は，移る側の座ったときの足の向きに近づける。

●自分で移乗する場合

立ち上がれる程度の身体機能のある利用者の場合には，立ち上がって移乗することが多いようである。

自分で移乗できる場合でも立位をとる方法は危険を伴うことがある。

ベッドから車いすに移乗するような場合には，立ち上がってから足踏みをして身体を回転させなければならない。この動作が確実にできること，さらには車いすに静かに座れる能力がないと立ち上がって移乗することはしないほうがよい。

理学療法士や作業療法士のしっかりとした評価とそれに基づく指示があれば，立って移乗しても安心である。しかし，高齢者の身体機能は変化しやすく，安全を優先して座

図4-1-3-24
①
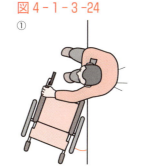
②

③

図4−1−3−25　立ち上がって移乗する場合

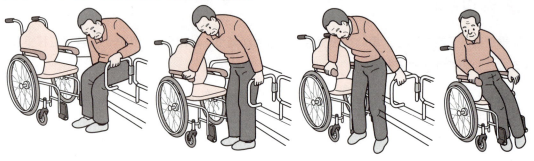

立ち上がれるが　　　足をしっかりと踏み出　　「どしん」と座って
　　　　　　　　　　せないと　　　　　　　　しまう

資料：図4−1−3−9に同じ，103頁。

図4−1−3−26　座位による移乗

①ベッドと車いすの高さはほぼ同じ高さに設定しておく。
②端座位をとったら，車いすのアームサポートをはずす（あるいは跳ね上げる）。レッグサポートもはずれる場合ははずしておく。
③足をベッドと車いすの中間におく。

④ベッドの手すりなどや車いすのアームサポートを握り，少しずつお尻を横にずらして，移動する。

⑤ベッドと車いすとの隙間にお尻が落ちてしまう場合や，お尻を動きやすくする場合，移乗ボードを使ってもよい。

資料：図4−1−3−9に同じ，104頁。

位による移乗をおすすめする。この移乗方法は，起き上がって端座位をとることができ，お尻を横にずらすことができることが条件になる。

5　車いす操作

　車いすを自力で動かすことが困難なようでは，介助がなければ移動できないということになり，生活の範囲が限定されてしまう。つまり，本人の身体状況や能力に合った適切な車いすが選択されていなければ本来，本人が自分でできることを奪ってしまうことになりかねない。

図4-1-3-27 駆動輪軸位置をできるだけ前方にする

資料：図4-1-3-9に同じ，107頁。

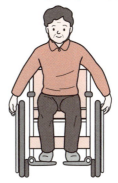

図4-1-3-28 座幅が広いと十分な駆動力を発揮できない

資料：図4-1-3-9に同じ，108頁。

　車いすを動かせないと思われる利用者でも，よく観察してみれば，わずかな駆動ができることはよくある。わずかな動きのできることが，本人の生活を広げ，自信をもつきっかけになる。
　自力で動かせない場合は，介助者に押してもらうことになる。この場合には，介助者による操作のしやすさが大切となる。

● **両手駆動**

　ハンドリムを両手で回転させる駆動方法で，車いすの駆動方法としては最も一般的な方法である。ハンドリムをわずかに動かせる可能性が少しでもあれば，この移動方法ができる車いすを選択しておく。

　高齢者は肩関節の可動域が小さくなったり，上肢筋力が弱かったりすることが一般的な特徴である。これらの特徴を考えて車いすの設定を考える。

　肩関節の可動域が小さくなると，手を後ろのほうに引ける範囲が狭くなる。駆動力を十分に発揮するためには，ハンドリムの広い範囲にわたって手が届くことが必要である。

　これらのことを考慮すると，**図4-1-3-27**のように駆動輪軸位置をできるだけ前方にしたほうが，楽に広範囲に手が届くようになる。駆動輪軸位置が前方になると，全体の重心位置と近づき，回転しやすくなるなどのメリットもある。

　しかし，駆動輪軸位置が前方になればなるほど，後方への転倒が起こりやすくなる。一般には体幹の重心移動によってこの後方への転倒に対処するが，高齢者では危険が伴うことが多くある。このような場合には，転倒防止装置を付けるが，これを付けると段差を越えるためにキャスタを上げる動作に制限が生じる。

　また，座幅が広いと**図4-1-3-28**のように上肢が広がり，十分な駆動力を発揮できない。座幅を合わせ，上肢の力を有効に利用できるようにする。

図4-1-3-29　片手片足駆動

資料：図4-1-3-9に同じ，108頁。

● **片手片足駆動**

　脳血管障害後遺症の片麻痺の利用者の場合には，片手片足で移動する方法もある。

　片手でレバーを押して操作するタイプもあるが，操作しにくい。

　片手片足駆動の場合には，座面高さを低くし，かかとが床に十分につく高さにする。座面はほぼ水平にし，フットサポートは，こぐ側を外しておく。ただし，外出時など介助者に押してもらうときには付けられるようにしておく。

　主として手で推進力を得て，足で方向を制御する。

　屋内で少し動く程度なら，片足だけでも十分役に立つ。

6　車いすと生活環境

　車いすは平らな場所であれば自由に移動が可能であるが，段差があるとそこから先へは移動ができなくなる。生活環境により自力で移動が可能となる範囲は制限を受けることが多い。

　車いすが通行できる幅，曲がるための幅，回転するためのスペースは，操作する人の能力やそれぞれの車いすによって異なり，一般的にどれだけあればよいということが決めにくい。もちろん十分な幅がとれればどのような車いすでも問題はなくなるが，一般的にわが国の家屋は狭いことが特徴であるし，簡単に住宅改修ができない場合も多々あるから，ぎりぎりの選択を迫られることが多い。以下にポイントを記述する。

　介助駆動の場合は，入り口などを通過するだけなら，そして介助者の能力が高ければ，車いすの幅＋50mm あれば通過できるであろう。手でハンドリムを回す自走用の場合は，＋150mm 程度あるとよい。手の機能が低く左右にぶれたりする場合にはさらに余裕が必要である。

　部屋から廊下に出るときや，廊下の曲がりなどは，曲がる前の通路の幅（出入り口の幅）と

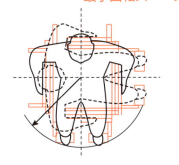

図4-1-3-30 自走用の場合の最小回転スペース

資料：図4-1-3-9に同じ，110頁。

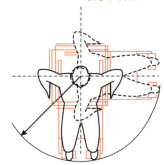

図4-1-3-31 介助移動の場合の最小回転スペース

資料：図4-1-3-9に同じ，110頁。

曲がったあとの通路の幅が問題になる。曲がる前の通路の幅が狭ければ，曲がったあとの通路の幅が広く必要になる。

自走用の場合には，細かな切り返しができるかどうかによって異なる。シミュレーションで確認することが望ましい。

介助移動の場合には，後ろを持ち上げて回転するような動作を介助者ができるかどうかによって必要なスペースが異なる。しかし，このような後ろを持ち上げる介助動作は楽ではないため，介助者能力と頻度を十分に考えて決める。

自走用の場合には，**図4-1-3-30**に示すように駆動輪の軸間の中心を回転の中心にする場合が最も小さな回転である。これに余裕を加えたスペースが最小回転スペースになる。

介助移動の場合は介助者が車いすの後ろにいるため，これよりも大きなスペースが必要となる（**図4-1-3-31**）。介助者の歩行能力，操作能力も大きく影響するため，試して確認することが望ましい。家屋内では回転するよりも後退したほうがスペースははるかに少なくてすむため，動線と作業内容を確認する。

2 車いすの種類

1 自走用標準型車いす

ここでは手動のなかで自分で移動できる自走用標準型車いす[2]について述べる。

後輪に取り付けられたハンドリムを両手で回すことにより進む。現在JIS規格では，この車いすと電動車いすの二つについてのみ基準が定められている。機能はさらに多様化している。バックサポートがリクライニング可能で，上部の折りたたみまたは取り外し，フットサポート

図4-1-3-32　自走用標準型車いす

の横開きと取り外しの可能なタイプ，アームサポートの標準タイプとデスクタイプ，後方回転式と取り外し式のタイプなどである。この他にも駆動輪の移動ができるものや，折りたたんだときにより小さくするためにバックサポートの上部が後方に折れ曲がるもの，自動車のトランクなどに積み込みが容易なものもある。また，利用者がハンドリムをこぐ力をモーターが補助するパワーアシストタイプの車いすもある。坂道や向かい風等の利用場面において，利用者への負荷を軽減する効果がある。フレーム材質にもさまざまなものがある。ステンレスを使ったもの，パイプ径を細くしたり，アルミ合金を使ったりして軽量化を図ったものがある。一般的にはさまざまな付加機能を付ければ付けるほど，取り付け金具などの部品が増え，重くなるだけでなく，故障の頻度も高くなる。使用目的を絞って，選択することがよいだろう。1台ですべてのニーズに合わせるのではなく，目的により使い分けるほうがむしろ実用的といえる。最近では，段差が多く，狭い空間が多い日本家屋内でも方向転換や段差越えが比較的容易にできる室内専用の六輪の車いすも国内で開発されている。

　車いすを気持ちよく使用するためには，毎日の点検が欠かせない。特に，空気入り駆動輪では空気が抜けやすいので，使用前に十分入っているか確認するようにする。また，ブレーキなども移乗時に車いすが動いてしまうと転倒などの危険が伴う。タイヤの固定力は十分あるかなどに注意する。長期間使用の際はネジなどもゆるむことがあるので，時々点検し締めておくことが必要である。ジョイント部も動きをよくするため，ゴミなどを除去し油をさしておく。

●座面昇降式車いす

　　レバー操作で座面を上下に動かすことが可能。私たちの生活では畳などに座ることが多いが，座面が床面まで下がるので，畳や床面からの乗り降りが自力で容易にできる。机や台所の流しなど使用する高さに合わせて，自由に高さ調整が可能である。

●片手駆動式車いす

　　ワンアームドライブと呼ばれている。利き手側の車輪にハンドリムが二重に付いている。両方を同時に回転させると直進するが，片方だけ回転させると方向転換することができる。

▶2　自走用標準型車いすには他にもいろいろな呼称が用いられている。例えば公益財団法人テクノエイド協会の福祉用具分類コード95では「後輪駆動式車いす」という呼称が使用されているし，他にも「標準型」「自操型」と呼ばれることがある。ここでは「厚生労働大臣が定める福祉用具貸与及び介護予防福祉用具貸与に係る福祉用具の種目」（平成11年3月31日厚生省告示第93号）に則り，「自走用標準型車いす」に統一する。

図 4−1−3−33　座面昇降式車いす

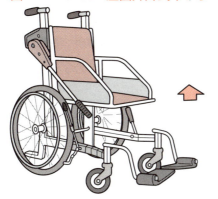

図 4−1−3−34　片手駆動式車いす

ダブルリムタイプ（左手駆動用）　　　　　　ワンハンドスカルタイプ（右手駆動用）

また別のタイプとして，片側の肘掛け部に取り付けられた駆動レバーをボートのオールをこぐように前後左右に動かして操作する車いすもある。病院や施設などの床面が平らな所での利用に向いている。片手のみでの操作が可能なので，両下肢と片手が不自由な人に適している。

● **家屋内専用六輪型車いす**

車いすは本来，室内を靴のままで移動する欧米の生活様式でつくられ，使われてきたもので，玄関の上がり框（かまち）で靴を脱ぎ，畳に座る生活のなかから生まれたものではない。また，住まいの大きさは尺や寸など日本人の身体の寸法からつくられ，一室を多目的に利用する限られた室内空間では大きすぎて使いづらい面があった。家屋内専用六輪型車いすは日本の生活空間にできるだけ合わ

図 4−1−3−35　家屋内専用六輪型車いす

せてつくられたものである。他の車いすと主に三つの点で異なる。

① 回転する際，車いすのほぼ中央に回転軸がくる

　自走用の駆動輪が車いす前後のほぼ中央にあるために回転する際や，直角に曲がるときなどスペースが少なくてすむ。回転する場合は回転半径は従来のものの3分の2となる。

② 数cm以内の段差は容易に越えることができる

　日本家屋の場合，廊下と畳の室の間には，2～3cmの段差があるが，前輪を持ち上げることで容易に段差越えができるようになった。利用者が片足で床を押すと前輪が持ち上がり，そのまま前進すれば段差を楽に越えることができる。

③ 駆動輪の位置が車いすの前部にある

　従来の車いすは駆動輪の軸がバックサポートのパイプに取り付けられているものが多い。そのため上肢の可動域が十分にないとハンドリムを回しづらかった。家屋内専用六輪型車いすは駆動輪がほぼ車いすの中央にあるために，上肢の動きに制限があっても比較的自由に回転させることが可能である。

★ その他の注意点

　障害により，車いすは使用される状況が異なる。脊髄損傷では損傷レベルにより，体幹バランス，上肢機能が異なるので，残存能力に応じた車いすを考えなければならない。運動機能だけでなく感覚の麻痺があるときは，長時間の座位は仙骨部に褥瘡ができやすくなる。体圧分散を目的とした車いす用クッションが同時に必要となる。起立性低血圧・易疲労性・座位バランス低下などの症状がある場合には，リクライニング式車いすが必要になる。また，上肢機能の障害に応じ，弱い力でも操作ができるようにハンドリムやブレーキに工夫が必要となる。

　脳卒中などの後遺症による片麻痺では，車いす操作は，健側の上下肢で行われるので，座面を低め（低床タイプ）にして，足で前・後進，方向転換ができるようにする。片手駆動式車いすは，片手で前・後進，方向転換が可能であるが，かなりの操作能力と訓練が必要となる。大腿部切断などでは，切断端が短ければ短いほど，座位の安定性が悪くなるので，後方転倒防止装置を付けたり，バックサポートを高めにすることもある。また，重心が後方になりやすく車いすが後ろに倒れやすくなるので，駆動輪をできるだけ後方に取り付けなければならない。義足や松葉づえを積むためのつえ置きなどを取り付けるとより使い勝手がよくなる。関節リウマチでは基本的には自走用標準型車いすとなる。しかし，上肢機能・変形・拘縮・痛みなどに応じて，アームサポートの幅を広くしたり，柔らかいパッドを使用したりして障害状況に合わせることが必要となる。特にブレーキやハンドリムなどは弱い力で操作が可能なように滑り止めやノブを付けたりするとよい。

　筋ジストロフィーや脊髄小脳変性症のような難病では，筋力低下の段階に応じて，適切な

対応が必要となってくる。車いすを操作する筋力の低下によっては電動車いすのほうが自立度を高めることになる。徐々に筋力低下が進行するので，姿勢保持装置や補助具が必要となる。

2 介助用標準型車いす

自走用標準型車いすのように，駆動輪にハンドリムは付いていない。介助者が手で押すか，座面が低ければ乗った人が足を床につけ，膝の曲げ伸ばしで室内移動のように短距離であれば動かすことも可能である。自走用標準型車いすと構造が同じで，駆動輪を小型車輪に変えたものと，ベビーカーに近い構造のバギータイプに大別できる。どちらも折りたたみできるものが一般的である。また，坂道等の利用場面において介助者の負担を軽減するためモーターが付いた「介助用電動車いす」もある。

利用する人は，体力の低下した虚弱高齢者や脳血管障害後遺症の片麻痺，腕が使えない頸髄損傷など移動介助が必要な人である。バギータイプは構造的には乳幼児が使っているものとほとんど同じである。ただし，使用者の体重が異なるために，フレームも太くより丈夫につくられているが，構造上の問題により体重制限がある。折りたたむと棒状になる。車いす構造のものと比較すると，バックサポートの角度がやや後方に傾いており，少し高めなので，頸部の保持がうまくできない脳性麻痺者，全身の筋力低下がみられる脊髄小脳変性症，筋ジストロフィーなどの難病の人の介助に適している。室内専用以外は，車輪が大きく，空気入りタイヤのほうが乗り心地はよい。車のトランクに収納するようなときにはバックサポートが折れ曲がるほうが，たたんだときによりコンパクトになる。使用者の基準寸法，特に座幅などはメーカーにより異なる場合が多いので，使用者が実際に座ってみて，選択するほうがよいだろう。冬期などは着ぶくれするので，座幅や前後の長さは，少しゆとりのあるものを選ぶ必要がある。高齢者

図4-1-3-36 介助用標準型車いす

が介護する場合などでは，できるだけ軽量のものにするべきである。
　また，利用者の乗り移りを容易にするためには，アームサポートが外れるものやフットサポートが取り外せたり後方に回転したりするものが便利である。介助者の身長に合わせてハンドルの高さも変えることができるほうが押しやすいが一般的にそうなってはいない。
　ただし，便利な機能が付けば付くほど，総重量は増加するので，使用者の障害や身体状況をよく考えてから選択することが大切である。

3　リクライニング式車いす

　長期間寝たきりだったために，体力が十分に回復していないときや，病気などで体調が急に変化しやすいときなど，車いすでの座位姿勢を長時間保つことが困難になりがちになる。そのようなとき，座位から臥位に姿勢を容易に変えることができる車いすである。自走用にも介助用車いすにもあり，バックサポートを望む角度に傾斜させることができる。頭部支持のためにバックサポートが高めにつくられているものと，頭部支持を別に取り付けるものがある。フルリクライニング式と呼ばれているものでは，ほぼ水平までバックサポートを傾斜させることができる。バックサポートを傾けると同時に，フットサポートが連動して上方に持ち上がるものもある。アームサポートは，ほとんどのものが上下に移動したり，取り外したりすることができ，ベッドから車いすに移乗するときには，身体を横にずらす水平移乗が可能となり，介助者の負担を軽減する。
　車いす座位姿勢からバックサポートを傾けると身体が足側に滑りやすくなり，正しい座位姿勢が取りにくくなる。そのときにシート（座面）を傾斜（ティルト（254頁参照））させると身体のずれを防ぐことができる。事務用や家庭用のいすは3～5度座面の後方が下がっているが，バックサポートを傾斜させたときは，それ以上に角度をつけないと座位姿勢が安定しない。

図4-1-3-37　リクライニング式車いす

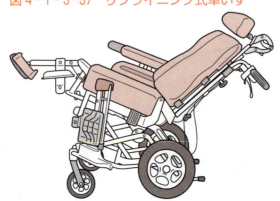

特に，自立動作がほとんど不可能な要介護4や5の利用者には，ティルト機能付きの車いすを選択すると介助者の介助負担の軽減になる。リクライニング式車いすはバックサポートの高いものが多く，介助者が利用者の座位姿勢を簡単に変えられないものが多い。普通の車いすと比べると寸法の大きいものが一般的なので利用する室内空間を十分考慮したうえで，移乗介助が容易で，バックサポートを傾斜しても利用者の座位姿勢が正しく保たれるものがよい。

4 普通型電動車いす

普通型電動車いすは，はじめアメリカで開発されたものである。日本では1972（昭和47）年から，本格的に開発が始められた。普通は屋外で使用し，車道を通行することが多いので，事故などが起きないように安全には十分に注意する必要がある。

●普通型電動車いすの構造

普通型電動車いすは，車体，モーター，動力伝達装置，制御装置，バッテリーから構成される。

① 車体

車体は，基本的には自走用標準型車いすと同様の構造をもっている。車体には四つの車輪が付いており，通常は二つが駆動輪，他の二つが自在輪（キャスタ）である。前輪が駆動するものを前輪駆動方式，後輪が駆動するものを後輪駆動方式と呼んでいる。現在は後輪駆動方式のものがほとんどである。屋内の走行に適した六輪型車いすもある。

② モーター

一般には，直流モーター（24V）を一つの駆動輪に一つ使用している。普通型電動車いすは二つの駆動輪があるので，二つの直流モーターが使用されている。駆動輪以外では，背もたれのリクライニングや座面の昇降装置，パワーステアリングの操舵装置にも直流モーターが使われているものもある。

③ 動力伝達装置（減速機）

直流モーターの出力を減速することにより，大きな出力に変換して駆動輪に伝達する装置である。ベルト，チェーン，歯車などの伝達方式があるが，現在のほとんどが歯車伝達方式を採用している。

④ 制御装置

方向と速度を制御する。実際に操縦する部分はコン

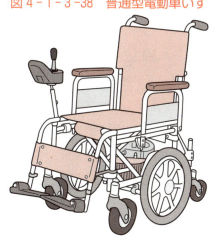

図4-1-3-38 普通型電動車いす

トロールボックスと呼ばれる。そこには電源スイッチ，バッテリーメーター，操縦用のジョイスティックレバーなどが取り付けられている。操縦は，ジョイスティックレバーを手で操作する方法が最も一般的であり，普通，このレバーを進みたい方向に倒すことにより，方向をコントロールする。速度については，速度調整用スイッチ（低速 2 km/h，中速 4 km/h，高速 6 km/h）による変速機能が付加されており，それぞれの範囲でジョイスティックレバーを倒す角度で，速度を制御することができる。

●使用上の注意点

使用にあたり，普通型電動車いすが本当に必要かどうか，どんな目的で使うのか，よく検討する必要がある。普通型電動車いすの重量は，バッテリーを含めると 60 kg 前後になり，自走用標準型車いすに比べて，構造は比較にならないほど複雑である。身近に適当な介助者がいないと，格納，清掃，整備，充電などの作業は困難になる。また，道路までの適当なスロープや風雨を避ける保管場所も必要である。

① 基本的事項

道路幅や回転スペース（トイレ，台所等）や段差など，普通型電動車いすが移動できる生活環境であるかのチェックやバッテリーの充電などの普通型電動車いすの整備や管理，また，移乗などを手助けしてくれる介助者が得られるかどうかなどのチェックをすることが大切である。能力的条件では，普通型電動車いすを安全に操作できるかということで，操作方法を理解するだけの知的能力，人が急に飛び出してきたときのように，環境が急変したときの状況把握や判断力が備わっているかどうかをチェックしておくべきである。

② 医学的評価

a．障害の程度は，手足に重度の障害があり，自走用標準型車いすの操作が困難または不能の人や身体障害者手帳 1〜2 級の人

b．知的障害はあっても，軽度で，普通型電動車いすの試乗の結果，使用可能と判断された人

c．年齢については特に定めはなく，6 歳以上であれば可能

などが医学的チェックになる。

③ 普通型電動車いすが処方される疾患

通常，普通型電動車いすが処方される疾患としては，頸髄損傷（第五頸髄レベル以上），進行性筋萎縮症，重度関節リウマチ，脳性麻痺，重度ポリオ，先天性四肢奇形・欠損および心肺機能不全を伴う内部障害などである。このなかでも脳性麻痺の場合は，座位保持が困難で既製の制御装置が使用できないことが多いため，前述のようなパーツにも工夫が必要となる。また，高位頸髄損傷の場合は，頸部の固定のためのヘッドサポートや起立性低血圧に対応す

るため，リクライニングまたはティルト機構を追加することが多くなる。なお，歩行が可能であったり，自走用標準型車いすを実用的に使える能力がある場合は，普通型電動車いすの適応外と考えられる。

5 ハンドル型電動車いす

　ハンドル型電動車いすは，普通型電動車いすの分類に入ると考えられるが，実際は虚弱高齢者用の乗り物としての位置づけが強いようである。

　最近，製造するメーカーも多くなり，使用される台数も急激に多くなっている。種類としては三輪タイプと四輪タイプがあるが，急にハンドルを切ったときなどの安定性向上のために四輪タイプのものが多くなってきている。駆動力は2個のバッテリーで得ており，速度は速度調整スイッチで切り替える。操縦はハンドルと前後進スイッチレバーの組み合わせにより，ワンアクションで行うことができる。また，ハンドル位置の変更，移乗を容易にするシートの旋回などが可能である。

　使用目的としては，高齢者が日常的に行う買い物や通院など，屋外での利用が主となる。また，カゴ付きのものもあり，買い物用としての利便性を備えている。また，走行能力は，最高速度が時速6kmで，持続走行距離が約20〜30kmである。

●使用上の注意点

　ハンドル操作により，直接行きたい方向へ操縦することができる。また，前後進スイッチレバーとの組み合わせで，操作をワンアクションで行うことができるが，ハンドル操作とレバー操作を同時に行わなければならないために，両手が使える人のほうがより安全に走行できる。高齢者から障害者まで幅広く使用されるために，さまざまな使用環境に合わせた操作

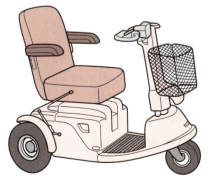

図4-1-3-39　ハンドル型電動車いす（三輪タイプ）

図4-1-3-40　ハンドル型電動車いす（四輪タイプ）

訓練が必要になる。

　平地走行では，ゆっくり発進し，低速度から徐々に高速度へ移行する。前進から後進に切り替えるときには，転落を防ぐために一時停止をしてから切り替える必要がある。

　屋外用は5cmの段差が乗り越えられるとされている。ただし，本体の前方が上がるため，後方へ重心が移動し後方へ転倒する危険性があるので，段差越えは，重心を前方にかけるように体幹を前屈させるなどの注意が必要である。

6　車いす付属品

① 車いす用クッション

　車いすに座る姿勢は，臀部に圧力が集中するために褥瘡になりやすく，除圧能力の高いシート（座面）が望まれる。

　褥瘡は，皮膚に栄養が十分に行きわたらなくなることが原因の一つである。皮膚は，毛細血管からの栄養を受けて代謝を営んでいるが，毛細血管内圧（およそ32mmHg）以上の圧迫がかかると，血行が妨げられるといわれる。血行が悪くなると，その部分に栄養代謝障害が生じる。圧迫が長時間続くことに加え，皮膚組織へのずれや摩擦，湿潤，不潔などにより，さらに褥瘡はできやすくなる。

図4-1-3-41　車いす用クッション

車いす用クッションは，まず除圧能力の高いものを選ぶ。また，姿勢保持がしっかりでき，左右の安定性の高いものがよいといえる。特に自走用標準型車いすでは，両上肢で駆動輪を回す動作に加えて，上体全体の前後動作があるので，上体が動いても臀部がしっかりと支えられることが必要である。

② 電動補助装置

　電動補助装置は基本的にはモーター，バッテリー，駆動輪，操作レバーまたは操作スイッチで構成されている。電動装置が車いすに初めから装着されているものと後から取り付けることができるものがある。

　平地では自走可能であっても，坂道では自力だけでは移動が困難なときや，介助者が高齢で体力が十分でなく移動介助が困難なときなどに使用する。

　自走用ではハンドリムを回すことで自動的にスイッチが入り駆動するものや，電動車いすと同様に操作レバーによるものなどがある。介助用では，主電源を入れ，速度切り替えを適当な速度に調節して，走行ボタンを押すと駆動する。ボタンを離すと制動がかかり停止する。進行方向は車いすの握りでコントロールする。介助用には車いすに脱着可能なアタッチメントを取り付けておくと，必要なときに簡単に電動補助装置がセットできるものがある。

③ 車いす用テーブル

　車いすのアームサポートにマジックテープで固定する。テーブルには切り込みがあるので上体を支えやすい。ふちはゴム枠などのものがあり，テーブル面より少し飛び出しているほうが上のものが落ちにくい。

3 つえ

1 つえとは

　誰でも，いつまでも若くありたいと思うものであるが，加齢とともに，特にけがや病気がなくても，立ったときや歩いているときのバランスが悪くなる。筋力も低下してくるために，一度バランスを崩すと転倒しやすくなる。また，長距離や長時間の歩行も困難になってくる。そのようなとき，つえを使って，歩く機能を補うことで，歩くのが楽になり，歩行距離を延ばすことや歩行速度を速めることができ，今まで家の中で閉じこもりがちだった人も，外へ出るのが楽しみになる。

　つえには，歩行のリズムをとったりある程度体重をかけたりすることができるステッキ型つえ，T字型つえや折りたたみができるつえ，手指の筋力が弱くても使える肘支持型つえなど，

身体の状態により使用するタイプが異なるので，一番適当と思われるものを選びたいものである。最近では機能だけでなく，必要のない人でも使いたくなるような，優美なデザインのものも増えてきている。着るものに合わせて，肘当てや色のデザインを変えられるつえもつくられている。

2 つえと歩行姿勢

　地球の重力に対抗して身体を支えることが，運動をする際の基本的な身体の働きである。重力の方向と同様に，身体の長軸を支持して立つ直立姿勢は人類特有のものであるが，それまでの歩行時には猿と同じように上肢も使っていたために，脊柱の形状は腰部に無理のかかりやすいゆるやかなS字の曲線形をしている。また，立位姿勢では安定性が必要であり，さらに歩行時には重心の位置の変化などが加わる。身体機能が安定性や重心移動の変化についていけなくなると，転倒の危険性が増大し，特に高齢になるとそのような状況に陥りやすくなってくる。
　しかし，そのときにつえを利用することで，より安定性が向上した歩行の改善を図ることができるようになる。

3 つえの選び方

① つえの構成要素

　一般的な要素として，握り，柄，ゴム先に分けられる。握りは使用者が手でつかむ場所で，形状や材質には種々のものがある。手の大きさは人によって異なるので，力を入れやすい適当な太さのものを選ぶことが必要である。握ったときに，親指と人差指が第一関節あたりで重なるものが力を入れやすいといわれている。
　また，柄との角度も大切で，小指側のほうがやや高くなっているものが，自然につえを足より前方につくことができる。しかし，その角度は，厳密には身体や歩幅などにより異なるものである。外国製のつえには，握りと柄の角度を変化させることができるものも開発されている。
　柄はまっすぐなもので，適当な重さがあるほうがつくときに安定する。1本のものや，松葉づえのように2本に分かれているものもある。材質にも種々のものがあり，適度なしなりがあったほうが使いやすいという人もいる。
　ゴム先は地面に接するところで，かかる力をしっかりと支えなければならない。特に，滑りにくいことが大切で，種々の形状のものがある。欧州にはゴム先だけを開発している専門メーカーもある。磨耗すると滑りやすくなるので，滑り止めの溝がなくなったり，片減りが

図4-1-3-42 つえの長さの決め方

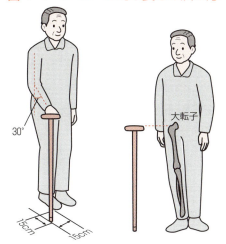

図4-1-3-43 前傾姿勢の高齢者のつえの長さの決め方

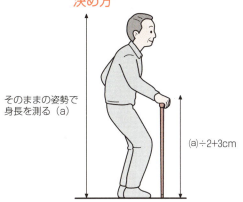

資料：図4-1-3-9に同じ，24頁。

ひどくなったりしたら，早めに交換する必要がある。つえが滑って転倒し，骨折することもあるので，常時使用前に点検することが大切である。

その他の構成要素としては，ロフストランドクラッチの前腕支持カフ，プラットホームクラッチ（肘支持型つえ）の肘掛け式握り，松葉づえの腋下支持バーなどがある。前腕支持カフは金属製やプラスチック製のものがあり，それぞれに長所・短所がある。金属製のほうが一般的には形状が小さく，薄くできている。また，着衣に合わせて幅を変えることもできるが，冬期などは冷たいことや角が当たることが短所である。プラスチック製は，当たりが柔らかく，冬期でも冷たくならないが，形状が大きくなり，形を変えることはできない。その他の前腕支持カフには，腕に固定するというよりも，後方から支えるだけのものもある。

② つえの長さの決め方

つえの握りの高さは，体重をかけるときなどに適度な位置にないと使いにくいものである。柄の長さを決めるには，次のような方法がある。

> ❶ 自然な姿勢で立ち，腕の力を抜いて手を下げたときの床から手関節（尺骨茎状突起）までの長さ
> ❷ 利き手側のつま先から前へ約15cm，外側へ15cmの位置につえをまっすぐ立て，グリップを握ったとき肘が約30度曲がる（屈曲30度）長さ
> ❸ 床から大腿骨の大転子までの長さ

三つの方法ともほぼ同じ長さになる。❶は，簡単で誤差が少ない計測方法である。つえをつくとき，主として力を出す上腕三頭筋が肘を軽度屈曲（約30度）したときに，最大の力を出すことができることを根拠にしている。

つえの長さは，正確には使用する靴によっても変わってくる。いつも履いているもので測るのがよいだろう。また，姿勢によっても異なるので，腰や背が曲がったやや前傾姿勢の高齢者には，そのままの姿勢で身長を測り2で割って3cmを足すと適当な長さといわれるが，姿勢に無理がないか歩容をみて確認したほうがよい。

4 つえの種類

① ステッキ型つえ

つえとして，最も一般的な形をしている。常時持ち歩いても体裁がよいものである。把手の形から，U字つえ，J字つえとも呼ばれる。把手が丸いので腕に掛けられる。

片手だけで，つえもつき，切符も買い，手すりにもつかまるといった動作ができ，軽度の片麻痺の障害者には便利である。握りの幅の狭いものは持ちにくいので，広めのものを選ぶようにする。体重をかけるよりも歩行のリズムをとるために適している。

図4-1-3-44 ステッキ型つえ

② T字型つえ

ステッキ型つえより体重をかけやすいのが特徴である。手首の力が利くよう把手と支柱に角度が付けてある。握りは比較的まっすぐで，握りやすくなっている。全体の形からT字型，L字型とも呼ばれている。支柱は把手の中央に付いているもののほうが，力がまっすぐにかけやすくなるが，支柱が示指と中指の間に入るために自然の握りができず，やや持ちにくくなりがちである。重さは200～500gで，重心が握りから3分の1以内にあるほうが使用時に軽く感じ使いやすいであろう。

③ ロフストランドクラッチ

前腕固定型つえといい，つえの上部が握りの上まで伸びて，そこに前腕カフが付いていて，腕を通して固定できる。握りと前腕の2点で体重を支えるので，腕の力も使える。握力が十分にないときに有効である。

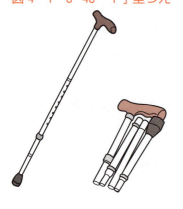

図4-1-3-45 T字型つえ

片手しか使えなくても，前腕カフでつえを下げて，用事をすることもできる。下半身麻痺者，下肢に体重をかけられない骨折，捻挫，股関節症，下肢切断，片麻痺などの歩行補助に向いている。前腕カフが半分しかないもの，握りとカフの位置関係を自由に変えられるものもある。

④ **プラットホームクラッチ（肘支持型つえ）**

リウマチづえともいう。つえの上端に横木を付け，その先端に縦に握りが取り付けてある。握りを握った腕を横木の上の弾力性のあるパッドにのせ，マジックバンドで固定して前腕全体で体重を支える。材質は軽金属製で，横木の高さや把手位置が調節できる。関節リウマチなど手指・手関節に強い負荷をかけられない場合や，手首や肘などに障害があり自由に伸ばせない肘関節などに伸展制限のある関節炎患者などに向いている。

⑤ **松葉づえ**

普通は2本1組で使う。松葉型をした2本の支柱の上部に腋下支持バーが，途中に握りがある。最も重い荷重に耐えられるつえで，前腕固定型つえより安定性がある。

骨折などで片足に体重がかけられない場合や足の筋力が衰えた場合も，松葉づえを使えば歩行が可能になる。身体に合わせるときに大切なことは，握りの高さと腋下支持バーの高さの調整である。腋当ては腋でなく，腋の下から卵ひとつ分下にくるように調整する。下半身麻痺，骨折，捻挫，股関節症，下肢切断などの障害者や患者向きである。

⑥ **多脚型つえ**

1本つえよりも一層の安定を求めてつくられたものが多脚型つえである。把手は一つだが，脚が4本（一部は3本）に分かれている。着地面積が広く，安定度は高くなっている。

図4-1-3-46
ロフストランドクラッチ

図4-1-3-47
プラットホームクラッチ

図4-1-3-48　松葉づえ

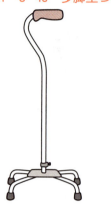

図4-1-3-49　多脚型つえ

　体重をかけても倒れないので，立つ姿勢の悪い患者の歩行訓練に適している。重さが比較的軽いので，腕の力が弱くても使える。脳卒中後遺症の片麻痺の初期歩行訓練に多く使われる。高齢者の変形性股関節症，関節リウマチなどにも用いられる。着地面積が狭くても地面をしっかり捉えられる，安定感が高いものも増えている。

4 歩行器

1 歩行器とは

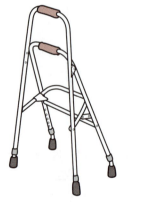

図4-1-3-50　サイドウォーカー

　歩行器がつえと異なる点は，多脚なので，人が支えなくとも自立できることである。使い方は，手で持ち上げて一歩一歩つえのようにつきながら歩く。つえと比較すると重量もあり，両手を使うため，片手が不自由な人は使えない。普通は4本の脚がついているが，移動を容易にするために，前部二脚に車輪を取り付けることがある。腕力の低下した人には便利である。また，片手しか使えない人のためにサイドウォーカー（**図4-1-3-50**）がある（車輪付きのものもある）。狭い場所では両手で持っても使用できる。

2 歩行器の使い方

　歩行器は，つえよりも安全性が高いために，つえを使う前段階での歩行訓練に適している。膝立ち，つかまり立ち，伝い歩きができて，手を離してバランスをとる能力があれば，まずつえの訓練から始めるが，それができないときは，歩行器から歩行訓練を始めることになる。
　一般に歩行訓練は，斜面台→平行棒内起立→平行棒内歩行→歩行器→松葉づえ→ロフストランドクラッチ→T字型つえと進んでいくが，回復が早ければ，途中の段階を飛ばしていく。歩

行器は両上肢の障害が軽度な脳卒中の後遺症や脳性麻痺，脊髄損傷，頭部外傷後遺症，進行性筋萎縮症，関節リウマチ，廃用症候群などの初期の歩行訓練に適している。小型で軽いものは，家庭の廊下などでの歩行訓練，屋外での短距離歩行訓練，あるいはベッドやいすからの立ち上がり，トイレ，入浴などでは手すりと同様な使い方もできる。しかし，日常生活で使うには，つえのような実用性にはやや欠けている。

床が完全に平らで凸凹や段差がない場所でないと，移動が困難になる。わずかでも傾斜があると全体が傾くために，うまく使えないことがある。

3 歩行器の種類

① 四脚歩行器

四脚歩行器には固定型と交互型がある。歩行器の基本的構造は，金属性のパイプを立体のコの字型に組んだもので，コの字型の開放部分に立って使用するものである。

固定型で歩くときは，まず歩行器全体を持ち上げて，前方に下ろす。両手で体を支えながら，交互に下肢を前方に移動し，両足を揃えて立つ。この動作の繰り返しにより少しずつ前進する。高齢者の大腿部骨折，変形性股関節症，膝関節症やリウマチなど，つえが使えない場合に有効で，車輪付き歩行器よりも，腕力，脚力を必要とするが，ベッドやいすからの起立，トイレや入浴にも補助具として使える。握りが上下二段のものもあり，座位からの立ち上がりがよりスムーズになる。

交互型は，左右のフレームがフレキシブルにつながっており，フレームが別々に，平行に前へ出せるようになっている。使い方は，左右フレームを交互に持ち上げて，前へ出した後，

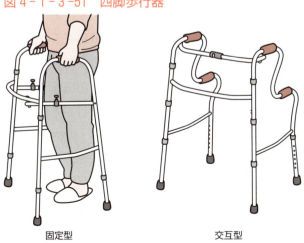

図4-1-3-51 四脚歩行器

固定型　　　　　　　交互型

固定型と同様にして歩く。平行棒での二点歩行や四点歩行がそのままできるのが特徴である。固定型のように，全体を持ち上げて，前に出して歩くこともできる。片足に強い痛みがある場合や，脳神経系疾患で姿勢のバランスをとりにくい場合，正しい歩行パターンを習得するのに効果がある。

② 四脚二輪歩行器

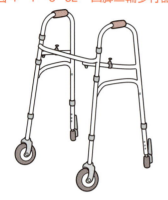

図4-1-3-52　四脚二輪歩行器

四脚のうち前の二脚に小車輪を付けたタイプである。後脚にかかる荷重を抜くだけで，前方へ移動できるため，両上肢の弱い人にでも使える。安定性と軽く速く進む機能を兼ね備えている。小車輪に体重をかけるとスプリングで車輪が上がり，ゴム脚が着地して，進行を止める自動ストップ機構付きのものもある。小車輪が小さいものは，わずかな凸凹にも引っ掛かるので，屋外での使用には向かない。室内では押して歩き，段差や凸凹のあるところでは，固定型のように持ち上げて歩く使い方をする。

4　歩行車

　前輪が一つ，後輪が二つの三輪歩行車は，前輪に直径の大きなキャスタを付け，小回りがきき，多少の段差や凸凹でも乗り越えることができるようになっている。ただし，片方の手だけに体重をかけると転倒しやすく，また，スピードが出やすいので，すばやいブレーキ操作ができない場合は危険である。前輪の支柱を軸に，左右のハンドルの角度を変えて握りの間隔を調整したり，二つに折りたたむことができる。

　四輪歩行車は，四輪のキャスタ上部に，パイプの構造物を取り付け，その上端に馬蹄形の肘掛けまたは棒状の握りを取り付けた構造が基本的な形である。素材はスチールパイプが多く，安定をよくするために，上部を体が入る程度に狭くし，底部を広げた形が多く，前二輪は自在回転，後二輪は固定したものと，四輪とも自在にしたものがある。高さ調整が可能なものが多く，調整範囲は10～20cmである。それ以上の差は大中小の機種で選択する。左右の肘掛け間隔も調整できるものもある。折りたたみ式は，上部の肘掛けを外してたたむものや，プッシュボタンで肘掛けが二つに折れ，簡単にたためるものもある。室内用はブレーキ付きは少なく，屋外用はほとんどがブレーキ付きである。また，休むことができるシート（座面）付きのものもある。外出して短時間の休みをとるときなどに便利である。そのほか，後部の二輪に抑速機能が内蔵されており，予期しない急激な前進を制御して使用者の転倒を防ぐものや，簡単な操作で制動力を変更できるレバーが付いているものもある。パーキンソン病や脳血管障害などの

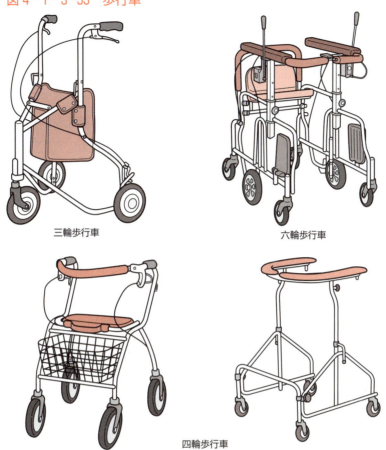

図4-1-3-53　歩行車

三輪歩行車　　六輪歩行車　　四輪歩行車

病歴がある場合には，これらの機能を有したものが適していることが多い。

　六輪の歩行車は，前二輪と後二輪がキャスタ（自在輪）で中央の二輪が固定輪で構成されている。手元レバーにより中央の二輪を上下させることができ，上げた場合は四輪がキャスタになるため縦横自由に走行できる。また，下げたときは六輪となり，中央が固定輪なので前後進および回転のみとなり走行が安定する。

　歩行車は，安定性がつえなどと比較して高く，軽く進むので，両上肢で保持が何とか可能であれば，早期から歩行訓練に使うことができる。両下肢の筋力が弱い場合でも，もたれかかるようにして歩くことができる。足の力が戻るにつれて，正しい姿勢で歩けるように指導するのがよいだろう。足元が広く開いていて，歩行姿勢が前屈みなどにならないようなものを選ぶとよい。転倒予防のためには，歩行時に身体の重心が四車輪の内側にあることが大切である。円背（背中が丸くなる）姿勢になると，重心位置が四車輪の外側に出やすくなるため，押し手の高さ調節は確実に行わなければならない。屋外用では，凸凹道でも進みやすいように，ある程度車輪径の大きいものが使いやすいだろう。

★ ICT ＋歩行車

　ICT（Information and Communication Technology：情報通信技術）と歩行車のイノベーション（新結合）により，今後は使用者に寄り添った歩行車が多くのメーカーから販売されるようになることが予測される。

　現時点では，高齢者向け施設や病院での歩行訓練に適した歩行車型のロボット（**図4－1－3－54**）が開発されている。これは，押して歩くとクラウド上の管理システムに歩行距離や時間，歩行姿勢などのデータが送られ，AI（Artificial Intelligence：人工知能）がそのデータを自動解析し，次回使用時に最適な運動負荷を提案してくれる，というものである。記録も自動的に残るため，スタッフの業務効率化にもつながる。

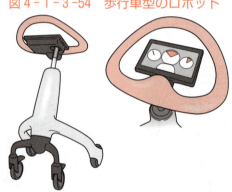

図4－1－3－54　歩行車型のロボット

5 シルバーカー

　シルバーカー（買い物カー型の歩行車）は，軽度の障害者や足の弱った高齢者の外出用として利用されている。室内用に限定されていた歩行車に，折りたたみ式の買い物カーなどの機能を複合したものと考えてよいだろう。歩行車の車輪を道路走行しやすいように大きめのものに変えて，買い物カゴや休息用のいすを取り付けてある。しかも，折りたたんで家庭の狭い玄関にも収納できるものが一般的となっている。

　家の出入口や道路に段差や坂道などがなく，やや距離のある商店街に毎日出かけて，自分で買い物をしたり，病院に通ったりする高齢者に便利な道具である。寄りかかって身体を支えるには，シルバーカー自体にある程度重量があるもので，重心が低いものがよいだろう。また，歩行時には足元が気になるものなので，足元の空間はなるべく広く開いているもので，ブレーキ操作も簡単なものが，人ごみのある場所では使いやすいであろう。あくまでも本人の身体機能，使用目的，使用される環境などに十分考慮したうえで，安全面にも気をつけて使用してほしい。前傾にならないで，正しい姿勢で使用することが大切である。

握りは使用者の側方ではなく前方に位置するものがほとんどである。そのために歩行姿勢がどうしても少し前屈みになりやすい。また，後車輪の車軸が足元にあるものが多いために下肢を大きく振り出せないので歩幅が小さくなる。背中を伸ばして，やや大股で歩きたいときには握りが使用者の側方にあり平行についていて，足元に十分な空間があるものがよいだろう。

図4-1-3-55　シルバーカー

参考文献

財団法人介護労働安定センター編『自立支援・介護支援のための福祉用具の使い方』2003年。

財団法人東京都高齢者研究・福祉振興財団編『高齢者・障害者の生活をささえる福祉機器Ⅱ』2003年。

4　移乗関連用具

「移乗関連用具」とは…

　下肢の障害や麻痺を中心に，体幹や上肢の筋力低下などで，ベッドから車いすなどへの乗り移りの際の立位や座位を保持することが困難な状態や，大腿骨骨折や人工股関節置換術後，糖尿病性壊死や下肢切断などで下肢に荷重ができない状態，ベッド上での寝返りや身体の向きなどを整える体位変換が困難な状態のときに，乗り移りができるようケアするための用具を「移乗関連用具」という。

　私たちのくらしのなかで，移乗動作・移動動作はADL（日常生活動作）の基礎になっている。特に移乗動作は，高齢者や障害者が自立できない場合には，移乗介助のために介助者の身体的負担が増加しやすくなる。すでに迎えつつある超高齢社会は高齢者，障害者および介護者の高齢化に伴う「老老介護」時代である。高齢による本人の自立度および介護者の介助力の低下は目にみえている。高齢の介護者にも使いやすい移乗用具の使用により，できるかぎり介護者の身体的負担が少なくなるように考慮することが大切である。

1　移乗動作

　ADL（日常生活動作）において，移乗動作（乗り移り動作）は，歩行などの移動動作とともにほとんどの動作のもとになっている。移乗者が自分で動作をする場合と介助者が介助する場合とがある。また，移乗姿位には，「臥位→臥位」「座位→座位」「臥位→座位→座位」「座位→立位→座位」「座位→立位」などがある。移乗者の関節可動域，筋力，平衡感覚，持久力などにより移乗動作は異なる。介助者も人数や体力により介助力が異なり，介助動作も変わる。移乗環境においては十分に広い空間があるときとそうでないとき，また，高低差も介助力に影響する。同じ高さを移乗する，高い所から低い所へ，逆に低い所から高い所へなどにより，動作や介助が比較的容易な場合，普通および困難な場合に分かれる。

　このように移乗者本人の身体機能レベル，介助者の介助力，および移乗環境の違いにより，

図4-1-4-1

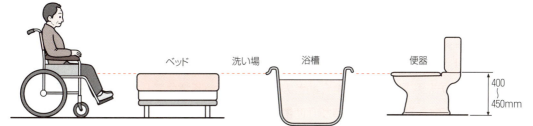

車いす使用者は，高低差のある座面への移乗が困難なので，ベッド，浴槽，便器などを，車いすの座面高（400〜450mm）に揃える。
資料：『高齢者の住宅増改築相談マニュアル』全国社会福祉協議会，1990年を参考に作成。

そのとき使用される移乗関連用具は異なる場合がある。

移乗者が自力ですべて動作ができる自力移乗用具，介助者の負担を部分的に軽減する部分介助移乗用具，移乗介助動作のほとんどを代行する全介助移乗用具とに分けることができる。

移乗者本人や介助者の身体的負担を軽減するためには，移乗する距離を短くしたり，移乗者や介助者が適切な姿勢がとれるよう空間にゆとりをもたせるなど，移乗環境を整備することも必要となる。移乗の際に頭部や腰部の高低差がなるべく出ないよう整えることにより，移乗動作は自立しやすくなる。**図4-1-4-1**のように車いすの座面の高さに移乗面を合わせるようにすることで身体の上下動が少なくなり移乗動作は楽になる。

高低差のない水平移乗は，移乗者本人の身体的負担を軽減し，比較的安全に移乗することができる。臀部に褥瘡などがあるときは，座面部の硬さによる摩擦などに注意し，臀部を保護することも必要になる。自立による移乗をできるだけ長期間続けるためには，代償機能を活用し，移乗時に残存能力をできるだけ有効に使うようにすべきである。

高い位置より2〜5cm程度のやや低い位置への移乗は移乗介助負担をより軽減する。ベッド→車いすの移乗の際はベッドのマット面上下機能を活用し，ベッドのマット面を車いすの座位より少し高めにすると移乗がより容易になる。

2 移乗動作で使用される用具の種類

1 介助用ベルト

座位保持や立位が困難な人を移乗介助するとき，腰部をしっかりと支えることが必要となる。介助しやすいように腰部に手をかける把手があると，比較的無理のない姿勢で介助することができる。介助用ベルトは数か所に把手が付いていて，歩行が困難で近距離の移動も一人では難

しい人をベッドから車いす，車いすから便座などへ移乗させるときに使用する。移乗者を安定した姿勢で支えることができるので，介助者の身体的負担が少なくなり，移乗する人の安全性も確保することができる。

　介助用ベルトは移乗者の腰サイズに合っていることが必要で，少しきつめに締めないと移乗時にベルトが上方に移動して，移乗介助者の負担がかえって増えてしまうこともある。移乗者との距離をできるだけ短くするほうが介助量は少なくてすむ。なるべく背中の中央近くに把手が付いているものがよい。

　立位保持が自力では困難な場合は，把手が水平に付いているほうが介助者の上肢の筋力を有効に使うことができる。直角に付いているものは，移乗者が立位保持を自力でできる程度の身体機能レベルの人に向いている。

　なお，全介助の場合にはまず把手に親指をかけてから，他の指をそえるようにすると腕の力を保持しやすくなる。体重の重い人の介助には移乗介助者も腰ベルトを着用すると力が出しやすく，腹腔内の圧力が上昇し，背筋への負担が少なくてすむ。着脱を頻繁に行うときには，肩ベルトが付いていると緩めたときに落ちないので便利である。ベルトは伸びのない材質のほうが腹腔圧が上昇しやすくなる。

① 介助用ベルトA，B（図4-1-4-2，図4-1-4-3）

　入浴時などの移乗介助専用のもの。ベルトには身体をしっかり支えられるように水に濡れても滑りにくい特殊加工の幅広いパッドが付けられている。把手がベルトと平行に付いている。材質はナイロン製のパイル地で柔らかく，肌にやさしい。

② 介助用ベルトC（図4-1-4-4）

　移乗者または移乗介助する人が付けるベルトで両者が握りやすいように把手が水平方向と垂直方向に付いている。把手の形状も円柱状にして手指を入れやすくしてあり，とっさのときにもつかみやすくしている。

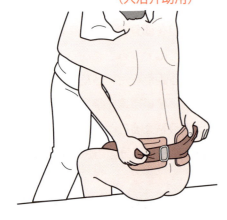

図4-1-4-2　介助用ベルトA（入浴介助用）

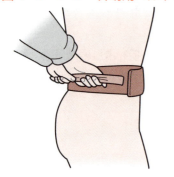

図4-1-4-3　介助用ベルトB

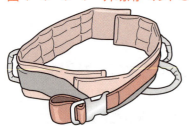

図4-1-4-4　介助用ベルトC

図4-1-4-5　介助用ベルトの使用

利用者が倒れないように介助する。

歩行時のサポートをする。

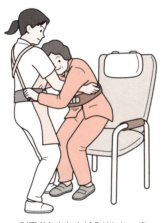

利用者を立ち上がらせたり，座らせるときに使う。両者がベルトを装着するとよい。

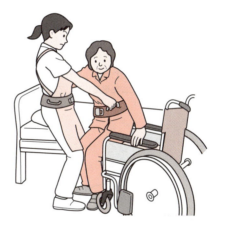

車いすからベッドへの移乗に使う。両者がベルトを装着するとよい。

　垂直方向の把手は，主に移乗者がベッド端座位からつかまり立ちなどのときに使用する。水平方向の把手は，移乗介助する人が移乗者を持ち上げるときなどに使用する。両者がベルトを付けると移乗介助が容易になる場合がある。入浴介助用以外の介助用ベルトは保険給付の貸与対象である。

2　スライディングボード（移乗ボード）

　いわゆる「わたり板」のことで移乗者を臥位や座位のままで移乗させることができる。材質は硬いものとやや柔らかいものがあり，主としてベッド↔車いすの移乗やベッド↔ストレッチャーの移乗に使われる。

① ベッドから車いす，車いすからベッドへの移乗（図4-1-4-6，図4-1-4-7，図4-1-4-8）

　欧米では一般的になっているが，使用できる車いすは，フットサポートやアームサポートを取り外すことができなければならない。また安全を確保するためにはボードの両端15cm

図4-1-4-6　スライディングボード（ハードタイプ）

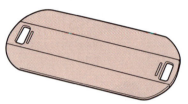

サイズ　250×600mm　重さ　720g
材質　ポリエチレン
耐荷重　135kg

移乗者を座位のままで移乗させることができる。材質は弾性があり，しかも滑りやすいプラスチック板でベッドから車いすの間に橋渡しをして腰部をスムーズに移乗可能にした。

図4-1-4-7　スライディングボードの使用

①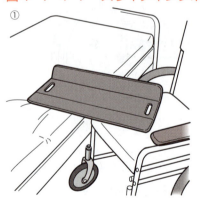

②

③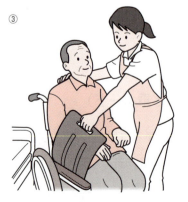

図4-1-4-8 スライディングボード（ハードタイプ）

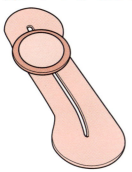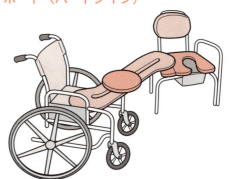

プラスチックでできている。スライドの長さは約700mmで横方向に移動することができる。ベッドから車いす，車いすからポータブルトイレ，シャワーいすなどへの移乗に適している。両者の段差が140mm以下であれば，座位姿勢のままでスムーズに移乗することができる。
寸法は回転盤の直径300mm・全長1000mm・厚さ36mm，重さ2.9kg，使用最大荷重は170kgなので，体重の重い人でも十分使用可能である。

がしっかりと支持されていることが必要で，橋渡しをする隙間は10cm以下にする。車いすの車輪が邪魔にならないように，車いすを少し角度をつけるようにベッドの脇に置く。ベッドはマット面が上下できるものであれば，車いすの座面の高さと同高にするか，ベッドから車いすに移乗する場合には，ベッドのマット面を車いすの座面よりやや高めにし移乗面を斜めにすると，もっと容易に移乗が可能となる。車いすからベッドへの移乗では，逆にベッドのマット面を車いすの座面より低めにすると移乗しやすくなる。介助が必要なときには，介助者は後方から移乗者の身体を横方向にずらすか，前方に立って介助者のベルトを持って移乗することができる。

② ベッドからストレッチャー，ストレッチャーからベッドへの移乗（図4-1-4-9，図4-1-4-10）

移乗者を側臥位にして，**図4-1-4-8**で使用したスライディングボードを2枚使用し円盤状の移動部に身体を乗せて移動させる方法と，移乗者を側臥位にして，シートを身体の下に敷き込むものがあり，いずれのものも介助者にあまり負担をかけないで移乗することができる。

3 スライディングシート（移乗シート）（図4-1-4-11）

柔軟性のある筒状のシートで，筒の内側に滑りやすい特殊加工布を付けてある。そのために，平らに敷いたとき，接する上下内布が互いに非常に滑りやすくなっているのが特徴である。外布と内布との間にはクッションを挟んであり，全体に柔らかく，使用しやすいように考えられ

図4-1-4-9　スライディングボード（ソフトタイプ）

移乗者を側臥位にして，シートを身体の下に敷き込む。把手は邪魔にならないように折りこむようにつくられている。背臥位にしてから把手を引き出す。

図4-1-4-10　スライディングボードの使用

①

移乗者を側臥位にして，ボードを身体の下に敷き込む

②
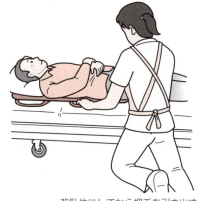
背臥位にしてから把手を引き出す

③
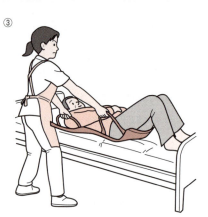

④
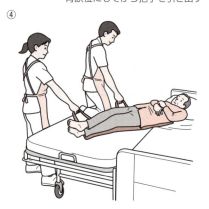

図4-1-4-11　スライディングシート

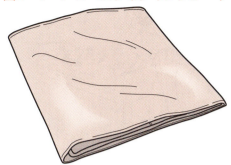

〔敷き込み〕
① シーツ交換の要領、つまり移乗者の身体を横向きに回転させて背中の下に二つ折りにしたスライディングシートを差し入れ、その上側をさらに二つ折りにしたスライディングシートをあてがい、つぎに反対側にロールして、スライディングシートの端を引き出して平らに広げ、その上に仰臥位に戻す（**図4-1-4-12**）。
② 移乗者の身体を横向きに回転させて背中にスライディングシートの端をできるだけ深く差し込み仰臥位に戻す（**図4-1-4-13**）。

図4-1-4-12　スライディングシートの敷き込み方①

図4-1-4-13　スライディングシートの敷き込み方②

③ ベッドを背上げした座位の状態から背上げを戻して仰臥位にする際、背上げを戻す前に、背中の後ろにスライディングシートを差し入れておくと、背上げを戻したときにスライディングシートが自動的に背中の下に敷かれる（**図4-1-4-14**）。
④ 抱き起こす前に臀部にできるだけ深くスライディングシートをあてがっておいて、抱き起こしたとき座位の臀部下に敷かれるようにする（**図4-1-4-15**）。

図4-1-4-14　スライディングシートの敷き込み方③

図4-1-4-15　スライディングシートの敷き込み方④

〔抜き取り〕
① 移乗者の身体がスライディングシートの上にフルに乗っているとき（全身敷き）は敷き込み方①の逆の方法で行う。
② 移乗者の身体がスライディングシートの端に半分あるいは3分の2くらい乗っているとき（半身敷き）なら、下側をつかんで引っ張れば抜け出てくる。

図4-1-4-16　スライディングシートの使用

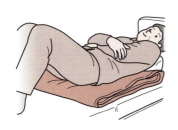
身体を上方に移動する

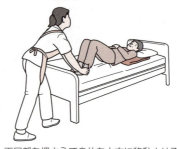
両足部を押さえて身体を上方に移動させる

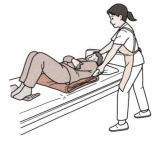
両肩をもって上方に移動させる

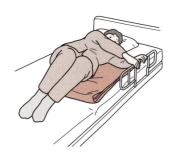
側臥位からの起き上がり

ベッド端座位

車いすへの移乗

ているものもある。平らに広げたシートの上に移乗者を乗せ，移乗するときの補助として使う。シート上側に横方向の外力を加えると全体が筒壁方向に滑る特性を利用して，移乗者の体位をできるだけ移乗しやすい位置にもってくることができる。

　また，ひねり外圧を加えることにより，容易に身体の向きを変えることが可能である。

　ベッド上で背臥位から端座位にしたいとき，全介助に近い状態であったり，座位保持が一人では困難であったりするときには，身体の向きを変えることは介助負担も大きくたいへんなことであるが，スライディングシートにより，容易に向きを変えることができる。

4　回転盤

　座位移乗では身体の向きを変えることも必要である。普通は介助者が腰部を抱えて向きを変える。体重のある移乗者では介助者の介助量が増加するので，高齢や女性の介助者の場合，移乗介助が困難になる。そのようなとき，座面に敷いて移乗者の身体の向きを容易に変えるようにすることができる。介助者が移乗者を抱え上げて向きを変えるかわりに，移乗する人を回転盤の上に立たせて，支えながら容易に向きを変えることもできる。移乗者を正しく回転盤の上に乗せるためには，一時的に回転しない状態で両足部を乗せることが必要で，介助者が片足を

回転盤上に乗せて固定した状態で移乗介助を行う。盤上に正しく両足部を乗せることができると，立位介助のときに身体の向きを簡単に変えることができる。

① 回転盤A（図4-1-4-17）

すべてプラスチックでできている。回転面は，ビニール繊維をプラスチックコーティングしたものに抗菌処理が施されている。ワンタッチで取り外し，洗濯することができる。本体には金属を使用していないために錆などがなく，浴槽などの水まわりやトイレ内の便器手前などに置くなど，汚れやすいところでの使用に適している。

寸法は，直径330mm・厚さ23mm，重さ1kg。

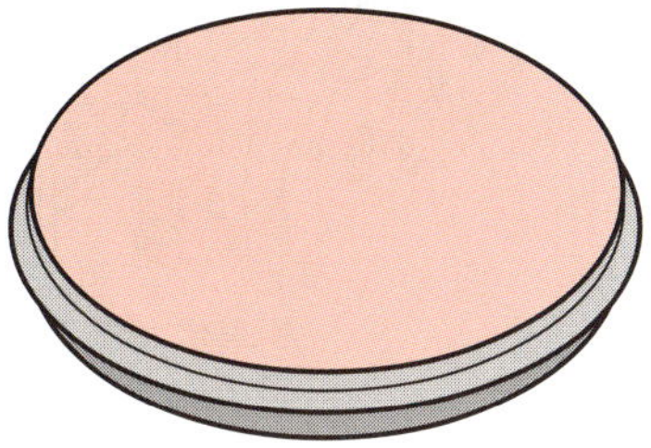

② 回転盤B（図4-1-4-18）

金属板とプラスチックでできている。回転面は合成ゴムでできており，薬品，熱，摩擦などには強い。回転盤の上下は工具なしで容易に分解できて，掃除のときには便利である。本体は金属のため堅牢で，床面に凸凹があってもスムーズに回転することができる。底面には8個のスリップ防止型ゴム足が付いていて，床面保持安定性に優れている。

寸法は，直径340mm・厚さ33mm，重さ（標準型）2kg。

図4-1-4-17 回転盤A

図4-1-4-18 回転盤B

図4-1-4-19 回転盤の使用例（車いす〜ベッド間（自立））

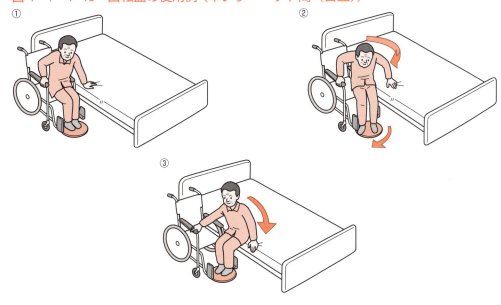

図4-1-4-20　回転盤の使用例（ベッド～車いす間（介助））

①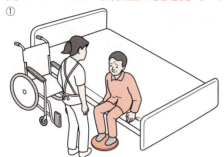
回転盤をつま先で踏む

②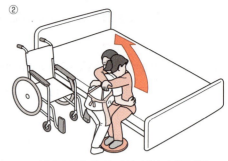
つま先で回転を確実に止めて立ち上がらせる

③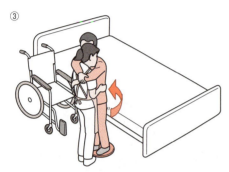
回転をコントロールしながら向きを変える

④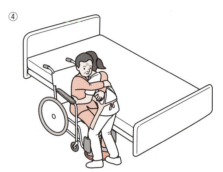
つま先で回転を確実に止めて着座させる

5　体位変換器

　体位変換器は，主に臥位時で使用するものである。健康な生命を保つために，我々にとって十分な休息や睡眠は欠かせない。質のよい休息や睡眠が十分に確保されないと，日中の活動に影響が出かねない。そのために，適切な寝具等の選択が必要不可欠となる。

　質のよい眠りが担保されるために，ベッド使用ではマットの選択が大切である。睡眠時，同じ姿勢でいると身体がマットに当たる部位が痛くなり，通常は，20～30回ぐらい寝返りなどの体位変換をしている。身体に障害があると体位変換が困難になるので，適切な臥位姿勢を補助する用具が必要になる。

　体位変換器は大別すると二つに分類できる。一つは，臥位時に姿勢を変えたいときなどに使用するもので，身体のラインに沿った柔らかな曲線で作られていて，快適に姿勢を支えることができるウレタンクッションのものや，心地よい感触で蒸れにくい，特殊なクッションビーズ素材を使用したものなど（**図4-1-4-21**）がある。利用者の身体に沿って自由に形を変えることができ，取っ手があると使用位置を変えやすい。

　もう一つは，体位変換だけでなく，特に排せつ介助時に威力を発揮するものである。サイドレール等に装着して利用者の身体を側臥位に固定したり，下肢の間に挟んで体位変換を容易に

したりして，おむつ交換を楽にするものなど（**図4-1-4-22**）がある。

図4-1-4-21　体位変換器①

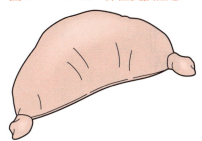
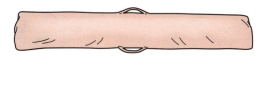

図4-1-4-22　体位変換器②

6　段差解消機

　日本家屋では木造建築の場合，建物を保護するために地面から45cm床を上げることが建築基準法で決められており，車いす利用者などが玄関の上がり框（かまち）を自由に出入りすることは困難であり，室内に閉じ込められやすかった。段差解消機はおおむね1m以内の段差がある場合などで，スロープを設置するスペースが十分にないときなどに有効である。従来のものは地面にピットをつくり機械を設置するものが多く，工事を伴う大がかりなものだった。最近では置くだけで使用でき，しかも，最も下に降りたときに，人や車いすの乗る天板（テーブル）が地面より1.5cm程度になるものも開発されている。昇降は手動のものと電動のものがあり，手動では足踏みペダルを操作して油圧で行うために電動と比べると軽量で自動車に積み込めるものもある。車いすなどの転落防止や柵などがしっかり取り付けられているものや，昇降時，特に上昇したときに天板の揺れが少ないものが安全である（**図4-1-4-23**）。

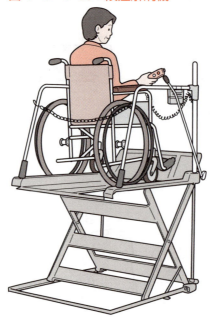
図4-1-4-23　段差解消機

7　簡易スロープ

　車いすなどの移動の際，段差に乗せて使用する取り外し可能なスロープ。段差解消機よりも取り扱いは容易であるが，適当な傾斜を得るためには高さに応じたスペースが必要となる。斜度をできるだけゆるくしないと介助負担が大きくなるので，段差が40cm以内であると使いやすい。

　車いすの左右の車輪の幅に合わせて2本のレールを敷くタイプ（レール型）と，フラットな板状のタイプ（フラット型）がある。強化プラスチックやアルミ合金などで構成され軽量化が図られている。

① 　レール型

　2本1組で，強度を増すためと車輪が外れないようにするために縁がついている。走行面には滑り止めの素材が貼ってある。ほとんどのものがアルミ合金製で，長さにより重量が異なるが，2mのもので1本5kg程度となる。収納時には半分の長さになるスライドタイプもある。高齢者の介助で使用するには20cm以内の段差であれば勾配も小さくなり介助負担も軽くなる。介助者は左右のレールの間を歩きながら車いすを昇降させることになる。

② 　フラット型

　二つ折りや四つ折りできるアルミ合金や強化プラスチック製のものや組み立て式で丸めて携帯できるアルミ合金製のものなどがある。走行面には滑り止めの素材が貼ってある。長さ

は最大で6mのものもある。重量は8～60kg程度で長さにより異なる。介助者もスロープに乗ることができるので車いすの介助はしやすい。最近，軽量で高性能なものが開発されている。

使用上の問題点

❶ レール型は左右別々に運ぶことができるので，重さが半分になる。フラット型は一体なので別々に運ぶことはできない。

❷ レール型では介助者はレールの間を歩くので，段差が大きいと車いすが徐々に上方に上がってくる。そのため，介助負担が大きくなることがある。フラット型では介助者もスロープの上を歩くのでそのようなことはない。

8 リフト

移乗者が自力での移乗ができないときや，介助力が十分でないときに有効な移乗用具である。リフター，またはホイストとも呼ばれる。ベルトや特殊な形状の吊り具により移乗者を吊り上げて移乗させるものがほとんどである。リフトには床走行式，固定式，据置式，天井走行式などがある。

●床走行式リフト

床走行式リフトは，吊り具やいす等の台座を使用して人を持ち上げ，キャスタ等で床や階段等を移動し，目的の場所に人を移動させるもの。

① 床走行式リフト（図4-1-4-24，図4-1-4-25）

このリフトの構造は，アームをアクチュエーターで昇降させる比較的単純なものである。ハンガーに吊り具をつけ，移乗者を吊り上げて移乗する。一般的には次のような構成となる。

❶ ベース…………床支持部。脚部可動式
❷ マスト…………ベースに接続する柱
❸ キャスタ………四輪が一般的
❹ ハンドル………床走行時使用する
❺ アーム…………マストに接続する腕部
❻ ハンガー………吊り具をかける棒
❼ アクチュエーター……マストとアーム間には伸縮する棒状の柱がある。以前は油圧式で人力により伸縮を行い自力で移乗できない人を吊り上げたが，今は電動により伸縮するタイプが一般的となっている。

図4-1-4-24 床走行式リフト①

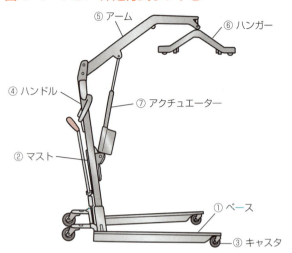

⑤アーム
⑥ハンガー
④ハンドル
⑦アクチュエーター
②マスト
①ベース
③キャスタ

一般的なタイプで床から吊り上げることもできる。脚部（ベース）は開閉することができ，車いすへの移乗にも便利である。閉じると狭いところも通れる。

図4-1-4-25 床走行式リフト②

アームが支柱に沿って垂直に移動するので吊り始めに揺れがなく，吊られる人に不安感を与えない。脚部（ベース）は，前輪に左右三つずつのキャスタがついているためにベッドや車いすの下にも差し込みやすくなっている。

② 台座式床走行式リフト（図4-1-4-26，図4-1-4-27）

　リフトに備え付けられたいすや担架などの台座を使って身体を移乗させるもので，座位または臥位で，床面を移動し目的の場所に移乗させることができる。主に施設などで使われている。

図4-1-4-26 台座式床走行式リフト①

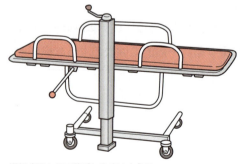

担架式のもので移乗しやすいように移乗装置が付いている。

寸法
　全幅　618mm
　全長　1550mm
　全高　442～837mm

脚部
　全長　800mm
　全高　156mm
　重量　45kg

図4-1-4-27 台座式床走行式リフト②

③ 階段移動用リフト（図4−1−4−28，図4−1−4−29，図4−1−4−30）

　電動モーターの働きで階段や段差を昇降することができる移動用リフトで，固定設置する工事などを必要としないもの，移乗者が車いすに座ったままで階段を昇降することができるものや移乗者のみを昇降するものなどがある。階段や段差を昇降する機構は階段の段鼻を駆動部のクローラが回転して昇降するもの，四つの車輪の二輪が交互に作動して，人が歩くように階段を昇降するものなどがある。

　利用対象者は，主に要介護3〜4の自立歩行が困難で，住宅改修が困難な公団，公営住宅などでエレベーターのない集合住宅や，道路から玄関までが階段で，住宅が高台にある一軒家などに居住している場合である。

　クローラが回転して昇降する移動用リフトを使用できるのは直線階段や平坦な踊り場をはさむ曲がり階段のみで，らせん階段，狭い踊り場の階段，雨などで濡れた階段では使用できない。車いすに座ったままで昇降できる使用可能な曲がり階段の寸法は踏み面の横幅100cm以上，移動用リフトの方向転換が可能な踊り場寸法は，幅192cm以上，奥行き125cm以上必要となる。最大傾斜角度（勾配）は35度以内で使用可能である。移乗者のみが昇降する使用可能な曲がり階段の寸法は踏み面の横幅90cm以上，移動用リフトの方向転換が可能な踊り場寸法は，幅190cm以上，奥行き95cm以上必要となる。最大傾斜角度（勾配）は35度以内で使用可能である。一般個人住宅では住宅内階段の最大傾斜角度（勾配）は45〜52度程度のものが多く，この階段移動用リフトは屋外階段向け，もしくは公共的建築物向けである。

　四つの車輪の二輪が交互に作動する移動用リフトは直線階段，らせん階段，狭い踊り場の階段，非常階段にも対応している。階段の段鼻を傷めないので，公共住宅のコンクリートの階段や一般個人住宅の木製の階段などでも使用することができる。使用可能な曲がり階段の寸法は踏み面の横幅70cm以上，奥行き12cm以上，蹴上げの高さ21cm以下，移動用リフトの方向転換が可能な踊り場寸法は，幅140cm以上，奥行き80cm以上必要となる。

　利用に際しては，移動用リフトを安全に使用できる介助者を確保する必要がある。四つの車輪の二輪が交互に作動する移動用リフトより，クローラが回転して昇降する移動用リフトのほうが，昇降時介助者にかかる負担は少ないように考えられている。移動用リフトの大きさや重量の点から，通常の住宅内での使用はかなり制限される。

　階段移動用リフトを指定福祉用具貸与または指定介護予防福祉用具貸与（以下「指定福祉用具貸与等」という）として提供する場合には，次に掲げる手続き等を経ることが厚生労働省により義務づけられている。

❶　指定福祉用具貸与等の提供を行おうとする福祉用具専門相談員が，階段移動用リフトの製造事業者等が実施している講習を受講し，かつ，当該講習の課程を修了した旨の証明を受け

図4-1-4-28　階段移動用リフト①

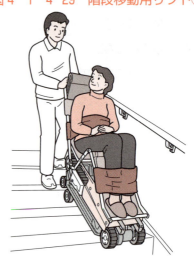

図4-1-4-29　階段移動用リフト②

図4-1-4-30　階段移動用リフト③

ていること。

❷　福祉用具専門相談員が，サービス担当者会議等を通じて，利用者の家族等に対し，利用者の家族等の心身の状況およびその置かれている環境に照らして，階段移動用リフトの適切な使用のための助言および情報提供を行う等の必要な措置を講じていること。

❸　福祉用具専門相談員は，介護支援専門員または担当職員が居宅サービス計画または介護予防サービス計画に指定福祉用具貸与等として階段移動用リフトを位置づける場合にあっては，当該福祉用具の使用方法，使用上の留意事項等について十分な説明を利用者の家族等に行ったうえで，実際に当該福祉用具を使用させながら指導を行い，専門的な見地から安全性

に十分に配慮してその要否を判断し，責任をもって提供を行うこと。
❹ 指定福祉用具貸与事業所等は，階段移動用リフトの見やすい場所に使用にあたっての留意事項等を掲示し，利用者の家族に対し，安全性に関する情報の提供を行うこと。

なお，車いすに装着等することにより一体的に使用するもので，車いす付属品として同様の機能を有するものについても，安全性の確保について同様に留意する必要がある。

●固定式リフト

ベッド，浴室内，トイレの便器，玄関の上がり框（かまち）などに固定設置し，そのアームの可動範囲で使用するもので設置工事などは，ほとんどのもので不要である。

① 浴槽用固定式リフト

移乗動作の際に使用されるリフトは上から吊り上げる方式か下から持ち上げる方式かの二つに分類される。入浴の際には裸で使用されるものなので利用者の心理的負担を少なくするには下から持ち上げる方式のほうがより適していると思われる。しかし，介助負担を考えると利用上の条件がある。

❶ 利用者が座位保持可能であること

リフトへの移乗は座位移乗となるので，利用者が座位を十分に保持できないと，介助者が常に支えていなくてはならないために介助負担が増大してしまう。

❷ 浴室内への移動はスムーズにできること

車いすなどが浴槽に横づけできないと移乗が困難になりやすい。そのためには浴室出入口などの段差はすべて取り除く必要がある。これは利用者が立位移動可能な場合でも同様である。

❸ メンテナンスが容易であること

私たちの入浴方法はシャワーが主体の欧米の方法とは異なり，浴槽に湯をため，首までつかるために利用するたびに水を替えないことも多く浴槽が汚れやすい。掃除を容易にするためには，リフトの出し入れや着脱が簡易にできることが望ましい。

❹ 他の家族が入浴するときに邪魔にならないもの

浴室をリフト利用者だけでなく，他の家族も使用する場合に，邪魔にならないようなものが望まれる。浴槽内にリフト本体を設置するような方式だと家族が使用する場合には出し入れしなくてはならず，手間がかかりやすい（**図4-1-4-31**）。

② 浴室用固定式リフト（図4-1-4-32）

浴室用専用リフトで，水道圧により昇降する水圧シリンダーと吊り具を使用して移乗者を吊り上げて入浴することができる。最近はモーターにより吊り上げるものが増えている。アームの中央部が自由に屈曲する特殊な構造により脱衣室から浴室内に移動することができ

図 4-1-4-31 浴槽用固定式リフト

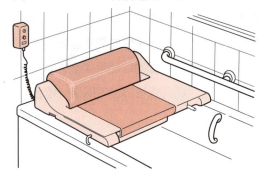

図 4-1-4-32 浴室用固定式リフト

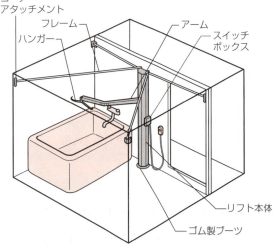

浴室に取り付けて使用する。多関節アームにより，脱衣所から浴槽まで吊り上げたまま移動することができる。リフト本体は天井に4か所フレームを取り付けて固定する。

図 4-1-4-33 ベッド用固定式リフト

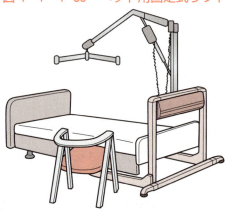

ベッドに固定して車いすなどへの移乗に使用する。

る。一般的に浴室の取り付けには工事はほとんど必要がない。

③ ベッド用固定式リフト（図 4-1-4-33）

　ベッド下部に脚部などを固定し，ベッド上で吊り上げて車いすなどに移乗させるものである。ベッドに固定するので比較的場所をとらない。

④ 立ち上がり補助便座（昇降機部分のみ）（図 4-1-4-34，図 4-1-4-35）

　立ち上がり補助便座は便器に据え置き（固定設置）し，便座を上下させ，着座，立ち上がりを補助する電動式のリフト（昇降機）である。電動式のリフト（昇降機）の上に，現在使用しているトイレの便座をかぶせて使用する。対象者は骨関節系疾患や脳血管障害の後遺症などで，下肢（特に膝）が曲がらない，力が入らないために，排泄時に便座の立ち座りが困難な人などである。

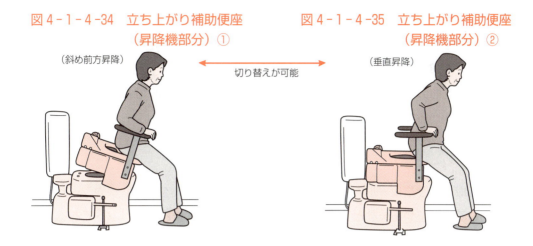

図4-1-4-34　立ち上がり補助便座（昇降機部分）①（斜め前方昇降）

図4-1-4-35　立ち上がり補助便座（昇降機部分）②（垂直昇降）

切り替えが可能

　利用対象者は，要介護2〜4程度の人を想定している。変形性膝関節症や関節リウマチなどで膝の痛みや可動域の制限があると，普通のトイレの便座の高さでは着座することや立ち上がり動作が困難になる。また，難病の場合には全身の筋力低下が著しく，家のトイレまで何とか歩いて移動することはできるが，両下肢の筋力低下が進んでくると，便座に座ることや立ち上がれないために利用できない人もいる。そのような身体状況のとき昇降便座を使用すると，自分でトイレが使えるようになる。

　立ち上がり補助便座には便座が斜め前方に昇降するものと垂直に昇降するものがある。最新のものは斜め前方昇降と垂直昇降を切り替えられるものもあり，以前のものより改良されている。

❶　斜め前方昇降型

　便座が斜め前方に昇降するものは，身体の重心の前方移動が正しく行われるために，便座への着座や立ち上がりなどの動作がスムーズにできる。全身の筋力低下が著しく便座に座ることや立ち上がれない難病などの人に向いている。両下肢の筋力低下が進んでいる場合には着座する前に便座をめいっぱい上げて，着衣をとって便座に座ってから昇降便座を降ろすとよい。

❷　垂直昇降型

　垂直に昇降するものは，変形性膝関節症や関節リウマチなどで膝の痛みや可動域の制限があるときで，膝にかかる負担をできるだけ軽くしたい場合に向いている。また，膝の痛みや可動域の制限があるときは，普通のトイレのような便座の高さでは着座や立ち上がり動作が困難になる。そのようなときに補高便座の機能と同様に便座を途中で止め，高さを上げて使用することも可能である。

● **据置式リフト**

　ベッドサイドなどの床に置いて，移乗者をベルトやシートなどの吊り具により移乗させる（**図4-1-4-36**，**図4-1-4-37**）。室内の四隅に支柱を立てて，室内のどこにでも移動できるようにしたものもある。レールの可動範囲でほとんど力を加えずに移動可能なために介助者に負担がかからない。介助者が高齢なときには使用しやすいリフトである。

● **天井走行式リフト**

　天井に取り付けたレールに沿って，自力移乗が不可能な人をベルト状やシート状の吊り具を使用して，臥位や座位などで吊り上げて目的の場所に移乗させるリフトである（**図4-1-**

図4-1-4-36　据置式リフト①

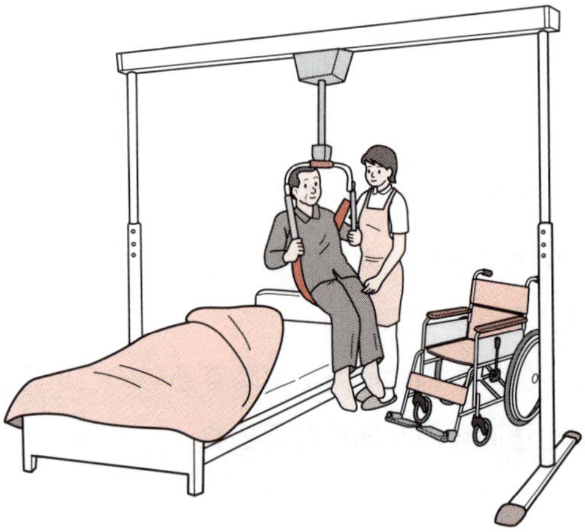

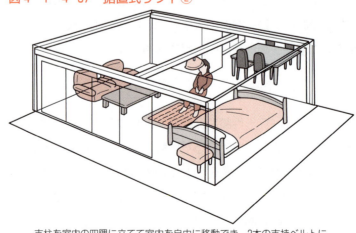

リモコンで上下移動，水平移動は手動式となる。
支柱は空気圧で持ち上げて固定する。

図4-1-4-37　据置式リフト②

支柱を室内の四隅に立てて室内を自由に移動でき，2本の支持ベルトにより鴨居や垂れ壁をまたぐように移動できる。室内の改造は必要ない。

図4-1-4-38 天井走行式リフト

上下・移動とも電動式のものがある。操作はワイヤレスリモコンで行う。

4-38)。レールは水平に設置する必要があり，垂れ壁などはすべて取り外すか，一部を切り取ることが必要となる。天井にレールを取り付けるために工事を伴う。介護保険制度では工事をしなければ利用できないものは対象外である。ベッドからトイレや浴室などにレールを取り付けて使用する。利用者を吊り具で吊り上げれば，ほとんど介助者に負担がかからない。一度工事をするとレールの位置変更はできないので慎重に行う必要がある。

9 吊り具

リフトを使用する際，最も注意をすべき重要なパーツ（部品）は吊り具である。利用者の身体に密着する部分であり，それが利用者の身体状況に適合していないと苦痛を伴ったり，落下などの危険もあり，使用を拒否されてしまうことにもなる。使用目的，利用者の身体機能，介助者の使用能力などをしっかりと把握して，最も適切なものを選択すべきである。メーカーによっては寸法が異なることもあり，大，中，小などのサイズのある吊り具もある。吊り具の種類にはベルト型，シート型，脚分離型（ハーフサイズ，フルサイズ），トイレ用などがある。

① ベルト型（図4-1-4-39，図4-1-4-40）

着脱が最も容易である。ただし，上下のベルトが腋下および大腿近位部にかかるので，両肩関節や股関節周囲筋がリフト姿位を保持できる筋力がなければならない。脳血管障害の後遺症の片麻痺などでは使用できない場合もある。

図4-1-4-39　ベルト型吊り具

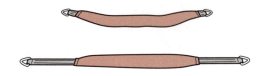
図4-1-4-40　ベルト型吊り具の展開図

② シート型（図4-1-4-41，図4-1-4-42）

上下肢の関節の固定力が弱くても使用できる。着脱は臥位で行い，車いすなどに移乗したときには敷き込んだままになる。

図4-1-4-41　シート型吊り具

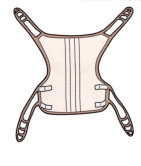
図4-1-4-42　シート型吊り具の展開図

③ 脚分離型（ハーフサイズ）（図4-1-4-43，図4-1-4-44）

ローバックという場合もある。車いすなどの座位姿勢で着脱が可能である。シートは肩までしかないので，頭部支持ができなければならない。大，中，小などのサイズがあるので，利用者の体格に合わせて選択する必要がある。股関節の支持力もリフト姿位を保持できる筋力が必要である。

図 4-1-4-43　脚分離型（ハーフサイズ）吊り具

図 4-1-4-44　脚分離型（ハーフサイズ）吊り具の展開図

④　脚分離型（フルサイズ）（図 4-1-4-45, 図 4-1-4-46）

　ハイバックという場合もある。ハーフサイズとほぼ同様であるが，シートは頭部まであり，頭部の支持力の弱い場合にも使用可能である。吊りベルトは片側二本と三本のタイプがあるが，三本のものは使用方法が複雑になりやすい。

図 4-1-4-45　脚分離型（フルサイズ）吊り具

図 4-1-4-46　脚分離型（フルサイズ）吊り具の展開図

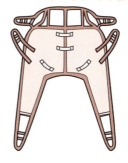

⑤　脚分離型（トイレ用）（図 4-1-4-47, 図 4-1-4-48）

　シート幅が狭いために着脱がより容易である。しかし，利用者には身体の狭い部分に力が集中するので，股関節の支持力も必要となる。吊り上げた状態で下着をとることが可能となる。

図4−1−4−47　脚分離型（トイレ用）吊り具

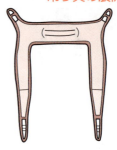
図4−1−4−48　脚分離型（トイレ用）吊り具の展開図

●吊り具の適合

① サイズを合わせる

　洋服を着る人の身体の大きさに合わせて購入するのと同様，吊り具も利用者の身体の大きさに合わせる。XS（SS）〜XL（LL）まで5段階そろっているものから，フリーサイズのものまでさまざまなものがある。

② 本人の身体機能に合わせる

　吊り具は人を持ち上げるときの支えである。したがって，どこの部分を支えればよいのか，吊られる人の身体機能によって支える場所が変わってくる。

③ 使用目的に合わせる

　入浴に使えば，吊り具は濡れるし，浴槽の中では浮力の影響を受ける。トイレに使うためには，吊り上げている状態で下着の着脱ができるとよい。使用目的によって，吊り具の材質や形が異なる。

④ リフトの機種に合わせる

　リフトの機種によっては特定の吊り具，あるいは特定の工夫をしないと使えないものもある。

⑤ 頭部の支持性

　頭部を本人が自分で支えていられれば，吊り具は頭部を支持しない脚分離型（ハーフサイズ，ローバックという場合もある（307頁の**図4−1−4−43**））を選び，頭部も吊り具で支持する場合には脚分離型（フルサイズ，ハイバックという場合もある（307頁の**図4−1−4−45**））を選ぶ。

⑥ 股関節の固定力

　股関節の固定力（股関節伸筋群の緊張や短縮，股関節の拘縮なども含めて）によって，吊り具の種類が変わる。

　固定力が弱いと臀部が落下しやすくなるので，臀部を十分に覆うような吊り具になり，固

定力がある場合には臀部を開放しても臀部が落下しない。

臀部が落下すると，股関節が過屈曲して腹部が圧迫され，苦しくなるとともに，腋下部が圧迫される。

●使用方法（脚分離型吊り具）

① 車いす上での着脱

【装着方法】（図 4 - 1 - 4 -49）

❶ 前傾姿勢をとらせて，吊り具を背中から座面までしっかり差し込む。

吊り具の中央が脊椎のアライメントと一致するように注意する。

❷ 脚部ストラップの下を持ち，片手で大転子周辺を押さえるようにしながら，ストラップを軽く引く。

❸ このとき，吊り具の下端が臀部および大腿部の下に入るようにする。臀部が十分に覆われないと，吊り上げたとき，臀部が落下した姿勢になりやすい。

❹ 大腿部の下をくぐらせる。このとき，足を介助者の大腿の上に乗せると，大腿部の下があくのでくぐらせやすくなり，介助者が中腰にならずにすむ。

❺ 大腿部のしわを伸ばすために，ストラップの両端を広げるように，また股関節に近づけるように軽く引き上げる。

❻ 引き上げたら，大腿部の上に広げておく。

❼ 左右同じようにし，左右とも同じ長さであることを確認する。

長さが違っているときは，短い方を引いてもよいが，この方法は一般的に左右のバランスが崩れることが多いため，再度やり直したほうが賢明である。

❽ 一方をもう一方のストラップの中にくぐらせる。

❾ ハンガーのフックにストラップをすべてかける。フックが片側複数ある場合にはそれぞれ別個にかける。

腕は外に出してもよいが，この場合には腋下が圧迫されやすいので，内側に入れたほうがよい場合が多い。

❿ 少しずつ吊り上げる。

途中で大腿部のしわに気をつけ，もし，しわがあるようなら完全に吊り上げる前に伸ばす。

⓫ 身体が浮き上がったら，肘を軽く前に引くか，肩甲骨と吊り具の間に手を入れて身体を若干前に出す。

この作業は肩周辺が圧迫されるのを防ぐ動作である。自分で吊られてみると，この作業の意味がよく理解できる。是非試してみてほしい。

図4-1-4-49 脚分離型吊り具の装着方法

①

②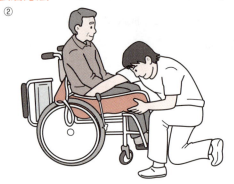

③

十分に覆われている

十分に覆われていない

④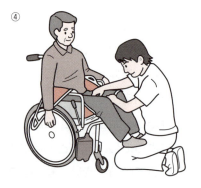

⑤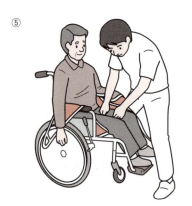

⑥

⑦ 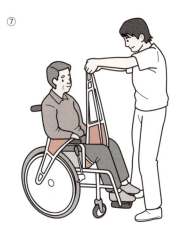 ⑧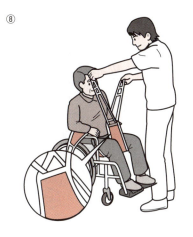

⑪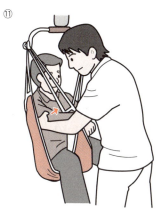

資料：財団法人東京都高齢者研究・福祉振興財団編『高齢者・障害者の生活をささえる福祉機器Ⅰ』62～63頁，2003年。

〈良い姿勢〉（図4-1-4-50）

❶ 臀部が十分覆われている。

❷ 体幹がまっすぐで，左右に傾いていない。

〈悪い姿勢〉（図4-1-4-51）

❶ 臀部がはみ出している。股関節が過屈曲気味になり，時間とともにさらに臀部が落ちていく。

原因として，以下が考えられる。

- 吊り具が大きすぎる。
- 吊り具が浅すぎる（装着のとき吊り具と身体との位置が悪い）。
- 股関節固定力が不足。

対策として，以下があげられる。▶1

▶1 これらの対策を講じても改善されない場合がある。その場合にはこのタイプの吊り具は不適応だと考える。

図4－1－4－50　吊り具装着時の良い姿勢

①

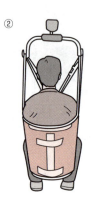
②

資料：図4－1－4－49に同じ，64頁。

図4－1－4－51　吊り具装着時の悪い姿勢

①

②

③

④

資料：図4－1－4－49に同じ，64～65頁。

- 吊り具を小さくしてみる。
- 適切な手順にする。
- 小さめの吊り具にするか，閉脚式にする。

❷ 吊り具が股関節に食い込んでいる。
原因として，以下が考えられる。
- 吊り具が小さすぎる。
- 姿勢が立ちすぎている。
- 装着手順が不適切。吊り具が相対的に下（脚より）になっている。

対策として，以下があげられる。
- 吊り具のサイズを大きくする。
- 体幹部のストラップを長くあるいは脚部を短くする。
- 装着時に吊り具を深くセットしすぎない，途中でストラップを引きすぎない。

❸ 吊り具が膝窩に食い込んでいる。
原因として，以下が考えられる。
- 吊り具が大きすぎる。
- 装着手順が不適切。

対策として，以下があげられる。
- 吊り具を小さくする。
- 装着時に吊り具を股関節よりにセットする。

❹ 大腿部の下にしわをつくっている。
原因として，以下が考えられる。
- 装着手順が不適切。
- 吊り具が大きすぎる。

対策として，以下があげられる。
- 少し吊り上げてしわをとる作業を行う。
- 吊り具を小さくする。

【はずし方】
❶ 吊り具の交差をほどき，大腿の下を通して外す。
❷ そのまま後ろ側に軽く引く（**図 4 - 1 - 4 -52 ①**）。

❸ 反対側も同様にし，背を軽く前に倒して，吊り具を引き抜く（図 4 - 1 - 4 -52 ②）。
❹ 衣類を整える。

図 4 - 1 - 4 -52　吊り具のはずし方

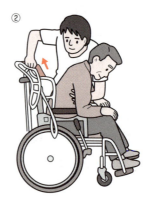

資料：図 4 - 1 - 4 -49に同じ，65頁。

● **姿勢調節の方法（脚分離型吊り具）**

① なぜ姿勢を調節するのか
❶ 移乗場面ごとに適切な姿勢が異なる。
❷ 身体機能によって，適切な吊り上げ姿勢がある。
❸ 吊り具の初期位置で吊り上げると，体格や身体機能によって吊り上げたときの姿勢が異なる。
❹ 人によって快適な姿勢が異なる。

② 姿勢調節の方法

体幹部のストラップと脚部のストラップの長さを変えれば，吊り上げたときの姿勢が変わる。

一般的に，体幹部を長く，あるいは脚部を短くすると，吊り上げ姿勢は寝てくる。これを逆にすれば，姿勢が起きる。

体幹が立ちすぎると（図 4 - 1 - 4 -53），
❶ 臀部が落下しやすくなる，
❷ 前のめりになる，
❸ 膝下にかかりやすくなる，
❹ 足が十分な高さまで上がらないことがある。

体幹が寝すぎると（図 4 - 1 - 4 -54），
❶ 頭を支えるのに首がつかれる，
❷ 車いすに着座したとき姿勢が浅くなる（骨盤が後傾した姿勢，図 4 - 1 - 4 -55），

図4-1-4-53 体幹が立ちすぎている場合

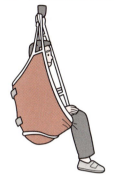

資料：図4-1-4-49に同じ，74頁。

図4-1-4-54 体幹が寝すぎている場合

資料：図4-1-4-49に同じ，74頁。

図4-1-4-55 車いすに着座したとき姿勢が浅くなる

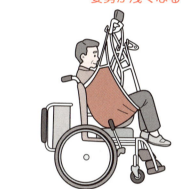

資料：図4-1-4-49に同じ，74頁。

❸ 吊り上げたとき，前後の長さが長くなることがある。

（参考）トランスファーリング（移乗リング）

　トランスファーリング（移乗リング）は，移乗介助時に移乗者の膝と介助者の膝を連結し，移乗者の体重支持脚側の膝折れを防止し移乗を容易にする。体重を支持脚の踵上に移動しやすくすることにより，移乗者の身体をわずかな力で回転し，ベッドや車いす等に移乗させることができる。また，移乗介助時に移乗者の重心の上下動がほとんどないために，介助者は移乗時の身体的負担が極端に少なくなる。

参考文献
　財団法人東京都高齢者研究・福祉振興財団編『高齢者・障害者の生活をささえる福祉機器Ⅰ』2003年。

5　排泄関連用具

「排泄関連用具」とは…

泌尿器や神経系の疾患などで排泄が困難になっている状態や，歩いてトイレまで行くことが困難になっている状態などのときに，ベッド上やベッドサイドなど居室内で排泄ができるようケアするための用具を「排泄関連用具」という。

1　排泄支援の基礎知識

1　日常生活における排泄と排泄ケア

　排泄は毎日のことである。しかも毎日4～6回老若男女を問わず，繰り返し行われていく行為である。誰もが，非常にプライベートな行為として最後まで自立していたいと願うものでもある。高齢により身体的機能が弱ってきても，あるいは疾病などにより，身体に障害があっても，用具を使ったり，環境を整えたりしながら，できる限り自立して排泄できるように工夫すること，そのための支援を考えることが大事である。

　排泄への介護が必要な場合，それはほかの日常生活への介護とは異なる特徴がある。まず自尊心・羞恥心を傷つけない配慮が重要である。支援する側は，「下の世話だけは受けたくない…」と言っていた人が世話を受けることになったときの気持ちを深く汲み取らなくてはならない。生きることのプライドにかかわる問題であるという意識をもち，プライバシーを守ることが求められている。

　また，排泄に関しての介護はほかの介護に比べて，負担が大きいといえる。それは，排泄の介護が昼夜を問わず不定期な介護であることや，後始末の大変さ，道具の管理などのほか，排泄の様子によっては疾病の面からも重要な視点をもって観察しなくてはならないからである。

　排泄の支援にあたっては，精神的な側面も支えながら，細かい排泄動作の分析のほかに，住環境，生活習慣など，幅広いアセスメントが欠かせない。

2 失禁の種類とその特徴

高齢者に多い四つのタイプの尿失禁について説明する。

●腹圧性尿失禁

くしゃみや咳をしたとき，重いものを持ち上げたときなど，腹圧が上昇したときに思わず尿が漏れる失禁である。高齢女性で尿失禁を経験したことがある人のうち約半数がこの腹圧性尿失禁といわれる。骨盤底筋という骨盤内臓器（膀胱・子宮・腸など）を支えている筋肉が弱くなることが原因である。骨盤底筋が弱まる主な原因には，妊娠・出産，加齢，肥満，便秘などがあるが，骨盤底筋訓練により，改善が見込まれることも少なくない。

●切迫性尿失禁

強い尿意を感じ，その直後に我慢できずに漏れてしまう失禁である。高齢男性に最も多いタイプの尿失禁である。強い尿意とともに，多量の尿が漏れるため，生活のなかでの支障が大きい。脳からの排尿指示が不安定になり，膀胱に少ししか尿が溜まっていない状態でも，膀胱が勝手に収縮して漏れてしまうことが原因である。いつも「失敗しないように」と尿意を感じる前に早めにトイレに行くが少量しか出ないことが多い。膀胱の過敏な収縮の原因となっている疾患の治療が必要である。適切な薬剤の利用でも改善される。腹圧性尿失禁と併発しているときには骨盤底筋訓練を行う。

●溢流性尿失禁
（いつりゅう）

膀胱に充満した尿が，慢性的に少しずつ溢れて漏れる状態。尿意がはっきりせず，尿を勢いよく排尿することもできない。残尿感も起こる。尿路の閉塞や膀胱の収縮力低下などの排尿障害が原因である。放置すると，膀胱に多量の尿が蓄留して，尿路感染や腎不全を起こしやすい。原因疾患はいくつか考えられるので，早めに泌尿器の医療機関を受診することを勧める。

●機能性尿失禁

排泄器官の障害はないが，排尿動作に関連した一連の動きや判断ができないために尿が漏れてしまう状態。尿意を感じていても，移動能力が低下しているためにトイレまで歩けない，時間がかかる，といったことや，上肢機能が低下し衣類の着脱に手間取り排尿が間に合わない，という運動機能障害が原因である。また認知症などで認識力が低下したために，トイレの場所や使用方法がわからないことで失禁となる精神機能障害も原因となる。在宅の場合，介助者に介護力を要求する失禁でもある。

機能性尿失禁の運動機能障害への対処として，動作を助ける福祉用具が活用できる。住環境の整備，着脱しやすい衣類の工夫や運動機能向上のためのリハビリテーションも有効である。介助者に対しても，用具の活用と介助方法の指導を行う。

3　排泄用具選択のための考え方

　排泄に困難がある場合に，本人の様子を簡単に捉えて用具を選択してしまうことは，廃用を引き起こしかねない。できることは続けるように心がけ，できなくなってきたことにも，トレーニングなどで回復が図れないか，医療的な処置や治療による改善も含めて自立の方向性を探る。

　用具によって問題が解決できそうな場合は，本人の身体機能に注目することが中心となる。介護が必要な場合には，介助者は誰か，どのくらいの介護力があるかを把握しておかなくてはならない。排泄の介助は昼夜を問わず，時間も一定ではなく，介助者の生活時間をかなり限定してしまうものとなるからである。

　排泄は連続した動作で行われている。排泄行為（排尿・排便）ができるかできないかではなく，トイレまで行けるか，座位が保てるかなどの項目を，用具を選択していくポイントとして活用する。①尿意・便意があるか，②用具使用の認知ができるか，③座位が保てるかなどの項目に対し「できない」という場合には，ベッド上での仰臥位での排泄となり，おむつの検討となる。しかし，認知ができて手を使うことができれば，尿器などの使用も可能であり，その後始末については検討が必要である。

　座位が保てるか，これは大きなポイントである。移乗動作ができれば，ポータブルトイレでの排泄が可能である。ADL（日常生活動作）改善の可能性を探り移乗用具の利用も考える。次に，④ベッドから自分で離れられるか，⑤トイレまでの移動が可能かなどでトイレでの排泄を考える。移動介助，衣類の着脱，後始末，介助者の有無，トイレ改修の必要性など，本人・家族の生活を細かく観察する。できればチェックシートでポイントを整理すると見落としがない。

2　排泄用具の種類とその特徴

1　ポータブルトイレ

　ポータブルトイレは「携帯用トイレ」という意味をもつ。要するに，家の中でトイレまで歩いて行かなくてもよいわけで，トイレまで行くことのできない人が利用する。

　トイレまで行くことのできない人は，歩くことの不自由な人であったり，夜2階で寝ていて

1階のトイレまで行くのが大変だったりする人である。また、トイレまで行くことはできるが、歩くのが遅く、尿を漏らしてしまったり、尿を我慢できなかったりする人にも利用されている。

このようにポータブルトイレは、移動動作が困難な人の排泄の自立のために利用される。排泄の自立は生活のなかで大きな意味をもつ。

● **ポータブルトイレの種類**

ポータブルトイレにはいくつかの種類がある。一番スタンダードな形は洋式便器型であるが、肘掛けや背もたれが付いたもの、手すりが付いたものなどがある。

多くのものは、ベッドまわりに置いて利用されている。ポータブルトイレを部屋のどの位置に置くかは、利用者の身体機能（移動・移乗）、介護力、環境などを考えて決める。居室内での動線を考えることは重要である。

① スタンダード型ポータブルトイレ

プラスチック製で、本体と汚物受け（バケツ）、汚物受けのふた、便座、外ぶたで構成される最も標準的なタイプである。サイズ調整機能があるものは少ない。重量は軽く、移動させやすいが、安定感は悪く、寄りかかると転倒することもある。

肘掛け、背もたれ、手すり枠などが付いたものもあるが、本体が大きく場所をとることは否めない。脚を調節することで、座面の高さを変えられるものが多くなってきている。暖房便座になったものや脱臭器付きのものもある。

以前はほとんどのものが、裾が広がったスカートタイプの形状であったので、立ち上がりの際の動作を妨げていた。最近では、足を引いて立ち上がりができるように、前面の裾にかかとを引けるスペースを配慮した形状のものが主流となっている。

② 木製いす型ポータブルトイレ

木製のいすの形をしていて、座面の下に便座が隠されている。家具調の雰囲気をもつので、

図4-1-5-1　スタンダード型ポータブルトイレ

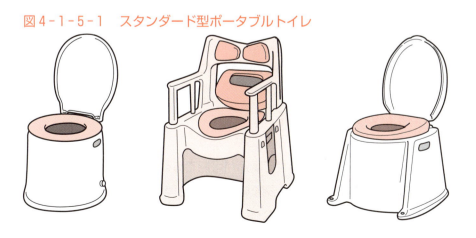

図4-1-5-2　木製いす型ポータブルトイレ

図4-1-5-3　コモードタイプポータブルトイレ

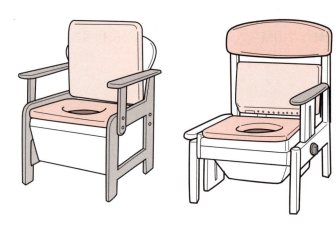
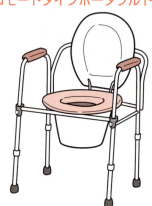

部屋の中での違和感が少ない。いすの肘掛けや背もたれがそのまま利用でき，安定感があるため着座や立ち上がりの動作がしやすい。しかし，重いので移動させにくい。

便座も木製のものは，清潔感が保ちにくいこともある。脚部の調整で座面の高さを変えられるものもある。肘掛けや座面の高さ調整などもできるので，ベッド際に置いてベッドの高さと合わせたり，ベッド側の肘掛けをはずして移乗しやすくしたりする工夫も可能である。暖房便座機能，脱臭機能，温水洗浄機能等付加機能が多くなってきている。

③　コモードタイプポータブルトイレ

四脚型のステンレスパイプでつくられたものが多く，輸入品がほとんどである。海外ではこれをサニタリールームに置いて，シャワーチェアーとしても利用している。そのため居室にはそぐわない。

可動式の肘掛けや，脚部の高さ調整ができることで移乗動作をしやすくしている。丸洗いできるので衛生管理もしやすく持ち運びも容易である。

④　水洗ポータブルトイレ

水洗機能を有する便器で居室において利用が可能である。水洗機能があるため汚物の処理や清掃等の介護者の負担が軽減される。

なお，特定福祉用具販売の種目であるが，設置に必要な工事等の費用は自己負担である。

● ポータブルトイレの各部分の機能

①　座面，肘掛けの高さ調整

使用する人の身体のサイズに合わせて調節が可能であるかどうかは重要である。座面までの高さを調整できるものも増えたが，調整幅はそれほど大きくない。座面が低いとポータブルトイレからの立ち上がりがしにくくなり，かえって介護の手間を増やすことになりかねな

い。また，汚物をバケツ式の入れ物で受けているだけなので，消臭についての工夫は必要である。

木製ポータブルトイレでは，座面も肘掛けも調節ができるものが多い。片麻痺など利用者の身体に合わせて左右の高さを変えて設定し使用することもできるようになっている。

温水洗浄機能付き洋式便器の温水洗浄機能をそのままポータブルトイレでも使用できるように組み込んだものもある。洗浄のほか温風乾燥機能もあるため，お尻を拭くことができない人にも利用できる。手元リモコンスイッチもあり，片手操作も可能である。

② 便座のふた

一般的な便座にかぶせるふたのほかに折りたたみのふた，音を出さずに静かに閉まるふたなどがある。折りたたみのふたは，専用手すり枠などと組み合わせたときにも，背もたれに当たって排泄の邪魔となるようなことはない。

③ 便座カバー

プラスチック製・木製ともに，便座カバーがセットで販売されている。複数用意し，頻繁に取り替えるようにすると臭気の防止にもつながる。木製では便座そのものも木製であったり，座面（便座の周り）が木製のものがある。木の部分は臭いがつきやすく汚れが取れにくいこともあるので注意する。

④ 暖房機能・消臭機能

便座暖房，消臭の機能をもつものもある。コンセントからのコードにつまずかないよう注意する。暖房便座は寒冷地などで利用の要望が多い。

消臭のために，便器に消臭剤を入れた水を入れて使用することが多い。消臭のためには，

図4-1-5-4 折りたたみのできる便座のふた

図4-1-5-5 フラットな座面

図4-1-5-6 それぞれを個別に洗うことができる

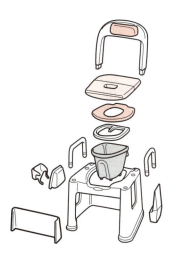

できる限り早く後始末をすることが有効である。
⑤　洗浄とメンテナンス
　　プラスチック製のポータブルトイレで便座のふた，便座，バケツ，本体等を取り外して個別に洗うことができるようになったものがある。在宅でのメンテナンスの基本は1日1回のこまめな水洗いである。プラスチックはにおいがつきやすい。どこで洗うか，誰が洗うかということも重要な確認事項である。

●ポータブルトイレの選択
① 選択のポイント
　　使用する人の身体の状態・使用環境・介助者との関係などがポイントとなる。特に利用する人の身体の状態はよく観察する。尿意がわかるか，つかまり立ちができるか，ポータブルトイレに移乗できるか，排泄行為より，ポータブルトイレまでの移動と移乗動作を考えた選択となる。

② 手すりの必要性と環境づくり
　　ポータブルトイレの利用者は移動動作が困難な人であることが多い。そのため移動動作には必ずつかまる所が必要となる。ポータブルトイレ単体での使用はできる限り避け，移動・移乗の安全のために手すりを配備する。ベッド側には，移動用の介助バーを取り付けると移乗動作に役立つ。ポータブルトイレには，手すり枠が利用できる。移乗のとき，足を滑らせて転倒しないように，床に滑り止めマットを敷いて利用するのもよい。
　　本体が動かないような設置方法を考えることも大切である。しっかりと固定していないと転倒することがある。特に片麻痺の人の場合には，一方に力がかかりやすいので注意する。大きめの滑り止めマットをポータブルトイレの下に敷き込めば，ポータブルトイレの安定も保てる。介助者が必要な場合には，介助者の位置を考えてポータブルトイレを設置する。片麻痺の人の介助では，移動の行きと帰りで介助も逆になるので配慮が必要である。

③ 便座の高さ
　　身体に合ったポータブルトイレの便座の高さは，「腰掛けたときに，足底が床にきちんとつく高さ」である。ちなみに，公共のトイレや住宅で使用されている洋式便座の高さはおよそ38〜40cmである。身長の低い人の場合にはおそらく少し高く感じる。少し高めの位置からのほうが人は立ち上がりがしやすいが，足底が床につくことは確認する。

図4-1-5-7　手すりの設置

プラスチック製のポータブルトイレでは、便座の高さの調節がきくものは少ない。しかし、高さのバリエーションは最低30cmから最高42cmまでの間で選択できるくらい商品の幅が広がっている。

それ以上の高さを望む場合には便座の上に補高するものを載せる等して対応する。便器の下に薄い台を置くといった方法もあるが、安定性に注意する。このような小物をうまく利用して、使用する本人の身体に合わせて使いやすくすることが大切である。

④ 立ち上がりについて

立ち上がりにくさについては、以前は便座の高さだけではなく、本体の形状にも原因があった。プラスチック製のものでは、ほとんどが裾の広がった形をしていたためである。そのため、立ち上がるときにかかとを後ろへ引くことができなかった。立ち上がりやすさの条件は、①座っている姿勢で膝が90度のときの位置より、かかとが後方に引ける、②身体を前傾させ、肘掛けや手すりがあれば、より前方を持って（つかんで）立ち上がれる、③なるべく高い位置からのほうが立ち上がりやすい、ということである。従来のもののように、肘掛けや手すりもなく足も引けない裾広がりのタイプではとても立ち上がりやすいとはいえない。ポータブルトイレを利用するのは移動に困難がある人なので、なおさら立ち上がりは難しくなる。

立ち上がりがしやすいからといって、便座の高さをより高めに設定することはできない。足底が床から離れてしまっては、かえって危険が伴う。便座の高さ以外に立ち上がり動作を補助するためには、少しでも足が引ける形状と手すりになるものを考える。

図4-1-5-8 移乗しやすく使いやすい環境をつくる

図4-1-5-9 立ち上がりやすさの条件

① 座っている姿勢で、膝が90度のときの位置より足が後方に引ける。
② 身体を前傾させ、肘掛けや手すりがあれば、より前方を持って（つかんで）立ち上がれる。
③ なるべく高い位置（座面）からのほうが立ち上がりやすい。

資料：『調剤と情報』Vol.4, No.13, じほう, 43頁, 1998年.

2 洋式トイレ用簡易手すり

　ポータブルトイレと同様に，一般の洋式トイレにも，もちろん移動や移乗のための手すりは必要である。

　本人の身体や運動機能に合わせた位置に取り付けることができる場合はよいが，壁に取り付けることが不可能な場合，取り付ける壁がない場合などには，設置式の手すりを利用する。工事を必要としないため，賃貸住宅などでの利用も多い。

図4-1-5-10　洋式トイレ用簡易手すり

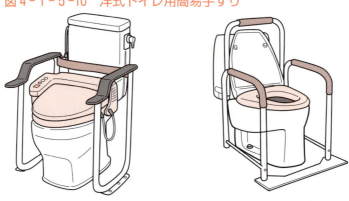

3 変換便座

　和式トイレを利用する場合にも，手すりの取り付けは必須である。特に，和式トイレは高齢者にとっての移動動作にたいへん負担が大きい。できれば，和式トイレは洋式の腰掛け式にすると移動動作が楽である。大がかりな工事ができない場合には，変換便座を利用する。和式トイレの上にかぶせるようにして利用できる。しっかりと固定して，安定させて使用することが

図4-1-5-11　和式を洋式にする変換便座

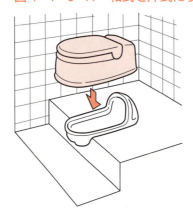

大切である。

4 補高便座

在宅の洋式トイレの便座が低いときに便座の上に置いて高さを補い，移乗や立ち上がりをしやすくする目的で使用する。

5 トイレキャリー

コモードタイプポータブルトイレに車輪（キャスタ）をつけた形がトイレキャリーである。そのまま通常の便器にアプローチすることができるので，ベッドからトイレキャリーに移乗しトイレまで移動する。通常のトイレで排泄が可能であれば居室での排泄より，臭気や後始末の面でもメリットが大きい。トイレまでの移動で，床面に段差がないこと，トイレ内にキャリーが入り込めるスペースがあることが必要な条件となる。便座との位置関係の細かいサイズ合わせ，トイレの入口から便器へのアプローチの方法，洗浄便座と併用できるかなどを確認する。

乗り換え（移乗方法）は，つかまり立ちができ少しの介助で運動機能的に可能な場合もあれば，リフトの利用を考える場合もある。トイレキャリーの座面は通常の便器の上にセッティングされるため比較的高めになっていることや，キャスタであることから移乗時の不安定さがあることも考慮しておく。

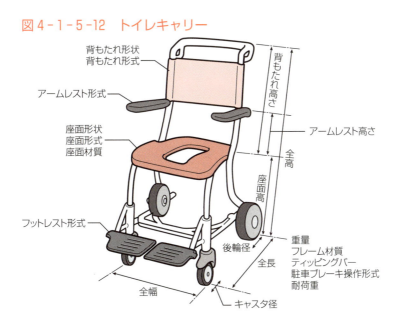

図 4-1-5-12　トイレキャリー

6 尿器

尿器の使用は，尿意があり，自分で用具を局部に当てられる人に利用できる。尿意を訴えられれば，尿器を介助者に当ててもらうことも可能である。

① しびん（図4-1-5-13①）

　尿意がある場合に自分の手で使用できる人には有効な用具である。尿が入るとだんだん重くなりこぼしやすくなる。臭気のこともあり，できれば排尿後すぐに尿を処理することが必要である。受け口の違いで男性用・女性用がある。素材はガラス・プラスチック・ステンレスなどがあり，ステンレス以外は尿の色の観察などができる。素材によって重さが違い，軽いのはプラスチック製である。逆流防止の工夫がされたものもある。

② 受尿部，蓄尿部別型（図4-1-5-13②）

　受尿部と蓄尿部に分かれており，二つの部位をチューブでつないでいる尿器である。受尿部の形状は男性用・女性用があり尿意を感じた際に自分で当てる場合，当ててもらう場合，はめたままにする場合がある。ベッド上で使用し，落差を利用して蓄尿部は床に置いて使用する。夜間の複数回の利用などに使用される。

③ 座位用（図4-1-5-13③）

図4-1-5-13　尿器

① しびん（男性用・女性用）
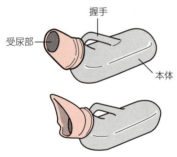

② 受尿部，蓄尿部別型
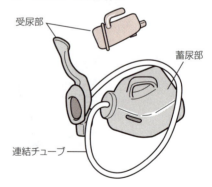

③ 座位用
手持ち型収尿器（座位用）　　手持ち型収尿器（座位用チューブ付）

車いすなどに座ったままの姿勢で差し込んで使用する。男性より女性に使用しやすい形状である。

7 便器

便器が利用できるのは，便意のある人の場合である。差し込み便器は腰の下に入れ込むため，使用する本人が腰を上げることができない場合には介護負担が大きい。また，差し込むと腰がそるような違和感を覚えることもあり不快感を伴うこともある。

① 差し込み便器（図4-1-5-14①）

ベッド上，仰臥位で腰の下に差し込んで使用する便器である。尿意，便意はあるが便座での座位がとれない人，ベッドから起き上がれない人が使用する。介助者が便器を差し込むが，本人の腰の下に入れ込むため，ホーロー，ステンレス製は長時間当てていると冷たく感じたり硬さを感じたりする。皮膚の弱い人や褥瘡のある人には使えない。その場合には，ゴム製のもののほうがあたりが柔らかい。差し込んでから空気を入れて使用する。しかし，ゴム製は洗浄しにくいという特徴がある。軽く小型なプラスチック製もある。

② 腰上げ不要便器（図4-1-5-14②）

ベッド上で仰臥位のまま，まったく臀部を上げずに差し込んで使用する。尿・便ともに利

図4-1-5-14　便器

① 差し込み便器

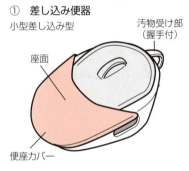
小型差し込み型
座面
汚物受け部（握手付）
便座カバー

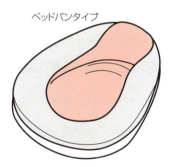
ベッドパンタイプ

ゴム製

② 腰上げ不要便器

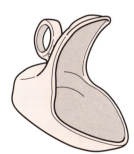

用できる。差し込みは介助者が行うが，肛門部を意識して位置決めをするのには訓練とコツを必要とする。

8 自動排泄処理装置

自動排泄処理装置とは，尿または便が自動的に吸引されるものである。洗浄機能を有するものもある。

構造は尿や便を受ける部分と蓄尿部からできている。尿を受ける受尿部を自分で陰部に当てるものと，身体に装着して使用するものとがある。排尿，排便が行われるとセンサーが感知し吸引する。その後，陰部の温水洗浄や乾燥等を自動的に行うものもある。

尿や便を受ける部分は，レシーバータイプのものもあれば，紙おむつ式のものもある。紙おむつ式はその中にセンサーを内蔵している専用の紙おむつ（パッド）を必要とする。吸引時の音は開発当初よりは静かになってきており，蓄尿部のタンクも取り扱いやすく工夫されている。

この道具の導入にあたっては，使用する本人の状態のほか家族の介護力なども十分にアセスメントする必要がある。排泄を自動的に処理することが可能なため，継続的な使用により廃用症候群が生じてしまうことや，介護を意図的に放棄することも懸念されるからである。道具を使用することでかえって利用者の有する能力に応じた日常生活が営めなくなることのないよう，十分な注意を払う。現場でのアセスメントのほかに，医学的な所見，自治体による必要性の判断なども求められている。

使用にあたっては，利用者のベッド上での動きに対応できるか，横向きの姿勢での排泄にも対応できるかなど，この装置によって拘束されないことの確認も必要となる。あくまで利用者の自立に資するものであり，在宅での介護負担軽減を目指していることに注意して，有効利用する。

図4-1-5-15　自動排泄処理装置

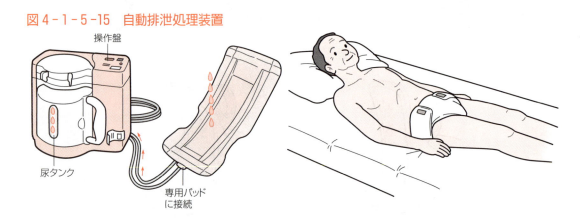

9 大人用おむつと失禁パッド

●大人用おむつ

おむつの役目は，排泄物を溜めて外に漏らさないことにある。直接肌に触れるものであるため，衛生的であり，肌触りもよく安全であるものが望ましい。また，吸水性，保水性のよい素材であることも条件となる。

大人用おむつのなかでも紙おむつの進化は目を見張るものがある。失禁用品や紙おむつはたいへん身近なものになりつつある。他の福祉用具より簡単に誰でもが使ってしまう。手軽に入手できる一般的な商品であるだけに，品質や価格の競争が激しく製品のサイクルが速いのが特徴である。

●大人用おむつの種類と特徴

布おむつはもうすっかり姿を消している。施設での利用はまだ行われているところもあるが，在宅では紙おむつの利用がほとんどである。市販されている大人用おむつ類を素材と形状によって図4-1-5-16のように分類した。

① 布おむつ

素材は綿100％の綾織り，フランネル（ネル），さらしなどのほかに，アクリルや化学繊維と綿の混紡がある。綾織りは比較的吸水性がよい。ネルは暖かく肌触りもよいが，濡れると全体に広がりやすい。洗濯によって反復利用するので，乾きやすさや洗濯方法などはよく調べておく必要がある。

それぞれに大きさの違いはあるが，およそ90cm×130cmくらいの大きさの布を折りたたんで使用し，防水のためおむつカバーを併用する。股間部を意識した，ひょうたん型に成形された「成形布おむつ」もある。

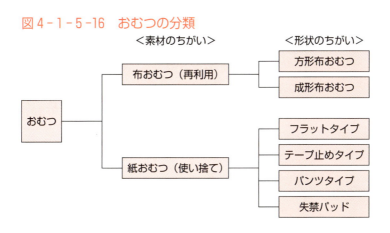

図4-1-5-16　おむつの分類

② 紙おむつ

　　フラットタイプ，テープ止めタイプ，パンツタイプなどがある。下着と併用する失禁パッド類も種類が多い。

　　どの種類にも，吸収材の間にポリマー（高分子吸水剤）と呼ばれる水分を凝固させる性質をもった粉末が入っている。また紙おむつの表面素材は「不織布」という織らずに組み合わせた布でできている。おむつかぶれ等の皮膚トラブルにも注意が必要である。

【フラットタイプ】

　　長方形の紙おむつである。統一された規格はなく，縦，横がそれぞれ38cm，66cmくらいのものをさす。使い方は股間部に当たる部分を意識してふくらませるように当てる。身体に固定されないのでおむつカバーを必要とし，ベッドで過ごすことが多い人に使われる。1枚あたりの単価は比較的安価で取り替え回数の多い人には経済的でもある。

【テープ止めタイプ】

　　フラットタイプをもっと立体的にして，股間部にはギャザーを入れフィット感を高めて漏れを防ぐように構成された紙おむつである。腰の部分にもウエストギャザーが入っている。粘着テープで脇を止めるとつけた感じはパンツのようになり，おむつカバーを必要としない。テープの位置や止め方の向きなどを工夫することで身体にフィットさせることができる。

　　吸収力は大きいが，1枚あたりの単価は安くない。このおむつの中に失禁用のパッドを併用しパッドだけ取り替えて使ったり，昼と夜とでフラットタイプと使い分けたりする。

【パンツタイプ】

　　パンツ型の紙おむつで，下着のように上げ下げできる紙おむつである。歩ける人，自分でパンツを上げ下げできる人には有効である。腰回りから腹部にかけて伸縮性のあるギャザーがあり，股漏れを防ぐように太股回りにもギャザーをつけている。使用後は脇を破って外してしまうこともできる。はきやすく利用の抵抗感が少ない，お腹の上まできて安心だという利用者もいる。

【失禁パッド】

　　失禁パッドは少量の失禁を吸収するものである。性別や吸収量によっていくつもの種類がある。基本的には小型のフラットタイプ（長方形）で，横漏れを防ぐギャザーがあったり，裏側にずれ止めテープがあったりする。男性用では局部を包み込む袋状にして使うものもある。綿パンツに併用する場合と，フラットタイプやテープ止めタイプの紙おむつの中に重ねて使用する場合もある。

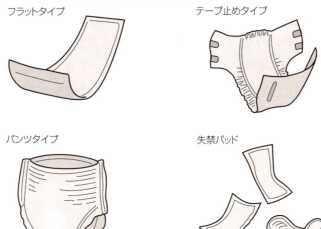

図 4-1-5-17　紙おむつの種類
フラットタイプ　　テープ止めタイプ
パンツタイプ　　失禁パッド

●紙おむつの選び方

① 体型と生活パターン

　紙おむつのサイズは，洋服のＳ・Ｍ・Ｌとは違い，各社のサイズには業界の統一の規定がない。一つひとつ，商品によってウエストサイズ，ヒップサイズの表示を確認して身体にピッタリ合うものを選ぶ。ウエストはかなり大きくても，足が細くなっている人にとっては，太股回りがフィットしていないと漏れる要因になる。太股回りのサイズチェックも忘れないように注意する。

　寝ている時間，起きて行動している時間の長短によっても使い分けが必要になる。歩行が可能な場合はできる限り太股を固定せずに自由に動かせるようなもの（パンツタイプ）などを利用したい。家で過ごすときと外出のときとで，テープ止めタイプとパンツタイプとを使い分けることもある。

② 尿量

　平均的な高齢者の１回の尿量は約150〜200ccといわれる。現在の紙おむつはどれもこの尿量を吸収する力がある。フラットタイプよりテープ止めタイプのほうが吸水量は多い。

　１日の尿量のパターンを調べて，そのパターンで紙おむつの種類を使い分ける。日中より夜間に回数が多い場合には，夜間に吸収量の多い紙おむつを利用する。日中はなんとかトイレまで行ける場合やお漏らしが心配というだけの場合なら，できるだけ行動を妨げない薄いものを使う。日中まで吸水量の多いおむつをしている必要はない。尿量は，おむつの使用前と使用後の重さを量りその差で尿量を把握する。

③ 自分に合った組み合わせで

　価格については比較的安いのは失禁パッドであるが，これをテープ止めタイプと組み合わせて使用し，失禁パッドのみ交換して経済的に利用する場合もある。

　吸水量が多く，長時間の使用にも漏れにくいテープ止めタイプは確かに高価であるが，夜間や長時間の利用に役立っている。このおむつにより，介助者も夜間に安心して休むことができるようになってきている。

● 布おむつと紙おむつの特徴

① 当てやすさ

　おむつを当てる本人や介助者の負担の軽減という視点から，当て方について調査をした事例がある。おむつ交換の動作時間を，布と紙の場合で比較したものである。

　おむつの交換回数を比べると，布おむつのほうがその回数が多く，本人の身体を上げたり，向こう側へ向かせたり，動かさなくてはならないことが多い。

　紙おむつは，おむつの形そのものがビキニライン（鼠蹊部（そけいぶ））によくフィットさせやすいこともあって，少ない介助動作で装着することができる。動作回数が少なくなれば，本人・介助者の負担は軽くなる。

　本人のプライバシー保護や，羞恥心への配慮からおむつ交換は手早く手際よく行いたい。手早くできること，場合によっては自分でも交換できること（パッド類など）は，紙おむつの大きな利点である。

② 費用

　紙おむつはスーパーやドラッグストアなどあちこちで取り扱われるようになった。価格はフラットタイプで1枚100円前後，テープ止めタイプで200円前後で推移している。布おむつはリサイクルの布地（浴衣など）を利用して手づくりすることが多い。

　布おむつを家庭で使う場合，洗濯のための水道料金や毎日の天気などに一喜一憂する介助者の負担を考えると，紙と布が一概にどちらが安いとも高いともいいがたいが，現在は紙おむつが主流となっている。

　紙おむつは使い捨てで費用はかかるが衛生面での利点も大きい。また，介護負担の軽減や介護時間の短縮が，生活のゆとりとなって家族や本人の暮らしを質的に向上させることになるのであれば，それはなにものにも代えがたいものである。

　また，自治体によっては，紙おむつ等の支給事業を行っているところもあるので活用したい。

● ポリマー（高分子吸水剤）

　紙おむつでの一番の関心事はやはり「漏れ」にある。現在，市販されているすべての紙おむつには，ポリマーが含まれている。ポリマーには水分をゼリー状に固める効果があり，尿器などでの利用のためにポリマーだけでの販売もある。

　注意点としては，水分（尿）の内容によって，ポリマーの固まり具合が変わるということである。人の尿の成分はさまざまで，特に高齢者で薬を飲んでいる場合はそれが尿にも含まれてくる。そのために，たとえポリマーが入っていても固まり方には差が生じ，それが漏れる漏れないにも関係してくる場合がある。

● 医療費控除対象品

　傷病によりおむつが必要であること，医師の治療を受けているなどの要件を満たしていれば，紙おむつの費用は医療費控除の対象となる。税務署への医療費控除還付金申請の際に領収書とともに，医師からの「おむつ使用証明書」の添付が必要である。

3 次世代介護機器のなかの排泄支援機器

1 次世代介護機器とは

　次世代介護機器とはロボット技術の応用により，利用者の自立支援や介護者の負担軽減の効果を有する機器を指す。

　介護従事者の業務の効率化など，介護環境の改善に資する機器として，移乗介護や移動支援に関する機器，入浴支援に関する機器，排泄支援に関する機器，コミュニケーションに関する機器などがある。

　自治体によっては，これらの介護機器の体験展示場を有するところもある。また，これらの機器の導入に伴う通信環境等を一体整備するための必要経費の一部を補助する制度が実施されているところもある。

2 排泄関連の次世代介護機器

　ここでは排泄に関する次世代介護機器を紹介する。

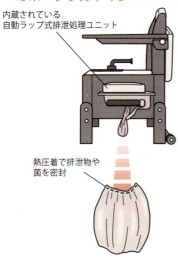

図4-1-5-18 自動ラップ式のポータブルトイレ

内蔵されている自動ラップ式排泄処理ユニット

熱圧着で排泄物や菌を密封

(1) 自動ラップ式のポータブルトイレ

　ポータブルトイレの分類としては，木製いす型ポータブルトイレである。排泄物を受け止めるバケツの中に特殊フィルムでできた処理袋をセットし電源に接続して使用する。排泄後，電動操作による自動電熱処理によって排泄物と臭いを閉じ込めるように密封処理が行われる（図4-1-5-18）。この自動処理は手元のリモコン操作によって行うことができるので，利用者本人が行うことも可能で自立支援の促進ともなる。この機器は特定福祉用具販売の対象品目であるが特殊フィルムの処理袋や凝固剤等の消耗品は随時購入が必要となる。

　排泄物が熱圧着により特殊フィルムで密封される処理には約90秒かかるが，従来のバケツ洗浄や後片づけの手間はない。室内への臭いの拡散も防止され，利用者本人の介護者への気遣いなどの軽減にも役立つ。排泄物が衛生的に処理されることから，災害時の避難現場での利用も期待され，バッテリーも準備されている。

(2) 排泄検知システム

　利用者の排尿，排便が行われたことを検知して知らせるシステムである（図4-1-5-19）。知らせを受けておむつ交換を行う。おむつ交換の「空振り」を減らし，効率よく介護にあたることができるので施設などでの利用が見込まれている。

　排尿の場合には，紙おむつの外側に装着したセンサーでおむつ内部の温度と湿度を検知しリアルタイムで通知する。紙おむつは保水性や通気性に優れているものもあるため，おむつ内の状態（温度と湿度）を4段階で表示している。

　排便の場合には紙おむつの内側に装着したセンサーで便のにおいを検知する。塊状便から水様便までを検知することができる。センサーは紙おむつへの装着がしやすい工夫された形状になっている。

　どちらも最終的にアプリをダウンロードしたスマートフォンに情報が送られる。施設などでは多くの利用者の排泄情報を一元管理することができる。

図4-1-5-19 排泄検知システム

(3) 排泄予測デバイス

　下腹部に装着した超音波センサーで膀胱を常時モニタリングしながら適切な排尿ケアのタイミングを通知する機器である（**図4-1-5-20**）。その通知のタイミングで，トイレに誘導することができると自立した排泄支援を行うことができる。おむつ交換の適切なタイミングにも応用することが可能である。この機器は特定福祉用具販売の対象品目ともなっているが装着専用シールなどの消耗品はその都度購入となる。

　下腹部に装着するセンサーは膀胱内の尿の溜まり具合を捉えるために，正確な位置に装着することが求められる。装着部分は立ったり座ったりなどで影響を受けやすい部分であり，利用者の体つきや体格などにも影響を受けやすい部分でもあるので装着シールがずれないように工夫することも課題となる。尿の溜まり具合は10段階での通知となっていて専用のお知らせ機器に表示される。

　お知らせ機器には各種の排尿記録が残されるので，それによって1日ごと，1週間ごとの排尿傾向（回数や時間帯）の把握や尿の溜まり具合の推移などを調べることもできる。その記録は上手に活用すると介護の時間帯等の見通しを立てることに役立ち，活用の幅が広がることも期待できる。

図4-1-5-20 排泄予測デバイス

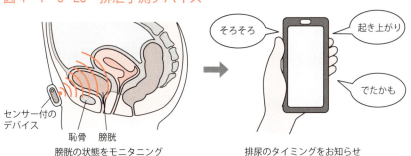

参考文献

市川洌編集代表『ケアマネジメントのための福祉用具アセスメント・マニュアル』中央法規出版，1998年。

加倉井周一編『リハビリテーション機器——適応と選択』医学書院，1989年。

木下安子・小林ゆき子・堺園子・関谷栄子・長谷川美津子・小島操「紙おむつに関する研究」『福祉機器使用研究報告書』Vol. 4，東京都社会福祉総合センター，1989年。

木下安子・小林ゆき子・堺園子・関谷栄子・長谷川美津子・小島操「紙おむつのあて方に関する研究」『福祉機器使用研究報告書』Vol. 5，東京都社会福祉総合センター，1990年。

公益財団法人東京都福祉保健財団「次世代介護機器体験展示コーナーのご案内」

小島操「最新おむつ用品事情」『月刊総合ケア』Vol. 1 No. 4，医歯薬出版，1991年。

寺山久美子・宮森達夫「ポータブルトイレに関する研究」『福祉機器使用研究報告書』Vol. 3，東京都社会福祉総合センター，1988年。

6　入浴関連用具

「入浴関連用具」とは…

水で滑りやすい浴室，浴槽内でのふらつきや転倒の可能性がある状態や，筋力低下や麻痺などで立ち座りが困難な状態などのときに，入浴時に座位を保持し，立ち座りや移動を安全に行えるようケアするための用具を「入浴関連用具」という。

1　入浴の捉え方

入浴は，単に身体を清潔にするためだけのものではなく，自宅でゆっくり風呂を楽しむという，精神的にも身体にもよい効果をもたらす行為である。実際は，入浴が困難だから，浴室の改造は大がかりになるからという理由で自宅での入浴を考えず，訪問入浴や施設入浴を安易に利用することが少なくない。しかし，自宅での入浴が生活を好転させる契機となることを理解し，身体機能，介護力，住環境，福祉用具の利用を統合的に勘案して，入浴行為を把握することは支援者として重要なことである。

支援を進めるうえで，介護を前提とするのではなく，入浴行為全体の流れを考えた動作方法や用具の選択，環境整備を行うことにより，本人の能力を高め介護負担を少なくするという考え方が必要である。また入浴方法も季節に応じて日々の生活のなかで，浴槽に浸かる日と楽にシャワーだけで済ませる日など，必要に応じて方法を選択することなども重要な要素となる。

2　入浴行為とアセスメント

入浴の自立は，衣服の脱着，脱衣室と浴室の移動，浴槽の出入り，浴槽内での動作，洗い場での動作など一連の動作すべてができることで完成する。動作は複雑なため自立，介助を問わず身体機能，動作能力，浴室環境などの関係を整理し，入浴関連用具や住宅改修の範囲を十分に見きわめることが重要となる。このため，以下の点に留意してプランの検討を進める。

① 本人または介助者の動作能力で，在宅入浴は可能か（症状の進行にも留意）
② シャワー浴や訪問入浴，施設入浴等のサービスの選択肢はないか
③ 更衣はどこで行うか
④ 浴室への移動距離は妥当か（特に冬季）
⑤ 浴槽への移動はどのように行うのか
⑥ 浴槽内で安定した座位姿勢を保てるか
⑦ 洗体姿勢を保てるか，洗体はどのように行うか
⑧ 水栓具の操作はできるか

3 行為ごとに必要となる入浴関連用具のポイント

1 浴室への移動

　浴室への移動には，歩行と車いすを用いて移動する場合がある。歩行の場合は，浴室までの手すりの設置や段差の解消といった動線の確保が必要となり，車いすで移動する場合は，普段使用している車いすか，あるいはシャワーキャリーを用いることになる。シャワーキャリーは，普段使用している車いすに比べ小回りが利き，そのままシャワーを使用することができるが，小さな段差でも動きにくくなるので段差を完全に解消する必要が生じる。また，浴槽へ入る場合に再度移乗しなければならないことや，シャワー後に居間や寝室まで戻る途中水滴が落ち，床を濡らすこととなるため使用に際しては注意が必要となる。

　シャワーキャリーを必要とする人は移動や移乗も困難で姿勢保持ができず，洗体も介助を必要とする場合が多いので，シャワーキャリーの上で姿勢が安定し，介助者が洗体や移乗，移動などの介助がしやすい機種を選択する（**図4-1-6-1**）。

　既存の洗い場に段差がある場合，浴室の出入りをサポートする用具として洗い場の床にすのこを設置し浴室の出入口の段差を解消する方法がある。この場合，浴槽の縁の高さが低くなるので，他の入浴動作に影響が生じる場合があり注意が必要である（**図4-1-6-2**）。

図4-1-6-1　シャワーキャリー

①

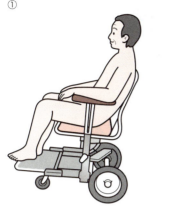
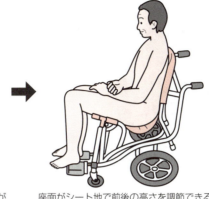

座面がかたく角度がついていないので姿勢が不安定な状態となる。

座面がシート地で前後の高さを調節できるので姿勢が安定した状態がとれる。

② ③

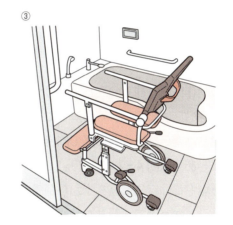

洋式便器にも利用する場合は高さ，幅に注意。
シャワーいすの足にキャスタがついているもの，四輪キャスタタイプ，介護型車いすのように後輪が大きいもの，座面がU型もしくはO型のものなど多くの種類があるが，浴室への移動のしやすさ，利用者の姿勢の安定，洗体介助のしやすさを考慮しシャワーキャリーを選択する。

④

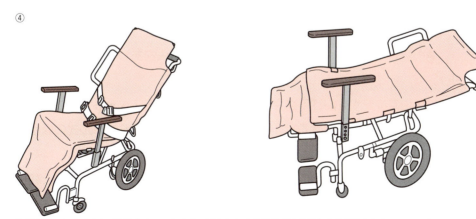

姿勢保持のしやすさと，洗体介助のしやすさに配慮した座位保持が不十分な方を対象としたシャワーキャリーである。シート地でフルリクライニングの操作が可能であり，側臥位をとれるよう，幅は若干広めである。

図4-1-6-2　出入口の段差解消

すのこによる段差解消
腐らない樹脂製のものが多く開発され，滑りにくいもの，クッション材が表面に使用されているものがある。すのこを設置することで浴槽縁の高さが低くなるので注意が必要である。

2　洗い場での動作

　洗い場での動作には，裸での立ち上がりや着座など上下方向への移動と歩行があり，滑りやすいため洗い場の床は水に濡れても滑りにくい表面仕上げとする。また出入り口にグレーチングを設ける場合は滑らないように溝の向きや材質に注意する。滑り止めマットを洗い場に敷いて用いることもある（**図4-1-6-3**）。

　身体を洗う場合には容易に立ち上がりができ，安定した座位が保てる腰掛けいす（以下，「スツール」という）が有効で，背もたれや肘掛けの有無は座位の安定性の程度によって選択する（**図4-1-6-4**）。一方で座面の高いスツールを利用した場合，洗面器の置き場所を考慮する。洗面器置き台には取り付けタイプと据え置きタイプがある。従来は高さ200mm程度のいすに座り，洗面器を床に置いて身体を洗うのが一般的だったが，立ち座り動作が大変であるうえ，洗体介助が負担なので，できれば300～400mm程度の比較的座面の高いスツールの使用を前提とした洗い場の設計が必要で，スライド式シャワーハンガーをあわせて採用するとよい（**図4-1-6-5**）。

　シャワーで身体に直接湯水を浴びる場合は，湯温一定のサーモスタット水栓が安全である。握力の弱い高齢者や障害者には握って回すハンドル式よりもアーチハンドル式のほうが操作しやすい。最近は左右どちらの手でも操作しやすい形状の水栓も開発されている。また，誤って水栓本体に触れても火傷しないように，長く湯を出し続けても，水栓の表面が熱くならない構造の水栓も開発されている。手元水栓つきのシャワーヘッドは本人が自分で使用するときばかりでなく，介助者が使用する場合にも，その都度水栓位置まで移動することなく操作できるため有効であり節水にもつながる（**図4-1-6-6**）。

図4-1-6-3　床の材質・滑り止め用品

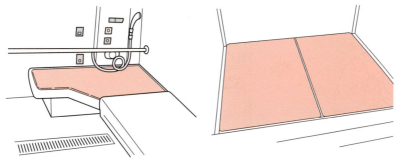

洗い場に皮膚を傷つけずに移動ができて，滑りにくいマットを工夫した例

図4-1-6-4　洗い場でのシャワーいすの選定

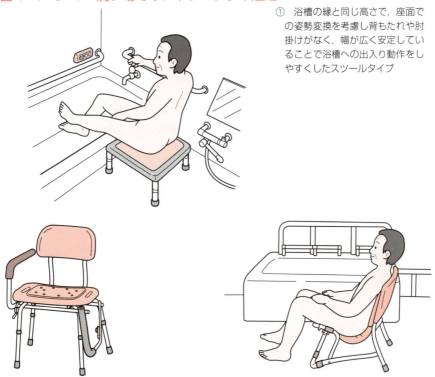

① 浴槽の縁と同じ高さで，座面での姿勢変換を考慮し背もたれや肘掛けがなく，幅が広く安定していることで浴槽への出入り動作をしやすくしたスツールタイプ

② 背もたれ，肘掛けつきタイプ

③ 姿勢保持がしやすいタイプ

腰掛けいすには高さ調整つきのものや，背なしタイプ，背もたれタイプ，肘掛けつきタイプ，座面回転タイプ，肘掛け跳ね上げタイプなどさまざまなものがあるが，本人の座位の安定と，浴槽への出入り方法，立ち上がり動作等を考慮し選定することが重要である。

図4-1-6-5　いすを用いた洗体時の注意点

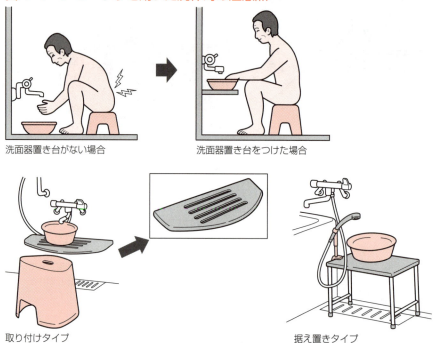

スツールを用いた場合，洗面器の高さに注意し洗面器置き台の設置を考慮すると安定した洗体につながる。

図4-1-6-6　手の障害を考慮した設備

手元のボタンで操作できるシャワー

指先や手の甲でタッチするだけで操作できるアーチハンドル

石けんのついた手でもラクに操作できるハンドルを採用

手に障害があっても操作しやすい水栓具

3 浴槽への出入り

立って入る場合は，立位を安定させる手すりが大切になる（図4-1-6-7）。壁面に手すりが設置できない場合，浴槽の縁にバスグリップ（簡易手すり，図4-1-6-8）を取り付けることがある。この場合，浴槽の縁の幅や形状に注意するとともに浴槽のふたが利用できるかなど細かな点も確認する必要がある。

腰掛けて入る場合は，どの位置に座るのかといった点がポイントとなる（図4-1-6-9）。座る位置によって身体の回転角度に違いが生じる。最近では縁に腰掛けスペースをもった浴槽がある。しかし，浴槽後方に腰掛けスペースがない場合にはスツールや移乗台，バスボード（図4-1-6-10）を使用することになる。スツールでは壁面の手すりに手が届きにくいことや，浴槽の底に足が届かないといった点が問題となりやすい。また，バスボードでは浴槽へ出入りするたびに介助者が付け外しをする必要があることや，ボードの厚さによっては浴槽の底に足が届きにくくなることがあるため注意する（図4-1-6-11）。

図4-1-6-7 立位でまたいで入る場合

立位でまたいで浴槽に入る場合は，十分な立位バランスが必要で，片足が浴槽の縁を越える必要があるため片足立ちでの安定が必要である。立位を安定させる，手すりが有効であり，手すりには壁面に取り付けるもの，浴槽縁に挟み込むものがある。また浴槽のタイプによりまたぎやすさが違うので配慮が必要である。

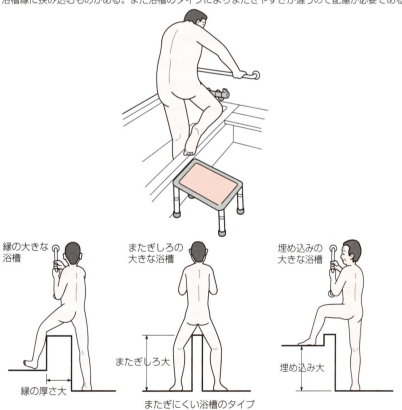

図4-1-6-8 バスグリップ

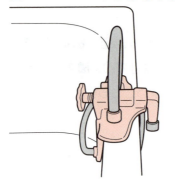

浴槽の縁に挟み込んで使用する手すり。最近は手すりをつけたまま浴槽のふたができるものがある。円背の人が浴槽をまたぐときに使いやすいものや，温まっているときに安定した座位をとるためのグリップつきのもの，浴槽内の立ち座りのときの支えになるものがある。

図4-1-6-9 座位で腰掛けて入る場合

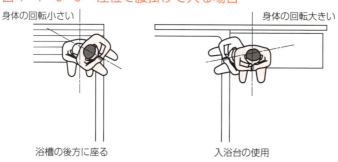

身体の回転小さい　　　　身体の回転大きい

浴槽の後方に座る　　　　入浴台の使用

座る位置により身体の回転角度が違うので配慮が必要である。

図4-1-6-10 移乗台とバスボード

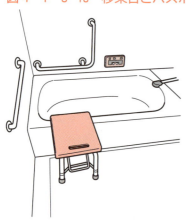

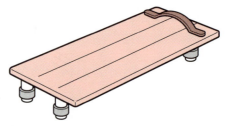

移乗台
移乗台は浴槽縁へ固定する腰掛け台で，身体を洗うときのシャワーいすにもなる。移乗台に腰掛けて座ったまま回転して浴槽に入る。移乗台が高すぎると浴槽をまたぐときに足が浴槽の底につかなくなり，座位が不安定になるので注意が必要である。

バスボード
バスボードは浴槽の縁にまたがせて，座った姿勢で浴槽の出入りをするためのボードである。浴槽のふたのようにかぶせるタイプのものや跳ね上げタイプのものがある。ボードが厚いと座ってまたぐときに浴槽の底に足がつかないで浮いてしまい座位が不安定になってしまうことがある。できれば薄いものが便利である。ボードが重いと取り外しのときに介助者が苦労するので，できるだけ軽いものが便利である。

図4-1-6-11　バスボードと移乗台を利用した動作

腰掛けスペースのついた浴槽

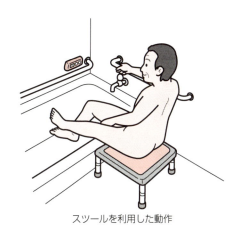
スツールを利用した動作

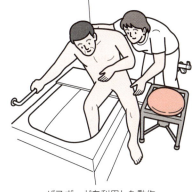
バスボードを利用した動作

4　浴槽内の動作

　市販されている浴槽の形状は大別して3種類（和式，和洋折衷式，洋式）あり，サイズも800～1900mm程度までさまざまであるが，浴槽内での姿勢の安定や立ち上がりを考慮して浴槽は底面が滑りにくく背もたれの角度の小さいものを選択する。

　浴槽の縁の幅は狭いほうが握りやすく，姿勢が安定する。浴槽が大きすぎると足先が浴槽の縁に届かず，身体が滑りやすく姿勢が不安定になるので足先が突っ張れるような，小さなサイズのほうがよい。また，浴槽が長すぎると立ち上がるときも，重心を前方へもっていきにくく，立ち上がりがしにくくなる。浴槽の底の傾斜が大きすぎると，立ち上がり動作がしにくい。背中にあたる浴槽の縁の形状は直角に近いほうが足を近づけ，立ち上がりがしやすい。形状は和洋折衷式，サイズは1200mm前後，深さは500～550mm程度，浴槽縁高さ（またぎ高さ）は400mm±50mm程度のものが望ましいとされている（**図4-1-6-12**）。浴槽の底面が滑りやすい場合は滑り止めマットを利用する（**図4-1-6-13**）。浴槽内の立ち座りが困難な場合は，浴槽内に昇降式の機器を設置して，動作を補うことも可能である（**図4-1-6-14**）。

図4-1-6-12　浴槽形状について

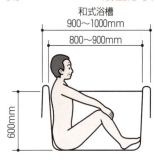
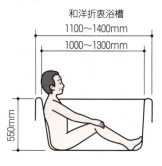
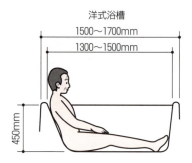

姿勢が安定する浴槽とは
① 浴槽の縁
　　浴槽の縁の幅は狭いほうが握りやすく，姿勢が安定する。
② 浴槽の形状との関係
- 浴槽が大きすぎると足先が浴槽の縁に届かないので，身体が滑りやすく姿勢が不安定である。足先が突っ張れるような，小さなサイズのほうが姿勢は安定する。
- 浴槽が長すぎると足先が不安定で，立ち上がるときも，重心を前方へもっていきにくく，立ち上がりがしにくい。
- 浴槽の底の傾斜が大きすぎると，立ち上がり時に動作がしにくく不安定である。
- 背中にあたる浴槽の縁の形状は直角に近いほうが足を近づけ，立ち上がりやすい。

図4-1-6-13　浴槽内の滑り止めマット

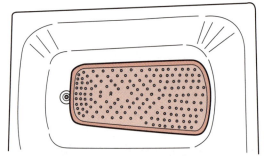

浴槽内の立ち上がり時に，床が滑らないように滑り止めシートを敷いた例

図4-1-6-14

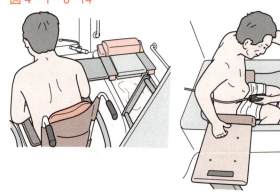

4 移乗・移動動作能力別入浴行為のポイント

　本人の能力を活かした支援を考える場合，疾患別にではなく動作能力別に対応する必要がある。なぜなら，疾患により身体機能はさまざまな状況を見せるが，生活を営むための各動作能力に視点をおくと，いくつかのパターンに分類でき，それぞれの支援方法が整理されてくるからである。また，動作のなかでも「移乗・移動能力」に注目すると，さらに明確な支援方法が見つかるようである。

　移乗能力は，①立位移乗タイプ（立ち上がって移乗），②座位移乗タイプ（座ったまま移乗），③介助移乗タイプ（介助による移乗）の三つのタイプに大別できる。それぞれのタイプに対応した住環境と福祉用具の基本条件について，理解することが福祉用具選定には必要である。

1 立位移乗・移動タイプ（図4-1-6-15）

　脱衣場には，座って衣服の脱着が行えるいすを設けると効果的である。脱衣場から洗い場にかけて段差のないことが基本で，身体の麻痺のない側に連続した手すりが必要となる。さらに，浴室の壁面に浴槽内への移動や立ち上がりを補助する手すりを設置するとよい。浴槽は，姿勢保持や立ち座り動作を妨げないタイプ（底の傾斜が小さい和洋折衷型）が好ましく，底にノンスリップ処理または滑り止めマットがあるとよい。また，いったん腰掛けて足を回転させながら入浴できる腰掛けスペースが必要で，縁の高さは洗い場と浴槽の移動動作（立ち座りと足の出し入れ）のしやすい高さに設定する必要がある。また，腰掛けスペースから身体を洗うときに利用するスツールへ移乗しやすいこと，そして手の届く所に水栓具があること。スツールの高さは，浴槽の縁の高さに合わせると移乗がしやすい。水栓具（カウンター，カラン，シャワーコックなど）は，健側上肢で使いやすい位置にレイアウトすることが重要となる。水栓具の機種は，握力の低下に対応したレバー式カランやシャワーコックのボタンで注水操作ができるものを選定するとよい。

❶ 図4-1-6-16は左片麻痺のケースで，脱衣場から洗い場に連続した手すりを設置するために，扉の開閉を左右反対にした。さらに，浴槽の縁と同じ高さのスツールを利用することで，脱衣場，洗い場，浴槽の自立動作が可能になった。

❷ 図4-1-6-17は左片麻痺のケースで，浴槽の縁に腰掛けスペースを造り込めないため，折りたたみ式の入浴ボードを製作した。浴槽の出入りやスツールへの移乗が自立的にできるようになった。

図 4-1-6-15　立位移乗・移動タイプの入浴動作

図 4-1-6-16　連続した手すりといす（スツール）

図 4-1-6-17　折りたたみ式の入浴ボード

2　座位移乗・移動タイプ（図4-1-6-18）

　脱衣台の上で脱衣し，ずり這いで洗い台から浴槽の縁に移動して入浴するため，車いすの座面と脱衣台，洗い台，浴槽縁の高さを揃える必要がある。また，脱衣台や洗い台などの材質は臀部を傷つけないことが条件となる。浴槽は，入浴姿勢が安定する（浮力で身体が浮かない）形状や出入りが可能な深さなどが条件となるため，和洋折衷型が望まれる。水栓具は，手指の麻痺に対応したレバー式カランや注水ボタンのついたシャワーコックなどを選び，洗体姿勢を保持する手すりとともに扱いやすい位置に設置する。

❶　図4-1-6-19の筋ジストロフィーのケースは，昇降式の洗い台を設置することにより，車いすからの移乗，洗体姿勢の保持，洗体動作などがしやすくなり，自立的なシャワー浴が可能になった。

❷　図4-1-6-20のC_6頸髄損傷のケースは，トイレを組み込んだ移乗台と脱衣台を一体化することで，排便後に直接洗い台へ移動してシャワー浴ができるようになった。洗い台には，ずり這いがしやすく石けん水でも滑りにくい素材のマットを敷き詰めた。

❸　図4-1-6-21の脊髄損傷のケースは，市営住宅の浴室改造例であり，洗い台として浴槽

図 4-1-6-18　座位移乗・移動タイプの入浴動作

図 4-1-6-19　昇降式の洗い台　　図 4-1-6-20　脱衣台・洗い台の工夫　　図 4-1-6-21　すのこ洗い台

と同じ高さのすのこを敷き詰めることで，入浴が自立した。すのこは移乗とドアの開閉がしやすい形状とした。

3　介助移乗・移動タイプ（図 4-1-6-22）

　ベッドから浴室までの移動，脱衣，洗い場への移動，洗い場での姿勢保持，浴槽の出入り，浴槽内での姿勢保持などの各動作をどのように解決するのかを十分検討する必要がある。また，本人の身体機能，介助力，住宅環境の状況によって，必ずしも在宅での入浴が賢明とは限らず，入浴サービスなども考慮する必要がある。

　在宅で介助入浴を行う場合，ベッド上で脱衣を行い，介助用シャワーキャリーや各種リフトを利用することが多い。留意すべき点は，介助動作や福祉用具のためのスペースの確保，本人や介助者の能力や住宅環境に応じたリフトの仕様，移動や姿勢保持を考慮したシャワーキャリーの仕様，入浴姿勢が安定する浴槽形状などである。特にリフトを利用して入浴する場合は，リフトと浴槽の位置関係，浮力で身体が浮かない浴槽形状などが重要となる。

❶　図 4-1-6-23 の C_5 頸髄損傷のケースは，寝室の隣に浴室を改築し，天井走行式リフトを

図4-1-6-22 介助移乗・移動タイプの入浴動作

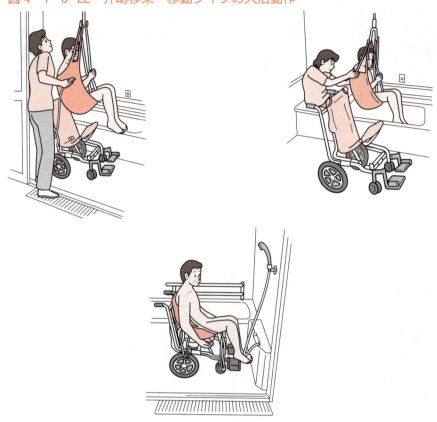

設置することで，ベッドでの脱衣から浴室までの移動が容易になった。また，洗い場では，姿勢保持タイプのシャワーいす（座面がシート地で，前後の高さを調節できるもの）を利用することで，洗体動作も安定した。

❷ 図4-1-6-24の筋ジストロフィーのケースは，座位姿勢がまったくとれない状態であり介助者も洗体時不安定で，洗い残しが多くあったが，リクライニング式シャワーキャリーを利用し，座位姿勢や臥位姿勢が安定して獲得できるようになり，自宅でのシャワー浴が楽に可能となった。

❸ 図4-1-6-25のC_5頸髄損傷・不全麻痺のケースは，シャワーキャリーと設置式リフトの利用によって，介助者一人で容易に入浴ができるようになった。

図4-1-6-23　天井走行リフト

図4-1-6-24　フルリクライニングシャワーキャリー

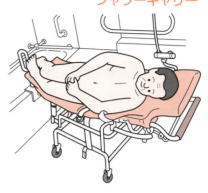

図4-1-6-25　設置式リフト

5　おわりに

　入浴は浴室環境や本人に適した動作獲得の有無，介護の仕方により，負担度は大きく変わる行為である。そのため，入浴関連用具を選定するうえでも行為に関しての十分な把握が必要である。なかでも姿勢の安定が負担度に大きく影響する。介助をする場合でも，本人の姿勢が安定していれば，洗体や洗髪介助が安心して行える。また自分で行う場合も，姿勢が安定しなければ目的動作が遂行できない。重要な課題は，それぞれの入浴行為ごとに本人の姿勢の安定を図り，そのうえで本人が可能なこと，介助することを検討することである。

参考文献

生田宗博編『ADL―作業療法の戦略・戦術・技術』三輪書店，118～126頁，2001年。

石川県土木部建築住宅課監『バリアフリー住宅改修テキスト』48～54頁，2003年。

石川県リハビリテーションセンター・バリアフリー推進工房『自立生活支援の進め方［住宅編］Ver. 2』2006年。

寺田佳世・北野義明ほか『重度障害者用シャワーキャリーの開発（第17回リハ工学カンファレンス講演論文集）』661～664頁，2002年。

寺田佳世・高橋哲郎・山田浩「テクニカルエイドのプロセスと支援体制」『作業療法ジャーナル』Vol. 33，No 8，805～810頁，1999年。

7 被服・更衣

「被服・更衣」とは…

　人が生活するうえで，自分の好きな衣服を立場や状況など生活の場に合わせて選ぶこと，その衣服を自分の意思で着替えることができることは，当たり前のことである。しかし，高齢者や障害のある人にとっての被服・更衣は，加齢や障害による身体機能や生理的機能の変化に伴い，好きなデザインの衣服を選ぶことができない，衣服の素材を自由に選べないなどの支障が生じる場合がある。また，介護が必要な状態では，自分が更衣したいときにするという当たり前のことができなくなる場合がある。

　自分の好きな被服を選び，更衣することは，自己実現でもある。「加齢や障害があるから好きな被服を選べない」「デザイン性に乏しいため更衣に興味がもてない」という状態を払拭し，自己実現可能な生活・支援をするために，ここでは加齢や障害と被服・更衣に関する知識を学ぶ。

1 高齢者・障害者の衣服

　現代の日本では，高齢者だから，障害のある人だからといって，好きな衣服を着る自由，自分らしい化粧をしておしゃれを楽しむ自由を否定する人は少ない。化粧は女性だけのものではなくなるなど，社会は大きく変化している。自分らしさを表現することは，高齢者や障害のある人も含めて，人として守られるべきものであるという考え方が広がっている。

　このような考え方が広がるなかで，高齢者や障害のある人の生理的変化や，障害による変化の特徴を確認しておきたい。本当は自分らしい衣服を着たいと思っていても，「難しいな」「無理だな」と考えてしまう根源には，身体の変化があると思われる。支援する人たちが，その身体の変化についての知識を得ることは，どうしたらその変化に対応し，その人らしさを表現できるのかを支援する知識と技術につながる。

1 高齢者の衣服着脱における身体の変化

　加齢に伴い，高齢者の身体は変化する。その変化は，人によって早い・遅いの差はあるが，すべての人が感じることである。日々行う更衣動作のなかで，「ボタンがうまくはめられない」「お腹が出てきて，この服はもう着られなくなってしまった」など，できなくなっていることや寂しさを感じるのも，高齢者や障害のある人の心の動きであることを理解しておきたい。
　高齢者や障害のある人の身体と心の変化を知り，相手の気持ちを理解したうえで支援することが望まれる。

図4-1-7-1　衣服に影響する身体の変化

① 脊柱のカーブが変化してくる
② 座る姿勢が多くなる
③ 身体のバランスが崩れやすい
④ 膝など関節が痛い
⑤ 腕が後ろにまわりにくい
⑥ 手が足先に届きにくい
⑦ 指先の細かい動作がしにくい
⑧ 目が見えにくい
⑨ 寒がりになる

　加齢に伴う変化のなかで，特に衣服着脱における変化として，次の二つを確認しておくことが，生活を維持するうえで重要である。

❶　体温調節機能が衰える
　加齢に伴い，体温調節機能は衰えるため，季節による気温の変化などに順応する能力が低下する。そのため，衣服着脱においては保温性，吸湿性，透湿性などを考えながら素材を選ばなければならない。素材選びの過程では，本人にも衣服のよい点などを説明し，着衣の同意を得ることも必要である。

❷　皮膚が弱く敏感になる
　高齢者の皮膚は，乾燥や皮脂分泌の低下によって皮膚の角質層が水分を失い，かゆみ（掻

痒感)を生じやすい状態にある。その状態を老人性皮膚掻痒症という。皮膚が傷つきやすく弱くなり，敏感になっている状態である。わずかな刺激でも皮膚に影響を与えることがあるため，皮膚にやさしい素材の衣服を選んだり，洗濯の際には皮膚に影響を与えない洗剤を使用して衣服の管理に注意したりすることが必要となる。

2 衣服着用の目的・意味

衣服着用の目的・意味として，大きく次の四つがあげられる。

❶ 体温調節の補助
・外界の温度変化に対して，身体を快適な状態にしておく。
❷ 皮膚の保護・衛生機能
・外界からの刺激や細菌，害虫，熱，日光，外傷などから身体を守る。
・皮膚表面から分泌される汗，皮脂などを吸収し，皮膚を清潔に保つ。
❸ 快適な生活の維持
・生活場面に合わせて衣服を選び，自分らしい生活を維持する。
❹ 社会生活・習慣への適応
・個性の表現方法の役割をもち，他者を知るうえでの非言語的な表現方法となる。
・地域，宗教など，習慣やしきたりなどがあり，社会生活を円滑にする働きがある。

3 高齢者・障害者に適した衣服

高齢者や障害のある人の衣服としては，次のものが適している(**表4-1-7-1**)。

表4-1-7-1　高齢者・障害者に適した被服

上着	・ライフスタイルや目的に合ったもの ・着心地がよいもの ・通気性や保温性が適度に保たれるもの（夏には通気性がよいもの，冬には保温性に優れたものが好ましい） ・重量感，圧迫感が負担にならないもの
下着類	・吸湿性，吸水性，透湿性があるもの ・蒸れない素材でつくられたもの ・皮膚を刺激しないもの ・洗濯に耐えられ，変質・型崩れしないもの
靴	・負担に感じない重量のもの ・足を圧迫しないもの ・強度があるもの ・透湿性，防湿性のあるもの
寝衣	・吸湿性，吸水性，透湿性があるもの ・蒸れない素材でつくられたもの ・皮膚を刺激しないもの ・洗濯に耐えられ，変質・型崩れしないもの

　衣服は「高齢である」「障害がある」という理由で選択肢が限られるわけではないものの，高齢者や障害のある人の既製服の供給における課題として，計測データが集めにくい，体型の個人差が大きい，消費が伸びる見込みが小さい，などがあげられる。高齢者が多くなってきた現在は，高齢者の皮膚などの変化や体型に応じたおしゃれなデザインの衣服も流通してきている一方で，障害のある人がもっている特性は個別性が高く，そのような衣服はまだ十分流通しているとはいえない状況にある。

4　衣服着脱時のアセスメントの視点

　高齢者や障害のある人の衣服といえば，マジックテープがついたもの，ウエストがゴムになったものなど，着やすければよいと一括りにされている傾向があるが，身体状況や障害の程度等によって身体の動きや可動域は異なるため，それほど単純ではない。
　例えば，脳血管障害の後遺症で片麻痺がある人に上着を着る介助をする場合，被りの上着のほうが着やすいか，前開きの上着のほうが着やすいかは，利用者の片麻痺の状態，視覚や他の運動機能の状態，認知度の状態，生活環境，介護する介護職の技術力など，さまざまな要素によって変わってくる。
　なお，衣服着脱の介護をする際には，その人らしさを発揮できるよう本人の好みを尊重することを忘れてはならない。そのうえで，その人の状態に合った衣服を選択する必要がある。その際には，**表4-1-7-2**の視点が求められる。

表4-1-7-2　衣服着脱時の観察項目と主な観察内容

観察項目		主な観察内容
身体的側面		麻痺，拘縮，変形，筋萎縮などの有無と程度。関節可動域の状態。感覚機能障害の有無と程度。皮膚の状態，痛みの有無など。
精神的側面		認知障害の有無と程度。障害受容の程度。活動参加への意欲。習慣，趣味，興味のあることの有無。気分の落ち込みの有無など。
ADLなど		衣服着脱にかかわる動作の程度（上肢・下肢・手指の細かな動きなど）。姿勢保持（座位や立位など）にかかわる状態など。
社会的環境		家族や地域との交流の有無。対人関係。社会的活動への参加の有無など。
環境的側面	人的環境	介護職の介護技術。家族の介護力（介護に関する知識など）。
	物的環境	衣服を選択する環境（タンスの位置，取り出しやすさ，照明の状態など）。居住地の周辺環境など。
	社会的環境	公的・私的サービスの有無など。

資料：太田貞司・上原千寿子・白井孝子編集『介護福祉士実務者研修テキスト【第2巻】介護Ⅰ——介護の基本，コミュニケーション技術，生活支援技術 第2版』中央法規出版，309頁，2020年をもとに作成。

5 障害についての理解

(1) 本人の願い

　障害の原因はさまざまであり，障害を負った時期が生後すぐなのか，中途障害なのか，身体における障害なのか，そうでないのか等によって，考え方や感じ方もさまざまである。重度障害のある人たちも，健常な人たちと同じような色やデザインの装いをしたいという思いをもっていることが多い。

　さまざまな障害を理解するためには，利用者の思いや希望を受け止め，支援すべきことは何かを双方でよく確認して支援していくことが求められる。大切なのは，障害があるから難しい，無理だ，という考え方はしないことである。

　例えば，成人式では振袖を着たいと思っている車いす利用者であれば，一律に半分にカットした二部式を勧めるのではなく，障害のある人の状態を把握し，どうすれば振袖を着ることができるのかについて，当事者と関係する人たち（着付けのできる人，和服の構造を理解している人，身体の状態をよく理解している介護職・医療職など）で話し合い，当事者の目標の達成に向けて連携することが求められる。また，このような関係のなかで得た知恵や工夫は，同じような願いをもっている他の障害者にも応用できる部分もあるので，社会に発信することで可能性が広がっていくと考えられる。そのような意味では，ルールを守りつつSNS（social networking service）を活用することも大きな意味をもつ。

(2) 本人ができる動作

　幼い頃から障害がある場合には，自分の障害を理解して，その状態に適応した生活をしてい

る場合も多い。しかし，高齢になってから障害を負った場合には，リハビリテーションを実施しても自分で衣服の着脱ができないこともある。この場合でも，すぐに全介助が必要だと判断してはいけない。衣服の着脱にはさまざまなプロセスがあり，そのプロセスすべてに介助が必要なのか，一部に介助が必要なのか，衣服のリフォームを行うことで自立につながるのかなど，その人の衣服着脱のプロセスを確認することが必要となる。

　また，衣服に関しては，前にも述べたように，何を着たいのか，どのような状態で着たいのか，本人の願いを知ることが重要である。高齢になり，障害があることで，自分で話すことが難しい人を支援する場合には，周囲の人々からその人の好み，好きだった物，おしゃれへのこだわりなどを把握して支援することが，よい介護だといえる。

2 機能

1 衣服の着脱

(1) 活動のしやすさと安全

　高齢になると，手足や指先の動きが緩慢になりやすく，筋力の低下や神経伝導速度の低下，平衡感覚の機能低下なども相まって，つまずきやすく転倒しやすくなる。高齢者の転倒は骨折等につながりやすく，長期間の臥床や安静で廃用症候群を生じやすい。

　高齢者の衣服を考える際には，高齢者の身体状況を把握し，安全面を考慮することを忘れてはならない。例えば，前屈みの姿勢の人に対しては，衣服で足元が隠れることのないように適切な丈を考慮する必要がある。加齢に伴って生じる身体変化を利用者自身が自覚できていない場合もあるため，周囲の気づきも重要である。

　そのほか，ゆとりのある大きめの衣服は，着やすさの面ではよいが，必要以上にゆとりをもたせると，袖口が家具に引っかかったり，ガスコンロの火が袖口に燃え移ったりするなどの危険が考えられる。また，ズボンのウエストをゴムにしたはよいものの，緩すぎて裾につまずくことも考えられる。高齢者では，足がむくみ靴が履きにくくなることで，サイズが合わない靴やサンダル，スリッパを履いたりすることがあるが，転倒の危険性が高まるので，サイズが合わないものの使用は避けたい。

　障害のある人の場合には，障害そのものの特性に加え，加齢に伴う身体機能の低下も考慮する必要がある。麻痺や関節可動域の制限，痛みなどにより，ボタンやファスナーの使用が困難になることもある。衣服着脱のプロセスのなかで，どこに支障が生じているのか，どのように改善できるのか，本人の状態や意向を踏まえて考えていくことが重要である。例えば，脳血管

障害で片麻痺となり，ボタン掛けができなくなった場合には，利き腕に麻痺が残っても，動く腕の訓練を行うことで，ボタン掛けができるレベルになる場合がある。麻痺や変形が両上肢ともに同時に生じる関節リウマチの場合には，ボタン掛けの自助具を使用することで，自分でボタン掛けができるようになったりする。

車いすを使用している人の場合には，車いすの車輪に自分の衣服を巻き込むことが事故につながる場合もある。車いすを自走する場合には，本人の危険に対する認識を確認しておくことが必要である。

東京都生活文化局消費生活部生活安全課による2019（令和元）年版「シニア世代の身の回りの事故防止ガイド2　衣服・履物による転倒／着衣着火　ヒヤリ・ハットレポート　No.10」では，「室内でズボンの裾やパジャマの裾を踏み，転倒した，転倒しそうになった」「屋外でマフラーを引きずっているのに気づかず踏んで転倒した」「スニーカーの紐が緩んでいて転倒した」等の事例とともに，転倒防止のためのポイントがまとめられている。

(2) 衛生面からの安全

衛生面からの安全を考えた場合には，おむつや汚れた衣類，寝具などが感染症の媒体になることを忘れてはならない。それを防ぐための処置として，洗濯がある。洗濯をする場合に汚れをいつとるか，個別に洗濯するのか，除菌が必要なのかなどの知識と技術も必要になる。

高齢者は暑さに対しては比較的強いが，生理機能の衰えとともに熱産生量が少なくなり，寒さに弱くなる。このため，保温性の高い衣服が必要となる。また，加齢とともに汗や皮脂の分泌が低下することで，老人性皮膚掻痒症など皮膚のトラブルが生じやすくなる。肌着など直接肌に触れるものは，皮膚にやさしい素材やその人に合った素材を確認し，知っておくことも必要である。さまざまな素材が流通しているなかで，衣類の素材に何が使用されているかなどは，商品のタグを確認することで知ることができる。

2　日常の生活動作

障害があることで社会とのかかわりが少ない場合や，高齢になってからの一人暮らし，施設への入所，社会とのかかわりの変化など，急な生活環境の変化は，高齢者を混乱させ，被服に対する興味や感覚にも影響を与える場合がある。社会とのかかわりが少なくなると，自分自身は身なりを整えているつもりでも，上下の服装がちぐはぐだったり，ボタンの掛け違いに気がつかなかったり，その場に適さない服装になったりする。環境の変化に対応でき，生活に落ち着きがでると改善されることもあるが，改善されないこともある。いずれにしても，他者とのかかわりや外出は，衣服に対する意識を思い出したり，興味を再確認してもらえたりする機会となるため，生活を維持するうえで重要である。

衣服を準備し，着替えて外出する，身だしなみを整えるという生活のなかの1コマは，人が社会とかかわり，生活するための大事な要素である。

3 身体の障害に応じた衣服選択の留意点

介護職や医療職は，利用者一人ひとりを観察し，話し合いながら必要な情報を得て，衣服選択の状況を把握し，介助内容や必要な工夫を考える。障害の状態や程度によっては，身体の動きをカバーするような衣服の工夫も必要になる。介護職や医療職だけでなく，衣服に関する専門職ともかかわりながら，利用者の望む衣服選択ができるようにすることが望まれる。

1 車いす利用の場合

車いす利用の場合には，上着の後ろ着丈を車いすの座面につかない程度の丈にする。ズボンは前股上を浅くし，後ろ股上を深くする。脊髄損傷などで下半身に障害がある場合や，自分で体位を変えにくい高齢者の場合には，血液循環が悪くなり褥瘡の原因にもなるので，座面に縫い目やしわが寄らないように注意が必要である。

外出時には，レインコートや防寒コートの着用も必要になる。防寒用では膝掛けタイプのものを使用する場合も多いが，脛の側だけでなくふくらはぎの側の保温も考えなければならない。寒さを訴えることができない人もいることから，何を目的として使用するものなのかをよく考えてかかわることが重要である。

図4-1-7-2　車いす利用の場合

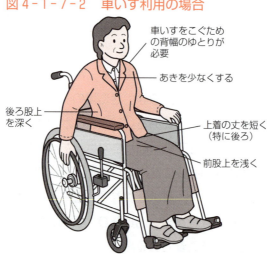

2 腕や手指に支障がある場合

　上肢に支障があると，衣服の着脱が思うようにできなくなる。ただ，前にも説明したとおり，どのような支障があるかによって，介護の方法，使用する福祉用具の種類，衣服のリフォームの必要性などが変わってくる。ボタンをマジックテープにすればすべてが解決するわけではない。一人ひとりの状態をよく知ることが，よい方法を考える基本となる。その際，本人から現状を聞くことを決して忘れてはならない。

図4-1-7-3　腕や手指が不自由な人の場合

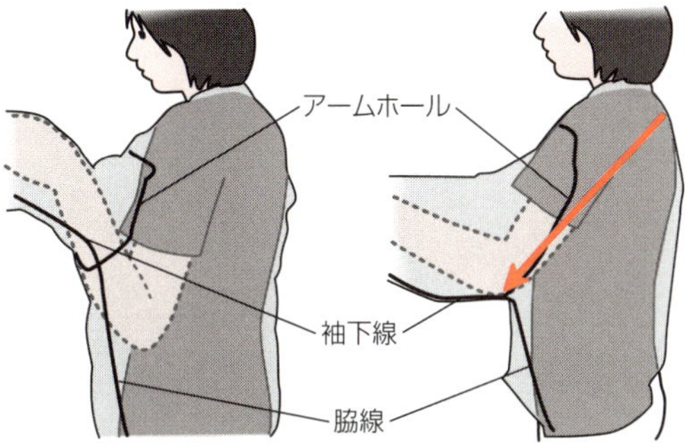

標準のアームホールは袖通しが困難

アームホールが大きいものは腕の動きが悪くても袖を通しやすい

（アームホール／袖下線／脇線）

3 寝たきりの場合

　常時臥床が必要な人の場合には，第一に褥瘡予防を考えなければならない。褥瘡は，臥床時間が長くなることで骨突出部位に循環障害が生じ，皮膚が壊死するものである。褥瘡の一般的な予防法としては，離床を促す，定期的に体位変換をする，栄養を十分に摂るなどがある。衣服や寝具使用時の留意点は，次のとおりである。

【褥瘡予防の留意点】
・寝間着の背縫いなど，縫い代が直接肌に当たらないようにする
・しわができやすくなるのを避けるために，衣服を何枚も重ねないようにする
・シーツにしわがないようにする
・着脱しやすいデザインを考慮する（袖ぐりが大きい，身幅がたっぷりしている等）
・衣服着脱の介護技術のある介護職員に担当させる等

図4-1-7-4 病院着の場合

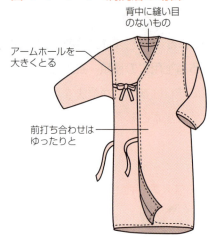
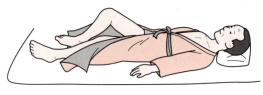

4 認知症がある場合

　認知症があることで，自分の好きな服が選べない，わからない，季節に合った服装ができないといった状況が生じる。ただ，一見ちぐはぐな服装であっても，認知症のある人にとっては意味のある衣服選びであることもある。困った行為とみなされがちな「汚れた下着をしまい込む」という行為も，認知症のある人にとって重要な意味をなす場合もある。

　認知症のある人は何もわからなくなっているわけではない。利用者に寄り添い，その人中心の介護をすること，できることを支援するかかわりなどが必要である。

【認知症のある人の介護の留意点】
・否定せず，言動を受け止める
・話を聞き，安心感を与える
・理解力に応じて，わかりやすく，短い言葉で伝える
・不安を取り除くため，一緒に考え行動する
・周囲の環境を安易に変えない

5 視覚障害がある場合

　視覚障害者の場合，衣服の裏表やボタンの位置，靴の左右などを説明し，触って確認してもらうことなどが必要になる。

　また，色の認識にまつわる不自由さは，健常者ではなかなか気づけない。中途で視覚障害に

なった場合には，時期にもよるが色の認識がある場合がある。最近では，品質表示ラベル（タグ）を利用して色を表示したものや点字で色彩を表現したものも考えられている。

> **（参考）さわって色がわかるタグ**
> 　布製のタグで，円形に並んでいるポチポチと穴で色を表現しています。洋服などにつけて，触って色を分かるようにすることができ，付けたまま洗濯することもできます。明るい色や暗い色もタグのポチポチと穴をさわって確認することができます。布製のタグに小さな凸点のポチポチがあり，ポチポチと穴をもとにして色を表現しています。
> 　布製で洗濯が出来るので，洋服につけることで，洋服の色が何色であるのか触って分かるようにすることができます。洋服のほか，ネクタイやハンカチなどにも使えます。
>
>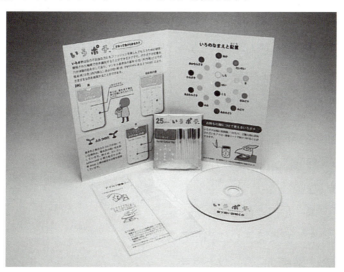

4　高齢者の靴の特徴と選択方法

1　高齢者の靴や靴下の特徴

　靴は，硬い道路や雨などから足を保護し，足の動作を補助する働きがある。足に合った靴を選ぶことは，安全な歩行を確保し，健康維持，社会性維持にも役立つ。
　高齢者に適した靴の条件には，ソフトな素材，つま先がゆったりしている，靴の先が太く丸く反っている，底は曲がりやすく軟らかで滑りにくい工夫がなされているなどがある。ヒールの場合は3cm程度がよいとされる。また，楽に脱ぎ履きができることが優先されるあまり，デザイン性の高いものは少なかったが，近年はデザイン性の高いものも増えている。専門店では，足の形を測定してその人に合った靴を選ぶときの参考にできる用具があったり，シュー

フィッター資格者がいたりすることも多くなっている。

　靴下は，足を保護したり，汗を吸収したり，靴擦れを防いだりする役割がある。カラーバリエーションや形や長さなどが豊富に揃えられているほか，滑りやすくなる足底部分に滑り止めがつけられているなどの工夫がほどこされたものもある。

2　靴を選ぶときのポイント

　「靴を買うのは夕方がよい」といわれている。その理由は，夕方になるにつれて足がむくんでいくからである。むくみの少ないときに買うと，夕方は靴がきつくなり，足への負荷がかかってしまう。

　自分の足に合わない靴を履き続けていると，爪の変形，外反母趾，靴擦れ，タコ，マメ，魚の目など，足の状態を悪化させる原因になる。自分の足に合った靴を選ぶことは，歩くことを維持するための条件でもあることを意識しておきたい。

【靴を選ぶときのポイント】
・つま先にゆとり（最低1cm以上）がある
・指が締めつけられない
・指の付け根が靴のボール部と合っている
・靴の上部（はきぐち）がくるぶしに当たらない
・足の裏のアーチが土踏まずにフィットする

3　高齢者や障害のある人の靴や靴下選びの注意点

　足は加齢に伴いむくみ（浮腫）がでたり，障害により太さや長さに左右差があったりする場合がある。きつい靴や靴下は血液循環を阻害し，足の健康状態を悪化させることになるため，靴や靴下選びには注意が必要である。

　脳血管障害などで片麻痺となった場合などには，歩行を補助するために下肢に装具をつける場合がある。障害の状態や程度，リハビリテーションの時期等によってどのような装具をつけるかは異なるが，左右で異なるサイズの靴を履く，靴の高さを合わせるなどの調整が必要となる。靴を選ぶにあたっては，身体の状態やリハビリテーションの状況を考慮し，リハビリテーション専門職や義肢装具士の助言・指導を受けるとよい。その際，デザインや色彩などに関する本人の希望を可能な限り聞き取り，承認を得ることを忘れてはならない。

　靴下は，素材や形に違いがある。身体の状態を考慮しつつ，履きやすさや快適性，デザイン

にも目配りして選ぶことが必要である。本人の好みを踏まえたうえで，生活支援の専門職である介護福祉職やリハビリテーション専門職等と話し合い，快適な歩行を補助できる本人の希望に沿った靴下を選ぶことができるとよい。

図4-1-7-5　下肢装具の種類等

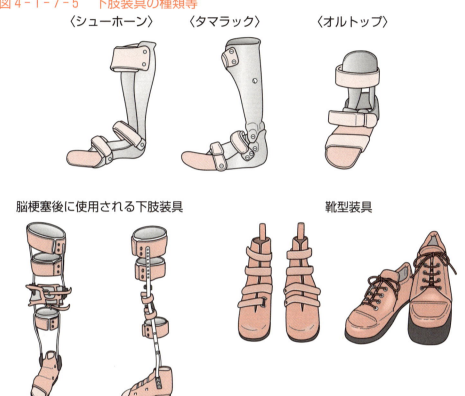

5 寝具

　寝具は，利用者の好み，身体状況，生活スタイル，生活環境によって異なる。かつてわが国においての寝具といえば，畳の上に敷く布団であった。しかし，生活様式等の変化に伴い，洋室でベッドを使用する場合も多くなっている。

　いずれにしても，寝具は1日の活動を休息と睡眠で整え，体調の維持や生活意欲に影響を及ぼす一つの因子となる重要なアイテムである。寝具の役割などを知ることは，休息や睡眠の質を高めるために必要不可欠である。

1 寝具の役割

　寝具は1日の終わりの睡眠を補助するものである。睡眠は，脳と身体を休息させ，ホルモンバランスの調整や免疫力の向上，記憶の定着などにかかわる。

　寝具には，快適な睡眠を確保できるように，保温性や吸水性が求められるほか，衛生管理も欠かせない。人は寝ていても一晩にコップ1杯（約200mL）ほどの汗をかくとされている。汗をそのままにしておくと，寝具が細菌繁殖の温床として不衛生な状態となり，安全な睡眠が確保できなくなる。

　高齢者や障害のある人の場合，臥床時間が長くなると，1日の多くの時間を寝床で過ごすことが多くなる。寝具のしわや重さが褥瘡の誘因となる場合があることを理解し，注意が必要となる。

表4-1-7-3　畳（床）に布団を敷く場合とベッド使用時の長所と短所

	布団	ベッド
長所	・畳んで収納できる。部屋を広く使える ・転落の危険性が少ない	・床との間に隙間ができるので，湿気がこもりにくい ・埃が直接顔にかかりにくい ・起き上がり，立ち上がり動作や車いすなどへの移乗動作がしやすい ・介護者が介護しやすく，高さなどを変えることができる
短所	・床との間に隙間がないので，湿気がこもりやすい ・埃が直接顔にかかりやすい ・起き上がり，立ち上がり動作や車いすなどへの移乗動作に負担が生じやすい ・介護者の介護に負担が大きく，腰痛が生じやすい	・ベッド設置場所が必要になる。部屋が狭くなる ・転落の危険性がある ・ベッドに慣れないと高さに不安が生じる

資料：『最新 介護福祉士養成講座7 生活支援技術Ⅱ』中央法規出版，231頁 表5-1，2019年をもとに作成。

2 寝具の種類とその取扱い

(1) ベッドに使用する寝具

① ベッドパッド

　ベッドのマットレス（洗濯できない）を汗や皮脂汚れから保護する寝具であり，ベッドの上に敷き，その上にシーツをかけて使用するのが一般的である。ベッドパッドが汚れたら洗濯が可能である。近年のベッドパッドには，それ自体が体圧分散機能をもった素材でできているものもある。

　ベッドパッドを使用している場合には，敷布団は必要ない。

② ベッド用シーツ

ベッド全体を覆うことのできる大きさがよいとされている。家庭では，周りにゴムの入ったボックスシーツが便利である。

図4-1-7-6　ベッド用ボックスシーツ

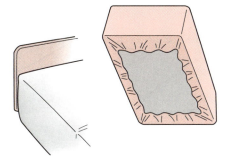

(2) 畳（床）に布団を敷く場合の寝具
① 敷布団

敷布団には，体圧を分散し，寝る姿勢を無理なく保持する役割がある。敷布団にマットレスを併用する場合には，マットレスを敷き，その上に布団を敷く。布団だけを使用する場合には布団を2枚敷く。利用者によってその仕様は異なる。

敷布団に使用される素材

・木綿わた

　保温性・吸湿性があるが，通常使用時の布団乾燥や，使用時の綿の打ち直しが必要となる（敷布団の場合，約3年目安で必要）。木綿布団の寿命は打ち直し等の適切な補修で約80年とされる。重さがあることで，加齢に伴い出し入れに負担が生じやすい。

・羊毛わた

　羊毛100％の場合は，天然素材なので木綿わたと同様以上の寿命があるとされる。

・その他

　羽毛・ポリエステルやウレタン素材，低反発・高反発素材などがある。多様な商品が選べる状態にある。各々の特徴や補修の目安，使用する人の好みや環境に応じて選別する。

---

② シーツ，防水シーツ

睡眠中にかく汗や皮脂などの汚れを防ぎ，枕，布団やマットレスの衛生保持にも役立つ。そのため，最低1週間に1回程度は交換するとよい。

フラットシーツでは，布団やマットレスの前後20cmくらいを覆える長さがあると，しわ予防などができる。ボックスシーツは箱状の構造に縫製してあるので，布団やマットレスを

覆いやすい。

　防水シーツは防水性のある素材でつくられており，シーツやマットレスを尿失禁などによる汚染から守る働きがある。防臭シーツは臭いが気になる場合に使用する。

図4-1-7-7　布団用ボックスシーツ

③　毛布

　わが国では一般的に寝具として用いられる。体温の保持，保温の目的で使用される。肌に直接触る場合は綿100％のタオルケットや綿毛布が適している。毛100％の場合は，かゆみを感じる場合もある。現在は皮膚への影響を抑え，保温性の高い商品が多く販売されている。清潔を保持するためには，定期的な洗濯が必要となる。肌に直接かかるのか，発汗状態なども把握し，洗濯時期を確認することが必要となる。

④　掛け布団

　掛け布団は，身体を覆うことで温度調節を担うものである。高齢者や障害のある人の場合には重みに注意する。重すぎると，寝返りがうちにくくなる，呼吸がしにくくなるなどの弊害を生じる場合がある。好みもあるが，軽いものがよいとされている。

掛け布団に使用される素材

・羽毛
　羽毛の間に空気を含んでいることで，軽く，保温効果が高い。また，身体にフィットしやすい。羽毛の種類や量によって，多くの商品が展開されている。汚れた場合には，ドライクリーニングなどが可能である。羽毛敷布団の構造と掛け布団は少し異なる。

・羊毛わた（ウール）
　吸湿性・保湿性，適度な弾力性がある。耐用年数は5年くらい。特有の臭いがある場合がある。

⑤　枕，枕カバー

　枕は頭を支えること以上に首を支えることが重要だといわれている。寝たときのよい姿勢は，自然にまっすぐに立位となった状態であり，その姿勢を支えるのが枕の役割である。枕

の高さが合わないと，首の痛みや肩こり，いびきの原因になる。高すぎても低すぎても身体に負担がかかってしまう。

　枕の素材には，そばがら，パイプ，羽毛，低反発など，さまざまなものがある。特徴や価格帯が異なるため，使用する人の好みや使い慣れたものなどを確認するとよい。

　また，頭部や頸部は汗や皮脂で汚れやすい部位でもあるので，カバーを使用する，定期的に洗濯するなどして，清潔を保持することが必要である。耐用年数は素材によって異なるが，長年の使用でへたりが出てくることを意識しなければならない。

　枕選びのポイントは，高さ，大きさ，素材であるといわれている。専門店では計測によって個人に合った枕選びができることもある。

6　衣服の管理（被服の使い方・扱い方）

　衣類や寝具などは，使用することでさまざまな汚れがつく。洗濯をしないでいると，汚れから悪臭やカビを発生させ，不衛生な状態になる。また，汚れで吸水性や保温性が損なわれる状態になる。そのため，洗濯をして，衣類や寝具をよい状態に保つことが必要になる。

　かつて洗濯は，家事のなかでも重労働であった時代があった。今では，洗濯機は洗いから脱水，または乾燥まで自動化されるなど，さまざまな機能をもっている。洗剤の種類も豊富になり，手洗いで汚れを落とすことも少なくなっている。

　そのように楽になった洗濯ではあるが，便や嘔吐物が付着した洗濯物をそのまま洗濯機に入れてはいけない。「感染症のある場合には個別に洗濯する」など，感染対策に関する知識も必要となる。

1　洗濯の方法

　洗濯をどこでするかを考えると，現在は大きく二つの場合が考えられる。一つは家庭用洗濯機やコインランドリーを利用して自分で行う場合，もう一つはクリーニング店を利用して行う場合である。どちらを利用するかは，それぞれの環境や状況，被服の種類や量などによって選択される。

　自宅で洗濯をする場合には，家庭用洗濯機の種類が豊富になってきたことや，洗剤にもさまざまな種類があること，今まで自宅での洗濯が奨励されなかったような衣類の商品開発などが行われているので，その基本的な取り扱い方法を理解しておくことが，支援する際の知識と技術につながる。

2 洗濯のプロセス

洗濯をする場合には，一般的に次のプロセスが考えられる。

【洗濯のプロセス】
① 衣服や寝具などの汚れを意識する
② 汚れた衣服や寝具などを着替える，交換する
③ 洗濯方法を確認する（水洗い・ドライクリーニング・ほかの衣類と一緒に洗ってよいかなど）
④ 使用する洗剤を選ぶ
⑤ 洗濯機のコースを設定し，洗濯を開始する
⑥ 洗濯したものを乾かす（乾燥機を利用する）
⑦ たたむ
⑧ 収納する

3 洗濯に必要な知識

(1) 洗濯表示

洗濯をする場合には，衣服についている洗濯表示で注意事項や洗濯マークを確認する。

(2) 洗濯用洗剤の種類

洗濯用洗剤は形状により，粉末洗剤，液体洗剤，ジェルボール洗剤，石けん洗剤，部分洗い洗剤，おしゃれ着用洗剤がある。どの洗剤を使用するかは，衣服の種類や着る人の体の状態，好みなどによって異なる。

洗剤が衣類に残ることで皮膚障害が生じないように，すすぎを十分に行うようにする。また，洗剤ごとに注意点が異なるので，洗剤の使用上の注意は必ず確認することも必要である。アレルギーのある人で洗剤による皮膚障害がある場合には，使用する洗剤が限られるので，よく確認してから使用しなければならない。あわせて，洗濯する衣服の注意点も確認しておくことが必要である。

(3) 漂白剤の種類

漂白剤は，衣類にしみがついて応急的処置では回復できなかった，黄ばみがある，臭いが気になるときなどに使われる。

(4) しみへの対応

しみへの対応は，汚れが水溶性なのか油溶性なのかで処置が異なる。

図4-1-7-8 主な洗濯マーク

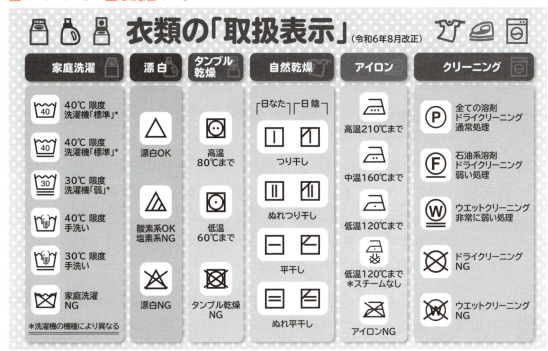

資料：経済産業省・消費者庁

表4-1-7-4 漂白剤の種類と特徴

種別	酸化型			還元型
	塩素系漂白剤	酸素系漂白剤		還元系漂白剤
形状	液体	粉末	液体	粉末
成分	アルカリ性	弱アルカリ性	酸性〜弱酸性	弱アルカリ性
主成分	次亜塩素酸ナトリウム	過炭酸ナトリウム	過酸化水素	ハイドロサルファイト 二酸化チオ尿素
使えるもの	白物のみ	白物，色柄物に使用できる		白物のみ
得意な汚れ	白物をより白くする	白物，色柄物に使用できる		白物のみ

表4-1-7-5 汚れ別の応急処置方法

水溶性の汚れ	しょうゆ，ワイン，コーヒー，パスタソース，カレー，ハンバーグソース，焼肉のタレなど	①水で濡らしたハンカチなどでつまみ，汚れを移し取る ②乾いたハンカチやティッシュで押さえて，水分を取り，自然乾燥させる
油溶性の汚れ	バターやチョコレートなど	乾いたティッシュで軽くつまみ，油分をできるだけ移し取る

(5) 干し方

　洗濯した衣服は，十分に乾燥させる必要がある。乾燥が不十分だと，カビなどが発生し，しみや悪臭の原因となる。住環境によっては天日での乾燥ができず，乾燥機を用いる場合がある。この場合にも衣服の洗濯マークをよく確認することが必要である。

(6) 保管

　洗濯した衣服などの保管時には，カビや虫害を防ぐために，温度・湿度・清潔に注意する。洗濯後，たたんで保管する前には，洗濯で汚れが落ちているか，十分に乾いているかを再確認する。長期にわたって保管する場合には，カビ予防のために，洗濯して汚れを落とした後，湿度を50％前後に保つとよい。特に皮製品や絹の保管には，乾燥剤を使用すると効果がある。

　毛や絹製品には防虫剤を使用し，イガ，コイガ，ヒメカツオブシムシ，ヒメマルカツオブシムシなどの害虫がつかないようにする。防虫剤の使用にあたっては，衣類にしみがつかないように，使用上の注意点を確認することが必要である。

4　福祉用具との関係

　洗濯する人の状態を知り，どのような支援が必要なのか，洗濯のプロセスを確認しながらアセスメントすることが重要となる。利用者のできることを増やすこと，安心できる環境で生活できることは，自立を促すことになるため，活用できる福祉用具の選択や工夫をすることが求められる。

　認知症のある人が増えている現在では，洗濯に関連する事故防止の視点をもつことも必要となる。

参考文献
　太田貞司・上原千寿子・白井孝子編『介護福祉士実務者研修テキスト【第2巻】介護Ⅰ（第2版）』中央法規出版，2020年。
　介護職員関係養成研修テキスト作成委員会編『三訂　介護福祉士養成　実務者研修テキスト第4巻』一般財団法人長寿社会開発センター，2024年。
　介護福祉士養成講座編集委員会編『最新　介護福祉士養成講座6　生活支援技術Ⅰ（第2版）』中央法規出版，2022年。
　公益社団法人日本介護福祉士会『介護の特定技能評価試験学習テキスト（改訂版）』95頁，2024年。

8 自助具

「自助具」とは…

　私たちが普段行う生活のなかではさまざまな道具が使われており，人は道具を作り，それを使うことで生活を便利に，そして豊かにしてきたことは，誰もが知るところである。その道具の一つである福祉用具は，高齢者や障害者に向けて作られた用具であり，2000（平成12）年に開始された介護保険制度において福祉用具の貸与・販売が制度として位置づけられたことから一気に普及が進み，今では居宅サービス利用者の半数以上が福祉用具を利用するなど福祉用具は生活に身近なものとして定着している。

　自助具は，この福祉用具のなかに含まれる用具で，「出来る限り日常生活が自分でできるように個々の状態に合わせて特別に工夫された用具」と定義づけられ，英語では「Self-help device」と表記される。この名には「自らを助ける用具」といったハード的な意味以外に，「工夫」や「アイデア」などのソフト的な意味も含まれ，その人なりの使い方を含めて自助具といえる。

　自助具の適用範囲は，食事，更衣，整容などの日常生活動作（ADL）から，掃除，洗濯，買い物などの家事，交通機関の利用などの手段的日常生活動作（IADL），就労までさまざまな場面で用いられている。自助具は，当時から作業療法士が一人ひとりの障害状況に合わせて手作りで製作し発展してきた経緯があり，今では多くの自助具が製品化され，生活への活用の幅がより広がりをみせている。

　一方で，自助具は利用者の障害状況や生活習慣などの個別性への対応が求められるため，既製品では十分な適合が得られないことがある。利用者の状態や生活に適した自助具を提供していくためには，既製品の利用にとどまらず，改良を加えたり，場合によっては個別に製作するなど，利用者の立場に立って必要な自助具を提供していくことが求められる。

1 自立を支援する自助具

　人の生活は一人ひとりとても多様で，生きがいや生活習慣，社会とのかかわり，価値観，住環境など，さまざまな点で異なっている。この多様性は，その本人の特性ともいえるもので，この特性を理解することは，その人らしい生活に向けての「目標」を考える一助となる。目標を設定する際にはいくつか押さえておくべきポイントがあるが，大切なことはその人がもつ能力を見きわめ，その能力が最大限発揮されるよう，必要な支援を計画していくことにある。

　福祉用具は自立を支える一手段となるが，一般的に認知されている福祉用具は，起きる，立つ，歩くなどの基本的な動作に対して用いられることが多く，細かな動作が必要となる食事や更衣，整容，調理などの応用動作においては，身の回りの道具を用いた工夫や自助具による支援も必要になる。このため，支援計画を作成する際には，その生活全般を見据えて，その人にとっての目標に何が必要なのかを検討し，最適な環境を整えていくことが求められる。

2 自助具の種類

　自助具は，前述のとおりADLやIADLのさまざまな場面に用いられ，特に食事や更衣，入浴，調理などに関連する市販品は種類が多く，利用される頻度も高い状況にある。しかしながら，自助具は使う人の障害特性や生活習慣などの個別性への対応が求められることから，市販品の利用にとどまらず，利用者の状態に合わせて改良を加えたり，個別に製作することも多くある。このことから，自助具は，ADLやIADL以外にも文化活動や就労といった日常生活のあらゆる場面で利用される身近なものといえる（**図4-1-8-1**）。

図4-1-8-1　自助具の種類

3 生活のなかでの工夫

　生活のしづらさや困りごとの改善に向けて、自助具はとても有効な手段であるが、一般的な日用品のなかにも、高齢者や障害者の生活に役立つものが多くある。例えば、瓶・缶を開けるオープナーや固い食材を切るカッター、軽い力で操作できるはさみなど、高齢者や障害者にとって便利なものであり、このように身の回りにある道具をうまく活用する視点は、当事者の生活の質（QOL）向上につながる支援となる。

　また、道具を用いること以外に、方法を工夫することで生活課題を解決できることもある。例えば、食材が固い場合には、電子レンジで加熱し軟らかくして切ることや、洗濯物をいすに座って干すことで立ちしゃがみの身体的負担を減らすなど、工夫が活かせる場面がある。

　このような「道具の工夫」や「方法の工夫」も含めた視点をもって、利用者に合った解決方法を考えていくことにより、当事者の生活の幅を広げることができる。

4 自助具と手の機能

　日常の生活行為には、手は欠かせない存在である。手は、身体の運動器のなかで複雑かつ精密な動きを行う能力を有しており、日常生活のあらゆる行為にかかわっている。また、運動機能のほかに、身振りや手振りなどの手を使ったコミュニケーションとしての機能も担っている。自助具の適用を考えるうえでは、このような手の機能や能力についての基本的知識を理解し、生活行為に支障が生じた際の課題分析が行えるスキルを身につけておくことが必要となる。

　手の機能は、主に固定する機能と操作する機能に分けられ、固定機能には、「押さえる」「握る（つかむ）」「つまむ」「ひっかける」などの機能があり、操作機能には、「触る」「押す」「離す」「かく」などの機能がある。これらの機能が複雑に組み合わさりながら、目的動作が行われる（図4-1-8-2）。

　例えば、「茶碗を持つ」という目的動作では、対象物の大きさや形状、硬さなどを視覚情報や経験から瞬時に判断を行い、その物に適した大きさに指を操作して対象物をつかむ、力を調整しながら茶碗を保持するという高度な行為が、意識せずとも自然に行われている。このような高度な機能を有しているため、擦り傷程度のけがでも、手の能力に影響が生じてしまうこととなる。

　また、ほとんどの生活場面において、片方の手が物を固定し、もう片方の手で物を操作する、いわゆる両手動作が頻回に行われており、物に対してスピードや力加減を瞬時に調整し、それ

図4-1-8-2　手の機能

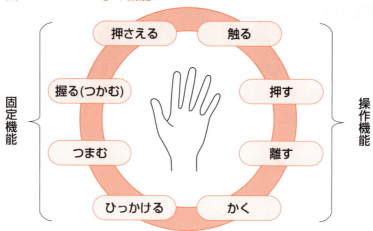

ぞれの手が協調しながら異なった役割を果たしている。このように固定と操作は表裏一体の関係にあり，互いが協調しそれぞれの役割を果たすことで，目的動作が行われていることを理解しておく必要がある。

5 自助具の導入時の留意点

●状態変化の把握

　疾病によっては，1日のなかで体調の変動（日内変動）や疲れやすさ（易疲労性）が起こる場合があり，状態によっては1日を通して安定して自助具を利用することが難しくなる。このため，本人・家族からも情報を得て疾病や障害等の特性を十分に把握し，そのうえで，自助具の形状や重量，材質などについて留意しながら，選定した自助具を実際に試用し，その使い勝手を確認することが大切である。

●二次障害の把握

　自助具を使用することで目的動作が行えるようになったとしても，筋緊張を高めたり，廃用性の機能低下を起こすなど，疾病や障害等の状況によっては二次障害のリスクを高めてしまう場合がある。疾病や障害等の特性に配慮し，自助具の選定を行うことが大切である。

●訓練等の必要性

　自助具の種類によっては，使いこなすまでにある程度の訓練が必要になることや，自助具を試用しつつ使い勝手を高めていくための改良等が必要な場合がある。選定した自助具が，動作

を正確に安定して行えているかモニタリングし，使い勝手を高めていくことが大切である。

6 生活行為別の自助具活用

1 食事

　食事は，食物を摂取し生命活動を維持する目的以外に，色や形，香り，味などの感覚を通じて食べることを楽しむとともに，家族や友人と団らんを過ごすコミュニケーションの場でもある。このため，疾病や障害等によりその行為に支障が生じた場合，可能な限り自分自身で食事が摂れるようにその方法を模索していくことは，社会性やQOLの向上を図るうえで必要な視点である。

　食事は，いす等に座った状態で片方の手で食器を固定し，もう片方の手で箸やスプーン等を用いて食物をつかんだ後，口まで運ぶといった高い協調性や巧緻性が求められる一連の行為である。このため，指の痛みなどちょっとしたトラブルでも，行為全体に影響が及ぶため，自助具が活用されていることが多い。

●**留意点**

　食事では，手を使うための姿勢保持が重要となる。身体が傾いた状態で座っていたり，仙骨座り（ズッコケ座り）では，手や上肢の動きが制限されてしまい，食事をうまくとることが困難となり誤嚥のリスクも高まってくる。食事動作の前に姿勢の状態を確認し，食事が適切に摂れる環境を整えておくことに留意する。

●**自助具の種類**

　食事用の自助具は，①食物をすくい口に運ぶ用具，②食器，③食器を固定する用具に分類され，組み合わせて用いられることが多い。また，食物を扱うことから衛生面に十分注意する必要があり，衛生上の視点から材質や構造についても留意する。

① 改良型スプーン・フォーク

　　持ちやすいようにラバー等で柄を太くしたものや，ヘッドに角度をつけたもの，ホルダーで手に固定できるものなど，さまざまな種類がある。

　　手の状態に合わせてスプーン・フォークの形状（ヘッドの大きさや向き，柄の長さや太さ）やホルダーの使用などに留意し，使い勝手を確認しながら選定する。

図4-1-8-3
改良型スプーン・フォーク

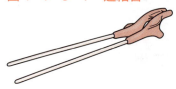
図4-1-8-4　連結箸

図4-1-8-5　縁高皿

図4-1-8-6　ホルダー付きコップ

図4-1-8-7　滑り止めマット

② 連結箸

　手の力が弱い場合や手の細かな動きが難しい場合に，箸をトングのように挟めるようにした用具である。手の状態に合わせて箸の長さや太さ，バネの強さなどを選定する。

③ 縁高皿

　食物をつかみやすいように皿の縁を高くした皿で，底に滑り止めゴムが付いたものや食物を分ける仕切りが付いたものがある。手の状態に合わせて縁の高さや形状などを選定する。また，既存の食器に取り付けて使用できるフードガードもあり，携帯して外食時に用いることができる。

④ ホルダー付きコップ

　手の力が弱く一般的なコップでは持つことが難しい場合に，手のひらでしっかりと保持できるホルダー付きのコップで，両手で持てる製品もある。

⑤ 滑り止めマット

　食器が滑らないように食器の下に敷くマットで，片手で食事を行う場合や手の力が弱い場合などに用いられる。食事以外でも，瓶のふた開けや転がりやすいものを扱う際に動作がしやすくなるため，さまざまな場面で活用できる。

2　整容

　整容は，身体の清潔を保つ目的以外に，身だしなみを整えることで気分をリフレッシュさせ

る効果がある。また，外出機会や他者とのかかわりの減少によりおろそかになりやすい行為でもあり，社会性を保つうえで重要な行為でもある。

整容には，「手洗い」「歯磨き」「洗顔」「整髪」「化粧」「髭剃り」「爪切り」など，日常生活で行うさまざまな行為が含まれる。

● **留意点**

整容は，上肢を用いた動作場面が多くみられ，これらの動作を安定して行うには，姿勢保持が重要となる。また，洗顔や整髪，歯磨きなど，頭部へのアプローチが多い動作であり，上肢のリーチと固定能力に加え，ブラシやシェーバーなどの道具を手で保持し操作する能力が求められる。

● **自助具の種類**

整容の自助具は，主に手の力や上肢のリーチを補うものが多い。電動歯ブラシや電動シェーバーなどの家電製品を用いた動作を行う場合は，保持用のホルダーなど，製品の形状に合わせて個別に製作する必要がある。

① 歯ブラシホルダー

市販の歯ブラシに差し込んで使用するホルダーで，手の力の弱い人でも歯ブラシを保持しやすい工夫がなされている。製品には，歯ブラシとホルダーが一体となったものや，歯ブラシをマジックベルトで手に固定する万能カフなどがある。

② 長柄ヘアブラシ

一般的なブラシよりも柄を長くした用具で，可動域制限や筋力低下などにより腕が十分に上げられず，頭にブラシが届かない場合に用いられる。手の状態に合わせてブラシの角度や柄の長さなどに留意し，使い勝手を確認しながら選定する。

また，長柄のブラシは通常のブラシよりも操作時の労力が大きいため，易疲労性に留意する。

③ 台付き爪切り

台に爪切りを固定してレバー部分を大きくした用具で，テーブル上に置いて手のひらで押すようにして使用する。手の力が弱い場合などに用いられる。

他に片手で操作できるものや，爪やすりにホルダーを付け，軽い力で操作できるように工夫された製品等がある。

図4-1-8-8
歯ブラシホルダー

図4-1-8-9
長柄ヘアブラシ

図4-1-8-10　台付き爪切り

3　更　衣

　更衣は，整容と同様に身体の清潔を保つとともに，身だしなみを整えることで気分をリフレッシュさせる効果がある。また，更衣を行うことで気持ちを切り替え，生活のメリハリがつけやすくなる。

　更衣には，就寝時などに衣服を着替える行為と，トイレでの排泄時に一時的にズボンやパンツを上げ下げする行為があり，1日のなかで繰り返し行われる頻度の高い行為である。

●留意点

　更衣動作では，食事動作と同様に姿勢保持能力が重要となる。上衣・下衣を着脱する際は，四肢を大きく動かすことからバランスを崩しやすく，姿勢の安定性がより求められる行為である。更衣の姿勢には，立位，座位，臥位があり，立位が最も難易度が高く，座位，臥位の順で難易度が低くなる。また，衣類の種類によって着脱のしやすさが異なるため，本人の状態に合わせた衣類の選定や改良についても助言・提案していくことが求められる。

●自助具の種類

　更衣の自助具は，主に衣服の着脱を容易にすることに用いられ，ボタン・ファスナーの開閉や，靴下の着脱，衣服を引き寄せる用具などがある。自助具を用いる以外に，靴に伸縮性のある靴ひもを用いて着脱を容易にすることや，ボタンをマジックテープに変更して方法自体を変えるなど，工夫により行為のしやすさを改善できることがあるため，自助具にとらわれず広い視点での検討が必要である。

① リーチャー

　棒の先にフックを取り付けた用具で，衣服を引き寄せたり，靴下の上げ下げなどに用いら

れる。更衣に限らず，カーテンの開け閉めや物を引き寄せるなど，幅広い用途に用いることができる。

製品によってフックの形状が異なるため，用途に適切なタイプを選定する。

② ボタンエイド

衣服のボタンの着脱を行う用具で，先端部分をボタンにかけて使用する。手の細かな動作が難しい場合や，手の力が弱くボタン操作が難しい場合に用いられる。用具には，ファスナーの上げ下げに用いるフックが付いた製品もある。

ボタン操作は，高い巧緻性が求められる行為であり，対象者のニーズによっては，マジックテープやマグネット式のボタンへの変更などの工夫が必要な場合もある。

③ ソックスエイド

ガイド部分を折り曲げて靴下などを装着し，足を滑り込ませた状態からベルト部分を引き上げて使用する。股関節や膝関節の障害により足を曲げることが難しい場合や，妊娠により屈むことが難しい場合などに用いられる。製品によって，ガイド部分の形状や材質が異なる。

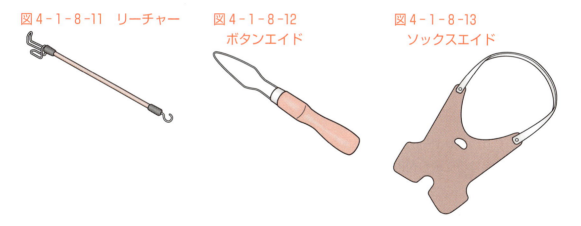

図4-1-8-11　リーチャー　　図4-1-8-12　ボタンエイド　　図4-1-8-13　ソックスエイド

4　排泄

排泄は，生命活動を維持していくうえで欠かせない行為であるとともに，排泄の失敗はその人の尊厳を傷つけ，社会性やQOLに悪影響を及ぼすため，自立した日常生活を送るうえで排泄のコントロールが欠かせない。

排泄は，尿意・便意を意識することから始まり，①トイレへ移動，②ドアの開閉，③身体の方向転換，④下衣を下げる，⑤便座へ座る，⑥排泄，⑦トイレットペーパーの使用，⑧排泄物の処理，⑨便座から立ち上がる，⑩下衣を上げるといった複雑な一連の動作から構成され，このなかで一部でも支障が生じると，排泄行為そのものがうまくいかなくなる。

排泄行為に支障が生じた場合は，排泄行為の流れに沿って分析を行い，課題を整理するとと

もに，対象者のもつ能力を十分に見きわめ，対策を検討することが必要である。

● **留意点**
　排泄方法は，トイレで排泄を行う以外に，ベッドサイドでポータブルトイレによる排泄や，ベッド上で尿器や差し込み便器による排泄，おむつによる排泄といった方法があり，対象者の状態や環境によってその方法が異なる。認知機能低下による失禁や膀胱等の機能的な原因による失禁，トイレまでの移動が間に合わないことによる失禁，トイレでの準備が間に合わないことによる失禁など，さまざまな原因が考えられるため，失禁の原因を把握したうえで対応策を検討していくことに留意する。

● **自助具の種類**
　排泄の自助具は，臀部の衛生に関連する用具や座薬の挿入を補助する用具などがある。排泄行為では，「便器に座るための身体の方向転換」や「下衣の上げ下げ時の姿勢保持」「便座への立ち座り」などのように，狭い空間内において姿勢が変化する場面であるため，手すりや便器の補高などの福祉用具を含めた検討が必要となる。
　また，住宅設備機器の高度化により，臀部の温水洗浄や便器の自動洗浄，便座の自動開閉機能などが一般化しており，これらの機能もあわせて活用していくことで，自立の幅を広げることができる。

① 片手操作用ペーパーホルダー
　片手でトイレットペーパーをカットすることができるホルダーで，ポータブルトイレ用にベッドの手すりに取り付けられるものや，トイレットペーパーを簡単に引き出すことができるものなど，いくつかの種類がある。

② 臀部清掃スティック
　スティックの先にトイレットペーパーを挟み，スティックを操作して臀部を清掃する用具。座位バランス低下により屈むことが難しい人や，腰痛のある人などに用いられる。

③ 座薬挿入器
　座薬をケースに入れ肛門に押し当てて挿入する用具で，脊髄損傷や関節リウマチなどによる手指機能が低下した人に用いられる。製品には，ベルトで手に固定するものや，長い柄でテコのように操作するものなどがある。

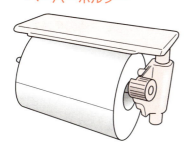
図4-1-8-14 片手操作用ペーパーホルダー

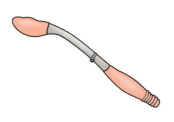
図4-1-8-15 臀部清掃スティック

図4-1-8-16 座薬挿入器

5 入 浴

　入浴は，身体を清潔に保つ目的以外に，血流を改善し新陳代謝を高めることにより疲労回復を図り，自律神経を整える効果がある。

　入浴は，排泄と同様に一連の動作から構成され，①脱衣所へ移動，②衣服を脱ぐ，③浴室内へ移動，④シャワーいすに座る，⑤髪・体を洗う，⑥浴槽へ入る，⑦浴槽から出る，⑧浴室から出る，⑨身体を拭く，⑩衣服を着るという流れである。

●留意点

　浴室は，水を使用することにより転倒リスクが高まるため，利用者の状態に応じて手すりや滑り止めマット，シャワーいすなどの用具を用いて，移動時に姿勢が安定するよう配慮する必要がある。また，ユニットバスの普及により浴室内の保温効果が高まり，シャワーも付属していることが一般化しており，場合によってはシャワー浴へ切り替えることも一つの選択肢となる。

●自助具の種類

　入浴の自助具は，洗髪・洗体に関連した用具が大半で，身体の各部位を洗えるように手のリーチを補うものや片手動作で行えるものがある。

① 長柄シャンプーブラシ

　　一般的なブラシよりも柄を長くしたもので，可動域制限や筋力低下などにより腕が十分に上げられず，頭にブラシが届かない場合に用いられる。対象者の上肢機能の状態に適するようブラシの角度や柄の長さなどに留意し，使い勝手を確認しながら選定する。また，長柄のブラシは通常のブラシよりも操作時の労力が大きいため，易疲労性に留意する。

② 長柄ボディーブラシ

　柄を長くしカーブをつけたブラシで、関節リウマチや神経疾患などにより身体の一部に手が届かない人に用いられる。長柄シャンプーブラシと同様に、ブラシの角度や柄の長さなどに留意し、使い勝手を確認しながら選定する。

③ ループタオル

　両端に輪を付けたタオルで、脳血管障害や上肢切断などにより片手で動作を行う人によく用いられる。身体に巻き付けて操作することで、片手で背中などを洗うことができる。タオルを絞る場合は、手すりや水栓金具に巻き付けて動作を行う。

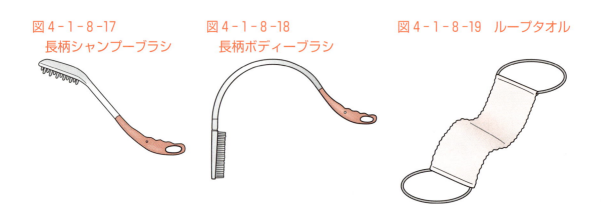

図4-1-8-17 長柄シャンプーブラシ　　図4-1-8-18 長柄ボディーブラシ　　図4-1-8-19 ループタオル

6 家　事

　家事は、日常生活を送るうえで必要な行為の一つであり、掃除、洗濯、調理、買い物などの行為がある。また、家事は、更衣、食事などの身の回りの行為よりも複雑で労力を要するため、日頃から家事を行うことで運動機能の維持につながる効果が期待できる。

● **留意点**

　家事では、道具を用いた作業が多くみられる。掃除ではほうきや掃除機を用いたり、洗濯では物干し竿やハンガーなどを用いるなど、普段何気なくこれらの道具を使っているが、疾病や障害によりこれらの行為に困難が生じた場合、方法や作業環境を変更することで、再びできるようになることも多い。

　例えば、腕を上げることが難しく洗濯物を干しづらい場合は、低い物干しを使って干すことや、身体を屈めることが難しい場合は、台の上に洗濯物を置いて干すことで屈む動作をなくすなど、方法や作業環境を見直すことも身近にできることであり、積極的に助言・提案していくことが望まれる。

●自助具の種類

《掃　除》

　掃除では，自助具が活用される場面は少なく，少ない力でふきんを絞ることができる用具や，片手でぞうきんを絞る用具などがある。

　このほか，掃除機が重く操作が難しい場合は小型のコードレス掃除機やハンディモップに変更するなど，掃除の仕方を工夫することも一つの方法である。

① 　ふきん絞り器

　　中が空洞になった棒状の用具であり，ふきん等を巻き付けて両手で絞ることで，少ない力で使用できる。

② 　ぞうきん絞り器

　　筒にぞうきんを入れ，もう一方の筒を手のひらで押し込んで絞る用具であり，指に負担をかけずに絞ることができる。

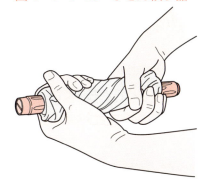
図4-1-8-20　ふきん絞り器

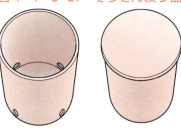
図4-1-8-21　ぞうきん絞り器

《洗　濯》

　洗濯では，掃除と同様に自助具が活用される場面は少なく，方法の変更や用具による工夫がよく用いられる。

① 　リーチャー

　　更衣以外に洗濯機から洗濯物を取り出す際にもリーチャーが活用できる。製品によってフックの形状が異なるため，用途に適切なタイプを選定する。

② 　片手で干せるハンガー

　　洗濯物を片手で挟めるようクリップが工夫された用具で，脳血管障害などにより片手で作業する人も用いることができる。

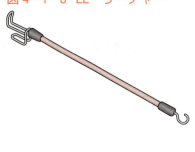
図4-1-8-22　リーチャー

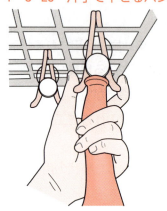
図4-1-8-23　片手で干せるハンガー

《料　理》

　料理は，食材の用意から加工・下ごしらえ，調理，盛り付け，配膳，片づけまでの複雑な一連の動作であり，さまざまな調理器具を用いて作業を行う必要から，自助具が活躍する場面が多くみられる。特に食材の加工・下ごしらえの場面では，食材の切断や調理器具の使用，調味料・缶・瓶の使用など，手を使う作業場面が多いことから，市販されている自助具の種類も多い。

　また，電子レンジで加熱して食材を調理したり，カットされた食材を購入することで作業にかかる労力を減らすなど，方法の工夫により作業しやすくなることも多くある。このような工夫を取り入れながら対象者に合った方法を助言・提案していくことが求められる。

① 　片手用まな板

　食材を固定するための釘やエッジが付いたまな板で，片手で作業を行う人や手の力が弱い人に用いられる。

② 　片手用皮むき器

　テーブルに固定して使用するピーラーで，片手で作業を行う人に用いられる。手袋で皮むきを行うことができる製品もあり，手の力の弱い人や指の細かな動きが難しい人の作業に適している。

③ 　グリップ型包丁

　包丁のグリップの角度を変えられる包丁で，包丁を押さえるようにして使用できるため，手の関節への負担を軽減することができる。包丁を使用する以外に，キッチンバサミやフードプロセッサーを用いたり，先に加熱して食材を軟らかくしてから切るなどの工夫もある。

④ 　瓶オープナー

　ふたを挟み込み，ハンドルを回して使用する用具で，手の力が弱い人に用いられる。ふたを上から押さえ込むようにして使用するものや，ボトルを固定し片手で操作できるものなど，

多くの種類がある。

⑤ 吸盤付きブラシ

　吸盤で台所のシンクに固定できる用具で，片手で食器を洗う人に用いられる。入浴時の洗体ブラシとしても活用できる。

図4-1-8-24　片手用まな板

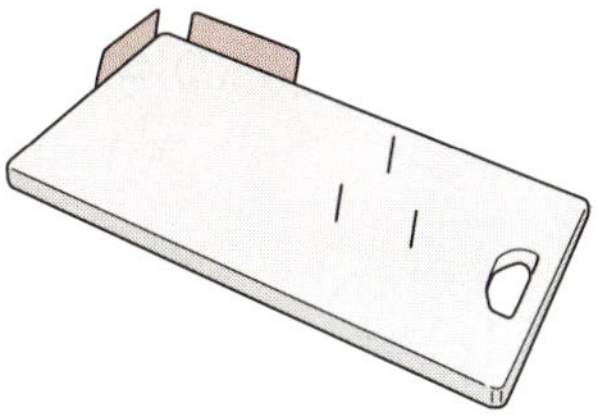

図4-1-8-25　片手用皮むき器

図4-1-8-26　グリップ型包丁

図4-1-8-27　瓶オープナー

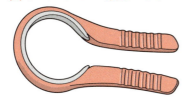

図4-1-8-28　吸盤付きブラシ

9 コミュニケーション・社会参加関連用具

「コミュニケーション・社会参加関連用具」とは…

利用者の生活の質（QOL）を最低限担保するための用具として「コミュニケーション関連用具」，また，利用者のQOLを，さらに向上させるための用具として「社会参加関連用具」がある。

1 コミュニケーションと関連福祉用具

「コミュニケーション」とは，社会生活を営む人間が互いに意思や感情，思考を伝達し合うことをいう。言語・文字・身ぶりなどを媒介として行われることとして定義される。伝達の方法には，音声言語や文字言語を用いた人間特有の方法や，身ぶり・表情などを用いた非言語的な方法があげられる。

言語を用いたコミュニケーション方法には，文字言語を見て理解する「読む」能力，自分の思いを文字に表す「書く」能力，相手の話す言葉を理解する「聴く」能力，自分の思いを音声として表す「話す」能力があり，相手の状況や場面に合わせて，高度に使い分けて用いられている。さらに，「コミュニケーション」は，情報の伝達，連絡，通信の意味だけではなく，意思の疎通，心の通い合いという意味でも用いられ，身ぶり・表情，音声の大きさや質，語気の強弱等の非言語的伝達方法を巧みに用いて，意思や感情を含めた疎通を図ろうとするものである。このような能力を駆使することにより，社会生活上必要な情報や知識を得たり，自分の思いや考えを伝えたり，心理的安定を得ることができ，その行動としてあるのが，コミュニケーションである。

しかしながら，何らかの疾病や先天性疾患に伴い，見えない，聞こえない，話せない，書けないなどの理由で，自分の意思を伝えたり情報を得たりすることができない状態にある場合には，現存する能力を評価し，有効な代替手段を検討し，能力獲得に向けて必要な機器の導入と活用トレーニング等を行うことになる。このような支援過程において用いられる福祉用具を，一般的に「コミュニケーション関連用具」と呼んでいる。

ここでは，主に高齢者や重度の障害者等が多く活用するコミュニケーション関連用具につい

て，例をあげて整理する。

2 視覚関連の福祉用具

1 視覚障害者の理解

●全盲とロービジョン（弱視）

　視覚障害者をまったく見えない人として想像しがちであるが，身体障害者手帳1級を所持している人のなかにも0.01の視力（視力検査表の一番上の大きなランドルト環の切れ目が50cmの距離で見分けられる視力）を保有している人がおり，視覚障害をもつ人全体の80％以上がものの形態を認識できる視力をもっていると考えられる。このように活用できる視覚を保有している視機能の状態をロービジョンと呼び，全盲とは区別されている。ロービジョンの見えにくさを，大きく次のように分類することができる。

① ぼやけによる見えにくさ（図4-1-9-2）

　強い近視や遠視，乱視があるといわゆるピンボケの状態になり，細かい部分を見ることが難しくなる。

② 強いまぶしさやコントラストの低下による見えにくさ（図4-1-9-3）

図4-1-9-1　視覚に障害のない人の見え方

図4-1-9-2　ぼやけによる見えにくさ

　白内障，角膜混濁，硝子体出血（網膜からの出血）など眼の中間透光体が混濁すると眼に入る光が散乱し，強いまぶしさ（羞明という）を感じると同時に，網膜上に映った網膜像（映像）のコントラストが低下するため，もともとコントラストの低いものは認識が困難になる。また，網膜の錐体機能の低下，無虹彩，虹彩欠損，白子症などの光量の調節がうまくいかないことによってまぶしさを訴える人もいる。

図4-1-9-3
強いまぶしさやコントラストの低下による見えにくさ

図4-1-9-4
視野周辺部の欠損による見えにくさ

図4-1-9-5
視野中心部の欠損による見えにくさ

③　視野周辺部の欠損による見えにくさ（図4-1-9-4）

　網膜色素変性と呼ばれる疾患に起因する典型的な視機能障害として，周辺視野の欠損（求心性視野狭窄）が起こる。緑内障の末期や両側性脳損傷でも同じような視野の欠損が生じることがある。比較的視力は維持されることもあるが，視力が残っていても移動を伴う行動をすること，何かを見つけようとする探索行動をすることが著しく困難になる。網膜色素変性では夜盲や暗順応の障害が起こり，夜間や暗い場所での行動が著しく制約を受ける。

④　視野中心部の欠損による見えにくさ（図4-1-9-5）

　高齢者に高頻度でみられる黄斑変性や網膜黄斑部に影響を及ぼす疾患では，視野中心部分の著しい視力低下や視野欠損が起こる。眼を動かしても常に視野の中心が見えず，さらに視野周辺部の視力は低いので，文字を読んだり細かい作業をすることが著しく困難になる。

● 障害の内容に応じた補償手段

　前述したように，視覚障害者のなかには視覚を活用できる人とできない人がおり，活用できる人はその内容がさらに一人ひとり異なっている。視覚がまったく活用できない人は触覚（点字，浮き出し文字など）や聴覚（音声）を活用する福祉用具を選ぶ。屈折異常でぼやけて見える人には屈折矯正を行ったり，見たいものを拡大したりする。視野に異常がない低視力の人には，一般的に拡大が有効である。まぶしさを強く感じる人は遮光や照明として使う光源の位置，明るさの程度を工夫する。また，見たいもののコントラストを高くすることも効果がみられる。視野が狭い人には視野を広げる用具を活用する方法があるが，狭い視野をうまく活用する練習を同時にすることが重要になる。

2 視覚障害者のための福祉用具

視覚障害者が活用できる福祉用具には専用に開発されたものと，市販品をそのまま流用したものがある。以下に，それらのうちの主なものを紹介する。

● 点字関係

① 点字器（盤）

標準的な点字器はB5判の紙が置ける大きさの点字板と定規と点筆からなっている。携帯に適した小型の点字器もあり，二つ折りになった形をしている。初めて点字を学ぶ中途視覚障害者にも使いやすい，通常の点字よりも約1.2倍大きいマスのものも売られている。それぞれ，素材・マスの数（標準は1行に32マス）・大きさにいくつかの種類がある。これらは点字で文章を書くほかに，ラベルを作成することにも利用され，ラベル専用のシートやテープも売られている。

② 点字タイプライター

英文タイプライターと同様に紙を挟んで点字を打ち出しながら文章を書くことができる。点字の凸面が表向きに打ち出されるものと裏向きに打ち出されるものがある。

③ 点字携帯情報端末

左右の手の人差し指，中指，薬指の6本の指で入力するキーボードと，16マスから32マスの点字ディスプレイが付属した携帯端末で，点字だけではなくテキスト文書のデータ作成，編集もできる。点字による出力だけではなく音声読み上げも可能。パソコンに接続すれば，画面の文章を点字ディスプレイに表示することができる。Webブラウザを搭載している機種であれば，パソコンに接続しなくても単独でのWeb検索やメール送受信等が可能である。

④ 点字ラベラー

パソコン，Android端末，点字携帯情報端末とBluetoothまたはUSBで接続し，点字のラベルを作成できる。専用ソフトウェアの自動点訳機能で，点字の知識がなくても点字ラベルの作成が可能である。

⑤ 点字プリンター

点字で書かれた文書を大量に印刷することができる。高速で両面印刷ができる非常に高価なものから，個人・小規模団体レベルでも購入できる価格帯のものまで販売されている。標準サイズの点字印刷のほか，大きなサイズの点字印刷，点字と普通の文字の同時印刷ができるもの，図表やイラストなどを印刷できるものもある。使用できる用紙も普通の点字用紙，プリンター用連続用紙のほかに，名刺，タックペーパー（シール），専用立体シートなどさまざまである。

● パソコン関係

　視覚障害者のパソコン利用は1990年代後半にWindows用の音声出力ソフト（以下，スクリーンリーダーと呼ぶ）が開発され，それ以前には音声出力をするための専用の装置やボードが必要だったが，Windowsパソコンではスクリーンリーダーをインストールするだけで音声出力が可能になった。その後さらにスクリーンリーダーは改良され，一般社会でのパソコンの普及と相まって広く視覚障害者に使われるようになった。また，ロービジョンの人のためには文字を拡大するソフトが開発されて利便性が高まった。さらに，スマートフォンやタブレット端末には音声による入力，読み上げの機能が備わっており，視覚障害者が日常生活に活用できるアプリケーションソフトウェア（以下，アプリと呼ぶ）の開発が進みつつあることから，視覚障害者の間でもスマートフォンやタブレット端末を持つ人が急速に増えている。ここでは以下に，Windowsパソコンとスマートフォン（タブレット端末を含む）に分けてソフトウェアを中心に紹介する。

★ソフト関係（Windowsパソコン用）

① 画面読み上げソフト

　画面の情報を音声で読み上げるためのソフト。画面にあるボタン，メニュー，テキストデータなどの情報を音声に変換し，メール，インターネット，ビジネス用のソフトで作成されたファイル，PDFファイルなども音声で読み上げることができるものがある。すべての視覚障害ユーザーが使いやすい仕様のものと，就労の現場でも適用が可能になるパワーユーザー向けのものがある。また無償で提供されているものもある。

② 画面拡大ソフト

　Windows画面の一部または全体を拡大表示するためのソフト。拡大してもギザギザのない滑らかな文字を表示できるほか，画面色を反転したり，マウスのポインタの色や大きさを変更することができるなど，さまざまな機能をもっている。

③ ワープロソフト

　一般のワープロソフトを①のソフトを活用して使用することも可能であるが，ロービジョンの人を含む視覚障害者がより使いやすいように工夫を盛り込んだワープロソフトである。ファイル保存をマイクロソフト社のワード形式で保存できるものもある。

④ はがき作成ソフト

　はがきや封筒はもちろん，名刺やラベルなど，さまざまな用紙の印刷が行えるソフト。名簿やカルテ管理などカード型データベースソフトとしても利用できるものもある。視覚障害者専用のものと一般用でスクリーンリーダーに対応しているものがあり，価格に大きな差がある。

⑤ メールソフト

　視覚障害者にとって使い勝手よく配慮されたメール専用のソフトである。①の画面読み上げソフトと併用することを前提としたものが多いが，内蔵の音声エンジンでそのまま読み上げるものもある。

⑥ インターネット閲覧ソフト（ブラウザ）

　インターネットのコンテンツを読み上げるためのソフト。拡大機能，翻訳機能などを備えるほか，アドイン機能を使うことによりYouTube，Amazon商品検索，楽天商品検索なども簡単にできるようになっている。

⑦ 新聞・ニュース閲覧ソフト

　読みたいニュースや新聞，特定の記事などを容易に検索して読むことができるソフト。

⑧ 活字読み取りソフト

　印刷された文書をスキャナで読み取り，読み取った文字をテキストデータに変換するためのソフト。内蔵の音声エンジンでそのまま読み上げるか，①の画面読み上げソフトを使って読み上げる。視覚障害者専用のものと市販のものとがあり，価格に大きな差がある。

⑨ 読書支援ソフト

　デイジー（DAISY）[1]専用プレイヤーがなくても，パソコン上でデイジー録音図書を聴くことができる。さらに，一般のデジタル図書にも対応しているほか，PDFの読み上げもできる。デイジー録音図書のダウンロード，再生に特化した無償版のソフトもある。

★ソフト関係（スマートフォン・タブレット端末用）

① 活字・物体・環境等認識アプリ

　視覚障害者にとって文字や印刷物の確認はさまざまな場面で必要になるが，必要なタイミングで必要な支援を得ることは難しい。このアプリはカメラを対象物に向ければ文字の読み上げ，対象物の説明などをしてくれる。大きな看板の文字などの読み上げも可能である。また，色の識別，紙幣の金額，灯りが点いているかいないかなどの確認も可能である。

② 視覚障害者の視覚支援アプリ

　スマートフォンのテレビ通話を通じて視覚情報の支援を得られるアプリ。必要なときに起動するとボランティアにつながり，印刷物を読んでもらう，環境の説明をしてもらう，商品の説明をしてもらうなどの視覚支援が得られるアプリである。

▶1　Digital Accessible Information SYstemの略で，日本では「アクセシブルな情報システム」と訳されている。視覚障害者や普通の印刷物を読むことが困難な人々のためにデジタル録音図書の国際標準規格として，50か国以上の会員団体で構成するデイジーコンソーシアム（本部スイス）により開発と維持が行われている。国内では，点字図書館や一部の公共図書館，ボランティアグループなどでデイジー録音図書が製作され，主な記録媒体であるCD-ROMによって貸し出されているほか，サピエ図書館と呼ばれるクラウド上の図書館から好きな作品をダウンロード利用できるシステムもできあがっている。

③ 衣服の色・柄識別支援アプリ

衣服を撮影すると，音声でその色と模様を教えてくれるアプリ。衣服に含まれる色を4色以内で表現し，模様は縦縞，横縞，チェック，無地，その他の模様（単に模様と表現）の五つのカテゴリーで表現する。

④ 歩行支援アプリ

カーナビゲーションシステムのように目的地を入力すれば，その目的地までのルートを案内してくれることのほかに，映像分析により障害物の存在を知らせること，信号機の色情報を知らせることなどをしてくれるアプリ。GPSの精度が高くなっていることから，かなり正確な道案内を受けることができるが，示された道を安全に歩くためには移動そのもののスキルアップが不可欠であり，専門職による歩行訓練を受講することが望ましい。

⑤ ラベリングアプリ

カメラを利用して，視覚障害者が身の周りの物を自身で管理することをサポートするアプリ。あらかじめ写真とメモを登録すれば，カメラを向けるだけでメモを読み上げる。日用品の整理などに役立つ。

⑥ 読書支援アプリ

サピエ図書館からデイジー録音図書をダウンロードして楽しむためのアプリ。

⑦ 拡大表示アプリ

映像，画像を拡大するだけではなく，コントラストや明度を変えたり，白黒反転するなど，拡大読書器のような機能を提供するアプリ。

●拡大用具関係

★拡大読書器

CCDカメラとモニターをセットにして，拡大した映像をモニター上に映し出すことができる装置である。カメラの付いた台の上に大きなモニターがセットされた据え置き型と，スマートフォンやタブレット端末のような形状をした小型の携帯型のものがある。カラーカメラを使っているため，拡大像がカラーで映せるとともに，白黒反転機能が付いており，羞明（しゅうめい）をもつ人の視認性を大きく向上させることができる。またオートフォーカス機能が標準化されており，自分でピントを合わせなければならない煩雑さがない。

① 据え置き型拡大読書器（図4-1-9-6）

据え置き型拡大読書器の大きなセールスポイントは，拡大率がほかの拡大補助具よりも大きなことである。レンズを使った補助具の倍率はせいぜい20倍程度だが，最近の据え置き型拡大読書器は22インチモニターを使用した場合で50～100倍の倍率が得られる。大きな像をモニター上に映せるので，楽な姿勢で見ることができる。読み物を置く台は上下左右に

自由に動かすことができるXYテーブルが標準的に装備され、読み物を動かすことにストレスを感じさせない。拡大読書器は読むことだけではなく、細かい伝票や書式などに文字を書き込むことなどにも利用が可能である。その際には書面にピントを固定する機能が使用できる。価格は24万円から35万円の範囲であり、かなり高額である。日常生活用具としての補助額は19万8000円が上限になっている自治体が多い。

据え置き型の変形機種として、モニター上部のアームに遠近両用のカメラを取り付けた形式のものがあり、遠方の板書を拡大して見ることや、自分の顔を拡大して化粧に活用することなどもできる。自分の顔を映す際には鏡像反転され、鏡を見るように自分の拡大された顔を見ることができる。

図4-1-9-6 据え置き型拡大読書器

② 携帯型拡大読書器（図4-1-9-7）

携帯型拡大読書器は、モニターのサイズが3.5インチから11.6インチまでさまざまな大きさのものがある。持つためのハンドルが付いており、虫眼鏡のように読み物から離して使う形式のものと、読み物の上に直接置いて使う形式のものがある。最大倍率は13倍から35倍の範囲であり、据置型と比べると小さいが、その他の機能は据置型とほぼ同等の機能をもち、特に白黒反転機能は拡大鏡にはないため大変便利である。またスマートフォンのカメラのように画像を一時的に静止画として固定し、それをズーム機能で拡大、画像処理で白黒反転などしながら確認することもできる。遠方の物体も見ることが可能である。価格帯も広く、3万円台から23万円台のものまである。

図4-1-9-7　携帯型拡大読書器

★ 拡大鏡・弱視レンズ類

　拡大の道具としては昔からレンズが使われてきた。今日でも拡大鏡類は比較的安価で入手しやすいことから，多くの視覚障害者に愛用されている。

① 　手持ち式拡大鏡

　手に持って使う虫眼鏡タイプの拡大鏡である。倍率はおおむね2～15倍くらいまでの範囲のものがある。ニーズに応じて携帯に便利な小型のものと，読書に便利なしっかりとした柄が付いていてレンズ径の比較的大きなものがある。また，倍率の高いものは読みたいものに接近して見る必要があることから，暗さを補うライト付きのものもある。ライトは電池の消費電力が少ないLEDを使用したものが今日では主流である。

② 　置き型拡大鏡

　レンズと読み物の距離が固定されるように，スタンドが付いたタイプの拡大鏡である。置いて使えるので，手の機能に障害や衰えがある人に向いている。その一方で，読み物とレンズの距離が固定されてしまうことから屈折異常のある人や老眼が進行した人にはピントがうまく合わせられない場合があり，購入する際には必ず現物で使用感を試すべきである。倍率はおおむね2～20倍くらいまでの範囲のものがある。手持ち式拡大鏡同様，ライト付きのものがある。

③ 　弱視眼鏡

　メガネに望遠鏡が組み込まれた拡大鏡である。両手が自由になることが最大のメリットである。読み書き作業に使うことが多いが，パソコンの画面を見たり，遠方を見ることにも使うことができる形式のものもある。

④ 　単眼鏡

　通常は遠くを見る目的で使われる単眼用の望遠鏡である。倍率は4～10倍の範囲のものが一般的である。専用の近用アタッチメントを付けると置き型の高倍率拡大鏡として使用できるものがある。また，単眼鏡を逆からのぞくと風景は小さく見えるが，視野が広がって見える。この方法を逆単眼鏡と呼び，視野狭窄の人の視野を広げる一つの方法である。

●文書読み上げ機関係

印刷文書を読み上げることは視覚障害者にとって日常生活における重大な困難課題の一つといわれる。拡大すれば読めるロービジョン者は拡大読書器を活用できるが，視覚が活用できない全盲の人にとっては文書を読み上げてくれる機器が有用である。スキャナとOCR装置を組み合わせた読み上げ機は以前から存在したが，今日ではアームに付いたカメラと本体からなる形式のもの（**図4-1-9-8**），拡大読書器にアーム式のカメラとOCR機能を組み込んだ形式のもの，メガネフレームに装着する小型・軽量のウェアラブル形式のもの（**図4-1-9-9**）が販売されている。認識精度も高く，読み上げ音声も聴き取りやすく，全盲の人でも容易に扱うことが可能である。価格はほぼ19万8000円に集中しており，多くの自治体で最大19万8000円の補助を受けることができる（自治体によっては補助上限額が10万円に満たない地域もある）。

図4-1-9-8　　　　　　　　図4-1-9-9

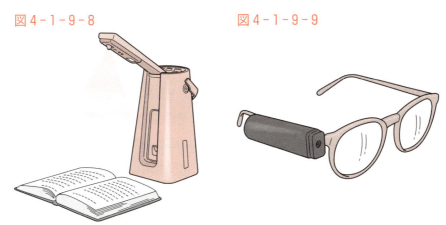

●歩行補助具関係

歩行補助具として多くの視覚障害者が使用しているものは，白杖である。白杖以外の用具としては超音波で障害物を検知する電子機器，GPS情報を利用して現在地や目的地へのルートを音声と振動で提供するナビゲーション機器がある。また，夜盲の障害をもつロービジョン者用に開発された暗所視支援眼鏡がある。さらに歩行手段としてガイドヘルパー（同行援護，移動支援），盲導犬の制度があるが，ここでは前四者のみ解説する。

① 白杖（視覚障害者安全つえ）

形式は直杖，折りたたみ式，伸縮式の3種類がある。単独で歩くことを目的に使う白杖は2歩先の路面を探索しながら歩くために長いので，ロングケーンと呼ばれる。必要な長さは歩幅によって異なるため，個人ごとに処方が必要である。それに対して，もっぱら人による移動支援を受けるときに使用する目的のつえはIDケーンと呼ばれ，やや短いものを用いる。IDケーンは周囲に視覚障害者であることを示すためのつえである。

白杖は路面に絶えず触れながら使うため，適度に磨耗して路面に引っかかりにくいナイロン製の石突がはめられている。また，最近は白杖の本体を軸にして360度回転するローラーチップや，軸に硬質ゴムが組み込まれ，路面の凹凸への引っかかりを軽減した石突が好んで使われる。

　白杖の材質にはアルミ合金，炭素繊維（カーボン，グラファイトなど），グラスファイバー，アラミド繊維などが使われている。

② 電子機器

　電子機器は前述のとおり超音波を利用したものが主流で，前方にある物体や障害物を検知するための機器である。超音波検知器は障害物の垂直面に反射して戻って来た超音波を検知することで障害物までの距離を測定する仕組みであるため，下り段差や落ち込みを検知することができないという欠点がある。これを補うためにレーザー光線を利用したシステム開発の試みもなされたが，現時点（2024（令和6）年9月末）で市販されている国産の製品は存在しない。障害物検知については，スマートフォンのアプリのなかに利用可能なものがある。

③ GPS関連ナビゲーションシステム

　GPS情報を利用し，専用のスマートフォンナビゲーションアプリがBluetoothで靴に内装するデバイス（**図4-1-9-10**）に情報を送信し，その振動で移動方向を示すシステムである。一般のナビゲーションアプリと同様の使い方以外に，実際に歩いて移動した経路を記録し，その経路を繰り返し歩くことも可能である。比較的低額のサブスクリプションで利用が可能である。GPS関連の機器としては携帯型端末が販売されていたこともあるが，今日では前述のスマートフォンアプリを利用する視覚障害者が増えている。

図4-1-9-10　靴装着型の振動ナビゲーションデバイス

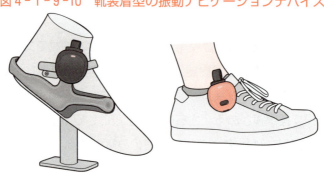

④ 暗所視支援眼鏡

　網膜色素変性等の眼疾患により夜盲がある人は，日中であれば問題なく活動ができるのに，日没後はほぼ全盲状態になってしまい単独での行動が著しく制約されてしまう。このような人のために開発された眼鏡型の支援機器である。眼鏡を通して見える映像は日中のように明るく見え，映像が等倍に見えるため距離感にも違和感を生じることがない。若干の慣れは必

要であるが，移動にも十分活用が可能である。多くの自治体で特例補助具（日常生活用具）として給付が認められつつある。

●日常の生活用具関係

① 時計

時計には腕時計，置き時計，キーホルダー型のものがある。文字盤が視認できない人のための腕時計には触読式と音声式がある。触読式は文字盤の目盛りが凸点になっており，針先と文字盤に指で触れることで時刻を読む。輸入品の中には針のないデザインのものがある。また，振動で，時，分を知らせる時計も販売されている。音声式は現在時刻，時報，アラームなどを音声や音で知らせてくれる。時刻合わせも音声を聞きながらできる。また，ロービジョンの人のために，数字が大きくて読みやすいデザインのものが販売されている。置き時計は時刻合わせが不要の電波式のものや，時報・カレンダー・温度を知らせてくれるものもある。キーホルダー型は音声式である。

② 電話機

電話機には固定電話と携帯電話がある。固定電話は，かかってきた相手の名前を読み上げたり（ナンバーディスプレイ申し込みが必要），電話帳登録に登録した人の選択を音声で確かめながらかけることができるものがある。また，電話帳未登録者に対しては名乗るようにアナウンスしてくれる機能をもったものがある。

携帯電話には，いわゆるガラパゴス携帯（ガラケー），進化型携帯（ガラホ）とスマートフォンがある。ガラケーが使っている3G回線は2026（令和8）年3月で廃止が決定しているため，視覚障害者が便利に使っていたガラケーが使えなくなる。ガラケーの操作に慣れていて，電話，メール，SNS，Webサイトの閲覧以外はしない人にとってはガラホ乗り換えが手軽である。今日多くの人が利用しているLINEを含むその他のアプリはスマートフォンにしないと使うことができない。ガラホは限られた機種ではあるが，音声読み上げ機能の付いたものがある。また，電話機として使用する目的に限定すればスマートフォンよりもガラホのほうが使い勝手がよい。しかし，スマートフォンは今後さまざまな用途に可能性を秘めている。

③ 録音再生機

録音媒体としてはカセットテープが長年にわたって使用されてきたが，今日ではCD，コンパクトフラッシュ，SDカードなどを利用する機器が使われるようになった。8GBのSDカードを使用した場合，標準的なMP3-128モードのステレオ録音で142時間，モノラル録音で倍の284時間の録音が可能である。

SDカードを利用して録音再生する機器としては，デイジー規格で録音，編集，再生ができる機器や，胸ポケットに容易に収まる長方形の音声ガイド付きのICレコーダーが販売さ

れており，視覚障害者にも使いやすい。デイジー録音再生機は日常生活用具として，視覚障害で1，2級の手帳を持つ人には給付の対象となる。

　また，特殊なボイスレコーダーとしてペン型のレコーダーがある（**図4-1-9-11**）。これは特殊印刷されたシールに接触させて，その後ボタンを押しながら録音すると，ペンでシールに触れるたびに録音した音声を聞くことができる。音楽CDのケースや薬の箱などの身の回りのものに貼り付け，それらを識別するのに役立つ。録音内容はマイクロSDカードに保存され，パソコンでバックアップをとることも可能である。

図4-1-9-11　ペン型のボイスレコーダー

④　計測器

　体重計，体温計，血圧計，血糖測定器など，音声で測定結果を知らせてくれる健康測定機器がある。体重計は，音声で設定手順や測定結果を知らせてくれる。体重のほかに体脂肪率，基礎代謝量，内臓脂肪レベル，筋肉量を同時に測定することができる。また，定規や巻き込み式メジャーはメモリに凸点や凸線を付けたものが多く，触って数値を読み取る形式になっている。

⑤　調理器具

　炊飯器，レンジグリル，IHクッキングヒーター，キッチンタイマー，キッチン秤など音声で案内してくれるものがある。炊飯器はコースを選んだりスタートボタンを押したりするなど，なにかアクションを起こすとその内容を音声で確認できる。逆に必要なボタンを押さないでいると注意を促すガイドをしてくれたりする。IHクッキングヒーターは操作手順や注意を知らせてくれる。一定時間操作をしないと，次の操作を示してくれる。

⑥　家電製品類

　視覚障害者にとってエアコンをリモコンで操作することは結構厄介な作業である。冷房，暖房，除湿の区別，温度設定は起動してもすぐにはわからない。全盲の人は照明がついたかどうかの確認ができない。テレビはチャンネル選択が難しい。これらの機器のリモコンを一つにまとめ，音声での操作を可能にするスマートリモコンがある。「冷房をつけて」「26度に設定して」と言えばそのように起動する。テレビであれば「テレビをつけて」「〇チャンネルにして」「ボリュームをもう少し大きくして」などの言葉かけで操作ができる。Wi-Fi環境は不要である。仕事から帰宅して「ただいま」と言えば，エアコンと照明のスイッチが入り，

続いてテレビの電源が入るという自動モード機能がある製品もある。

⑦　色彩判別用具

　色の識別ができない人のために光センサーで色を読み取り，音声で色を教えてくれるものがある。色の表現方法には，詳細モードと簡易モードがある。ただし，色彩センサーは高価であるためスマートフォンが使える人は無償の色彩判別アプリを利用することが合理的である。

⑧　その他

　大きな文字で書きやすい罫線や方眼の入ったノートやルーズリーフ，白黒反転させたほうが読みやすい人のための黒い紙と白いペンがある。また，枠内になるべくまっすぐに字を書けるように補助するための名前用，はがき用，便箋用，封筒用の罫プレートと呼ばれる記入ガイドもある（**図4-1-9-12**）。この用具は，視覚を活用できない人ばかりではなく，視野が狭い人，羞明が強い人，視力が低い人にも文字を書くのに便利な用具である。

図4-1-9-12　罫プレート

●視覚障害者の補装具と日常生活用具

★補装具

　補装具とは，次の三つの要件をすべて満たすものである。

> ❶　障害者等の身体機能を補完し，または代替し，かつその身体への適合を図るように製作されたものであること
> ❷　障害者等の身体に装着することにより，その日常生活においてまたは就労もしくは就学のために，同一の製品につき長期間にわたり継続して使用されるものであること
> ❸　医師等による専門的な知識に基づく意見または診断に基づき使用されることが必要とされるものであること

　視覚障害者の補装具の種目は以下のとおりである。

> - 視覚障害者安全つえ（普通用，携帯用，身体支持併用）
> - 義眼（レディメイド，オーダーメイド）
> - 眼鏡（矯正用，遮光用，コンタクトレンズ，弱視用（掛けめがね式，焦点調整式））

　補装具の購入等を希望する人は，市町村に費用支給の申請を行い，支給の決定は市町村が行う。利用者負担は原則定率1割負担。世帯の所得に応じ，生活保護世帯および市町村民税非課税世帯は負担0円，課税世帯は3万7200円が上限となる。ほとんどの場合，申請には医師の意見書が必要となる（視覚障害者安全つえは意見書が必要とされないことも多い）。

★**日常生活用具**

　日常生活用具とは，次の三つの要件をすべて満たすものである。

> ❶ 障害者等が安全かつ容易に使用できるもので実用性が認められるもの
> ❷ 障害者等の日常生活上の困難を改善し，自立を支援し，かつ，社会参加を促進すると認められるもの
> ❸ 用具の製作，改良または開発にあたって障害に関する専門的な知識や技術を要するもので日常生活品として一般に普及していないもの

　上記の要件を満たす種目は以下のとおりである。

① **介護・訓練支援用具**

　特殊寝台や特殊マットなどの，障害者等の身体介護を支援する用具や，障害児が訓練に用いるいすなどであって，利用者および介助者が容易に使用でき，実用性のあるもの

② **自立生活支援用具**

　入浴補助用具や聴覚障害者用屋内信号装置その他の障害者等の入浴，食事，移動などの自立生活を支援する用具であって，利用者が容易に使用でき，実用性のあるもの

③ **在宅療養等支援用具**

　電気式たん吸引器や盲人用体温計その他の障害者等の在宅療養等を支援する用具であって，利用者が容易に使用でき，実用性のあるもの

④ **情報・意思疎通支援用具**

　点字器や人工喉頭その他の障害者等の情報収集や情報伝達，意思疎通等を支援する用具であって，利用者が容易に使用でき，実用性のあるもの

⑤ **排泄管理支援用具**

　ストーマ用装具その他の障害者等の排泄管理を支援する用具および衛生用品であって，利用者が容易に使用でき，実用性のあるもの

⑥ 居宅生活動作補助用具（住宅改修費）

障害者等の居宅生活動作等を円滑にする用具で，設置に小規模な住宅改修を伴うもの

実施主体は市町村であり，具体的な対象品は各市町村で判断する。そのため，詳しくは各市町村に問い合わせる必要がある。利用者負担も各市町村が決定するが，多くの場合補装具の基準に準じている。以下は上記の各種目に該当する対象品の例である。

> ・自立生活支援用具：電磁調理器，歩行時間延長信号機用小型送信機
> ・在宅療養等支援用具：盲人用体温計，盲人用体重計
> ・情報・意思疎通支援用具：情報・通信支援用具（障害者向けのパーソナルコンピュータ周辺機器やアプリケーションソフト），点字ディスプレイ，点字器，点字タイプライター，視覚障害者用ポータブルレコーダー，視覚障害者用活字文書読み上げ装置，視覚障害者用拡大読書器，盲人用時計

対象者は，「日常生活用具を必要とする障害者，障害児，難病患者等」とあり，障害者等級により限定されるのではなく実施主体である市町村の判断となる。

3 聴覚関連の福祉用具

1 補聴器

高齢者によくみられる聴覚障害に難聴がある。難聴には加齢による聴覚機能の衰えによるものや，治療を必要とする疾患によるものなど，さまざまな原因がある。その種類は，音が内耳に到達するまでに音の強さが物理的に減弱してしまう伝音性難聴，音は内耳まで正常に伝わるが，音を知覚し分析する内耳あるいは神経系のはたらきが障害される感音性難聴，その両方の特性をもった混合性難聴がある。

難聴の程度分類は，聴力レベル（dB）で表され，一般社団法人日本聴覚医学会難聴対策委員会では，軽度難聴から重度難聴の4段階に区分している。そのうち，高度難聴と重度難聴用の補聴器が補装具費支給制度の対象として規定されている（**表4-1-9-1**）。

身体障害者福祉法に規定される聴覚障害の等級は，聴力レベル（dB）で表され，聴覚障害単独の等級としては，2級，3級，4級，6級に分類されている（**表4-1-9-2**）。難聴の高齢者が給付制度を利用する際には身体障害者手帳の交付が必要であり，等級（重症度）に応じた補聴器の種類と構造と基準価格が示されている（**表4-1-9-3**，**図4-1-9-13**）。

補聴器は，難聴疾患等による聴覚障害に対して，残存する聴力（聞こえ）を補助するもので

表4-1-9-1　難聴の程度分類

難聴程度	聴力レベル（dB）	聞こえの障害状況	障害等級（参考）
軽度難聴	25～40	小さな声や騒音下での会話の聞き間違いや聞き取り困難を自覚する。会議などでの聞き取り改善目的では，補聴器の適応となることもある。	非該当
中等度難聴	40～70	普通の大きさの声の会話の聞き間違いや聞き取り困難を自覚する。補聴器のよい適応となる。	非該当
高度難聴	70～90	非常に大きい声か補聴器を用いないと会話が聞こえない。しかし，聞こえても聞き取りには限界がある。	4，6級
重度難聴	90以上	補聴器でも，聞き取れないことが多い。人工内耳の装用が考慮される。	2，3級

出典：日本聴覚医学会難聴対策委員会「日本聴覚医学会「難聴対策委員会報告―難聴（聴覚障害）の程度分類について―」2014年，テクノエイド協会 HP「高齢者介護のための聞こえの基礎知識と補聴器装用」 https://www3.techno-aids.or.jp/html/pdf/hochouki_kiso.pdf（2024年9月29日確認）をもとに作成。

表4-1-9-2　聴覚障害の等級

級別	聴覚障害
2級	両耳の聴力レベルがそれぞれ100デシベル以上のもの（両耳全ろう）
3級	両耳の聴力レベルが90デシベル以上のもの（耳介に接しなければ大声語を理解し得ないもの）
4級	1　両耳の聴力レベルがそれぞれ80デシベル以上のもの（耳介に接しなければ話声語を理解し得ないもの） 2　両耳による普通話声の最良の語音明瞭度が50パーセント以下のもの
6級	1　両耳の聴力レベルが70デシベル以上のもの（40センチメートル以上の距離で発声された会話語を理解し得ないもの） 2　一側耳の聴力レベルが90デシベル以上，他側耳の聴力レベルが50デシベル以上のもの

資料：厚生労働省「聴覚障害の認定方法に関する検討会（第2回）資料」平成26年9月2日　www.mhlw.go.jp/file/05-Shingikai-12201000-Shakaiengokyokushougaihokenfukushibu-Kikakuka/2014082709-3_2.pdf（2024年9月29日確認）

表4-1-9-3　補聴器の種類と基本構造

名称	定義	付属品	上限価格 円	耐用年数 年	備考
高度難聴用ポケット型	次のいずれかを満たすもの ①　JIS C 5512―2000による90デシベル最大出力音圧のピーク値の表示値が140デシベル未満のもの。90デシベル最大出力音圧のピーク値が125デシベル以上に及ぶ場合は出力制限装置を付けること。 ②　JIS C 5512―2015による90デシベル入力最大	電池 イヤモールド	44,000	5	上限価格は電池，骨導レシーバー又はヘッドバンドを含むものであること。ただし，電池については補聴器購入時のみの付属品であり，修理による支給は認められないこと。 身体の障害の状況により，イヤモールドを必要とする場合は，修理基準の表に掲げる交換の額の範囲内で必要な額を加算すること。 ダンパー入りフックとした
高度難聴用耳かけ型			46,400		

	出力音圧レベルの最大値（ピーク）の公称値が130デシベル未満のもの。90デシベル入力最大出力音圧レベルの最大値（ピーク）の公称値が120デシベル以上に及ぶ場合は出力制限装置をつけること。				場合は，250円増しとすること。骨導式眼鏡型で平面レンズを必要とする場合は，修理基準の表に掲げる交換の額の範囲内で必要な額を，また，矯正用レンズ又は遮光矯正用レンズを必要とする場合は，眼鏡の修理基準の表に掲げる交換の額の範囲内で必要な額を加算すること。耳かけ型で補聴援助システムを必要とする場合は，受信機及びワイヤレスマイクの価格の合計が232,700円の範囲内でそれぞれ必要な額を加算すること。オーディオシューを必要とする場合は，5,250円の範囲内で必要な額を加算すること。デジタル式補聴器で，補聴器の装用に関し専門的な知識・技能を有する者による調整が必要な場合は，2,000円を加算すること。
重度難聴用ポケット型	次のいずれかを満たすもの ① JIS C 5512－2000による90デシベル最大出力音圧のピーク値の表示値が140デシベル以上のもの。その他は高度難聴用ポケット型及び高度難聴用耳かけ型の①に準ずる。 ② JIS C 5512－2015による90デシベル入力最大出力音圧レベルの最大値（ピーク）の公称値が130デシベル以上のもの。その他は高度難聴用ポケット型及び高度難聴用耳かけ型の②に準ずる。	電池 イヤモールド	59,000	5	
重度難聴用耳かけ型			71,200		
耳あな型（レディメイド）	高度難聴用ポケット型及び高度難聴用耳かけ型に準ずる。ただし，オーダーメイドの出力制限装置は内蔵型を含むこと。	電池 イヤモールド	92,000		
耳あな型（オーダーメイド）		電池	144,900		
骨導式ポケット型	IEC 60118—9（1985）による90デシベル最大フォースレベルの表示値が110デシベル以上のもの。	電池 骨導レシーバー ヘッドバンド	74,100		
骨導式眼鏡型		電池 平面レンズ	126,900		

資料：「補装具の種目，購入等に要する費用の額の算定等に関する基準」平成18年9月29日厚生労働省告示第528号（令和7年3月31日こども家庭庁・厚生労働省告示第5号改正現在）

図4-1-9-13　補聴器の種類

ポケット型

耳かけ型

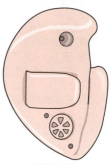
耳あな型

あり，管理医療機器に分類されている。医療機器のリスク分類のなかでは，クラスⅡの「リスクが比較的低い」医療機器に分類されている。そのため，補聴器の導入に際しては，まず，耳鼻咽喉科の専門医の診察を受け，症状が補聴器の適応になるかについて診断を受けることが重要である。また，補聴器の微細な調整は，医師の正しい方針と熟練した言語聴覚士，補聴器技能者などの技術が必要とされている。▶2

2　その他の用具

●聞こえやすいスピーカー

　耳に装用する必要がなく，家族との会話やテレビ鑑賞などを自由に楽しむことが可能な，聞こえやすいスピーカーが普及してきている。軽度～中等度難聴者を対象とするものであり，聞き取りにくいとされる高周波音域（1000～10000Hz）の音をクリアにすると同時に，音の拡散を防ぎ，指向性を高める構造を実現し，聞こえやすさを向上させている。サービスカウンター等に設置している企業もある。

図4-1-9-14　聞こえやすいスピーカー

▶2　日本耳鼻咽喉科学会「補聴器のやさしい解説」　http://www.jibika.or.jp/citizens/hochouki/yasasii.html（2018年1月31日確認）

● 聴覚障害者と健聴者のコミュニケーションを支援するツール

聴覚障害者が入力した文字を音声で再生し，健聴者が入力した音声を文字変換し表示することで，両者の円滑なコミュニケーションを支援することを可能とするソフトが開発されている。日常よく使われる文は定型文として登録することや，絵や地図などを使って情報を提示することが可能で，スマートフォンに対応しているネットワークを介して複数の端末を接続して通信することも可能であり，グループミーティングなどビジネスでの使用にも期待される[3]（**図4-1-9-15**）。

図4-1-9-15　聴覚障害者と健聴者のコミュニケーションを支援するツール

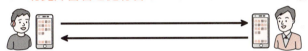

4　社会参加関連用具（意思伝達装置について）

社会参加は，例えば，高齢者では趣味・スポーツ等を通した地域参加や人との交流をいい，障害者では就労などをいうことが多い。社会参加する当事者によって，その指す内容には違いがあり，一概に社会参加を定義することは難しいが，重度の障害があり，生活上の困難がある人の場合，福祉用具によって，他者とのコミュニケーションが可能になり，人とのつながりをもつことができるので重要な意味がある。本項では，社会参加関連装置の一つである意思伝達装置について説明する。

意思伝達装置は，障害や難病等によって意思の伝達が困難な人が，わずかな身体動作で，他者に思考を伝えるための福祉用具である。発音・発語だけでなく，書字等の指先動作さえも困難な状態にある重度身体障害者や筋萎縮性側索硬化症（ALS），重度の関節リウマチ，脳性麻痺，筋ジストロフィーなどが対象となる。**図4-1-9-16**および**図4-1-9-17**のように，据え置きのものと，携帯用のものに大きく分類される。

据え置きタイプは，基本的にパソコンとその中にインストールするソフトウェアで構成されており，外観はノートパソコン型，デスクトップ型，タブレット型などさまざまである。携帯タイプも同様に，パソコンとソフトウェアで構成されているが，モニターとキーボードが一体になった持ち運びに適したものとなっている。

---

[3] 総務省報道資料「聴覚障害者支援アプリ『こえとら』を機能拡充」（2015年2月25日）　http://www.soumu.go.jp/menu_news/s-news/01kiban05_02000088.html（2018年1月31日確認）

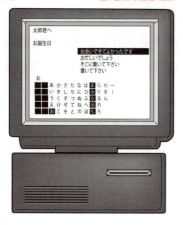
図4-1-9-16　意思伝達装置

図4-1-9-17　携帯用会話補助装置

　装置本体の機能としては，単純な文字や記号の入力といったことだけでなく，定型文の呼び出しや漢字変換から音響機能，WEBへの接続，メールの送受信ができるものまでさまざまである。

　機器の操作に重要なスキャン方式には，大別するとオートスキャンと，ステップスキャンがある。オートスキャンは，1スイッチかつ1種類の入力で操作できる入力方式である。自動で動くフォーカスに対して，操作者のタイミングでスイッチを押して選択するので，少ない身体動作で操作が可能である。ステップスキャンは2種類以上の入力を行う方式で，スイッチの複数使用や長押しなど，複数の入力方法がある。操作が複雑ではあるが，慣れるとオートスキャンより効率的に操作できる。

　入力用センサーには，接点式入力装置，帯電式入力装置，筋電式入力装置，光電式入力装置，呼気式入力装置，圧電素子式入力装置，空気圧式入力装置など，動作部位に応じたセンサーがある。近年は，視線の動きで入力ができるアイトラッカーなどのセンサーも登場している。

　このように，意思伝達装置にはさまざまなタイプがあるが，利用者本人が使いやすい製品を選ぶことが重要であり，特に，入力用センサーは利用者の今もっている機能を考慮する必要がある。

　意思伝達装置は，重度の両上下肢および音声・言語機能障害者であって，意思の伝達が困難な場合，難病患者等については，音声・言語機能障害および神経・筋疾患がある場合に，補装具費が給付される。携帯用会話補助装置は，音声言語機能障害がある場合に，日常生活用具給付等事業で給付される。

5 その他の福祉用具

1 シグナル関連機器

●聴覚障害者用屋内信号装置

　聴覚障害者の自宅での日常生活における外部とのコミュニケーションにおいて，来客時のチャイムや電話の着信音，時計のアラーム，乳児の泣き声などの生活情報（音情報）をマイクロフォンセンサー等で感知し，回転灯や閃光（フラッシュ），振動に情報変換し，知覚を促す機器を「屋内信号装置」と呼んでいる（**図4-1-9-18**）。送られてきた情報は，無線でその信号を利用者が携帯している時計型のバイブレーターや，枕の下などに入れたバイブレーターで知らせることも可能である。さらに，日常生活場面のみならず，災害用の情報伝達ツールとして活用されることもある。なお，屋内信号装置は，日常生活用具給付等事業の給付対象として取り扱われている。

図4-1-9-18　聴覚障害者用屋内信号装置

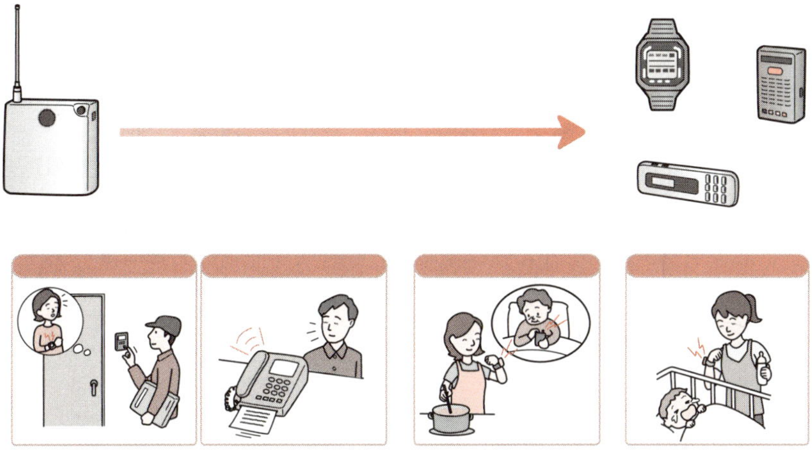

● **高齢者用ナースコール**

　介護者と離れた部屋で療養する高齢者等が状態や希望を伝えたい場合や，目的場所での活動（排泄，湯船に浸かる）の終了や緊急時のSOSを知らせる場面で，ナースコールを活用することが考えられる。システムの構成は，無線システムで，親機と子機からなり，子機は，操作が単純な押しボタン式で携帯可能で防水性に優れていれば，場所を選ばず利用できる。親機は子機からの信号を受信し，音と光で介護者に知らせるシステムが広く普及している。このようなシステムは，安価で手軽に設置が可能なものが多い（**図4-1-9-19**）。

　また，双方向の会話などのやりとりを必要とする場合は，家庭用のインターフォンを利用する場合もある。さらに，買い物等の外出や夜間の状態把握，異常検知などには，心拍や呼吸，体動，睡眠状態などを，リアルタイムにスマートフォンでモニターできるベッド設置型センサーシートシステムが市販されている。介護者側が，必要に応じて状態像を確認するシステムを活用することで，不要な介護負担を軽減できる（**図4-1-9-20**）。環境制御装置や意思伝達装置としての機能もあるため，重度の障害により寝たきり状態であれば，状態像に合わせた導入の視点が重要である。

図4-1-9-19　在宅用ナースコール

図4-1-9-20　生体情報型見守りセンサー

2 認知症老人徘徊感知機器

認知症高齢者のいわゆるBPSD（行動・心理症状）は，家族や介護者の負担を大きくするものとして注目されている。特に，徘徊行動は交通事故や行方不明に至るなどの大きなリスクに発展することがある。そこで，徘徊のある高齢者が屋外へ出ようとしたときに，家族や隣人に通報する機器として，認知症老人徘徊感知機器がある。当該機器は，「介護保険法第5条の2第1項に規定する認知症である老人が屋外へ出ようとした時等，センサーにより感知し，家族，隣人等へ通報するもの」として，介護保険給付の対象となっている。

認知症老人徘徊感知機器は，以下のように三つのタイプに分かれる。

❶ 玄関などの出入口に取り付けたセンサーが高齢者の携帯している小型発信機や高齢者の体重を感知して，無線回線等を使って通報するもの（**図4-1-9-21 ①**）。

❷ 携帯型の子機が，あらかじめ設置したセンサーの近くを通るなどした場合に通報するもの（**図4-1-9-21 ②**）。

❸ ベッドや床等に設置したセンサー（圧力センサー・赤外線カメラ・微弱レーザー等）が感知して，高齢者の姿勢や行動を無線回線等を通じて家族や介護者に状況を知らせるもの（**図4-1-9-21 ③**）。

いずれのタイプにせよ，認知症高齢者が家の外に出ようとする初期の段階で，家族や介護者に状態を知らせるものであり，リスクを未然に防ぐことを支援する機器である。

最近では，スマートフォンやタブレットなど情報通信端末の充実により，それを活用することで，介護者が離れた場所にいても高齢者の状態を把握することが可能となり，介護者の行動範囲の拡大を保障することにつながるといった利便性が高まっている。ただし，情報端末は本体と分離されていることを条件とし，通信費用は給付の対象外となる。

さらに，屋外に出てしまった高齢者の捜索にはGPSを用いた通報，捜索，保護サービスを

図4-1-9-21 認知症老人徘徊感知機器のタイプ

①ドアや玄関を通過したとき

②端末がセンサーに近づいたとき

③ベッドから離れようとしたとき

提供する自治体や企業もみられる。

　このようなサービスを実施するには，捜索や保護といったインフラの整備が必要であり，広域的な行政サービスとしての位置づけが望ましいところである。

3　福祉電話

　福祉電話は，聴覚障害または外出困難者を対象とし，情報・意思疎通支援用具として，日常生活用具給付等事業の給付種目として位置づけられている。

　福祉電話は，大きくて深さのあるダイヤルボタンを配置し，拳や足の指，口にくわえたスティック等でダイヤル操作がしやすくなっている（**図 4 - 1 - 9 -22**）。外部呼気スイッチにより息を吹き込むことや，外部足踏みスイッチを押すことで，ダイヤルスキャンが開始され必要な箇所でスイッチから再入力すると，そのボタンをダイヤルすることができる。また，通話先と電話がつながった場合には，マイクとスピーカーでハンズフリー通話が可能であり，通話の音量・音質・スピードが良好で，調整できる機能も備えている。さらに，会話を聞き取りやすくするために，骨伝導振動部を備えた受話器もあり，高齢者や難聴者の利用に配慮されている。

　機器の導入に際しては，当事者の状態像に合わせてオプション機能を選定する必要があり，それとあわせて十分な利用トレーニングを実施する必要がある。また，重度の障害者が通信機器を利用することが想定される場合は，意思伝達装置や環境制御装置などを検討する必要がある。

図 4 - 1 - 9 -22　福祉電話システム

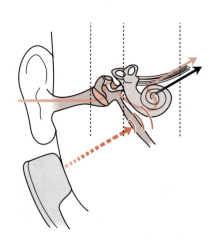

4 緊急通報システム

　一人暮らしの高齢者の容態の急な変化など緊急の場合に，ペンダント型の発信機のボタンを押すことで，あらかじめ登録された緊急通報受付センターや家族などに通報する通信システムが自治体によって提供されている。システムは，非常ボタンが押されたときに，相手が話し中であっても，他の通話・通信に優先してあらかじめ登録した通報先に通報することが可能な機能を備えるなど，確実な通報が可能なシステムとなっている。

　家庭内固定型と外出時の携帯型があるが，緊急時にボタンを押すと，緊急通報センターに位置情報が送信され，出動要請の後に緊急車両が急行するなどのシステムが構築されている。携帯型のなかには，歩数計が内蔵されていて，一定期間動かない場合でも自動通報されるしくみのものもある。機種や支援体制等は各自治体によって異なり，利用は世帯や納税状況に応じて定められているため，最寄りの自治体に問い合わせる必要がある（**図4-1-9-23**）。

図4-1-9-23　緊急通報システム

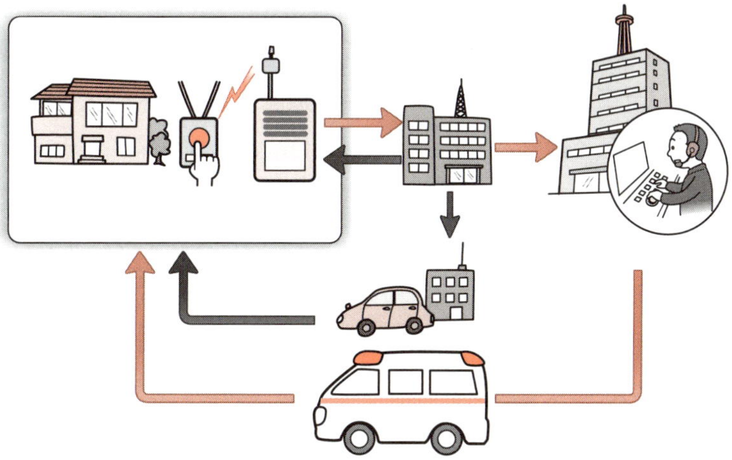

5 環境制御装置

　重度の頸髄損傷や筋萎縮性側索硬化症（ALS）などにより四肢や体幹がほとんど動かない難病患者が，身の回りの電気製品（電動ベッド，ナースコール，照明，テレビ，ステレオ，エアコン，電話，電動カーテン等）を今もっている身体機能を使ってコントロールする機器を環境制御装置（ECS）と呼んでいる。

図 4 - 1 - 9 -24　環境制御装置

　これは，本人の自立の促進と家族の負担の軽減を図ることを目的としており，本体，表示器，センサー（操作スイッチ）などと接続機器（電気製品）から構成されている。
　接続する電気製品は，加工をせずにそのまま接続できるものと一部改造を加えて接続するものがある。また，意思伝達装置の付属機能として環境制御機能が付いているものもある。
　また，電気製品のリモコン化が進んでおり，学習機能をもった大型スイッチ付きの赤外線リモコンが環境制御装置として販売されている。これは，ある程度スイッチ操作が可能な障害者（各種入力用センサーを接続することが可能）を対象にしてつくられており，価格も低く設定されている。さらに，最近では，ネットワーク上のスマートフォンと連動する情報通信技術（ICT）を活用した家電操作システムが，安価で一般向けに普及している。
　一般的な操作は，表示器に描かれている電気製品の図や文字の部分にある点滅ランプを見ながら，スイッチで目的の位置までランプの点灯を送り，目的のランプが点灯したところでさらにスイッチを働かせて電気製品を動作させる。
　スイッチの入力方式には，以上のようなステップ方式（2入力方式）のほか，自動でランプの点灯が移動するオートスキャン方式（1入力方式）がある。
　環境制御装置の導入において重要なポイントは，操作スイッチを利用者の障害の程度に合わせて，手押しスイッチ，呼吸気スイッチ，タッチスイッチ等，本人の能力に合った入力用スイッチを選ぶことが重要である。システムの導入に際しては，アセスメントに基づいたスイッチの選定，利用トレーニングを行う必要があり，セットアップには電機や通信システムに関する知識が必要となるため，リハビリテーションの専門職や工学の知識をもつエンジニアなど，専門家の関与が必要である。

6 最新のテクノロジーを活用する視点

通信環境の充実を背景として、インターネットは社会インフラ化し、同時にパソコンやスマートフォンやタブレットなどの情報端末が高性能化したことで、これらを用いた通信オーダーが普及している。インターネットによる通信販売や、飲食店でのオーダーについても、情報端末を用いたオーダーが可能となり、コミュニケーションに障害のある人にとっても有用性があると考えられる。

さらに、ロボットシステムを導入して、オーダー後の店内搬送を実装する店舗もあり、利便性はさらに高まることになる。このように、急速に進展するテクノロジーを活用する視点は、今後も欠かせないと考えられる。

図4-1-9-25　スマートフォンやタブレットを用いたオーダーシステム

第2節 福祉用具の安全利用とリスクマネジメント

ねらい

- 福祉用具を安全に利用する上で必要となるリスクマネジメントの重要性を理解する。
- 福祉用具事故・ヒヤリハットに関する情報収集の方法や事故報告の流れを理解する。

到達目標

- 福祉用具利用のリスクマネジメントについて理解し、事故防止の取組や事故発生時の対応について概説できる。
- 福祉用具を安全に利用する上での留意点を理解し、重大事故や利用時に多いヒヤリハットを例示できる。

1 福祉用具利用安全に関わる情報収集の重要性と具体的方法

1 消費生活用製品安全法における重大事故の報告義務

製造事業者・輸入事業者は，その製造等に係る製品の重大製品事故を知った場合には，消費者庁に（知った日を含めて）10日以内に迅速かつ的確に報告しなければならない。これは，消費生活用製品安全法に基づく重大製品事故の報告義務として定められている。ここでいう重大製品事故とは，消費生活用製品（一般消費者の生活の用に供される製品（例：テレビ，こたつ，机，給湯器など。法令において対象外とされた物品を除く））の使用に伴い生じた事故であって，**表4-2-1**に該当するものとされている。

また，重大製品事故に該当しない製品事故の報告については，非重大の製品事故を知った場合，NITE（独立行政法人製品評価技術基盤機構）の本部または支所へ迅速かつ的確に報告する必要がある。

表4-2-1　重大製品事故の要件

- 死亡事故
- 後遺障害事故
- 治療（投薬期間を含む）を要する期間が30日間以上の事故
- 火災（消防が火災と認定したもの）
- 一酸化炭素中毒事故（軽症を含む）

2 重大事故の情報収集，ヒヤリハット情報収集

福祉用具に起因する重大事故情報としては，電動車いすと介護ベッドがNITEの2023（令和5）年度事故情報収集報告書にて公表されている。

これによると，2013（平成25）年から2023（令和5）年7月末までにNITEに通知のあった製品事故情報では，高齢者が被害者となった電動車いす・介護ベッドの事故は合計101件（電動車いす：52件，介護ベッド：49件）であり，そのうち死亡事故が49件（電動車いす：26件，介護ベッド：23件），重傷事故は32件（電動車いす：16件，介護ベッド：16件）発生しており，事故の8割が死亡・重傷事故となっている。

電動車いすの事故は，屋外における単独使用時に事故が発生しており，踏切による転倒事故が紹介されている。また，介護ベッドは，ベッド周りの隙間に頭や首などを挟まれる事故が最も多いとされている。

一方，厚生労働省では，「福祉用具ヒヤリハット事例集2019」をとりまとめている。これは，

製品に起因しない事故やヒヤリハット情報を収集して想定される要因を分析し，イラストを活用してわかりやすく解説することで，事故の未然防止に資することを目的としたものである。掲載事例は，公益財団法人テクノエイド協会（以下，テクノエイド協会）が平成23年度厚生労働省老人保健健康増進等補助金を受け実施した「福祉用具の安全な利用を推進するための調査研究事業」をもとにしたものである。

この情報は，福祉用具事故・ヒヤリハット情報としてテクノエイド協会のホームページで公表されているため参考にされたい。

2 福祉用具事業者の事故報告義務

1 事故報告の仕組みと事故報告様式

事故報告については，介護保険における，居宅サービス運営基準第37条に基づく事故発生時の対応，市町村等への連絡義務に基づき，各事業所から保険者に報告がなされる。

さらに，厚生労働省では，2021（令和3）年度の介護報酬改定に関する審議報告にある「福祉用具の事故等に関して，再発防止の観点から，市町村等においてどのような内容の情報が収集されているのか実態把握を行うとともに，関係省庁及び関係団体と連携しつつ，事故が起きる原因等の分析や情報提供の方法等について，今後，更なる効果的な取組を検討すべき」となされたことを受けて，「事故及びヒヤリハット情報」の収集を各市町村へ依頼している。

報告様式はテクノエイド協会「「事故及びヒヤリハット情報」提供シート」（**図4-2-1**）として，入力フォームとともにテクノエイド協会のホームページに公表されている。

2 事故要因分析と再発防止策

事故要因の分析のスキームについては，利用上の事故として報告されたNITE，保険者，利用者・家族，関係機関の情報等をもとに，福祉用具ヒヤリハット事例集としてとりまとめられ，利用者・家族，介護サービス事業所，障害サービス事業所，開発・供給事業者，関係団体・公共機関に情報提供される流れが構築されている。

事故要因分析については，福祉用具ヒヤリハット事例集によると，事故の要因カテゴリーとして，①操作ミスや勘違いに起因する要因，②機器そのものに起因する要因，③利用する環境要因，④介護者の注意不足や情報不足等の管理に起因する要因，の観点から分析され解説されている。これらの要因分析のもと，適切な利用の方法，望ましい利用環境，必要な管理体制，

図4-2-1 「事故及びヒヤリハット情報」提供シート

介護機器の安全利用に関する「事故及びヒヤリハット情報」の提供シート

情報提供日：令和　　年　　月　　日

1．所属等

所属		お名前	
部署		電話又は，メールアドレス	
住所			

2．事故及びヒヤリハット情報（記載可能な範囲で差し支えありません。）

(1)福祉用具・介護ロボット等　例)用具種類：杖，歩行器，車いす，ベッド，ポータブルトイレ，見守り支援機器　など

製品区分		メーカー名	
用具種類		製品名・型番	

(2)いつ　例)場面：起床時，夜勤中，食事中など　時間帯：22時頃

場面		時間帯	

(3)どこで　例)発生した場所：お風呂，トイレ，ベッド周辺，階段，調理・洗濯，外出先など

場所	

(4)かかわった人　注)その他を選択した場合，具体的に記入してください

高齢者ご本人		家族親戚		介護者		その他	

(5)何をしているとき　注)具体的な行為や作業など

(6)どのようなことが起こった(或いは「どのように感じた」)
　お願い)可能であれば，現場の状況が把握できるような写真や図，イラスト等を添付してください。

(7)どうして(6)のようなことが起きましたか(或いは「起きたと思いますか」)

注)利用者の身体状況や使用場面，製品の管理状態など推測される予兆や要因など，わかる範囲で記載してください。

3．情報に関する問い合わせ

協会からの問い合わせ(可・不可)	

情報提供いただき，ありがとうございました。

※事務局記載欄

受付年月日			

2023年6月版

機器の改善の必要性等を総合的に検討し，可能な限りリスクを軽減化するといったリスクマネジメントの観点が重要となる。

3 危険予知とリスクマネジメントの取り組み

1 福祉用具を安全に利用するうえでの留意点（誤った使用方法，典型的な事故や重大事故）

　福祉用具を安全に利用するうえでの留意点について，テクノエイド協会ホームページに掲載されている「誤った使用方法」「典型的な事故や重大事故」の事例に基づいて以下に例示する。

① **車いすのブレーキの利きが悪くなり，移乗時に転倒しそうになる**

　重大事故が多く報告されている。車いすが動いてしまう要因には，ブレーキの調整不足，タイヤの空気圧の低下，タイヤの摩耗など，メンテナンス管理上の要因が考えられる。また，ベッドの柵（サイドレール）を手すり代わりに利用することも適切ではなく，最も安定性の高い，ベッド面に手をついて腰を上げる動作の指導，もしくは立ち上がり用の手すりを併用することが安全性を上げるポイントになる。

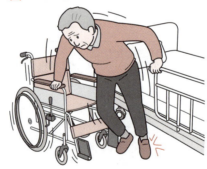

図4-2-2

② **ベッドの背上げをしていた際に，腕をベッドの柵に挟み，ケガをしそうになる**

　脳卒中後遺症の片麻痺の者であると発生しやすい事案である。介護者が操作する場合は，被介護者の腕や足の位置を確認することが最も重要である。また，ベッドの柵の形状をみると，腕が挟まりやすい構造となっていることにも起因するため，ベッド柵カバーを装着する工夫も必要である。モーター駆動の福祉機器は，安全で適切な操作を怠ると大事故につながることに留意が必要である。

図4-2-3

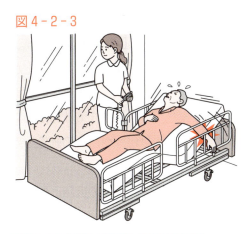

③ **ストラップがはずれ，バランスを崩し転落しそうになる**

　ストラップがはずれ，転落すると重大事故につながる事案である。そのため，ストラップがフックにかかっていることを確認することが最も重要である。さらに，緩みがないか確認しつつ昇降させることが必要な操作手順となる。この安全操作を徹底することが管理面で必要である。シート自体は身体にフィットすることで安全に昇降させることが可能であるため，ズレのないように装着することも重要である。

図4-2-4

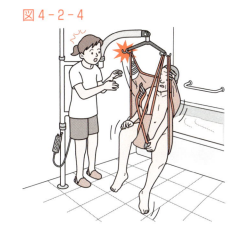

　以上，利用者の身体的，精神的状態像を把握し，機器のフィッティングや適合性がマッチしているかを確認して正しい利用法の指導を行い，安定的に安全操作が可能であるかを確認したうえで，実際に利用する必要がある。

2 さまざまな福祉用具を組み合わせて利用しているなど，実際の介護場面に潜む危険の予測

　一人が複数の福祉用具を利用するケースは，数多く見受けられる。
　例えば，身体機能状況として，短い距離の歩行であれば「手すり」を使うことで可能なレベ

ルであるが，床からの立ち上がりは困難であるため「ベッド」と「ソファー」を利用し，夜間の移動はリスクが上がるため「ポータブルトイレ」を利用している，というような場合である。この事例では，立ち上がりの重心移動の際には転倒のリスクが上がるため，ベッドサイドに手すりを設置することになるが，同じ環境でポータブルトイレに移乗できるようにするなど，効率性を考慮することが求められる。また，リスクを低減するために，ポータブルトイレとベッド面の高さを同じにすることや，トイレやリビングまでの動線を効率化した部屋の設定にすることも考えなければならない。

　複数の福祉用具を利用する場合においては，個々の機器と環境，機器同士の整合性を図り，安全で効率的なセットアップを心がける必要がある。

第5章

福祉用具に係るサービスの仕組みと利用の支援に関する知識

第1節 福祉用具の供給とサービスの仕組み

- 福祉用具の供給やサービスの流れ，及びサービス提供を行う上での留意点について理解する。
- 清潔かつ安全で正常な福祉用具を提供する意義と整備方法を理解する。

- 福祉用具の供給やサービスの流れと各段階の内容を列挙できる。
- 介護保険制度等における福祉用具サービス提供時の留意点を概説できる。
- 福祉用具の整備の意義とポイントを列挙できる。

1 福祉用具の供給の流れ

1 介護保険制度での福祉用具サービス

　介護保険のサービスは，介護支援専門員によるケアマネジメントが保険給付（利用者の費用負担はない）の対象となっている。ケアマネジメントは，介護支援専門員を中心としたサービス提供者によるチームが，高齢者やその家族の相談に応じて，抱えるニーズを把握したうえで居宅サービス計画（ケアプラン）を作成し，適切なサービス利用に実際につなげていくもので，福祉用具サービスもこのケアマネジメントのもとで提供される。

　介護保険で給付される福祉用具サービスには，「貸与」（13種目）と「販売」（9種目）がある（**表5-1-1**）。介護保険給付の対象である要介護者および要支援者は，身体状況や要介護度が変化しやすいため，また，新たな福祉用具が開発・流通するなどの状況に応じて，適時，適切な福祉用具を利用者に提供できるようにする必要があることから，「貸与」が原則とされている。しかしながら，排泄や入浴に関する用具は「貸与」になじまないため，これらに該当する福祉用具を「特定福祉用具」（介護給付），「特定介護予防福祉用具」（予防給付）として「販売」の対象としている。

　なお，福祉用具の適時・適切な利用，利用者の安全を確保する観点から，2024（令和6）年4月より，一部の福祉用具について貸与と販売の選択制を導入することとなった。具体的には，要介護度に関係なく給付が可能な福祉用具のうち，比較的廉価で，購入したほうが負担が抑えられる利用者の割合が相対的に高い，固定用スロープ，歩行器（歩行車を除く），単点杖（松葉

表5-1-1　福祉用具貸与および特定福祉用具販売の対象となる福祉用具

貸与される福祉用具	特定福祉用具
①車いす ②車いす付属品 ③特殊寝台 ④特殊寝台付属品 ⑤床ずれ防止用具 ⑥体位変換器 ⑦手すり ⑧スロープ ⑨歩行器 ⑩歩行補助つえ ⑪認知症老人徘徊感知機器 ⑫移動用リフト（つり具の部分を除く） ⑬自動排泄処理装置	①腰掛便座 ②自動排泄処理装置の交換可能部品 ③排泄予測支援機器 ④入浴補助用具 ⑤簡易浴槽 ⑥移動用リフトのつり具の部分 ⑦スロープ ⑧歩行器 ⑨歩行補助つえ

※「固定用スロープ，歩行器（歩行車は除く），単点杖（松葉づえを除く），多点杖」は，貸与と販売の選択制の対象。

図5-1-1　介護保険のサービス

	都道府県が指定・監督を行うサービス		市町村が指定・監督を行うサービス	その他
介護給付を行うサービス	◎居宅サービス 【訪問サービス】 ○訪問介護（ホームヘルプサービス） ○訪問入浴介護 ○訪問看護 ○訪問リハビリテーション ○居宅療養管理指導 ○特定施設入居者生活介護 ○特定福祉用具販売	【通所サービス】 ○通所介護（デイサービス） ○通所リハビリテーション 【短期入所サービス】 ○短期入所生活介護（ショートステイ） ○短期入所療養介護 ○福祉用具貸与 ◎施設サービス ○介護老人福祉施設 ○介護老人保健施設 ○介護医療院	◎地域密着型サービス ○定期巡回・随時対応型訪問介護看護 ○夜間対応型訪問介護 ○認知症対応型通所介護 ○小規模多機能型居宅介護 ○認知症対応型共同生活介護（グループホーム） ○地域密着型通所介護 ○地域密着型特定施設入居者生活介護 ○地域密着型介護老人福祉施設入所者生活介護 ○複合型サービス（看護小規模多機能型居宅介護） ◎居宅介護支援	住宅改修
予防給付を行うサービス	◎介護予防サービス 【訪問サービス】 ○介護予防訪問入浴介護 ○介護予防訪問看護 ○介護予防訪問リハビリテーション ○介護予防居宅療養管理指導 ○介護予防特定施設入居者生活介護 ○特定介護予防福祉用具販売	【通所サービス】 ○介護予防通所リハビリテーション 【短期入所サービス】 ○介護予防短期入所生活介護（ショートステイ） ○介護予防短期入所療養介護 ○介護予防福祉用具貸与	◎地域密着介護予防サービス ○介護予防認知症対応型通所介護 ○介護予防小規模多機能型居宅介護 ○介護予防認知症対応型共同生活介護（グループホーム） ◎介護予防支援	住宅改修

づえを除く）および多点杖が対象とされた。

　福祉用具は，訪問系，通所系，短期入所系のサービスなどとともに居宅サービスに位置づけられており，利用者は，これら居宅サービスの組み合わせや量を希望によって設定することができる（**図5-1-1**）。一方で，要介護度別に必要となるサービスが異なり，軽度ほど必要なサービスは少なくて済むため，介護保険では要介護度別に利用の上限を設けている。利用上限は，要介護度別に1か月あたりの「区分支給限度基準額」として定められており（要介護度別のサービスの上限），福祉用具貸与等は，この支給限度基準額内でサービスが提供される。販売の対象である特定福祉用具販売等については，この要介護度別の区分支給限度基準額とは別に，同一の年度で10万円が利用上限として定められている。

　介護保険ではサービスの質を担保するため，都道府県（一部市町村等の保険者）から指定を受けた事業者のみがサービス提供事業者となれる仕組みになっている。訪問介護，訪問看護，訪問リハビリテーションなどサービスごとにそれぞれの特性に応じた指定基準があり，福祉用具貸与および特定福祉用具販売においても，人員，施設，運営等についての指定基準が設けられている。人員に関する基準において，実際に福祉用具サービスを担う福祉用具専門相談員を配置し，福祉用具の選定の援助，取り付け，調整，介護支援専門員との連携等を行うことが義務づけられている。また，運営に関する基準において，福祉用具専門相談員による福祉用具貸

与・販売計画（福祉用具サービス計画）の作成が義務づけられており，この福祉用具サービス計画に基づきサービスが提供される。

2 福祉用具の供給（サービス）の流れ

　福祉用具貸与事業および特定福祉用具販売事業とは，要介護認定を受け，要介護あるいは要支援と認定された者に対して，福祉用具の必要性を判断し，自立を支援する目的で福祉用具を貸与あるいは販売することである。具体的には，福祉用具を保守・保管し，必要性の判断のもと，福祉用具サービス計画を作成・交付する。これに基づき福祉用具を利用者宅に搬入・取り付け，使い方の指導を行う。実際の使用状況についてモニタリングし，その結果，福祉用具が必要なくなれば，搬出し，点検・消毒を行う。販売では，福祉用具を再利用しないため，搬出以下のプロセスは生じない。

❶ 保守・保管（・消毒）

　福祉用具貸与事業者および特定福祉用具販売事業者は，常に清潔かつ安全で正常な機能を有する福祉用具を利用者に提供しなければならない。このため，福祉用具の種類および材質等からみて適切な消毒を行い，すでに消毒または補修がなされている福祉用具とそれ以外の福祉用具を区別するとともに，福祉用具の機能が低下しない環境で保管することが必要である。

❷ 必要性の判断（アセスメント）

　利用者，介護支援専門員等から相談を受け付け，利用者の生活状況をもとに，福祉用具が必要か否か，必要であればどのような種目・機種（型式）がよいのかを判断する。

(1) 利用者状況の把握

　福祉用具で解決される生活上の課題は，1日や1週間の生活の把握，時間帯による動作の変化，家族状況，家屋状況，経済状況などから，総合的に判断することが重要である。これには，実際の生活の場で利用者の状況を確認することが必要であるため，福祉用具の選定援助は，福祉用具専門相談員が利用者宅に訪問して行うことが原則である。

(2) 種目・機種（型式）の選定援助

　加齢や疾病によって生じる生活上の問題は，健康，体力，判断力，身体の動き，家族，収入，家屋の状況など，身体の状態から生活環境にかかわるさまざまな要因により生じるものであり，一人ひとり異なるものである。このように生活上の多様な問題に対して，福祉用具を使用することで解決できる生活活動を明らかにし，具体的な福祉用具の機種（型式）を提示することが福祉用具の選定援助である（**図5-1-2**）。これに加えて，利用者が適切な福祉用具を選択する観点に立ち，2018（平成30）年10月からは，福祉用具専門相談員に対して，貸与しようとする商品の特徴や貸与価格に加え，当該商品の全国平均貸与価格を利用者に説明すること，機能や価格帯の異なる複数の商品を利用者に提示することが義務づけられている。

(3) ケアプラン作成援助

　サービス担当者会議に出席し，福祉用具が適切に選択され，ケアプランに位置づけられるよう

に，福祉用具の種目，機能に関する情報を提供する。

❸ 福祉用具サービス計画の作成・交付

　利用者の心身の状況，希望およびそのおかれている環境を踏まえて，福祉用具サービス計画を作成し，利用者の同意を得て，利用者に交付する。
　福祉用具サービス計画は，福祉用具の利用目標，具体的な福祉用具の機種，機種を選定した理由，福祉用具使用時の注意事項等が記載されたもので，福祉用具専門相談員がケアプランに沿って作成する。作成にあたっては，利用者に内容等を説明し，同意を得たうえで，利用者に交付する。
　選択制の対象福祉用具の提供にあたり，福祉用具専門相談員または介護支援専門員は，利用者に対し，以下の対応を行うこととなった。
・貸与と販売のいずれかを利用者が選択できることの説明
・利用者の選択にあたって必要な情報の提供
・医師や専門職の意見，利用者の身体状況等を踏まえた提案

❹ 搬入・取り付け・調整および使い方の指導

　福祉用具を利用者宅に搬入し，組み立て・取り付けを行い，利用者の身体機能や環境等に合わせて福祉用具を調整する。
　福祉用具の使用方法，使用上の注意事項等を説明し，必要に応じて利用者に実際に福祉用具を使用させながら操作についての指導を行う。福祉用具の基本機能（例えば，車いすでは進む，回る，止まるといった機能）と安全に使用するための留意点（車いすの乗降にはブレーキをかける，折りたたみ動作では指を挟まないように注意するなど）を十分説明したうえで，実際の福祉用具を用いて使い方の指導を行う。

❺ 実施状況の確認（モニタリング）

　福祉用具サービス計画の作成後，実施状況の把握を行い，必要に応じて福祉用具サービス計画の変更を行う。利用者からの要請等に応じて，貸与した福祉用具の利用状況を確認し，必要な場合は使用方法の指導や修理等を行う。また，福祉用具貸与のモニタリングは，2024（令和6）年4月から，実施の時期を福祉用具サービス計画に記載することが義務づけられた。
　さらに，選択制の導入に伴う提供後の対応については，以下の対応を行うこととなった。
＜貸与後＞
・利用開始後少なくとも6か月以内に一度モニタリングを実施し，貸与継続の必要性を検討
＜販売後＞
・特定福祉用具販売計画の目標の達成状況を確認
・利用者等からの要請等に応じて福祉用具の使用状況を確認し，必要な場合は使用方法の指導や修理等を行うよう努める
・商品不具合時の連絡先の情報提供

❻ 搬出

　モニタリングにより，福祉用具の必要性がないと判断された場合は，福祉用具を搬出する。

❼ 点検・修理・消毒

貸与または販売する福祉用具の機能，安全性，衛生状況等が保たれているかどうか点検する。特に再度貸与される福祉用具については，❶で述べたとおり，正常な機能が発揮できるのかをチェックし，適切な消毒を行い，それ以外のものとは区別するなど適切な環境で保管される必要がある。

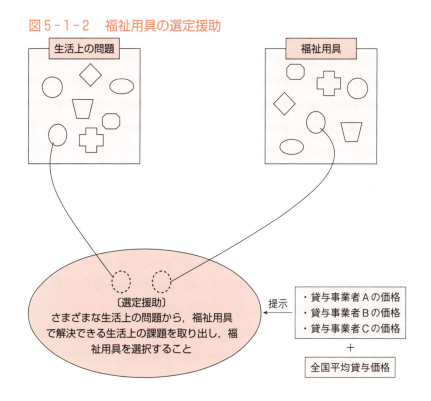

図5-1-2　福祉用具の選定援助

3　福祉用具サービス提供時の留意点

●機能や価格帯の異なる複数商品の提示等について

前述のとおり，厚生労働省では利用者が適切な福祉用具を選択する観点から，福祉用具専門相談員に対して，貸与しようとする商品の特徴や貸与価格に加え，当該商品の全国平均貸与価格を利用者に説明すること，機能や価格帯の異なる複数の商品を利用者に提示することを義務づけることとした。その際，国が商品ごとに，貸与価格の全国的な状況を把握し，全国平均貸与価格を公表することとし，適切な貸与価格を確保するため，商品ごとに貸与価格に上限を設定（当該商品の全国平均貸与価格＋1標準偏差）して3年に一度見直すこととされている。

以上のように，適切な福祉用具を適正な価格で提供するための方策が整備強化されること

から，福祉用具の選定においては，商品知識に加えて価格の動向などに留意する必要がある。

●福祉用具の選定の判断基準（令和6年8月2日老高発第0802第2号）

　前述のように福祉用具は，福祉用具の特性と利用者の心身の状況，生活環境に留意して選定される必要がある。特に介護保険における福祉用具は介護保険法の理念である自立支援の趣旨に沿って提供されることが大切であるが，利用者の状態像からみて，その必要性が想定しにくい福祉用具が給付される事例が指摘されている。このため厚生労働省は「介護保険における福祉用具の選定の判断基準」を示し，福祉用具の適正利用を促している。2024（令和6）年7月に基準の見直しが行われ，要介護認定における認定調査項目および利用者の心身の状況により選択された選択肢別に整理され，「留意点」が新たに追加された。介護支援専門員が居宅サービス計画に福祉用具を位置づける場合や，福祉用具専門相談員をはじめとする福祉用具にかかわる専門職が福祉用具に関連するサービスを提供する際には，この判断基準を活用するとよい。

●要支援，要介護1の者等の給付制限

　2006（平成18）年4月の介護報酬改定に伴い，福祉用具の適正化の観点から，要支援および要介護1に対しては，要介護認定の認定結果に基づく例外的な者を除き，車いす，特殊ベッド等が給付されないことになった。

　具体的な対象種目は，車いすおよび車いす付属品，特殊寝台および特殊寝台付属品，床ずれ防止用具，体位変換器，認知症老人徘徊感知機器，移動用リフト（つり具の部分を除く），自動排泄処理装置である（**表5-1-2**）。

　しかし，この改定後の調査で，福祉用具を必要とする要支援および要介護1の利用者が存在したため，2007（平成19）年度に「利用者の状態」と「一定の手続き」を経ることを条件に給付できるよう見直しが行われた。要支援および要介護1であっても給付の対象となる「利用者の状態」は，状態像の変化（日内・日差変動）がある，急激な病状の悪化が見込まれる，呼吸不全，心不全，誤嚥性肺炎などの病状の悪化を回避することの必要性が認められる者で，「一定の手続き」とは，①福祉用具が必要な状態であることが医師の意見（医学的な所見）に基づき判断され，②サービス担当者会議等を経た適切なケアマネジメントを行い，③この結果を踏まえていることを市町村長が確認するというものである。

　なお，2012（平成24）年4月の介護報酬改定に伴い，新たに対象種目となった自動排泄処理装置について，要支援および要介護1〜3の者に対しては例外的な者を除き給付されないことになった（**表5-1-3**）。

　福祉用具専門相談員は，要支援，要介護1の者等であっても福祉用具の必要性を見逃さな

第1節　福祉用具の供給とサービスの仕組み

表5-1-2　要支援，要介護1の者等で給付対象となる者

対象外種目	例外に該当する者	要介護認定結果等
ア　車いすおよび車いす付属品	次のいずれかに該当する者 (1)　日常的に歩行が困難な者 (2)　日常生活範囲における移動の支援が特に必要と認められる者	基本調査1－7 「3．できない」 ―
イ　特殊寝台および特殊寝台付属品	次のいずれかに該当する者 (1)　日常的に起き上がりが困難な者 (2)　日常的に寝返りが困難な者	基本調査1－4 「3．できない」 基本調査1－3 「3．できない」
ウ　床ずれ防止用具および体位変換器	日常的に寝返りが困難な者	基本調査1－3 「3．できない」
エ　認知症老人徘徊感知機器	次のいずれにも該当する者 (1)　意思の伝達，介護を行う者への反応，記憶または理解に支障がある者 (2)　移動において全介助を必要としない者	基本調査3－1 「1．調査対象者が意思を他者に伝達できる」以外 または 基本調査3－2～基本調査3－7のいずれか 「2．できない」 または 基本調査3－8～基本調査4－15のいずれか 「1．ない」以外 その他，主治医意見書において，認知症の症状がある旨が記載されている場合も含む。 基本調査2－2 「4．全介助」以外
オ　移動用リフト（つり具の部分を除く）	次のいずれかに該当する者 (1)　日常的に立ち上がりが困難な者 (2)　移乗において一部介助または全介助を必要とする者 (3)　生活環境において段差の解消が必要と認められる者	基本調査1－8 「3．できない」 基本調査2－1 「3．一部介助」または「4．全介助」 ―
カ　自動排泄処理装置	次のいずれにも該当する者 (1)　排便において全介助を必要とする者 (2)　移乗において全介助を必要とする者	基本調査2－6 「4．全介助」 基本調査2－1 「4．全介助」

いように，利用者の生活状況から福祉用具の必要性を適切に把握し，サービス担当者会議等を通じてケアマネジメントプロセスに積極的に参画することが重要である。

●自動排泄処理装置

自動排泄処理装置は，尿のみを自動的に吸引するものと，尿および便を自動的に吸引する

表5-1-3　要支援および要介護1等の福祉用具給付

平成18年度見直し （原則給付対象外とした種目）	平成19年度見直し （給付対象となる場合）	平成24年度見直し （原則給付対象外とした種目）
・車いす ・車いす付属品 ・特殊寝台 ・特殊寝台付属品 ・床ずれ防止用具 ・体位変換器 ・認知症老人徘徊感知機器 ・移動用リフト（つり具の部分を除く）	○疾病その他の原因により，次のいずれかに該当するもの。 　1　日によってまたは時間帯によって，頻繁に「福祉用具を必要とする状態」に該当する者（例：パーキンソン病の治療薬によるON・OFF現象等） 　2　状態が急速に悪化し，短期間のうちに「福祉用具を必要とする状態」になることが確実に見込まれる者（例：がん末期の急速な状態悪化等） 　3　身体への重大な危険回避等の医学的判断から「福祉用具を必要とする状態」に該当する者（例：ぜんそく発作時等による呼吸不全，心疾患による心不全，嚥下障害による誤嚥性肺炎の回避等） ○福祉用具を必要とする状態であることが，①医師の判断，②ケアマネジメントでの判断，③市町村の確認のすべての手続きを経ていること。	・自動排泄処理装置（尿のみを自動的に吸引するものを除く）の追加。

ものに大別される。これらは「特殊尿器」として給付対象（販売）であったが，2012（平成24）年から「自動排泄処理装置」として，本体は貸与種目，レシーバー，チューブ，タンク等の交換可能部品は販売種目となった。

　排泄はできる限り自立を支援し，離床して行うことを目指すことが大切である。しかしながら，尿および便が自動的に吸引されるものについては主にベッド上で使用されるため，利用者が継続して使用することでかえって利用者の有する能力に応じた自立生活が営めなくなる，あるいは廃用症候群が生じるなどの危険性がある。このため，尿のみを自動的に吸引するもの以外は，要支援および要介護1～3においては「利用者の状態」と「一定の手続き」を経て給付されることになった。要介護認定調査の「排便」および「移乗」が全介助であるものを対象とし，医師の意見（医学的な所見）およびサービス担当者会議を通じた適切なケアマネジメントに基づき必要性が判断され，市町村が必要性を確認した場合にのみ給付することができる。

● **階段移動用リフト**

　階段移動用リフト[1]は，いすに座って移動するもの，車いすに装着して階段を昇降するもの等があるが，車いすに装着して階段を昇降するものについては車いす付属品（貸与）として給付されており，外出機会の増加や行動範囲の拡大に活用されていた。このため，2009（平

▶1　階段を昇降する機器は，一般的にはレールを階段に設置するものと，設置せずに運搬できるものがあり，階段移動用リフトとは運搬できるものを示している。

成21）年4月からいすに座って移動するものが，「移動用リフト」として給付（貸与）対象となった。

階段移動用リフトは転落等の事故の防止が重要であるため，福祉用具専門相談員（事業所）に対して，以下のことを行うことが義務づけられた。

① 階段移動用リフトの製造事業者等が実施している講習の受講
② サービス担当者会議等での使用に対する助言や情報提供等
③ 使用する利用者の家族，訪問介護員等に対しての使用方法，使用上の留意点等の説明とともに，実際に当該福祉用具を使用させながら指導を行い，専門的な見地から安全性に十分に配慮してその要否を判断すること
④ 階段移動用リフトの見やすい場所に使用にあたっての留意事項等を掲示し，利用者の家族等に対し，安全性に関する情報の提供を行うこと

また，車いすに装着等をすることにより一体的に使用するもので，車いす付属品として同様の機能を有するものを給付する場合も，階段移動用リフトと同様に①～④を行うことが必要である。

4　貸与・販売の選択制対象種目への対応

前述のとおり，要介護度に関係なく給付が可能な福祉用具のうち，比較的廉価で，購入したほうが負担が抑えられる利用者の割合が相対的に高い，固定用スロープ，歩行器（歩行車を除く），単点杖（松葉づえを除く）および多点杖が選択制の対象とされた。

これらの福祉用具の利用者は歩行が可能で，比較的軽度である一方で転倒等のリスクには十分な検討が必要である。特に，貸与から販売を選択し移行する際には，機器の適合性の判定を行い，早期のモニタリングの実施が望ましく，不適合等が確認された場合は適切な対処が必要である。

5　介護施設・高齢者住宅の区分・種類に応じた福祉用具サービス

介護施設・高齢者住宅としては，有料老人ホーム，軽費老人ホーム（ケアハウス），養護老人ホームがあげられるが，特定施設入居者生活介護の対象となる指定を受けることが可能であり，特定施設入居者生活介護とは，特定施設に入居している要介護者を対象として行われる，日常生活上の世話，機能訓練，療養上の世話のことであり，介護保険の対象となる。特定施設入居者生活介護のサービス形態は，一般型と外部サービス利用型に分けられ，一般型は介護サービスが提供されるため，福祉用具サービスは利用できない。一方，外部サービス利用型において

は，外部サービスの一つとして，福祉用具サービスが提供できる区分である。

6 介護支援専門員およびその他の専門職との連携

　一般社団法人日本福祉用具供給協会が行った介護支援専門員へのアンケートによると，介護支援専門員が福祉用具供給事業者を選択するうえで重視している点は「現場訪問や納品に迅速に対応してくれること」のみならず，「照会に対して迅速な回答をしてくれること」「福祉用具専門相談員の知識・技術がしっかりしていること」などで，介護支援専門員は福祉用具専門相談員に対して福祉用具に関する適切な助言を求めていた。

　また，2012（平成24）年度より福祉用具サービス計画の作成が義務づけられた。そして2021（令和3）年度から居宅介護支援における退院・退所加算のカンファレンスの要件に，福祉用具の貸与が見込まれる場合は，必要に応じ，福祉用具専門相談員や居宅サービスを提供する作業療法士等が参加するものとされた。さらに2024（令和6）年度から，モニタリングの実施時期を福祉用具貸与計画に記載することに加え，モニタリングの結果を居宅介護支援事業者に報告することが義務づけられた。

　このように，福祉用具専門相談員は介護支援専門員を中心として行われるケアマネジメントプロセスへ積極的に参画し，その他のサービス担当者との連携に基づきサービスを提供（チームアプローチ）することが要請されている。

　チームアプローチで最も重要なことは，利用者の「生活全般の解決すべき課題」「目標」「達成までの期間」をほかのチームメンバーと共有することである。したがって福祉用具専門相談員は，これらを決定するサービス担当者会議において福祉用具の種目や機能情報を提供し，福祉用具により解決できる生活動作（目標）と達成までの期間を明確にするように努めなければならない。このとき，適切なリハビリテーションを受けないまま福祉用具に過度に依存し廃用症候群を生じたり，あるいは安全第一といった考え方からの身体拘束にもつながる福祉用具の使用は避けなければならない。そのため，福祉用具の適応や実際の生活場面での活用方法について，福祉用具専門相談員と作業療法士や理学療法士などのリハビリテーション専門職との連携は重要である。連携のポイントは，利用者を評価する場面を共有することで，訪問リハビリテーションであれば利用者宅，通院や通所サービスであれば病院・施設といった実際の現場において，利用者の生活上の課題や目標を確認することである。

7 福祉用具にかかわる情報収集の重要性と具体的方法

　2006（平成18）年から介護サービス事業所の情報公開制度が開始されるなど，利用者が介護

保険サービスを選択するための環境整備が進んでいる。福祉用具においても，商品カタログやインターネットによる福祉用具検索システムが散見されている。しかしながら，まだまだ一般の利用者にとって身近で使いやすいものとはいいがたく，「このような身体や生活状況ではこのような福祉用具の活用が考えられますよ」「このような使い方はよくないですよ」といった，福祉用具を選択するときに必要な基本情報が不足しているのが現状である。福祉用具専門相談員が，福祉用具で利用者の生活機能を向上させ自立的な生活を支援するには，生活の困難性と，その困難性を解決する福祉用具をマッチングさせることが必要である。どのような福祉用具が製作され，流通しているのかといった福祉用具の「種目情報」や，それらの福祉用具はどのような機能を発揮するのか，類似するほかの製品の機能とどう異なるのかといった「機能情報」を多くもっている福祉用具専門相談員ほど，生活上の課題を福祉用具で解決できることが増えるため，提供するサービスの質も高まる。このため，福祉用具専門相談員は福祉用具の種目や機能に関する情報を収集することが大切である。

　福祉用具は実際に触ってみて，その特徴を把握することが重要である。メーカーの新製品発表会，福祉機器展，情報交換会などに積極的に参加することは情報収集に有用である。また，メーカーや流通グループが作成しているパンフレットやカタログは，整理された情報として役立つことが多い。

　福祉用具の普及促進を行っている公益財団法人テクノエイド協会では，国内の福祉用具製造事業者または輸入事業者から，企業および福祉用具情報を収集し，福祉用具情報システムとして，データベースを形成している。これにより，利用者や介護者の状態に即した適切な福祉用具を選定するために有用な情報が入手できるので活用するとよい。

　福祉用具貸与事業者は，福祉用具専門相談員の資質の向上のために，福祉用具に関する適切な研修の機会を確保する必要があり，福祉用具専門相談員は常に自己研鑽に励み，福祉用具貸与の目的を達成するために必要な知識および技能の修得，維持および向上に努めることが規定されている（指定居宅サービス等の事業の人員，設備及び運営に関する基準第201条）。利用者の幅広いニーズに応えていくためには，各専門団体が開催する福祉用具に関する講習会を受講するなど，専門職としてのスキルアップの機会を活用することが必要である。

8 福祉用具関連制度の活用―補装具および日常生活用具給付制度との適用関係

●補装具について

　補装具は障害者総合支援法に基づき給付される福祉用具である（**表5-1-4**）。補装具は，利用者の申請に基づき，補装具の購入等が必要と認められたときは，市町村がその費用を補装具費（9割相当）として利用者に支給するもので，利用者が補装具事業者と契約し，福祉

用具の購入等に対して，現物給付（福祉用具）ではなく，費用を支給する制度である。利用者の費用負担が一時的に大きくならないよう，代理受領方式も可能である（**図5-1-3**）。利用者負担は原則として応能負担となった。[2]

介護保険で貸与される福祉用具には，補装具と同様の種目（車いす，歩行器，歩行補助つえ）が含まれている。障害者であっても，介護保険の受給者である場合は，これら共通する種目は，介護保険から貸与を受けることが基本となり，補装具としては原則として給付されない。しかし，介護保険で給付される福祉用具は標準的な既製品のなかから選択されるため，医師や身体障害者更生相談

表5-1-4　補装具の種目

根拠法	障害者総合支援法
種目	義肢，装具 姿勢保持装置 車いす 電動車いす 視覚障害者安全つえ 義眼，眼鏡，補聴器 人工内耳（人工内耳用音声信号処理装置の修理に限る） 車載用姿勢保持装置 起立保持具（障害児のみ） 歩行器 排便補助具（障害児のみ） 歩行補助つえ 重度障害者用意思伝達装置

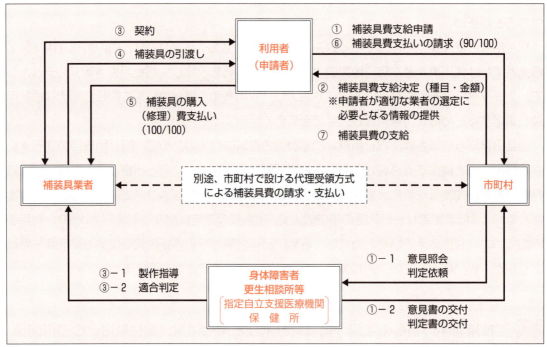

図5-1-3　補装具費支給の手続き

資料：厚生労働省「福祉用具サービスの利用方法」https://www.mhlw.go.jp/bunya/shougaihoken/yogu/riyou.html（2024年9月29日確認）

▶2　なお，2010（平成22）年4月からは低所得者（市町村民税非課税）の自己負担は無料とされている（生活保護受給者は従前から無料）。

所等により障害者の身体状況に個別に対応することが必要と判断される障害者については，これらの種目についても，障害者総合支援法に基づく補装具として給付することができる。

●日常生活用具について

障害者総合支援法に基づき，地域生活支援事業として日常生活用具が給付される。日常生活用具の対象種目は，要件ならびに用途および形状が定められているのみで，具体的な品目は利用者負担とともに市町村が決定することができる（**表5-1-5**）。日常生活用具は補装具とは異なり，障害の状況に応じて個別に適合を図るものではないことから，介護保険の保険給付の対象となる種目（特殊寝台，特殊マット，体位変換器，歩行支援用具，移動用リフト，特殊尿器，入浴補助用具，便器および簡易浴槽など）については，介護保険から貸与や購入費の支給が行われる（**表5-1-6**）。

表5-1-5 日常生活用具の対象種目（告示規定事項）

【用具の要件】
1 障害者等が安全かつ容易に使用できるもので，実用性が認められるもの
2 障害者等の日常生活上の困難を改善し，自立を支援し，かつ，社会参加を促進すると認められるもの
3 用具の製作，改良または開発にあたって障害に関する専門的な知識や技術を要するもので，日常生活品として一般に普及していないもの

【用具の用途および形状】

介護・訓練支援用具	特殊寝台，特殊マットその他の障害者等の身体介護を支援する用具ならびに障害児が訓練に用いるいす等のうち，障害者等および介助者が容易に使用できるものであって，実用性のあるもの
自立生活支援用具	入浴補助用具，聴覚障害者用屋内信号装置その他の障害者等の入浴，食事，移動等の自立生活を支援する用具のうち，障害者等が容易に使用できるものであって，実用性のあるもの
在宅療養等支援用具	電気式たん吸引器，盲人用体温計その他の障害者等の在宅療養等を支援する用具のうち，障害者等が容易に使用できるものであって，実用性のあるもの
情報・意思疎通支援用具	点字器，人工喉頭その他の障害者等の情報収集，情報伝達，意思疎通等を支援する用具のうち，障害者等が容易に使用できるものであって，実用性のあるもの
排泄管理支援用具	ストーマ装具その他の障害者等の排泄管理を支援する用具および衛生用品のうち，障害者等が容易に使用できるものであって，実用性のあるもの
居宅生活動作補助用具	障害者等の居宅生活動作等を円滑にする用具であって，設置に小規模な住宅改修を伴うもの

表5-1-6　補装具と日常生活用具の比較

	補装具 （補装具費）	日常生活用具 （日常生活用具給付等事業）
事業の位置づけ	障害者総合支援法に基づく自立支援給付（現物給付→金銭給付）	障害者総合支援法に基づく地域生活支援事業（市町村の必須事業）
給付対象種目	厚生労働省告示により規定（基準外補装具の取扱いあり）	給付対象となる種目の形状を厚生労働省告示で規定
給付基準額	厚生労働省告示により規定（基準外補装具の取扱いあり）	市町村がそれぞれ決定
給付対象者	身体障害者更生相談所等の判定（意見）に基づき，市町村が決定	市町村が決定
利用者負担	原則として応能負担（低所得者への軽減措置あり）	市町村がそれぞれ決定
財源	国庫負担＜義務的経費＞ （国1/2，都道府県1/4，市町村1/4）	国庫補助＜裁量的経費＞ （国1/2，都道府県1/4，市町村1/4） ※地域生活支援事業費に係る国庫補助の一部

2 福祉用具の整備方法（消毒）

1 福祉用具消毒の意義と必要性

　急速に進んだ高齢化社会では，高齢者に対する医療の中心が在宅医療へとその主体を移しつつあり，在宅介護の充実が重要な課題となっている。高齢者といえども健康で元気に自立生活を営んでいる人も多いが，一方では心身の老化が進み介護を必要とする人も少なくない。老化は，生体の防御機能である免疫力を低下させ種々の感染症に罹患しやすいという特徴がある。

　在宅介護が進めば，家族の介護に要する負担はおのずと増加し，介護をサポートする福祉用具の利用は不可欠である。同時に要介護者にとって，福祉用具は日常生活の自立を助けるという大きな役割を果たしている。しかし，利用される福祉用具は，要介護者の機能の程度（介護状態の変化）によって異なってくることから，貸与になじまないような品目以外は介護保険制度のもとでも福祉用具の貸与が保険給付の対象となっている。このような貸与という提供形態では，生体防御機能の低下している高齢者が利用者の大半を占めることを考慮すれば，貸与される福祉用具には微生物学的安全性が要求される。

　介護を必要とする高齢者だけではなく，介護者も直接，間接を問わずこれらの福祉用具に接触する機会は多い。皮膚，ことに指，手のひらで直接触れる部分，例えば車いすのハンドリムや介助用押し手，歩行器および歩行補助つえの握り手などは，皮脂や落屑など一般的な汚れを

最も受けやすい箇所であり，これらの部位に付着する微生物の数も多くなる。ここに付着している微生物が直接感染症を引き起こす可能性は極めて低いと思われるが，要介護者の感染症に対する抵抗力が弱いということだけではなく，公衆衛生学的見地からも利用者から返還された福祉用具を次の利用者に提供するにあたっては微生物学的な安全性が十分に担保されていなければならない。

公衆浴場や遊泳プール，公共の交通機関など多くの人が集まり利用する場所にも公衆衛生として消毒が義務づけられている。例えば，理容・美容の業では，施術対象者（客）の多くが健常者（医療施設内の理容所・美容所は病人も対象とする）であっても，施術の際に皮膚に接する器具・布片は，客1人ごとにこれを取り替え消毒することを義務づけている。このように，皮膚に接する物品は微生物学的安全性が要求される。福祉用具の貸与事業においても福祉用具の微生物学的安全性が要求されることはいうまでもない。消毒とは，感染を未然に防ぐための一手段として，加熱や薬剤を用いて病原微生物を殺滅または不活化し感染を起こさせないようにすること，あるいはその病原性（毒力）をなくすことである。病原となり得る微生物の汚染を受けた物品を介して微生物が生体内に侵入し，一定の組織や臓器内に定着して増殖する場合を感染という。その結果として，生体に発熱や発疹など明らかな反応が現れ，自覚症状や他覚症状を伴う現象を発病（発症）といい，感染がなければ発病はあり得ない。

利用者から返還された福祉用具には，汚れや多くの微生物の付着が考えられるが，そのすべてが起病性を有するものではない。しかし，そのような福祉用具が感染の媒体にならないともいい切れない。したがって，貸与サービスに携わる人は常に的確な消毒を心がけなければならない。しかし，福祉用具は単一素材（材質）で構成されているものから，幾種類もの材質から構成されているものまでさまざまであり，消毒作業にあたっては材質劣化の防止を考慮し，安全で確実な消毒方法を選択しなければならない。

2 福祉用具の供給システム

福祉用具の貸与サービス事業者には，安全な福祉用具を提供するために運営基準[4]が定められており，それらに適合した事業者でなければならない。つまり，貸与サービス事業者は利用者に貸与した福祉用具を利用後回収し，部品の欠落などを点検後洗浄，消毒作業を行う。その後，新たな利用者に貸与するために不都合がないかを保守点検し新たな貸与に備える。

▶3　不活化とは，酵素や毒素などの物質がもっている機能を失わせること，または微生物の増殖能を不可逆的に失わせること。

▶4　指定居宅サービス等の事業の人員，設備及び運営に関する基準（平成11年3月31日厚生省令第37号）第196条，第203条

そのサービス事業者には，利用者に貸与するための福祉用具を自らの資産として保有し，自らの施設で利用者から回収し，点検，洗浄，消毒，保守点検を実施しているものと，福祉用具を自らの資産としては保有せず，レンタル卸サービス事業者から一連の消毒工程が終了した清潔物品の提供を受けて，それを利用者に貸与するものがいる。前者を自社完結型貸与サービス事業者と呼び，後者を外部委託型貸与サービス事業者と呼び区別している。後者は，利用者とレンタル卸サービス事業者の間を取りもつリサイクルの仲介者となる福祉用具貸与サービス事業者である。自らの施設で消毒作業を実施しない外部委託型貸与サービス事業者といえども，提供する福祉用具がどのような方法で消毒されたものであるかを利用者に説明できなければならない。

3　福祉用具の消毒法

　貸与サービスに限らず，消毒はそこに存在する微生物を殺滅したり，その数を減少させたりすることによって感染を未然に防ぐための重要な手段である。そのなかで最も積極的な手段が殺菌である。殺菌するには，熱，紫外線，放射線，電子線，高周波などを用いる理学的方法と，エチレンオキシド（酸化エチレン：EO）[5]やホルムアルデヒド（HCHO），あるいは各種の消毒薬といった化学薬品を用いる化学的方法に大別される。貸与サービス業務で利用し得る理学的方法は何といっても熱による方法であり，化学的方法では各種薬液の利用とガス状化学物質による燻蒸（くんじょう）である。

●熱による殺菌

　細胞（微生物）体を構成している主要成分は水とタンパク質であり，熱による殺菌はそのタンパク質の変性によるものである。図5-1-4に示したように，熱は乾燥した熱と湿った熱[6]に区別され，前者は炎で灼熱したり焼却したりするほか，高温に熱した空気を利用するも

図5-1-4　殺菌手段に使われる熱の種類

---

[5] 酸化エチレンとは，特定化学物質等障害予防規則では，エチレンオキシドという。
[6] 湿った熱（湿熱）とは，水分が存在する状態の熱，熱湯や水蒸気のこと。

表5-1-7　微生物の熱死滅時間

菌種＼熱	湿熱 60℃	湿熱 80℃	湿熱 100℃	乾熱 100℃	乾熱 120℃	乾熱 150℃
黄色ブドウ球菌	5〜10分	1〜2分	5秒以内	20〜30分	10〜20分	10分
大腸菌	10〜20分	10秒	5秒以内	10〜15分	10分	5分
チフス菌	5〜10分	10秒	5秒以内			
結核菌	5〜10分	10秒	5秒以内	10〜15分	10分	5分
枯草菌芽胞			30〜40分	120分	50分	15分
好熱菌芽胞			120分以上	100分	40分	15分

注：黄色ブドウ球菌（*S. aureus* 209 FDA JC-1），大腸菌（*E. coli* NIHJ JC-2），チフス菌（*Sal. Typhi* Watoson V），結核菌（*M. tuberculosis* BCG），枯草菌（*B. atrophaeus* spore ATCC 6633），好熱菌（*Geobcillus stearothermophilus* spore ATCC 12980）

のである。タンパク質の熱変性温度は含水量によって相当に差がみられ，乾いた熱より湿った熱のほうが低い温度で殺菌できる。

　微生物の熱に対する抵抗性は一様ではなく，微生物の種類によって異なるし，同一種であっても株[7]によって異なることもまれではない。熱に対して最も抵抗性の強い微生物は，細菌の芽胞[8]であり，沸騰水のなかで数時間加熱しても不活化されないものもある。**表5-1-7**は，複数の種類の細菌の熱抵抗性を比較したものであるが，ブドウ球菌（*Staphylococcus*）や大腸菌（*Escherichia coli*）のような栄養型の細菌類は沸騰水中では瞬時に死滅する。80度の温湯中でも数分間しか生きられない[9]。理容師法施行規則第25条ならびに美容師法施行規則第25条には，煮沸消毒法の作用条件として，沸騰後2分間以上煮沸することを規定している。HBV（B型肝炎ウイルス）やHIV（ヒト免疫不全ウイルス）のようなウイルスも同様であるといわれている。

　貸与サービス業務のなかで利用されるのは多くの場合湿熱であろう。熱による殺菌現象は菌体タンパク質の変性であるから，乾いた熱（乾熱）では相当高温でなければ短時間に殺菌することはできない。150度前後の温度が必要になる。しかし，熱によるタンパク質変性作用だけではなく，乾燥による水分の除去も消毒には重要な要素である。クリーニング（ランドリー）におけるプレス工程でも相当数の菌を殺すことができ，バシラス（*Bacillus*）属などの芽胞形成菌以外の細菌はほとんど検出されなくなる。100度前後の乾燥空気で布団やマッ[10]

▶7　株とは，菌株の略で，実験あるいは保存の目的で取り扱う特定の培養菌のこと。
▶8　芽胞は，特定の細菌が形成する胞子。細胞活性が休眠状態にあって熱や薬品に強い抵抗性がある。
▶9　福見秀雄編『病院内感染―その原因と予防〔第2版〕』医学書院，74頁，1980年。
▶10　滝沢金次郎「クリーニング店における細菌汚染の実態調査研究報告」『クリーニングと公衆衛生に関する公募研究報告書』全国クリーニング環境衛生同業組合連合会，28〜31頁，1975年。

トレスを乾燥させることによって、芽胞形成菌以外の細菌であればかなりの数は殺菌される。

●その他の理学的方法による殺菌

　260nm[11]前後の波長の光に強い殺菌効力があることを利用した殺菌法が紫外線殺菌法で、この殺菌線を人工的に発生させ照射する装置が紫外線殺菌灯である。紫外線は透過力が弱く、物体の表面しか殺菌できないものの芽胞をも不活化する。その反面、プラスチックのような高分子化合物やゴム製品を劣化させる。糸状菌（カビ類）のなかには、紫外線に対する抵抗性の強いものがいる。紫外線殺菌法は空気や水の殺菌に利用される。日常生活のなかで行われている日光消毒は、太陽光線のなかに含まれる紫外線の作用によって消毒されると考えられているが間違いである。殺菌線は地上にまでは到達しない。

　放射線や電子線、高周波等を用いた殺菌法は、滅菌（無菌状態をつくりだすこと）法であって消毒法としては用いられない。

●消毒薬による化学的殺菌

　消毒薬と一口にいってもその種類は多く、すべての微生物に有効で、どんな被消毒物にも使用できる消毒薬は現在のところ見当たらない。消毒薬には各々の特徴があり、その特性を的確に活かして利用する必要がある。

　病院などで使用されている消毒薬は、一般医薬品としての消毒薬および陽イオン界面活性剤（逆性石けん）あるいはクロルヘキシジンにエタノールを混合した製剤である。食品産業の分野では、これら医薬品としての消毒薬のほかに一般工業用殺菌剤も器具・器材の殺菌消毒を目的に使用されている。

　消毒薬には各々に特徴があり、一般にそれを「長所・短所」というが、それらは各消毒薬のもつ「特性」と考えるべきである。その特性を十分に把握したうえで消毒薬を使用しなければ、効果的に殺菌力を引き出すことはできない。微生物の消毒薬に対する抵抗性について、次のようなことを理解しておくと消毒薬を選択・使用するうえで参考になる。[12]

　細菌は栄養型と芽胞型に、[13]そして栄養型はグラム染色性によって[14]グラム陽性菌と陰性菌に区別される。栄養型の細菌で、ブドウ球菌や連鎖球菌（*Streptococcus*）などのグラム陽性球菌類は、大腸菌、赤痢菌（*Shigella*）、サルモネラ（*Salmonella*）、緑膿菌（*Pseudo-*

- ▶11　nmは、ナノメートルと読む長さの単位。1メートルの10億分の1の長さで、光の波長を測るのに適している。
- ▶12　秋山茂「消毒薬とその使用法」『OPE nursing』第2巻第12号、1231〜1239頁、1987年。
- ▶13　栄養型とは、芽胞型に対する用語（言葉）で、通常の細菌細胞のこと。
- ▶14　グラム染色法は細菌を染色する特殊染色法で、細菌を暗紫色に染まるグラム陽性菌と淡紅色に染まるグラム陰性菌とに大別できる。グラム染色性は細菌を分類・同定するうえで重要な鍵になる。

monas aeruginosa）などの陰性桿菌類に比べ，一般にどの殺菌手段に対しても幾分強い傾向がみられる。しかし，いずれにしても栄養型の細菌は抵抗性が弱く，短時間の作用で死滅してしまう。しかし，緑膿菌のなかにはしばしば消毒薬に抵抗性の強い株がみられるし，逆性石けん中で生存するだけではなく増殖する細菌の存在も知られている。また，常用濃度ではグラム陰性桿菌にはほとんど効果が期待できない消毒薬もある。

　結核菌（Mycobacterium tuberculosis）には，アルコール類やクレゾール石けんなどの溶剤系の消毒薬，両性界面活性剤系の消毒薬は効果があるが，塩素系のものや逆性石けん，クロルヘキシジンは効果がない。

　ウイルスは，その種類によって消毒薬の効果は異なるが，ハロゲン系（塩素・ヨウ素剤）の薬物やエタノールはほとんどのウイルスを不活化する。HIV，病院内感染で死亡事故が報じられた HBV は，エタノール，塩素剤，グルタールアルデヒドなどが有効で，恐れられているほど抵抗性の強いウイルスではない。

　糸状菌（カビ）は胞子（細菌の芽胞とは区別される）を形成するものが多く，この胞子は芽胞に次いで強い抵抗性をもち，ハロゲン系の消毒薬，グルタールアルデヒド以外はほとんど効果がない。代表的な常用消毒薬の特性は次のとおりである。

(1) アルコール類

　アルコール類（エタノール，イソプロパノール）は，真菌や芽胞には無効であるが結核菌を含め栄養型の細菌には短時間で効果を発揮する。イソプロパノールは，エタノールより沸点が高いので濃度変化を起こしにくいがウイルスに対する効果はエタノールより弱く，親水性ウイルスにはほとんど効果がないと考えたほうがよい。局方消毒用エタノールは 76.9〜81.4 v/v％の溶液である。イソプロパノールは，50 v/v％製剤と 70 v/v％製剤が市販されている。プラスチックやゴム製品のなかには，アルコール類に長時間浸漬することによって溶解し劣化するものがある。

(2) クロルヘキシジン

　クロルヘキシジンは，わが国では多くの病院で利用実績がある。使用目的ごとに 4％，5％，20％製剤などさまざまな製剤が市販されている。栄養型細菌には広範囲な殺菌スペクトルを示すが，緑膿菌や霊菌（セラチア：Serratia marsescence）は菌株によっては抵抗性を

- [15] 陰性桿菌とは，グラム陰性の棒状をした細菌のこと。
- [16] 中野愛子「逆性石鹸液中で増殖する細菌について」『日細菌誌』第15巻第12号，1269〜1274頁，1960年。
- [17] v/v％とは，濃度を表す単位で容積百分率のこと。物質の含有成分の体積とその物質の体積との比の100倍をいう。ボリュームパーボリュームパーセントと読む。
- [18] 殺菌スペクトルとは，消毒薬が殺菌できる微生物の種類（幅）の多さのこと。特定の微生物だけしか殺滅できない消毒薬を殺菌スペクトルの狭い消毒薬といい，幾種類もの微生物を殺滅できるものを殺菌スペクトルの広い消毒薬という。

示す株がみられ，しばしば病院内感染原因菌として問題となる。HIV に対する不活化効果は認められている。エタノールと混合した製剤もある。

(3) 陽イオン界面活性剤

陽イオン界面活性剤である第四級アンモニウム塩類は逆性石けんと呼ばれ，水中で解離するときの荷電が陰イオン界面活性剤である普通石けんと逆に荷電するのでこのように呼ばれる。日本薬局方[19]（以下，日局あるいは局方とする）には，ベンザルコニウム塩化物とベンゼトニウム塩化物の2種類が収載されている。どちらも殺菌効力や殺菌スペクトルは同じである。結核菌や芽胞，糸状菌，ウイルスには効果を期待できないが，ブドウ球菌や緑膿菌など栄養型の細菌には有効である。有機体[20]や普通石けんの存在下では極端に殺菌力は低下する。繊維類にも吸着され効力が低下する。クロルヘキシジンと同様にエタノールと混合した製剤もある。一般工業用殺菌剤としてアルキルトリメチルアンモニウムクロリドなど，多くの第四級アンモニウム塩類が開発され市販されている。

(4) 両性界面活性剤

両性界面活性剤は，分子のなかに陽イオン基と陰イオン基をもっている分子団があり，おかれている環境（液性：pH）によってカチオン（陽イオン）であったりアニオン（陰イオン）であったりする。10％製剤や15％製剤として市販されているが，10％製剤はMRSA（メチシリン耐性黄色ブドウ球菌）だけではなくMSSA（メチシリン感受性黄色ブドウ球菌）に対しても短時間の作用では効果を期待できないという見解もある。両性界面活性剤は逆性石けんと同様，栄養型の一般細菌に対して効力があり，殺菌スペクトルもほぼ同じである。しかし，結核菌にも効力がある点が逆性石けんと異なる点である。両性界面活性剤は水に難溶性であることから，非イオン界面活性剤を加えてあるので多少洗浄力もある。

(5) ハロゲン類

ハロゲン類は，塩素とヨウ素およびその化合物が消毒薬として利用されており，歴史的に長い利用実績がある。塩素そのものは飲料水の消毒になくてはならないが，ガス状の塩素の毒性は強く，その取り扱いに注意が必要で，一般的には塩素の化合物が用いられている。代表的なものとして次亜塩素酸ナトリウム，塩素化イソシアヌール酸カリウム（あるいはナトリウム），サラシ粉がある。飲料水の消毒には有効塩素量 0.1〜0.4 ppm[21] 程度の濃度であるが，器具や食器などの消毒には 50〜500 ppm で用いられている。殺菌作用のほかに漂白作

---

[19] 日本薬局方とは，薬事法の規定に基づいて定められた主要な医薬品の品質，純度，強度などの基準を定めた法令のこと。5年以内に一度見直しが行われ，現行のものは第18改正日本薬局方である。

[20] 有機体とは，消毒薬の殺菌力を減弱させる汚れなどの有機物のこと。

[21] ppm は，ピーピーエムと読む。濃度を表す単位で百万分率のこと。溶媒量100万の中に含まれる溶質量をいう。1％は1万 ppm である。

用もあり，繊維類の消毒には漂白も兼ねて利用することができる。結核菌には無効であるが栄養型の細菌やウイルスに有効で，芽胞には数時間程度作用させれば効果がある。サラシ粉の上澄液はカルシウムイオンがあるので普通石けんと混合することはできないが，次亜塩素酸ナトリウムは普通石けんや中性洗剤と混合しても効力の低下はさほどない便利さがある。

　ヨウ素はヨードチンキとして古くから使われてきたが，強い刺激性から最近ではほとんど使われなくなった。これに代わって，医療用にポビドンヨードが手術野の皮膚やうがい用に，環境用にはヨードホール[22]が利用されている。塩素よりも殺菌スペクトルは広く効力も強い。しかし，ヨウ素による着色があるので使用範囲（被消毒物件）に制限がある。

(6) アルデヒド類

　アルデヒド類は，ホルムアルデヒド，グルタールアルデヒド，オルトフタルアルデヒドがある。ガス体のホルムアルデヒドはあらゆる微生物に効力を示すことから，病室の燻蒸殺菌に使われ伝染病予防法（感染症の予防及び感染症の患者に対する医療に関する法律の施行により廃止された）にもその規定があった。また，ベッドマットレスの消毒装置も実用化されている。しかし，液体のもの（ホルムアルデヒドの水溶液：ホルマリン）は温度の影響を強く受け，局方のホルマリン水は低温ではほとんど効果がないと考えたほうがよい。特有の刺激臭があり密閉された場所や容器でなければ使用することはできないし，建材の接着剤中に防腐剤として添加されており，それがシックハウス症候群の原因物質にもなっている。さらに発がん物質としての規制もある。

　グルタールアルデヒドは，常用消毒薬のなかで最も殺菌スペクトルの広い消毒薬であるが，コクサッキーウイルスは抵抗性が強い。最近注目されている腸球菌（*Enterococcus*）も抵抗性がある。手術室や病室など病院環境の消毒に利用されることもあるようだが，毒性が強く，取り扱いに注意が必要であり，密閉容器内で用いることを指導している。幅広い殺菌スペクトルと殺菌効力があっても，福祉用具の消毒には推奨できない。

　オルトフタルアルデヒドは，グルタールアルデヒドに代わる消毒薬として二十数年前に厚生労働省の承認が得られた消毒薬である。殺菌スペクトルはグルタールアルデヒドよりいくぶん狭いとはいうものの，毒性はグルタールアルデヒドよりも弱い。しかし，毒性がないわけではない。グルタールアルデヒドと同様，福祉用具の消毒には適さない。

(7) エチレンオキシド（酸化エチレン）

　ガス状殺菌剤として大型の福祉用具の殺菌消毒に用いられるが，専用の殺菌装置が必要である。強い殺菌力がある反面，健康リスクの高い物質でもあり，特定化学物質障害予防規則の規制対象物質に指定され，作業環境測定や健康診断の実施などが義務づけられている。[23]

▶22　ヨードホールは，ヨードホルともいう。ヨードホルムとは別物である。

その他，フェノール（石炭酸），クレゾール石けんなどのフェノール系，過酸化水素水，過酢酸，過マンガン酸カリウムなどの酸化剤系，塩化第二水銀，チメロサール，硝酸銀などの金属系の消毒薬もあるが，一般的でなくなっただけでなく，福祉用具の消毒には適していない。

●その他の殺菌・消毒法

(1) オゾン（O_3）

1700年代後半にその存在が確認されたオゾンは，殺菌力のほかに脱臭作用や漂白作用がある。飲料水の殺菌に利用されたのが最初であるが，当時は殺菌よりもむしろ脱臭のために用いられたようである。太陽光線中の紫外線によって生成され大気中に微量ながら存在するが，この程度（約0.005ppm）の濃度では殺菌効力はない。事業所でコピー機を連続使用すると周囲で「青臭さ」を感じることがあるが，この臭いがオゾン臭である。オゾンは不安定な物質であり，常温で徐々に分解して元の酸素（O_2）に戻る。殺菌の目的にはオゾンを人工的に生成する必要があり，紫外線オゾン同時発生管式（光化学作用法）とコロナ放電式（無声放電法）がある。前者は空間に容易に発生させることができるが高濃度のものは得られない。高濃度のものはもっぱらコロナ放電式のオゾン生成器が用いられている。

オゾン自身不安定であるうえ酸化力や毒性が強く，暴露限界濃度[24]が定められている物質でもあるので取り扱いには十分な注意が必要である。医療用としては手術室やベッド，診療・看護衣（作業衣），履き物などのガス殺菌装置も開発されている。ベッドマットレスのような大型の福祉用具の殺菌にも用いられる。オゾン水として使用する場合には，汚れを十分に取り除いてから，かけ流すように用いなければ効果は期待できない。

(2) 電気分解水

食塩を含む水，あるいは食塩と塩酸を含む水を隔膜式電気分解槽で電気分解し得られる陽極側，陰極側の水を有用な作用を発揮する機能水と呼んでおり，陽極側の水に強い殺菌力のあることが知られた。開発各社によってそれぞれ呼び方が異なり混乱をきたしているようだが，pH2～3のものを強酸性電解水，pH5～6のものを弱酸性電解水と，酸性の度合いによって大きく二つに分けられる。一般財団法人機能水研究振興財団が結成されており，1994（平成6）年から毎年シンポジウムを開催し精力的に研究がなされている。幅広い殺菌，殺ウイルスおよび殺真菌効果が確認され，医療用に内視鏡殺菌装置や手指洗浄水製造装置が開発されている。殺菌機序については酸化還元電位説，pH説，電子活動度説，接触電位差説など諸説あるが，次亜塩素酸および次亜塩素酸イオンが殺菌の本態と考えてよい。

---

[23] 作業環境測定とは，酸化エチレンを使用する作業場の環境測定のこと。規制基準となる管理濃度は1ppm。
[24] 暴露限界とは，身体に浴びることができる限界のこと。

一方，同じように食塩を電解助剤として無隔膜電気分解槽で電気分解して得られる弱アルカリ性電解水が食品衛生対策に利用されている。酸性電解水にしても弱アルカリ性電解水にしても，有機体の混入によって極端に殺菌効力は低下するので注意が必要であり，使用にあたっては有効塩素量を測定する必要がある。また，消毒薬のように清拭用に用いたり，スプレーして拭きとるなどの使い方をしているようだが，このような使用法が福祉用具の消毒に適用できるかどうかは疑問である。

(3) その他の強酸性水

電気分解水ではないが過酸化モノ硫酸カリウムを主成分とし，その水溶液が強酸性を示す洗浄除菌剤が病室や手術室など床面の消毒を目的に使用され始めており，その殺菌効果も調べられてはいる。

(4) MRガス

メタノールを特殊な触媒作用でラジカル化したガス体で，強い殺菌力を示し，金属やプラスチックなどに対する腐蝕作用もないという。ガス発生装置と排ガス処理装置を組み合わせた殺菌システムとして設備すれば，大型の福祉用具の殺菌処理に期待できそうである。

(5) MA-T®

Matching Transformation system®の略称。反応すべき菌やウイルスが存在するときにのみ，必要な量だけ二酸化塩素の成分を水の中で生成する要時生成型亜塩素酸イオン水溶液であり，新型コロナウイルスに対する有効性が実証されている。

福祉用具には，その構造が単純なものから複雑でメカニックな動きをするものまで多岐にわたっている。消毒にあたっては，前述のように材質の劣化を招くことのない方法を選ばなければならず，被消毒物件の性質を考慮して最も適当な消毒を行う必要がある。

以下に掲げる項目は，消毒法を選定する際に一応の基準になる事柄である。

❶ 消毒効果が確実であること
❷ 短時間に消毒されること
❸ 方法が簡単であること
❹ 費用が多くかからないこと
❺ 被消毒物件を傷めない方法であること
❻ 人畜に対して毒性が低いこと
❼ 被消毒物件に悪臭（臭気）を残さないこと
❽ 表面だけではなく内部も消毒できること　　など

どの消毒法にも特徴があって，これらすべての条件を備えた方法は残念ながらないのが現状である。消毒法を選択するにあたって，それぞれの消毒法の利点や注意点を次のように要約することができる。

❶　高温空気を利用する方法は，被消毒物件を十分に乾燥させることによって微生物数を減少させたり殺滅したりしようとするもので，作用時間（殺菌時間）は被消毒物件がその温度に到達してからの時間である。
❷　煮沸法は，被消毒物件を完全に沸騰水中に沈めなければならないし，加熱時間は沸騰してからの時間である。
❸　水蒸気にさらす方法も被消毒物件がその温度に到達してからの時間である。
❹　紫外線照射法の効果は照射表面だけであり，殺菌灯が点灯している間は作業者の入室は禁物である。
❺　消毒薬に浸漬したり清拭したりする方法は，どの消毒薬を使ってもその後で消毒薬が残らないように洗い流したり拭き取らなければならない。薬液につける方法は大量の薬液が必要になり実用性に欠けるが，ハロゲン類である塩素系消毒薬への浸漬はリネン類の漂白を兼ねて消毒できる利点がある。
❻　ガス体で利用するホルムアルデヒドやエチレンオキシド，オゾンなどは有害なガス体で，作業者の被曝防止には細心の注意を払わなければならない。また，ホルムアルデヒドやエチレンオキシドの残留にも注意が必要である。

　これらの殺菌消毒法を利用して福祉用具を消毒する場合，先に述べたように被消毒物件の材質を考慮しなければならない。福祉用具に適した消毒法とその作用条件（使い方）は**表5-1-8**に，また，貸与福祉用具と適応消毒法例を**表5-1-9**にまとめた。

　消毒は，細菌や真菌，ウイルスなど起病性にかかわるすべての微生物をその対象とする。福祉用具を介して感染する可能性のある感染症は，その多くが細菌性のものと考えられることから，ほとんどの消毒法を利用することができる。**表5-1-8**に掲げられている消毒法の作用条件は，栄養型の細菌に対して十分な効果を発揮し得るが，芽胞のように抵抗性の強い微生物体に対してはほとんど効果がない。日常生活のなかで福祉用具を介して起病性のある有芽胞細菌（破傷風菌や炭疽菌など）に感染する機会はまずないと考えてよい。しかし，2006（平成18）年に栃木県で，ランドリーしたリネン（タオル）が芽胞形成菌であるセレウス菌（*Bacillus cereus*）に汚染され，それが原因と思われる感染事故が発生しているので注意が必要である。

●消毒済み福祉用具の保管法

　利用者から返還された福祉用具を消毒するための施設は，常に清潔を保持することが大切

表5-1-8 福祉用具の消毒方法とその作用条件一覧表

消毒方法	作用条件・使用法		分類記号
高温空気消毒	100℃で30分間以上さらす または120℃で20分間以上さらす		1
煮沸消毒	沸騰した湯の中で2分間以上煮沸する		2
蒸気消毒	80℃以上で10分間以上さらす		3
紫外線消毒	85マイクロワット／cm^2 以上で20分間以上		4
アルコール消毒	76.9～81.4%のエタノールで	10分以上浸す	5A
		ガーゼ・脱脂綿に含ませて拭く	5B
	50～70%のイソプロパノールで	10分以上浸す	6A
		ガーゼ・脱脂綿に含ませて拭く	6B
クロルヘキシジン消毒	5%製剤の1%液で	10分以上浸す	7A
		ガーゼ・脱脂綿に含ませて拭く	7B
逆性石けん消毒	10%製剤の1%液で	10分以上浸す	8A
		ガーゼ・脱脂綿に含ませて拭く	8B
両性界面活性剤消毒	10%または15%製剤の1%液で	10分以上浸す	9A
		ガーゼ・脱脂綿に含ませて拭く	9B
ハロゲン系薬剤消毒			
塩素系	有効塩素量100～500ppmの水溶液に10分間以上浸す		10
ヨウ素系	有効ヨウ素量44～175ppmの水溶液に10分間以上浸す		11
ガス消毒	ガス殺菌装置を使用する		
ホルムアルデヒドガス	仕様書に従う		12
エチレンオキシドガス	仕様書に従う		13
オゾンガス	仕様書に従う		14
MRガス	仕様書に従う		15
電解生成水消毒	電解生成水製造装置を使用し，仕様書に従う		16
オゾン水消毒	オゾン水製造装置を使用し，仕様書に従う		17
MA-T消毒	有効MA-T量100ppmの水溶液でガーゼ・脱脂綿に含ませ拭く		18

注：分類記号とは，貸与福祉用具を消毒するための方法を示すために便宜上設けた記号のこと。
資料：秋山茂編著，一般社団法人シルバーサービス振興会監『新訂版 安全な福祉用具貸与のための消毒ハンドブック』厚有出版，64頁，2024年を一部改変。

である。消毒と清潔は車の両輪のような関係にあり，清潔な区域で消毒作業を行わなければその効果を十分に発揮することはできない。どうせ消毒するのだからという考えは厳に戒めなければならない。返還物品の確認作業室，未消毒用具の一時保管室，洗浄・消毒作業室は汚染区域であり，保守点検・組み立て作業室，消毒済み物品の保管室は清潔区域である。

表5-1-9　貸与される福祉用具と適応消毒方法例一覧表

貸与される福祉用具	適応消毒方法例（表5-1-8の分類記号により記載）	
	適応可能なものの例	材質によって適応可能なものの例
車いす	7B 8B 9B 15 17 18	3
車いす付属品クッション類	3 12 13 14 15	1 10
電動補助装置等	5B 7B 8B 9B 15	6B 14
特殊寝台	12 13 14 15 5B 6B 7B 8B 9B	
特殊寝台付属品（介助用ベルトを含む）	12 13 14 15 7B 8B 9B	1 2 3 4 10 16 17
マットレス	12 14 15	1 3
床ずれ防止用具	7A 7B 8A 8B 9A 9B 10 14 15 16 17	
体位変換器	7A 7B 8A 8B 9A 9B 10 14 15 16 17 18	5B 6B
手すり	5B 6B 7A 7B 8A 8B 9A 9B 12 13 14 15 16 17 18	1 2 3 10 11
スロープ	1 3 4 12 13 14 15 17	11 16
歩行器	5B 6B 7B 8B 9B 12 13 14 15 17 18	3 16
歩行補助つえ	5B 6B 7B 8B 9B 12 13 14 15 17 18	
認知症老人徘徊感知機器	7B 8B 9B	
移動用リフト	1 3 7A 7B 8A 8B 9A 9B	12 13 14 16 17
自動排泄処理装置（本体）	12 13 14 15 7B 8B 9B	5B 6B 10

資料：表5-1-8に同じ，65頁を一部改変。

　また，未消毒用具と消毒済み用具が混在するような作業場管理であってはならない。管理者は，常に消毒作業従事者の作業動線を明確にしておく必要がある。消毒済み用具の保管場所として，返還物品確認作業室や未消毒物品一時保管室などの汚染区域とは隔壁で隔離された清浄な場所を確保しなければならない。やむを得ず隔離された保管場所を確保できない場合には保管区域を定め，そこを不浸透性素材のビニールカーテンなどを用いて仕切り，明らかに未消毒用具と区別ができるように工夫しなければならない。

● 作業従事者の安全管理

　安全な福祉用具は，健康な作業従事者の手によってのみ供給される。規模の大小を問わず，事業活動を営む場所は労働安全衛生法の適用を受けているが，貸与した福祉用具の回収や消毒作業がその主体となる福祉用具貸与事業所は，一般事業所とは異なり作業従事者も少なからず感染のリスクを負っている。それだけに健康面だけではなく安全面にも配慮した管理体制が望まれる。作業所内だけではなく，福祉用具を回収・配送するための車輌も作業区域であり，その環境も整備しなければならない。

(1) 採光と照明

　作業室内の明るさを日光や天空の明るさといった自然光を採り入れるのが採光で，人工光線によって明るさを採ることを照明という。明るさの度合いを照度といい単位はルクス (lx) が用いられる。照度が不適当な場合には，作業能率を低下させるだけではなく，近視，頭痛の原因になったり，不快感，疲労感を感じたりすることがある。

　建築物には，その目的によって床面積に対する窓の大きさが定められ，適度な採光がなされている。夜間や十分な採光が得られない場合には照明が必要で，作業面だけを明るくする局所照明と部屋全体を明るくする全般照明とがあり，光を直接当てる直接照明と反射光を利用する間接照明，光源をグローブで包んで照明する半間接照明などがある。これらの照明を上手に使うことによって，疲労感を抑えるとともに作業能率を向上させることができる。明る過ぎるとかえって作業しにくくなるが，消毒作業室の照度は 300 ルクス以上を確保したい。保管室といえども 100 ルクス（一般家庭の浴室や玄関の明るさ程度）以上は必要である。

(2) 換気

　ガスや石油による暖房や作業室内で多くの人が作業することによって，室内空気は汚染される。この汚染された空気と新鮮な空気を入れ換えることによって室内空気を正常な状態にすることを換気という。気密性の高い最近の建築物では，自然換気が行われにくく強制換気が必要である。ガス殺菌装置を備えた消毒作業室では有害な殺菌ガスが漏洩する場合も考えられるので，ガス殺菌装置の局所排気設備だけではなく全体換気が行える設備が必要である。

(3) 健康診断

　労働安全衛生法は，事業主に定期健康診断の実施を義務づけている。利用者から返還された福祉用具が感染の媒体となる可能性は極めて低いと考えられるものの，ときには明らかに感染の危険性が考えられる汚染を受けた福祉用具を取り扱うこともある。作業従事者が細心の注意を払って作業しているとはいうものの感染のリスクがないわけではない。そのためにも管理者は，従業員が積極的に健康診断を受診するような環境をつくらなければならない。特に有害ガスを使った消毒作業に従事しているものに対しては，定期的にその被曝状況を監視しなければならない。また，作業従事者の手は福祉用具に直接触れることから，最も汚染

されやすい部分であり，作業を中断してほかの仕事に移ったり休憩に入ったりするとき，1日の作業を終了した時点には必ず手指の消毒を習慣づけることが大切で，そのためにも作業所内にいつでも手が洗える設備を用意しておく必要がある。

3 福祉用具の整備方法（保守点検等）

1 福祉用具の保守点検等における福祉用具貸与事業者の責任

　介護保険制度における福祉用具に係るサービスの提供は，利用者の心身の状況，希望およびその置かれている環境を踏まえた適切な福祉用具を貸与することが原則とされている。この場合，貸与される福祉用具については，常に，清潔かつ安全で正常な機能を有することなどが求められることから，指定を受けた福祉用具貸与事業者の責任において適切に管理されることが必要である。

　このため「指定居宅サービス等の事業の人員，設備及び運営に関する基準」（以下，「指定基準」という。）では，第198条（指定福祉用具貸与の基本取扱方針）において「指定福祉用具貸与事業者は，常に，清潔かつ安全で正常な機能を有する福祉用具を貸与しなければならない」と規定されている。これに加え，第199条（指定福祉用具貸与の具体的取扱方針）において，「指定福祉用具貸与の提供に当たっては，貸与する福祉用具の機能，安全性，衛生状態等に関し，点検を行う」こと，「利用者の身体の状況等に応じて福祉用具の調整を行うとともに，当該福祉用具の使用方法，使用上の留意事項，故障時の対応等を記載した文書を利用者に交付し，十分な説明を行った上で，必要に応じて利用者に実際に当該福祉用具を使用させながら使用方法の指導を行う」こと，および「利用者等からの要請等に応じて，貸与した福祉用具の使用状況を確認し，必要な場合は，使用方法の指導，修理等を行う」ことなどが規定されている。

　また，第203条においては，「指定福祉用具貸与事業者は，回収した福祉用具を，その種類，材質等からみて適切な消毒効果を有する方法により速やかに消毒するとともに，既に消毒が行われた福祉用具と消毒が行われていない福祉用具とを区分して保管しなければならない」とされているが，これについては，本節の「2　福祉用具の整備方法（消毒）」（438頁）において解説されているとおりである。さらには，同条において指定福祉用具貸与事業者は，感染症が発生し，またはまん延しないように必要な措置を講じなければならないとされ，感染防止の徹底が求められている。

　本節の「1　福祉用具の供給の流れ」（425頁）において，福祉用具に係るサービスの提供のプロセスが示されているが，前述のとおり，これらのすべての工程において福祉用具に係る保

守点検等は，指定福祉用具貸与事業者の責任において適切に行わなければならないとされているのである。

2 福祉用具の保守点検等の方法についての留意点

しかしながら，こうした福祉用具に係る保守点検等の具体的な方法については，指定基準において規定されていないことから，それぞれの指定福祉用具貸与事業者が，自ら取り扱う福祉用具ごとに適切に行わなければならない。

この場合の留意点は次のとおりである。まず，指定福祉用具貸与事業者において多岐にわたって取り扱われる福祉用具については，それぞれにメーカーが定めた保守点検の項目や実施方法が定められていることから，これらを十分に把握しなければならない。また，指定福祉用具貸与事業者によっては，それぞれ独自に管理基準等を定めている場合もあることから，福祉用具専門相談員ならびに福祉用具の保守点検に従事する者は，それぞれの管理基準に従い適正に実施する必要がある。

次に，これらの保守点検結果を適切に記録するとともに，その結果については関係者間で情報共有できるよう配慮しなければならない。利用者からみれば，清潔かつ安全で正常な機能を有する福祉用具が提供されるのは当然のことなので，指定福祉用具貸与事業者のすべての従業者が，常に意識しなければならないのである。

さらに，福祉用具貸与サービスでは，使用済みの福祉用具を回収し，洗浄や消毒，修理や部品の交換等を含む保守点検を行い保管し，再び利用者のもとへ届けるといった一連の作業工程があるが，なかでも消毒等の安全衛生管理は極めて重要になる。これについては，指定基準においては，標準化された基準は示されていないものの，一般社団法人シルバーサービス振興会の「福祉用具の消毒工程管理認定制度」において，消毒工程の管理に関する基準が定められている。このなかで，消毒のための設備・装置等についての規定がある（**表5-1-10**）。

このように，福祉用具専門相談員ならびに福祉用具の保守点検に従事する者は，常に，清潔かつ安全で正常な機能を有する福祉用具を貸与できるよう，福祉用具の供給の流れや整備方法等を理解して，適正なサービス提供に努めなければならない。

表5-1-10 福祉用具の消毒工程管理認定基準（抄）

基準	設備・装置等は定期的に自己点検および保守点検がなされており，その結果が記録されている。
解釈・補足	❶ 自己点検とは，消毒設備・装置メーカーが定める頻度，点検項目に準じて事業者自ら行なう点検をいう。自己点検の結果は記録しなければならない。なお，自己点検は1ヶ月に1度以上実施すること。 ❷ 保守点検とは，消毒設備・装置メーカーが定める頻度，点検項目に準じて消毒設備・装置メーカー等が行う点検をいう。保守点検の結果は記録するとともに，消毒設備・装置の性能が維持されていることの証明書を消毒設備・装置メーカー等に求め，保存しなければならない。なお，定期点検は2年に1度以上実施すること。 ❸ 自己点検の記録の確認は1ヶ月に1度以上，保守点検の記録の確認はその点検の都度，福祉用具消毒業務管理責任者が行うこと。 ❹ 自己点検，保守点検の記録は5年以上保管すること。

注　当該基準「2. サービス提供体制等, 2.2 消毒事業所の構造・設備等, 2.2.2 設備・装置等, 2.2.2.3」より

（参考）一般社団法人シルバーサービス振興会の福祉用具の消毒工程管理認定制度の概要

① 福祉用具の消毒工程管理認定制度の成り立ちと仕組み

　食の安全や感染症対策を考慮し，安全で衛生的な商品を選ぶことは普段の暮らしの中では当然のことですが，介護保険制度には消毒に関する具体的な基準がなく，利用者が消毒の効果を確認することは非常に難しい状況にあります。

　これを背景に創設されたのが，「福祉用具の消毒工程管理認定制度」。福祉用具の安全衛生管理が適切に行われていることを第三者が確認し，その結果を利用者に表示する仕組みとして運営されています。

② 制度の特徴

○ 消毒効果については，科学的に検証しています

　調査には，事業所から提出された書類について調査する「書面調査」と，申請のあった事業所を調査員が訪問し調査する「実地調査」の両方が行われます。

＜書面調査＞
- マニュアル等による消毒工程の管理方法
- 使用している消毒機器・消毒薬等の管理状況
- 管理者の設置状況，作業動線　などを確認します。

＜実地調査＞
- マニュアルに基づく運用管理状況
- 設備・装置等の点検状況
- 消毒機器・消毒薬剤等の管理状況
- 消毒事業所の構造・人員配置状況　などを確認します。

　特に実地調査では，消毒の効果はもとより，保管されている福祉用具の消毒効果が保たれているかについても，試薬を用いて検査するなど，科学的な検証が行われています。

○ 専門家が審査しています
　上記の調査結果に基づいて、認定にあたっては、消毒や福祉用具に関する有識者からなる外部委員会において、厳格な審査を行っています。
○ 消毒の各工程の履歴管理を重視しています（トレーサビリティ traceability）
　トレーサビリティとは、「商品の履歴情報を追跡すること」です。福祉用具の消毒工程管理認定制度でも、必要情報が適切に記録されていることを認定基準としており、トレーサビリティの概念が導入されています。

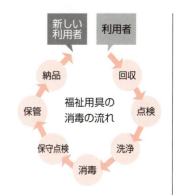
福祉用具の消毒の流れ

＜記録が必要な主な項目＞
・ 福祉用具の搬入・搬出の年月日
・ 搬入・搬出の対象となった福祉用具が特定できる記号等
・ 消毒作業を行った年月日時、作業担当者名
・ 作業消毒設備・装置等・使用消毒薬　など

③ 福祉用具の消毒の流れ
　介護保険制度における福祉用具の利用は、貸与（レンタル）という形態が大半を占めています。福祉用具は、基本的に再利用されており、使用後に回収され、再び新しい利用者のもとへ届けられます。

参考文献
秋山茂「消毒薬とその使用法」『OPE nursing』第2巻第12号、1987年。
一般社団法人シルバーサービス振興会監、秋山茂編著『新訂版 安全な福祉用具貸与のための消毒ハンドブック』厚有出版、2024年。
厚生省保健医療局結核感染症課監、小林寛伊編『改訂 消毒と滅菌のガイドライン』へるす出版、2004年。
社団法人日本福祉用具供給協会『福祉用具供給事業者と居宅介護支援事業者との連携促進のための調査報告書（平成13年度）』2002年。
滝沢金次郎「クリーニング店における細菌汚染の実態調査研究報告」『クリーニングと公衆衛生に関する公募研究報告書』全国クリーニング環境衛生同業組合連合会、1975年。
中野愛子「逆性石鹸液中で増殖する細菌について」『日細菌誌』第15巻第12号、1960年。
福見秀雄編『病院内感染―その原因と予防（第2版）』医学書院、1980年。
渡邉愼一「介護保険における福祉用具の供給」『総合リハビリテーション』第31巻第3号、2003年。
渡邉愼一「福祉用具専門相談員」『総合リハビリテーション』第34巻第6号、2006年。

第2節 福祉用具による支援プロセスの理解・福祉用具貸与計画等の作成と活用

ねらい

- 福祉用具による支援の手順と福祉用具貸与計画等の位置付けを理解する。
- 福祉用具貸与計画等の作成と活用方法を理解する。
- 利用者の心身の状況や生活における希望，生活環境等を踏まえた利用目標の設定や選定の重要性を理解する。
- モニタリングの意義や方法を理解する。
- 福祉用具の支援プロセスにおける安全利用推進の重要性を理解する。
- 事例を通じて，福祉用具貸与計画等の基本的な作成と活用技術を習得し，PDCAサイクルに基づく福祉用具サービスのプロセスを理解する。
- 多職種連携において福祉用具専門相談員が果たす役割を理解するとともに，継続して学習し研鑽することの重要性を認識する。

到達目標

- 福祉用具による支援の手順と福祉用具貸与計画等の位置付けについて概説できる。
- 福祉用具貸与計画等の項目の意味と内容を概説できる。
- 福祉用具貸与計画等の作成と活用における主要なポイントを列挙できる。
- 利用者の心身の状況や生活における希望，生活環境等を踏まえた利用目標の設定や選定の重要性を理解し，概説できる。
- モニタリングの意義や方法を概説できる。
- 福祉用具の支援プロセスにおける安全利用推進の重要性について概説できる。
- 福祉用具貸与計画等の作成・活用方法について，福祉用具による支援の手順に沿って列挙できる。
- 個別の状態像や課題に応じた福祉用具による支援の実践に向けて，多職種連携の重要性を理解し，福祉用具専門相談員としての目標や自己研鑽の継続課題を列挙できる。

1 福祉用具による支援と手順の考え方

1 福祉用具の必要性の判断（アセスメント）

●情報収集・分析すべき基本的な項目と情報収集の方法

福祉用具の必要性の判断のために収集・分析する情報は以下のとおりである。

> ○ **身体状況・日常生活状況**
> 性別，年齢，身長，体重，現病歴・既往歴，障害の状況，認知症の程度，日常生活自立度，要介護度（認定日，認定有効期間）
>
> ○ **意欲・意向**
> 本人の気持ち，望む生活，現在困っていること，過去の生活状況
>
> ○ **介護環境**
> 他のサービスの利用状況，家族構成，主たる介護者，利用している福祉用具，経済状況
>
> ○ **住環境**
> 持家・借家，エレベーターの有無，屋内外の段差，居室・廊下・トイレ・浴室等の状況

情報収集は，①利用者・家族からの聴き取り，②介護支援専門員との連携による情報収集，③住環境の調査，④多職種との連携による情報収集により行う（**表5-2-1**）。

実際に利用者宅に訪問し，利用者・家族との面談，住環境を把握することが情報収集で最も重要である。訪問前にできる限り利用者の状況を把握していると，利用者の負担も少なく効率的に聴き取ることができる。これには，介護支援専門員などの他のサービス提供機関から事前に情報を得ることは有用であるが，たとえ福祉用具サービスを提供している利用者の情報であっても，利用者の了解を得て情報収集することが必要である。

想定される福祉用具の候補が絞り込めている場合には，候補となる福祉用具を持参し，利用者・家族に試用してもらうことも有効な方法である。

●生活活動の把握と状態像に応じた福祉用具選定のポイント

福祉用具によって，入浴，排泄といった一連の生活行為がすべて一度に解決することは少なく，入浴台により浴槽の出入りを容易にする，ポータブルトイレにより夜間の転倒を防止するなど，生活動作が改善されることがほとんどである。このため，生活上の問題は，具体的な動作として把握することが必要であり，その動作がどの程度困難なのかを記録すると，福祉用具を使うことによる効果も明らかにできる。福祉用具は自立支援のために用いられる

表5-2-1　主な情報収集の方法と実施内容・留意点

情報収集の方法		実施内容・留意点
利用者・家族からの聴き取り		・利用者・家族と面談を行い、利用目標の設定や福祉用具の選定に必要な情報収集を行う。面談の場所は本人の自宅を基本とするが、入院中等の場合は医療機関等で行う。 ・介護支援専門員と同行して行うことが望ましい。 ・すでに想定される福祉用具の候補が絞り込めている場合には、候補となる福祉用具を持参し、利用者・家族に試用してもらう等、福祉用具を用いた生活行為のイメージをもってもらえるようにする。 ・認知症等によって、意思が明確に表明できない利用者であっても、家族への聴き取り等、できる限りの情報収集を行うことが望ましい。
介護支援専門員との連携による情報収集		・利用者の基本情報（氏名、住所、電話番号、要介護度、相談の概要等）について電話等で聴き取りを行う。 ・ケアプランを受領する。 ・介護支援専門員が保有するアセスメントシート等には利用者の心身の状況等についての情報が記載されており、その複写を受領することは有用である。
住環境の調査		・利用者の自宅を訪問し、住環境の調査を行う。 ・利用者が自宅にいる場合には、利用者・家族との面談と同時に実施することが望ましい。 ・住宅改修が必要な場合には、住宅改修の担当者への同席依頼を検討する。
多職種連携による情報収集	サービス担当者会議	・サービス担当者会議に出席し、利用者の希望や心身の状況等の情報について、同じ利用者を支援する他職種から情報収集を行う。（サービス担当者会議の位置づけと内容については、『福祉用具サービス計画作成ガイドライン』の第2章5節を参照。）
	医療機関におけるカンファレンス等	・医療機関の医療職と介護支援専門員等が出席する退院・退所カンファレンスが開催される場合があり、福祉用具専門相談員が出席を求められるケースもある。 ・医療機関でのリハビリテーション状況を踏まえた福祉用具の選定や調整等について、医療機関の作業療法士や理学療法士等から情報収集を行うことは有用である。
	その他	・利用者の周りには、介護支援専門員以外にも多数の専門職が関わっていることが多く、その専門職から情報を得ることは、福祉用具による支援を考えるうえで有用であるため、随時情報収集を行うことが望ましい。 ・また地域包括支援センター（または市町村）が開催する地域ケア会議においてサービス内容等に関する助言を得ることが望ましい場合もある。

資料：一般社団法人全国福祉用具専門相談員協会『福祉用具サービス計画作成ガイドライン』9頁，2014年を一部改変。

ものであるため、生活動作の自立度による効果判定が有効である。一般的に自立度は、「介助なしでできる」「介助が必要である」の2段階から、介助の程度を軽度、中等度、重度などの数段階にわけて判断させるものがあるが、最低でも、①まったく人の手を借りずに行っている（自立）のか、②人の手を借りている（介助が必要である）のか、あるいは③行っていないのかを把握する。

また、関節リウマチやパーキンソン病のように1日のうち、あるいは日によって状態が変化することがある疾患は、単に動作ができる・できないで判断すると必要な福祉用具を選定することが困難となる。また、高齢者では、体力、耐久力の低下、体調により生活動作の自立度が変化することも多い。このため、いつできないのか、どのくらいの頻度でできないのかなど、時間的要素に留意して福祉用具の適応を判断し、選定することが重要である。

● 種目・機種（型式）の選定援助

　どのような福祉用具が製作され，流通しているのかといった福祉用具の「種目情報」や，それらの福祉用具はどのような機能を発揮するか，類似する他の製品の機能とどう異なるのかといった「機能情報」をもとに，具体的な機種（型式）を選定する。商品カタログやインターネットによる福祉用具検索システムを活用する，あるいはメーカーの新製品発表会，福祉機器展，情報交換会などに積極的に参加し，実際に触ってみて，その特徴を把握するとともに，作業療法士や理学療法士などのリハビリテーション専門職との連携，研修会等への参加で情報を収集する。

　また，前述のとおり，貸与しようとする商品の特徴や貸与価格に加え，当該商品の全国平均貸与価格を利用者に説明することや，機能や価格帯の異なる複数の商品を利用者に提示する必要がある。

● ケアプラン作成支援

　歩行補助具により屋内の移動が自立する，あるいは電動車いすにより買い物ができるようになるというように，福祉用具は利用者の生活機能を向上させることができる。これらの生活の変化は，福祉用具を使い始めてすぐに起こる場合もあれば，徐々に変化し数週間後に予測以上の変化をもたらすこともある。このように，福祉用具は利用者の生活の質を向上させるインパクトサービスになることが多い。一方，福祉用具の誤った使い方による障害の重度化や安易な利用，例えば自立歩行可能な人への転倒の危険性を理由とした車いす利用の奨励などは，生活の不活発化を招き，廃用症候群の悪循環をもたらす。福祉用具専門相談員は，実際の福祉用具の選定援助においては，これらのことを念頭におき，福祉用具をケアプランに位置づけるように支援する。

　また，末期がんや筋萎縮性側索硬化症などの神経筋疾患で急速に状態が変化することが予測される場合，状況の変化に対しての迅速な対応が必要になることにも留意して，福祉用具を選定する。

2　福祉用具の利用目標の設定

　利用目標の設定とは，福祉用具を利用して「どのような生活」を目指すのかを具体化し明確にすることである。目指す生活を具体化する視点としては「利用者の自立支援」と「介護者の負担軽減」がある。介護保険における利用者の自立支援とは，「利用者の意思に基づいて，その有する能力に応じ自立した日常生活を営むこと」と「利用者が自らの能力の維持や向上に努めること」で，福祉用具により他人にできるだけ頼らず，日常生活活動を自ら行うことは，まさ

に自立を支援することである。福祉用具がもつ自立を支援する力を発揮させる目標とすることが大切である。介護者の負担軽減では，利用者の自立度の向上により相対的に介護負担が軽減する場合と，それまで人的介助により行われていた動作を福祉用具が補完して介護負担が軽減する場合がある。いずれにしろ，利用者の生活目標を明確にする。

　具体的には，「近所での買い物が一人でできるようになる」「食堂で家族と一緒に食事ができるようになる」「ベッドから車いすに一人で乗り移れるようになる」など，福祉用具で改善しようとする日常動作とその内容が含まれる。利用者が福祉用具を活用した生活をイメージし，その目標に向き合って意欲的に取り組めるよう，利用者とともに設定する。

3　福祉用具の選定

　福祉用具専門相談員は，福祉用具の利用目標を設定した後にその利用目標を達成していくために，利用目標で設定した福祉用具の品目の中からアセスメントで収集・分析した利用者の個別の状態や住環境等の条件を照らし合わせながら，それらが利用者にフィットして目標の達成に最適と思われる機種を選定する。

4　福祉用具サービス計画の作成・交付

　利用者や家族自身が福祉用具サービスに記載された利用目標や留意事項等を十分に理解し，福祉用具を適切に利用することで，利用目標の達成につながる。このため，福祉用具サービス計画の作成にあたり，内容について利用者または家族に対して説明し，利用者の同意を得たうえで福祉用具サービス計画を利用者に交付する。

　福祉用具サービス計画の交付に際しては，利用者や介護者にわかりやすく説明し，福祉用具の利用開始後，気になること（福祉用具の不具合，利用目標の変更，身体状況や生活環境の変化等）が生じた場合は，すぐに連絡してほしい旨を伝える。特に家族等の介護者は利用者が福祉用具を利用する際に見守ったり，介護者自身が福祉用具を操作したりする場合があるため，説明時にはできる限り介護者にも同席してもらうことが望ましい。

5　搬入・取り付け・調整，使い方指導

　福祉用具を搬入し，環境に合わせて組み立て，取り付ける。組み立てや取り付けが終了したら，製品が想定通りに機能するかを確認する。その後に，利用者に製品の機能とともに使い方を指導する。福祉用具を使用する生活場面で実際に使用しながら動作を確認することが重要

で，利用者や介護者が使いこなせるのか，スペースや段差などの住宅環境が福祉用具の使用の妨げになっていないかなど，福祉用具を使用するうえでの問題点の把握の機会として活用する。

6 モニタリングと記録の交付への対応

前述のとおり，福祉用具サービスのモニタリングの実施時期を福祉用具貸与計画に記載することに加え，モニタリングの結果を居宅介護支援事業者に報告することが義務づけられた。これによって，福祉用具サービスの効果やリスクに関する情報共有をより効果的に進める必要がある。

また，貸与・販売の選択制の導入に伴い，対象となる福祉用具については早期のモニタリングを実施し，不適合等が確認された場合は適切な対処が必要である。

2 福祉用具サービス計画とは

福祉用具サービス計画には，福祉用具貸与計画と特定福祉用具販売計画がある。福祉用具貸与計画は，「利用者の希望，心身の状況及びその置かれている環境を踏まえ，指定福祉用具貸与の目標，当該目標を達成するための具体的なサービスの内容，福祉用具貸与計画の実施状況の把握（以下この条において「モニタリング」という。）を行う時期等を記載した福祉用具貸与計画を作成しなければならない。」とされており，特定福祉用具販売計画は，「利用者の心身の状況，希望及びその置かれている環境を踏まえて，指定特定福祉用具販売の目標，当該目標を達成するための具体的なサービスの内容等を記載した特定福祉用具販売計画を作成しなければならない。」とされている。[1]

介護保険では支援が必要な高齢者の能力に応じた日常生活を支えるために，居宅サービス計画（ケアプラン）に沿って訪問介護，通所リハビリテーション，訪問看護等の多様なサービスが提供される。サービスの提供にあたってはサービスごとに個別の援助計画の作成が必要で，福祉用具においても，福祉用具専門相談員が利用目標を定め，適切な福祉用具を選定し，利用者がその目標に向けて福祉用具を活用した生活を送れるよう福祉用具サービス計画を作成する。また福祉用具サービス計画の作成と基本的な手順と方法は，**図5-2-1**のとおりである。

---

[1] 指定居宅サービス等の事業の人員，設備及び運営に関する基準（平成11年3月31日厚生省令第37号）第199条の2第1項，第214条の2第1項

図5-2-1 福祉用具サービス計画の作成の基本的な手順と方法

手順	方法		多職種連携
アセスメント	・利用者，介護支援専門員等からの相談を受け付ける ・利用者・家族からの聞き取りを行う ・介護支援専門員と連携し，情報を収集する ・住環境の調査を行う		サービス担当者会議への参加 ・利用者の状況等に関する情報共有を行う ・福祉用具サービス計画について説明する ・サービスの調整を行う ・モニタリング結果を受けて計画の見直しを行う
福祉用具サービス計画の記載	・自立支援に資する利用目標の設定を行う ・利用者の生活課題を解決するための福祉用具を選定する（選定理由を明確化する，留意事項を洗い出す）		
福祉用具サービス計画の説明・同意・交付	・利用者・家族に対して，福祉用具サービス計画の記載内容（利用目標，選定理由，全国平均貸与価格，機能や価格帯の異なる複数の商品の提示，貸与・販売の選択対象の福祉用具の説明，留意事項等）を説明する ・利用者の同意を得た計画書の原本を交付する	適宜	
福祉用具サービスの提供	・福祉用具の使用方法，使用上の留意事項，故障時の対応等を説明する		
モニタリングの実施	・心身の状況等の変化や福祉用具の使用状況を把握する ・福祉用具サービスの利用目標の達成状況を確認する ・各機種の今後の方針を検討する ・福祉用具サービス計画の見直しの有無を検討する ・モニタリング結果を介護支援専門員等に報告・共有する		

資料：表5-2-1に同じ，4頁を一部改変。

3 福祉用具サービス計画の意義と目的

福祉用具サービス計画を作成することの意義と目的は以下のとおりである。

1 サービス内容の明確化と情報共有

　利用者や家族との合意の下に福祉用具サービス計画を作成することで，福祉用具の利用目的や選定理由，活用の仕方などが明確になる。利用者にとっては自らが目指す生活を実現するための具体的な内容，福祉用具専門相談員にとっては利用者がより意欲的に自立的な生活を送ることを支援する内容を確認することになる。

　また，計画書として文書化することで，介護支援専門員，他のサービス担当者，利用者，家族間の情報共有や共通理解につなげることができ，多職種協働による連携が促進されるとともに，福祉用具専門相談員にとっても利用者の状態の変化に応じたモニタリングや機種変更がスムーズになる。

2 事故防止・リスクマネジメント

　福祉用具を使用しての転倒やけが等の事故やヒヤリハットの報告は多く，利用者の障害特性や住環境による誤操作，福祉用具の故障・誤作動などその原因は多岐にわたる。福祉用具専門相談員は，利用者ごとに想定されるリスクを勘案しながら，生活状況に最も適した福祉用具を選定する。このリスクを「福祉用具を使用する際の留意事項」として福祉用具サービス計画書に記載し，あらかじめ明確にすることで事故防止につながるほか，リスクマネジメントに役立てることができる。

3 福祉用具専門相談員のスキルアップ

　利用者に対峙して，あるいは他職種から情報収集して利用者の状態像を把握すること，それを整理し文書化することは，多様な知識や技術が求められる。特に，適切な福祉用具を選定するには利用者の生活ニーズと具体的な機種をマッチングすることが必要で，福祉用具の製品ごとの知識が不可欠である。福祉用具専門相談員がこれらの知識の習得に向けて努力することで，商品提案力等の福祉用具専門相談員のスキルアップにつなげることができる。

4 ケアプランと福祉用具サービス計画の関係性

　介護保険では，支援が必要な高齢者の日常生活を支えるために多様なサービスを組み合わせて提供する仕組みで，すべてのサービスがケアプランのもとに提供される。したがって，福祉

用具サービス計画はケアプランに沿って作成されなければならず，ケアプランに記載されている生活上の目標と，その実現を支援するサービスのうち，福祉用具サービスに関する具体的な内容を示したものが福祉用具サービス計画といえる。福祉用具専門相談員は，介護支援専門員と密接に連携を図り，福祉用具の必要性を判断し，福祉用具サービス計画を作成する必要があり，福祉用具の必要性を判断する際の利用者・家族との面談や住環境の調査は，介護支援専門員と同行して行うことが望まれる。

　福祉用具専門相談員は，基本的にケアプランの受領後から福祉用具サービス計画を作成する。ただし，急速に病状が悪化した，あるいは退院に際して急きょ，福祉用具が必要となったケース等においては，介護支援専門員によるケアプランの作成・決定前に，福祉用具の導入の検討が必要になるなど，利用者の状態像や依頼の経緯等によっては手順が前後することがある。このような場合には，ケアプラン原案が示される前に福祉用具専門相談員が収集した情報で暫定的な福祉用具サービス計画を作成し，ケアプラン決定後に必要に応じて福祉用具サービス計画を変更する。

5 福祉用具サービス計画の記載内容

1 利用者の基本情報

　福祉用具サービス計画を作成するうえで，なぜ福祉用具が必要か，どのような福祉用具を選択するべきなのかを判断する根拠が基本情報である。具体的には，医療情報・心身状況・日常生活動作（Activities of Daily Living：ADL）能力，環境情報，家族情報等で，利用者の状態像を記入する。特に，利用者の自立支援につながる福祉用具サービスを提供するためには，本人の思い，家族の思いを把握することが必要である。

2 福祉用具の選定提案

　利用者に貸与する福祉用具の種目の候補が定まった後で，提案するすべての品目（付属品含む）について，①候補となる福祉用具の全国平均貸与価格等を説明し，②機能や価格の異なる複数の福祉用具を提示することが必要となるので，①②に必要な事項を記載する。候補となる福祉用具は，貸与もしくは販売なのかわかるように記載し，自社で取り扱っている商品に限定せず，利用者の状態像や生活における希望を考慮したうえで，利用者に適した商品を幅広く提案する。[2]

3 福祉用具が必要な理由（生活全般の解決すべき課題・ニーズ）

利用者が自立した生活をするうえで福祉用具によって解決できる課題を記載する。

福祉用具の必要性の判断においては、ケアプランとの連続性が大切である。ケアプラン第2表（101頁参照）の「生活全般の解決すべき課題（ニーズ）」のうち、福祉用具サービスに関連する箇所を転記するか、もしくはケアプランに記載された課題（ニーズ）との連続性を念頭におきながら、福祉用具専門相談員による情報収集・分析結果に基づいて記載する。

4 福祉用具の利用目標

福祉用具によって解決できる課題に対して、どのような福祉用具を導入して解決するのか、そしてどのような自立した生活を目指すのかを明確にする。課題（ニーズ）ごとに導入する福祉用具の利用目的と目指す生活について記載するが、利用者にとってわかりやすく、モニタリングで検証するものであることを意識して、記載することが大切である。

目標達成の期間は、ケアプランの連動性の観点から、ケアプラン第2表の短期目標の目標期間に相当するものとする。

5 具体的な福祉用具の種類と当該機種を選定した理由

利用者の状態像（心身の状況、ADL、介護状況、住環境等）や利用目標を踏まえ、福祉用具の機種（型式）を選定した理由を示す。機種（型式）の名称とともに、それぞれに選定した理由を利用者や家族が理解できるように、わかりやすい平易な言葉で具体的に記載する。また、機種ごとにかかる費用である単位数も記載する。

あわせて、モニタリングの実施時期についても記載する。

6 その他関係者間で共有すべき情報・留意事項

利用者、家族、介護支援専門員、他職種が福祉用具を適切に使用するうえで共有すべき情報（福祉用具使用時の注意事項等）を記載する。一義的には利用者と家族のための情報であり、

▶2 ・一般社団法人全国福祉用具専門相談員協会「平成30年度介護保険制度改正対応 ふくせん版『福祉用具サービス計画書』『モニタリングシート』」http://www.zfssk.com/sp/1204_monitoring/index.htm（2018年4月5日確認）
・一般社団法人全国福祉用具専門相談員協会「令和6年度介護報酬改定に伴うふくせん福祉用具サービス計画書への対応」https://www.zfssk.com/sp/1204_monitoring/r6_document.pdf（2025年1月17日確認）

口頭で説明するだけでなく，文書で繰り返し確認ができるように，計画書に記載するものである。重要事項説明書や各機種の取扱説明書等に記載のあるものを単に転記するのではなく，利用者の状態像や利用場所等の環境に応じて特に発生し得るリスクを明らかにし，記載する。

6 福祉用具サービス計画作成のポイント

❶ 基本情報

> **作成のポイント**
> ・基本情報の様式を用いて，福祉用具サービスの提供にあたり必要となる利用者に関する情報を収集，整理することで，利用者の課題やニーズの分析につなげることができる。ケアマネジャー等から提供される情報等をもとに，利用者やその家族等からの聴き取りなど独自に情報収集を行う場合がある。実際に自宅にうかがい間取りや家具の配置などを確認することも重要である。

A 要介護度・認定期間：
介護保険情報は，介護保険被保険者証や居宅サービス計画（ケアプラン）から転記する。

B 相談内容：
誰からどういった経緯で相談の依頼があったのかを記載する。ケアマネジャーだけでなく，家族や本人，病院の医療ソーシャルワーカーからの相談の場合もあるのでそれを記載する。ケアマネジャーとはケアプランとの連動・連携のため連絡を取り合うが，その際の内容を別途ケアマネジャーとの相談記録に記載する。

C 身体状況・ADL：
利用者の身体状況・ADL（日常生活動作）は利用目標や選定理由，留意点を設定していく主要な根拠となる部分であり，とても重要である。疾病，麻痺，障害日常生活自立度，認知症の日常生活自立度も重要な情報となる。その他，必要な情報があれば特記事項に記載する。

D 介護環境：
主介護者や連携していくケアチームの情報，また現在使用（または所持）している福祉用具について記載する。福祉用具を使用する環境や現状を理解しておくことは重要である。

E 意欲・意向等：
福祉用具が必要な理由や利用目標に直結する，利用者がどのような意欲をもっているか，利用者が抱える課題や意向を把握する重要な項目である。

F 居宅サービス計画：
ケアプラン第1表に記載されている項目を転記し，支援の基本的な方向性を確認する。

第2節　福祉用具による支援プロセスの理解・福祉用具貸与計画等の作成と活用

G 住環境：

福祉用具専門相談員の専門性が発揮されるアセスメント項目であり、生活場面を理解しながらケアの動線を想定する際などに重要になる。見取り図など必要があれば添付するとよい。

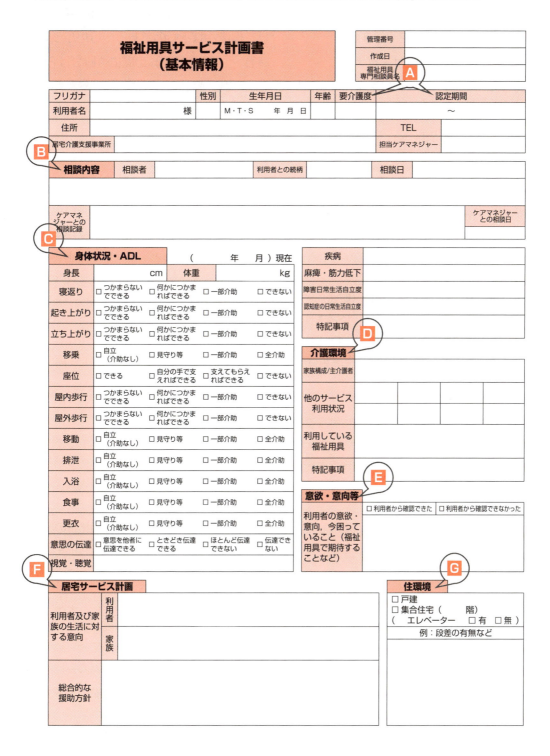

❷ 選定提案

> **作成のポイント**
> ・選定提案は利用者から相談内容を聴き取ったうえで，候補となる福祉用具を利用者に提案，説明し，その経過を記録することを目的として作成されるものである。したがって，選定提案は，福祉用具サービス計画書（基本情報）と（利用計画）の間に位置づけられる。質の高い貸与サービスを提供するために利用者自らが選択できる的確な情報提供に努め，福祉用具専門相談員としての知見を十分に発揮し，利用者に適した商品を幅広く提案することが望まれる。

A 福祉用具が必要な理由：
ケアプランに示されている「生活全般の解決すべき課題（ニーズ）」を転記することが想定されるが，ケアプランができていない段階で作成する場合は，利用者からの相談内容やケアマネジャーからの依頼内容を踏まえ，利用者が困っていること，望んでいる生活の内容などを整理して福祉用具が必要な理由を記載する。

B 種目／提案品目（商品名）／機種（型式）／TAIS・届出コード：
種目：福祉用具貸与の13種目の種目名を記載する。
提案品目（商品名）：候補として提案する福祉用具の品目や商品名を記載する。
機種（型式）／TAIS・届出コード：提案する福祉用具の機種の型番と，当該機種のTAIS・届出コードを記載する。

C 貸与価格（円）：
候補として記載した機種の各事業所における貸与価格を記載する。

D 全国平均貸与価格（円）：
候補として記載した機種の全国平均貸与価格を記載する。
＊厚生労働省が公表するデータを用いる。

E 提案する理由：
利用者の希望・困りごと，利用する環境などに着目し，利用者に候補となる機能や価格帯の異なる複数の商品や貸与価格を説明することが求められているので，着目した事柄とそれに対応する機種の特徴，機能を記載する。

〈注意点〉
①原則として，車いす付属品，特殊寝台付属品も複数提案を行う対象となる。ただし，本体（車いす，特殊寝台）によって，付属品が1機種に定まる場合には，本体の候補を複数提案し，それらの付属品が1機種に定まることを記載する。
②利用者の状況やニーズに適応した機種が一つしかなく，他に候補となり得る機種が存在しない場合は，その機種しかないこと，その機種が利用者に適した福祉用具である理由を記載する。

F 説明方法：
候補となる機種やその機種の貸与価格（円）・全国平均貸与価格（円），提案する理由を利用者に説

明する際に用いた方法を記載する。記載例として，カタログや電子媒体による商品Webページ，TAISページを用いた説明，実物を用いたデモによる説明等がある。

G 採否：
候補の機種が貸与品目として決定したかどうかを記載する。実際に，決定した商品がわかるように，○／×での区別や，決定した機種に✓点をつけるなどの記入方法がある。

❸利用計画

> **作成のポイント**
> ・利用計画は，指定基準に定められた福祉用具貸与計画に該当するものであり，「利用目標」「目標を達成するための具体的なサービス内容」「福祉用具の機種と当該機種を選定した理由」「関係者間で共有すべき情報」等を記載する。利用目標とサービス内容について利用者と認識を合わせるための重要な項目となるので，わかりやすい表現を心がける。
> また，留意事項には，誤操作や誤使用による事故を未然に防ぐための安全利用に関する情報等を記載する。

A 生活全般の解決すべき課題・ニーズ（福祉用具が必要な理由）：
原則，ケアプラン第2表の「生活全般の解決すべき課題（ニーズ）」の福祉用具サービスに該当する部分を課題ごとに転記する。ただし，具体的に記載されていない場合や細分化されていない場合には個別に作成してケアマネジャーにフィードバックし，ケアプランと連動・連携するよう連絡調整する必要がある。

> 具体的な表現例として
> ・〔身体的な状況〕や〔環境〕で，〔生活場面〕〔動作〕が困難なので福祉用具が必要
> ・〔身体的な状況〕や〔環境〕で，福祉用具を使って〔生活場面〕〔動作〕したい・できるようになりたい（本人の表現を大切にしながら記載すること）
> 例：下肢筋力の低下で，外出時の歩行が困難なので福祉用具が必要
> 　：足に力が入らず歩けないので，福祉用具を使って外出して買い物に行きたい

B 福祉用具利用目標：
Aで設定した課題・ニーズごとに対応するケアプラン第2表の「長期目標」「短期目標」「サービス内容」をもとに利用目標を設定する。特に福祉用具導入は即効性があるため「短期目標」を中心にしながら設定する。「短期目標」の期間が福祉用具サービス計画の評価・モニタリング期間に相当すると考えられる。

> 具体的な表現例として
> ・〔誰〕が，この〔品目〕を〔使って〕，〔生活場面〕の〔この動作〕をできるようにする
> 例：ご本人が車いすを使って，外出時の一人での移動をできるようにする

C サービス種目（貸与・販売）：
貸与・販売の選択制対象種目では貸与と販売の両方が可能となることから，サービス種目には貸与と販売を区別して記載する。
例：歩行器貸与／歩行器販売，スロープ貸与／スロープ販売等

D 機種名・選定理由：
Bで設定した利用目標の〔品目〕ごとに，その品目のなかからアセスメント情報を分析し，利用者と環境の個別性に適合した「機種」を選定し，その選定理由を記載する。

具体的な表現例として
・（利用者の）〔状態〕と（環境の）〔条件〕なので，〔機能〕〔特性〕を活かした〔機種〕を選定
例：立ち座りが困難で，ベッドから座ったまま乗り移りができる肘掛け跳ね上げ機能と足乗せが外せて，スイングアウト機能を有した車いす○○○○を選定

E TAIS・届出コード：
ケアプランデータ連携システムへの対応として，選定した福祉用具ごとの TAIS・届出コードを記載する。

F 留意事項：
誤操作・誤使用なく適切に安全に使用してもらうために，利用者をはじめケアチーム内で共有しておきたい留意点について記載する。個別性に照らした留意点についてはアセスメント情報からも想定できるので活用すること。
留意事項に記載すべき内容として次の四つが考えられる。
　①適切な利用方法についての留意事項
　②アセスメントを活用し個別性に配慮した留意事項
　③誤操作・誤使用などによる事故を予防するための留意事項
　④多用による劣化・不具合など，異変がある場合の発見とメンテナンスを促すための留意事項

G 同意署名欄：
福祉用具サービス計画書の同意を得る際には，貸与・販売の選択制対象の福祉用具に関する説明と選択に必要な情報提供と提案を行ったことや，選定提案を用いて，全国平均貸与価格等の説明と貸与の候補となり得る機能や価格の異なる複数の機種を提案・説明を行ったことを踏まえて，利用計画の内容を説明し，利用者に確認してもらう。同意が得られたら同意欄のそれぞれの□に✓をつけ，同意を得た日付，利用者本人の署名をしてもらう。本人が署名することが難しければ，家族等に代理で署名してもらう。

H 次回モニタリング：
利用者の希望や置かれている環境，疾病，身体状況および ADL の変化等は個人により異なるものであり，福祉用具貸与のモニタリングを適切に実施し，サービスの質の向上を図る観点から，福祉用具貸与計画の実施状況の把握（モニタリング）を行う時期を記載する。なお，必ずしも確定的な日付を記載する必要はなく，「何年何月頃」や「何月上旬」等の記載が想定されている。

福祉用具サービス計画書（利用計画）

管理番号	

フリガナ		性別		生年月日		年齢		要介護度		認定期間	
利用者名	様			M・T・S 年 月 日						～	
居宅介護支援事業所								担当ケアマネジャー			

A **B**

※	生活全般の解決すべき課題・ニーズ （福祉用具が必要な理由）	福祉用具利用目標
1		
2		
3		
4		

選定福祉用具 （ ／ 枚）

C **D**

※との対応	サービス種目(貸与・販売)	単位数	選定理由
	機種名		
	型式	TAIS・届出コード	

E

（複数行の記入欄）

F 留意事項

G
- □ 私は，貸与・販売の選択制対象の福祉用具に関する説明，及び選択に必要な情報の提供と提案を受けました。
- □ 私は，貸与の候補となる福祉用具の全国平均貸与価格等の説明を受けました。
- □ 私は，貸与の候補となる機能や価格の異なる複数の福祉用具の提示を受けました。
- □ 私は，福祉用具サービス計画の内容について説明を受け，内容に同意し，計画書の交付を受けました。

日付	年 月 日
署名	
（続柄）代筆者名	（ ）

事業所名		福祉用具専門相談員		次回モニタリング	年 月 日
住所		TEL		FAX	

H

7 モニタリングの意義と方法

1 モニタリングの意義・目的

　福祉用具専門相談員は，福祉用具サービス計画の作成後，福祉用具サービスの実施状況の把握（モニタリング）を行い，必要に応じて福祉用具サービス計画の変更を行う。モニタリングの意義・目的は以下のとおりである。

● モニタリングの意義・目的

- 福祉用具サービス計画に記載した利用者目標の達成状況を検証する。
- 当初計画したとおり，福祉用具が適切に利用されているかを確認する。
- 心身の状況変化等に伴う新たな利用者のニーズを把握する。
- 福祉用具の点検（機能，安全性，衛生状況等）を行い，必要に応じてメンテナンスを行う。
- 福祉用具の誤った利用や誤操作による事故やヒヤリハットにつながる可能性が想定されるところは再度注意を喚起する。

表5-2-2　心身の状況等に関する変化の把握事項

項目	詳細（例）
身体状況・ADLの変化	・身体機能の改善によって，福祉用具を利用せずに動作ができるようになっていないか。 ・身体機能の悪化によって，当該福祉用具では動作ができなくなっていないか（別の福祉用具が必要ではないか）。
意欲・意向等の変化	・利用者の生活意欲等の変化によって，福祉用具が適合しなくなっていないか。 ・福祉用具に関して利用者からの要望はないか。
家族構成，主介護者の変化	・家族構成や主介護者の介護力等が変化していないか。 ・福祉用具に関して，家族からの要望はないか。
サービス利用等の変化	・サービス利用等の状況（外出機会，入浴回数等）によって，福祉用具が適合しなくなっていないか。
住環境の変化	・福祉用具を利用する居室等の住環境が変化し，福祉用具が適合しなくなっていないか。
利用状況の問題点	・当初の想定どおりの頻度で福祉用具が利用されているか（そのときに応じて，一定の時刻・一定の時期に，常時等）。 ・使い方に不明点等はないか。 ・誤った使い方や，事故・ヒヤリハット等は発生しなかったか。
福祉用具のメンテナンス状況	・福祉用具は，正常に動作しているか。 ・修理等が必要な箇所はないか。

資料：表5-2-1に同じ，34頁を一部改変。

福祉用具専門相談員にとってモニタリングで最も大切なことは，福祉用具を操作機能性と安全性の視点から点検することである。操作機能性とは，例えば特殊寝台では，スイッチが押しやすいか，スイッチを操作すると利用者が意図したとおりに，背上げや高さなどが調整されるか，機能するか否かを確認することである。安全性とは，利用者を傷つける危険性が生じてないかを判断することで，部品の劣化や汚れが生じていないかなどを確認する。

2　モニタリングの方法と把握事項

　モニタリングは，実際に利用者宅に訪問し実施することが基本である。福祉用具サービス計画作成時に収集した情報について，変化が生じていないかを聴き取りにより把握する。
　定期的な訪問とともに，福祉用具の使用状況に変化があればすぐに連絡がもらえるよう，利用者のみならず訪問介護や訪問リハビリテーションなどのスタッフと信頼関係を構築し，連絡を受けたら早急に対応できる事業所の体制がとられていることが必要である。

3　福祉用具の交換・追加のタイミング

　福祉用具の交換・追加のタイミングと留意点を，利用者の生活機能の変化に着目して示す。利用者の状態像に変化が生じる時期は，①身体機能の改善等に伴う生活機能向上期，②生活機能維持期，③身体機能低下等による生活機能下降期に大別される。利用者がどのような時期にあるのかを確認し，モニタリングの時期の目安とし，身体機能の変化（向上や低下）に伴う，安全で効果的な福祉用具との適応状態を見きわめることが重要である。

●生活機能向上期
　脳卒中などの急性発症疾患では，退院後にも身体機能の改善向上がみられ，自宅で生活環境に適した生活動作を獲得する。また，腰痛や肺炎などをきっかけとした臥床による廃用性の機能低下は，適切な機能訓練等を実施することにより徐々に活動性が向上する。このように生活機能が向上する時期は，身体と生活の変化を把握して，段階的な福祉用具の変更を行う。

●生活機能維持期
　利用者の状態に応じた福祉用具が選定され，生活のなかで福祉用具の利用が定着して生活が安定した時期である。心身機能に変化はないが，使い慣れるにつれて福祉用具の使い方が自己流になってしまう場合がある。現行の使い方や使い勝手を聴き取るなかで，誤った使い

方がされていないかなど，注意を喚起することが大切である。また，居室の変更や転居といった利用者を取り巻く住環境が変化する場合は，再度，適応性を検討する必要がある。

　この時期では，部品の故障や消耗・劣化などの福祉用具側の要因に伴って福祉用具の交換が行われる。福祉用具の保守点検をしっかり行って，事故防止に留意するとともに，福祉用具の仕様が向上した新製品への更新なども検討する。

●生活機能下降期

　疾病の再発や進行，廃用症候群などが原因で移動能力が低下したり，介護者の体調の変化によって介護力が低下する場合，移動が制限されてさらなる生活障害が生じる。できる限り生活の広がりを維持することが生活の質（Quality of Life：QOL）を維持するためにも重要で，状況に即応した福祉用具の交換・追加を行う。

4　利用目標達成度の評価と福祉用具サービス計画の見直し（計画変更）

　福祉用具専門相談員は，前段において把握した情報を総合的に勘案し，利用目標に記載された福祉用具が適切に利用されているかを確認して，その目標が達成されているかを評価する。そして，モニタリング結果を介護支援専門員に報告・協議し，必要に応じて福祉用具サービス計画の見直しを行う。介護支援専門員は，サービス担当者会議を開催し，他のサービスとともに福祉用具サービスを見直すことの必要性について検討する。福祉用具のモニタリングは，利用者状況の変化を捉えることになるため，ケアマネジメントにおける福祉用具専門相談員の担う役割は大きい。

8 モニタリングシート作成のポイント

> **作成のポイント**
> ・福祉用具の適時・適切な利用，利用者の安全を確保する観点から，利用者の心身の状況等の変化や福祉用具の利用状況を踏まえた利用目標の達成状況と福祉用具貸与計画の見直しの必要性を記載する。また，モニタリング結果は記録し，その記録をケアマネジャー等に交付する。

A 福祉用具利用目標：
福祉用具サービス計画書の「福祉用具利用目標」を転記する。

B 目標達成状況：
利用目標の達成状況を確認，評価し，その状況の詳細を記載する。福祉用具サービスが提供されるのはこの利用目標の達成のためであり，その達成状況を評価することはとても重要である。

C 利用状況の問題・点検結果：
それぞれの機種ごとに，メンテナンスを行った際の確認状況を「点検結果」にチェックする。またメンテナンスに支障がなくとも，誤使用や，導入したが目標が達成されてすでに使用していないなど，利用状況に問題・変化がある場合には「利用状況の問題」にチェックする。

D 今後の方針・再検討の理由等：
Cのチェック結果によって，今後の方針を再検討する必要があれば「再検討」にチェックし，その理由について記載をする。特に問題がない場合は「継続」にチェックする。

E 利用者等の変化：
福祉用具サービスを導入することによってさまざまな変化が生じる。それを以下の四つの観点から検証し記載する。

1) **身体状況・ADL の変化**：基本情報の「身体状況・ADL」の項目に沿った状況について変化が生じたかをチェックする。改善されている場合も低下している場合も，今後の再検討に有用な情報になるので記載する。
2) **意欲・意向等の変化**：利用者の意欲や気持ちの変化もとても重要なモニタリング項目となる。意欲・意向の変化を聴き取る際には，特に当事者への配慮や関係構築がなされているかが重要である。
3) **介護環境①（家族の状況）の変化**：家族やキーパーソンの様子の変化について記載する。介護負担の軽減など介護者の状況改善も福祉用具サービスの重要な目的の一つであり，家族を支援し，利用者の自立を促進するためにも重要である。
4) **介護環境②（サービス利用等）・住環境の変化**：ケアチームの他のサービスの利用や住環境の変化について記載する。新しいサービスや変更に応じて福祉用具の変更も検討する必要が生じる場合もある。

F 総合評価：
モニタリングの総合的な評価結果として福祉用具サービス計画の見直しの必要があれば具体的に記載する。不具合や調整だけでなく，目標達成による見直しの必要も当然あり，その必要性に合わせて記載する。また，継続についても特記すべきことがあれば記載する。これがケアマネジャーへのフィードバックのベースとなる。

G 次回モニタリング：
利用者の希望や置かれている環境，疾病，身体状況およびADLの変化等は個人により異なるものであり，福祉用具貸与のモニタリングを適切に実施し，サービスの質の向上を図る観点から，福祉用具貸与計画の実施状況の把握（モニタリング）を行う時期を記載する。なお，必ずしも確定的な日付を記載する必要はなく，「何年何月頃」や「何月上旬」等の記載が想定されている。

モニタリングシート（利用状況確認書）

管理番号		（ ／ 枚）
モニタリング実施日		年　月　日
前回実施日		年　月　日
お話を伺った人	□利用者　□家族　□他（　　）	
確認手段	□訪問　□電話　□他（　　）	
事業所名		
福祉用具専門相談員		
事業所住所		
TEL		

フリガナ		居宅介護支援事業所		担当ケアマネジャー	
利用者名	様	要介護度		認定期間	

A

※	福祉用具利用目標	目標達成状況	
		達成度	詳細
1		□達成　□一部達成　□未達成	
2		□達成　□一部達成　□未達成	
3		□達成　□一部達成　□未達成	
4		□達成　□一部達成　□未達成	

B

※との対応	利用福祉用具（サービス種目）機種（型式）	利用開始日	利用状況の問題	点検結果	今後の方針	理由等　※選択制対象種目の検討含む
			□なし □あり	□問題なし □問題あり	□継続 □再検討	
			□なし □あり	□問題なし □問題あり	□継続 □再検討	
			□なし □あり	□問題なし □問題あり	□継続 □再検討	
			□なし □あり	□問題なし □問題あり	□継続 □再検討	
			□なし □あり	□問題なし □問題あり	□継続 □再検討	
			□なし □あり	□問題なし □問題あり	□継続 □再検討	
			□なし □あり	□問題なし □問題あり	□継続 □再検討	
			□なし □あり	□問題なし □問題あり	□継続 □再検討	

C **D**

利用者等の変化

身体状況・ADLの変化	□なし □あり	介護環境①（家族の状況）の変化	□なし □あり
意欲・意向等の変化	□なし □あり	介護環境②（サービス利用等）住環境の変化	□なし □あり

E **F**

総合評価

福祉用具サービス計画の見直しの必要性	□なし □あり	

	次回モニタリング	年　月　日

G

参考文献

　一般社団法人全国福祉用具専門相談員協会『平成25年度老人保健事業推進費等補助金福祉用具専門相談員の質の向上に向けた調査研究事業報告書』2014年。

　渡邉愼一『状態像等に合った移動支援用具の選定マニュアル』一般社団法人日本福祉用具供給協会，2011年。

参考資料

　一般社団法人全国福祉用具専門相談員協会　https://www.zfssk.com/

総合演習

第1節 事例演習を進める際の要点

　総合演習は，福祉用具サービスを提供する手順について，指定講習での学びを総合的に活用して，事例に基づいて具体的かつ実践的に演習を行い，実際のサービスにつなげていくための重要な学びとなる。その事例演習を進めていく際の要点を以下にあげる。

1．多角的な視点から情報を収集・分析しアセスメントできているか

　アセスメントを行う際には，ケアプラン（居宅サービス計画）の基本情報や個々に収集する専門的情報を必要に応じて収集し，それを多角的な視点から全人的に利用者の課題・ニーズを分析して導き出せているかを確認する。

2．ケアプランとの連動・連携を意識した計画の項目を設定できているか

　マスタープランであるケアプランとの連動・連携を意識し，特に福祉用具の必要な理由や利用目標に関しては福祉用具の専門家としての視点も踏まえつつ，ケアマネジャー（介護支援専門員）にフィードバックすることでケアプランの具体化，そして充実も念頭におきながら各項目を設定することが重要である。

3．具体的な自己実現がイメージでき，達成状況評価の指標になる利用目標になっているか

　利用目標は，ケアプランの短期目標・長期目標とリンクし，かつ利用者にとって自らの自己実現のための指標となるものである。また，モニタリングにおける達成状況評価の指標となるため，その設定はとても重要である。

4．一つの機種選定について計画が一連のプロセスとなっているか

　計画の意図を明確にするには，一つの機種選定について根拠や計画の項目が混在しわかりにくくならないよう，「必要な理由＞利用目標＞選定理由＞留意点」が一連のプロセスとして捉えられる書き方をすると，計画が整理されわかりやすく，また説明もしやすくなる。

5．読み手を意識した表現になっているか

　福祉用具サービス計画を作成する際，表現については，読み手である利用者・家族・介護者（ケアチームの専門職を含む）を意識した，誰もがわかりやすく共有しやすい表現を心がける。

6．利用者・家族への説明とサービス担当者会議の情報ツールとして活用できる計画の作成

　福祉用具サービス計画書はサービス提供の根拠であり，その利用者・家族・介護者（ケアチームの専門職を含む）との情報共有のためのツールともなる。その活用を意識した作成を行う。また，演習ではそれを説明するためのコミュニケーション能力を養うことも重要である。

7．モニタリングでサービス提供後の目標達成状況の評価を行いフィードバックする

　モニタリングは計画の目標達成状況の評価としてとても重要であり，かつ福祉用具が適切に使用されているか，支障が発生していないか確認するメンテナンスとしても重要である。それをケアマネジャーはじめケアチームにフィードバックすることで計画のより一層の充実が図られることも意識して行う。

　福祉用具サービス計画作成に関しては個別で演習を行うが，個々の作成内容の比較検討やアセスメントの情報収集場面，サービス担当者会議場面，福祉用具サービス計画の説明場面，モニタリング場面などはロールプレイなどグループで行うと効果的である。

第2節　事例演習

事例1　脳梗塞の後遺症があり，夫婦二人暮らしの夫

❶ 事例のあらまし

> 脳梗塞で自宅で倒れ緊急入院し，加療後まもなく退院する75歳の男性。身長168cm，体重55kg。
>
> 2歳年下の妻と二人暮らしで，他県に娘家族がいる。
>
> 左側の上下肢に麻痺があるが，入院中のリハビリで拘縮は軽度。言語に障害はみられない。寝返りや起き上がりは，ベッドサイドレールに右手でつかまってできる。立ち上がりは高さがあれば立ち上がれるが，一部介助が必要である。座位は安定している。歩行はつえを使ってリハビリをしている。長い距離では車いすを使用している。食事や排泄，更衣は状態によって一部介助が必要なときがあるが，見守りがあればほぼ一人でできる。右目は白内障があるが軽度。病院内では介護用ベッド，ロフストランドクラッチ，車いすを使用している。
>
> リハビリを行い状態が安定してきたことと，在宅への復帰の希望もあり，今回10月28日に退院となる。
>
> 10月18日，福祉用具事業者にはケアプランを担当するケアマネジャーから「介護用ベッドやつえなど，自宅の環境を整備してほしい」との相談があった。退院に向けた調整会議を開催するので，ご本人の状態とご自宅の状況を合わせてアセスメントし，会議で福祉用具サービス計画素案を提案してほしい。

❷ プロフィール（ケアプラン基本情報・その他必要な情報）

- **ケアプラン情報**
- 《第1表》《第2表》
- ※485，486頁参照
- **その他必要な情報**
- ・障害日常生活自立度：A1
- ・認知症の日常生活自立度：自立
- ・本人の意欲，意向等：自宅に帰ったら，できる限り自分のことは自分でやりたい。妻と一緒に買い物や散歩に出かけたい。ゆっくり一人でシャワーを浴びたい。
- ・住環境：集合住宅3階，エレベーターあり。分譲住宅で数年前バリアフリー設計にリフォームをした。廊下などの段差はない。玄関上り框段差2cm。トイレは洋式でL字手すりが付いていて，引き戸。浴室は洋バスだが，本人は普段よりシャワー浴中心。リビングでいすと机の生活。

第2節　事例演習

第1表

居宅サービス計画書(1)

作成年月日　令和6年10月20日

(初回)・紹介・継続　　(認定済)・申請中

利用者名	A　殿
生年月日	○○年○○月○○日
住所	○○県○○市○○町×－×－×
居宅サービス計画作成者氏名	B
居宅介護支援事業者・事業所名及び所在地	○○居宅介護支援事業所
居宅サービス計画作成(変更)日	令和6年10月20日
初回居宅サービス計画作成日	令和6年10月20日
認定日	令和6年9月20日
認定の有効期間	令和6年8月25日　～　令和8年2月28日

要介護状態区分	要介護1　・　(要介護2)　・　要介護3　・　要介護4　・　要介護5
利用者及び家族の生活に対する意向を踏まえた課題分析の結果	本人：入院中、妻に負担と心配をかけたので、退院したらできる限り自分のことは自分でやりたい。 妻：リハビリをして自分でできることは増えてきたが、自分一人で夫を介護するのは心配。サービスを使って一緒に支えてもらいたい。
介護認定審査会の意見及びサービスの種類の指定	特になし
総合的な援助の方針	8月18日に脳梗塞で入院されて以来、積極的にリハビリにも励まれて、状態も安定してきたので今回退院することになりました。奥様と二人暮らしの生活に戻るために、自分でできることは自分でしてもらえるよう、生活環境の整備を行います。奥様の介助のサポートができるよう訪問介護で在宅生活を支援していきます。また、リハビリを継続的に行うために通所リハビリテーションに通って、より機能回復を図ります。
生活援助中心型の算定理由	1.　一人暮らし　　2.　家族等が障害、疾病等　　3.　その他（　　　　）

第2表 ※福祉用具サービスに該当するところのみ抜粋

作成年月日　令和 6 年　10 月　20 日

居宅サービス計画書(2)

利用者名　A　殿

生活全般の解決すべき課題（ニーズ）	目標				援助内容				
	長期目標	期間	短期目標	期間	サービス内容	※1	サービス種別	頻度	期間
居室で自分で寝起きができるようになりたい	寝起き以外はリビングなどで家族と過ごせるようにする	令和6/8/25 ~ R8/2/28	自分一人で寝起きと立ち座りが安定してできるようにする	R6/8/25 ~ R6/12/31	(サービス内容) 特殊寝台貸与 特殊寝台付属品貸与 (本人や家族がしていること・できていること)		福祉用具貸与	毎日	R6/8/25 ~ R6/12/31
自宅内で自分で歩いて安全に移動ができるようになりたい	自宅内や庭など、自分の好きなときに自由に移動ができて、家事などを手伝えるようにする	R6/8/25 ~ R8/2/28	一人で自宅内を歩いて移動できるようにする	R6/8/25 ~ R6/12/31	(サービス内容) 歩行補助つえ販売 (本人や家族がしていること・できていること)		福祉用具販売	毎日	R6/8/25 ~ R6/12/31
長い距離を歩くのが困難なため、外出する際は福祉用具を利用したい	移動先では車いすを降りて、歩いて移動できるようにする	R6/8/25 ~ R8/2/28	介護者が介助して一緒に買い物や散歩、通所などの外出ができるようにする	R6/8/25 ~ R6/12/31	(サービス内容) 車いす貸与 (本人や家族がしていること・できていること)		福祉用具貸与	毎日	R6/8/25 ~ R6/12/31
入浴の際、洗い場で自分で体を洗えるようになりたい	入浴前後の準備や片付けも自分でできるようにする	R6/8/25 ~ R8/2/28	自分でゆっくりとシャワーを浴び、体を洗えるようにする	R6/8/25 ~ R6/12/31	(サービス内容) 入浴補助用具販売 (本人や家族がしていること・できていること)		福祉用具販売	毎日	R6/8/25 ~ R6/12/31

※1「保険給付対象となるかどうかの区分」について、保険給付対象サービスについては○印を付す。
※2「当該サービス提供を行う事業所」について記入する。

❸この事例のポイント

●基本情報●（※作成例は499頁参照）

・相談内容

最初の相談者がケアマネジャーなので、「相談内容」は連絡があった大元の内容、「ケアマネジャーとの相談記録」はその内容の内訳（詳細）と区分して記載する。

・身体状況・ADL

どの項目も重要だが、コミュニケーション（意思の伝達、視覚・聴覚）の情報は利用者との今後のやりとりをしていくための重要な情報となる。また、現疾患や麻痺・筋力低下の状況も導入時の情報としてだけでなく予後を見立てるためにも重要な情報となる。

・介護環境

入院中に使用している福祉用具の情報は在宅に移行するために重要な情報となる。使い慣れているものがいいか、さらに新しい機能などが必要かなど分析できる。

・意欲・意向等

本人の家族への思いや、「ゆっくり一人でシャワーを浴びたい」など、とてもしっかりした意欲・意向があるのでそれをきちんと記載し、計画に反映できるようにする。

・居宅サービス計画

ケアプラン第1表を転記する。

・住環境

バリアフリー化が済んでいることと、浴室内の状況など生活動線について記載する。

●選定提案●（※作成例は500頁参照）

・福祉用具が必要な理由

ケアプランに示されている「生活全般の解決すべき課題（ニーズ）」を転記することが想定されるが、ケアプランができていない段階で提案する場合は福祉用具専門相談員が事前にケアマネジャーや利用者から聴き取った相談内容、困りごとを整理して記載する。
この事例において、ケアプランが示されていない場合、本人の意欲・意向で「自宅に帰ったら、できる限り自分のことは自分でやりたい」という意向に着目して記載する。「『できる限り自分のことは自分でやりたい』ことから自分で寝起きができるように特殊寝台を利用します」と記載できる。

・貸与価格

各貸与事業所ごとの候補となる機種の貸与価格を記載する。

・全国平均貸与価格

厚生労働省が提示する当該機種の全国平均貸与価格を記載する。

・提案する理由

福祉用具が必要な理由欄で利用者の希望・困りごとを把握したうえで、利用環境などに着目し、候補の機種を提示し、機種の機能を説明する目的から着目した事柄と機種の特徴、機能を記載する。

・説明方法

複数提示した機種やそれらの機能，特徴，貸与価格と全国平均貸与価格を説明する際に用いた説明方法を記載する。

・採否

複数提示した結果，実際に貸与することが決まった商品がわかるように記載する。

例：○／×／✓

●利用計画● （※作成例は501，502頁参照）

・生活全般の解決すべき課題・ニーズ

ケアプラン第2表から転記。

・福祉用具利用目標

ケアプラン第2表の短期目標をベースにしながら，長期目標や意欲・意向を反映させて記載する。特に本人の意向として「一人で」「自分で」できるようになりたいという目標が明確なので，それを盛り込む。また外出に関しては単なる外出ではなく「奥様と一緒に買い物や散歩」ができるようになりたいという具体的かつ肯定的な部分を大切にする。また入浴では「ゆっくりと」というプラスの感情（快適さ）につながる表現を大切にして記載すると，福祉用具を使う効果と期待が具体的にイメージでき，意欲の喚起につながっていく。

・選定理由

本人の能力を自身でより意識できるよう「右手で」など具体的にどう使用するかを記載する。また機能や特性を説明する場合に専門用語などを極力わかりやすい言葉に言い換えるなどして，その根拠が理解してもらえる工夫をする。

・留意事項

事故やけがが起きないような注意喚起と，介助バーや車いすなどを使用していくなかで起こり得るメンテナンスの必要性と，その際の対応について明文化しておくと使用状況などをこまめに連絡してもらえるようになる。また，選択制対象種目が位置づけられる際に，貸与・販売を選択したプロセスを記載することも有用である。

●モニタリングシート● （※作成例は503頁参照）

・目標達成状況

何が実現，達成されたかを具体的に記載するよう心がける。さらにその目標を越えた主体性が感じられるエピソードがあれば，それを記載しておくことで長期目標や次の目標設定に役立つ。

・総合評価

サービス提供の効果が計画作成者にとっても実感できる部分になるので，主観が入ってもよいので見て聞いて触れて感じたことを言語化できるよう心がける。同時にケアマネジャーへのフィードバックの内容もここに記載すると自身の整理となる。

※福祉用具販売については，売り切り型サービスであるため，モニタリングや見直しの検討をする必要はないとされている。ただし，選択制対象種目の福祉用具販売においては，利用目標の達成状況を確認することが義務づけられていることから，任意の様式を用いて記録することが求められている。利用者の求めと

必要性に応じ，アフターサービスやメンテナンスを行うことは，福祉用具貸与と変わらないサービス提供事業者としての責任であるということを忘れてはならない。

事例2 一人暮らしで外出する機会がなく生活が困難になってきた人

❶事例のあらまし

> 肺気腫，狭心症を患いながら自宅で一人暮らしをしている74歳の男性。身長165cm，体重50kg。
>
> 妻は5年前に他界，子どももなく，兄弟も他界しているため親戚付き合いもない。
>
> 以前より介護保険を利用しており，今回更新して要介護1から2に変更となった。訪問介護と訪問看護，通所介護を利用していたが，体力の低下と気持ちの落ち込みもあり，状態が低下し廃用症候群が進行している。外出意欲も低下してしまい，本人の強い意向で，通所介護は現在休止中。自宅内でも折りたたみの簡易ベッドで過ごすことが増え，下肢筋力の低下で立ち上がりが困難になってきている。立位を取れば歩けるが，不安定で足取りも重い。奥様の使っていた木製T字つえをたまに使用しているが，サイズが短く不安定である。
>
> 寝返り起き上がりは何かにつかまればできる。立ち座りは体調によって介助が必要な場合が増えてきている。その結果，移乗も一部介助が必要な状況である。座位は自分で支えてできる。外出は本人の拒否もあり困難。排泄は自分でできるが見守りが必要。入浴は訪問介護で一部介助。食事は自分で食べられるが小食になってきた。着衣は座って自分でできるが見守りが必要。コミュニケーションは特に問題なし。
>
> 認定が出た後，9月25日に担当ケアマネジャーからベッドの導入と歩行器などの提案をしてほしいと依頼。

❷プロフィール（ケアプラン基本情報・その他必要な情報）

> **ケアプラン情報**
> 《第1表》《第2表》
> ※490，491頁参照
>
> **その他必要な情報**
> ・障害日常生活自立度：A2
> ・認知症の日常生活自立度：Ⅰ
> ・本人の意欲，意向等：最近やる気がでなくてしんどい。家からあまり出たくない。でも家の中のことは人にあまり世話になりたくないので，使えるものがあったら使いたい。寝苦しいのでベッドを変えたい。
> ・住環境：公営住宅の1階。居室（6畳）と台所（6畳），寝室（6畳）。トイレは洋式で，浴室は洋バスで洗い場含め2畳程度。現在は居室に簡易ベッドを置いて寝起きしている。ベランダがあり，天気がよく体調のよいときはここで一服をしている。

第1表

居宅サービス計画書(1)

作成年月日　令和6年　9月　26日

初回 ・ 紹介 ・ ○継続○　　○認定済○ ・ 申請中

利用者名　A　殿　　生年月日　○○年○○月○○日　　住所　○○県○○市○○町×-×-×

居宅サービス計画作成者氏名　B

居宅介護支援事業者・事業所名及び所在地　○○居宅介護支援事業所

居宅サービス計画作成(変更)日　令和6年9月26日　　初回居宅サービス計画作成日　令和5年10月16日

認定日　令和6年9月21日　　認定の有効期間　令和6年10月1日　～　令和8年9月30日

要介護状態区分	要介護1 ・ ○要介護2○ ・ 要介護3 ・ 要介護4 ・ 要介護5
利用者及び家族の生活に対する意向を踏まえた課題分析の結果	本人：人にあまり世話をかけたくない。ヘルパーさんや看護師さんに申し訳ない。でも助かってる。立つのがしんどいのでどうにかしたい。一服吸うのはやめたくない。
介護認定審査会の意見及びサービスの種類の指定	特になし
総合的な援助の方針	訪問介護を継続して利用し、一人暮らしの生活の全般を支援していきます。訪問看護を継続して利用し、正しく服薬していただけるよう健康管理と指導を行っていきます。通所介護は現在休止中ですが、意欲を増やし、在宅での支援によって再開できるよう努めます。福祉用具を利用して、ご自宅でご自分で安全にできることを増やし、意欲をもって生活できるよう支援していきます。訪問看護師さんや主治医との連携を図りながら病状の進行を防ぎ、在宅での支援をもって生活できるよう支援していきます。
生活援助中心型の算定理由	1. 一人暮らし　　2. 家族等が障害、疾病等　　3. その他（　　　　）

第2節　事例演習

第2表　※福祉用具サービスに該当するところのみ抜粋

居宅サービス計画書(2)

利用者名　　A　　殿　　　　　　作成年月日　令和6年9月26日

生活全般の解決すべき課題（ニーズ）	目標				援助内容				
	長期目標	期間	短期目標	期間	サービス内容	※1	サービス種別	※2	頻度	期間
筋力低下で起き上がり立ち座りが難しく、仰臥位では肺気腫や狭心症に伴う息苦しさなどがあるために福祉用具が必要。	ベッドから離床して、居室や台所などで日中を過ごすことができるようにする。	R6/10/1 ～ R8/9/30	本人が特殊寝台を使って自分で寝起き立ち座りができ、ギャッチアップして安眠できるようにする。	R6/10/1 ～ R7/1/31	(サービス内容) 特殊寝台貸与 特殊寝台付属品貸与 (本人や家族がしていること・できていること)		福祉用具貸与		毎日	R6/10/1 ～ R8/9/30
	自宅内を安心して移動でき、敷地内の公園に散歩に行くなど近場の外出ができるようにする。	R6/10/1 ～ R8/9/30	本人が自分で立ち座りができ、自宅内を転倒することなく移動できるようにする。	R6/10/1 ～ R7/1/31	(サービス内容) 歩行器貸与 (本人や家族がしていること・できていること)		福祉用具貸与		毎日	R6/10/1 ～ R8/9/30
下肢筋力が低下があり、立ち座りや歩行する際に不安定で転倒予防のために福祉用具が必要。	外出先で他の人とのコミュニケーションや社会参加を楽しむことができるようにする。	R6/10/1 ～ R8/9/30	買い物や通所など長距離を外出できるようにする。	R6/10/1 ～ R7/1/31	(サービス内容) 車いす貸与 (本人や家族がしていること・できていること)		福祉用具貸与		毎日	R6/10/1 ～ R8/9/30
					(サービス内容) (本人や家族がしていること・できていること)					

※1「保険給付対象となるかどうかの区分」について、保険給付対象サービスについては○印を付す。
※2「当該サービス提供を行う事業所」について記入する。

❸ この事例のポイント

●基本情報●（※作成例は504頁参照）

・**相談内容**
継続利用の更新時に新たに福祉用具導入を検討。廃用症候群の進行があり，環境整備によって在宅で自立的・主体的に生活動作ができるよう支援要請されていることがわかる。

・**身体状況・ADL**
下肢筋力低下による立ち上がり困難がADL低下に大きく影響しているように考えられる。現疾患として肺気腫・狭心症があることから仰臥位での寝苦しさが想定される。

・**介護環境**
一人暮らしで訪問介護・看護の支援がある。したがって福祉用具は本人または介護職が使用することを配慮して選定する。既存の福祉用具のマッチングのチェックが必要であると想定できる。

・**意欲・意向等**
「人にあまり世話をかけたくない」「使えるものは使いたい」「しんどさ」をまずしっかりと汲みながら，そのなかで意欲喚起につなげられるかを検討していく。

・**住環境**
現状では訪問介護・看護の支援があるので，そのケア動線も踏まえながら環境整備を考えていく必要がある。またベランダで一服することがあるので，屋外への外出などの可能性に向けた検討もできる。

●選定提案●（※作成例は505, 506頁参照）

・**福祉用具が必要な理由**
ケアプランに示されている「生活全般の解決すべき課題（ニーズ）」を転記することが想定されるが，ケアプランができていない段階で提案する場合は福祉用具専門相談員が事前にケアマネジャーや利用者から聴き取った相談内容，困りごとを整理して記載する。
この事例において，ケアプランが示されていない場合では，本人の意欲・意向で「人にあまり世話をかけたくない」「使えるものは使いたい」というポジティブな意欲に着目して記載する。「『家のなかのことは人にあまり世話になりたくないので使えるものは使いたい』ことからいすなどからの立ち上がりや室内移動で歩行器を利用します」と記載できる。

・**貸与価格**
各貸与事業所ごとの候補となる機種の貸与価格を記載する。

・**全国平均貸与価格**
厚生労働省が提示する当該機種の全国平均貸与価格を記載する。

・**提案する理由**
福祉用具が必要な理由欄で利用者の希望・困りごとを把握したうえで，利用環境などに着目し，候補の機種を提示し，機種の機能を説明する目的から着目した事柄と機種の特徴，機能を記載する。
この事例において，現疾患として肺気腫，狭心症があることから仰臥位での寝苦しさに着目し，ギャッチアップの調整角度を数値化して記載することで，候補として提案した理由がよりわかりや

すくなる。

・説明方法
複数提示した機種やそれらの機能，特徴，貸与価格と全国平均貸与価格を説明する際に用いた説明方法を記載する。

・採否
複数提示した結果，実際に貸与することが決まった商品が分かるように記載する。
例：○ ／ × ✓

● 利用計画 ●（※作成例は507, 508頁参照）

・生活全般の解決すべき課題・ニーズ
ケアプラン第2表から転記。

・福祉用具利用目標
課題・ニーズごとに「誰が」を明確にしておくと目標の対象がはっきりしてくる。睡眠時の肺気腫・狭心症の人の安静体位を福祉用具を使って実現できるよう目標のなかに設定する。移動に関しては室内移動と屋外移動それぞれを想定して，まず自宅内での移動・歩行を安定させることで廃用を抑制できるよう喚起することを考える。屋外での利用は本人のデマンド（主観的な要望）とニーズ（客観的な必要性）とをうまくマッチングさせて外出機会を生み出すこともとても重要なアプローチとして考えられる。

・選定理由
本人が利用している状態がイメージできるような表現を心がける。サービス利用のための根拠としても選定理由が重要になる。

・留意事項
一人暮らしで本人が利用することを想定して，特に個別性に配慮し，本人にわかる表現で記載する。ギャッチアップの角度やベッドの高さなど数値化や目安など表現できるようならばそれを記載することも効果的である。使用感などにも配慮しながら変更可能であることも伝える。また移動関連用具に関しては転倒事故などのリスクやその予防についても明示しておくこと。

● モニタリングシート ●（※作成例は509頁参照）

・今後の方針
利用目標の達成状況や利用状況に合わせてさらにフィットさせるための機種変更の提案など，積極的に再検討，提案をしていくことでより自立的・主体的な支援が可能になると考えられる。そのうえで，利用目標の変更など福祉用具サービス計画の再検討とともに，ケアプランの短期目標へ反映してもらうためのフィードバックも積極的に行うこと。

※選択制の対象となる福祉用具を貸与した場合，利用開始後6か月以内に少なくとも一度モニタリングを行い，貸与継続の必要性について検討を行うこと。また，利用開始から6か月以降においても，必要に応じて貸与継続の必要性について検討を行うこと。

事例3　末期がんの骨転移があり疼痛（とうつう）が強いターミナル期の人

❶ 事例のあらまし

> 肺小細胞がんが胸椎と小脳に転移したターミナル期の58歳の女性。身長155cm，体重40kg。夫と二人暮らしで息子家族は別世帯。
>
> 以前より介護サービスの在宅介護を利用していたが体調を崩して入院。その後症状が悪化し，現在はベッド上での生活が続いている。余命は半年から1年と診断されたことから，今回ホスピスと在宅を検討し，本人の希望で10月3日に退院して，在宅に戻ることになった。9月に更新があり要介護5。寝返りは一部介助で起き上がり，立ち上がりは不可。移乗は全介助，90度座位は不可だが60度程度で支えがあれば可能。歩行は不可で移動は全介助。尿便意の訴えをすることはできるが全介助。入浴，更衣は全介助。食事は一部介助で，自分で飲み物を口に運ぶことができるときもある。意思の伝達はできる。中枢系の影響で左に難聴あり，めまいが起きることがある。全身の筋力低下と手指に軽度振戦がある。
>
> 退院後は訪問介護，訪問入浴，訪問リハビリテーションを利用する予定。訪問看護は特別指示書で医療保険対応予定。入院中は介護用ベッド，エアマット，おむつ，車いす（ハイバック・リクライニング）使用。
>
> 今回，9月25日に担当ケアマネジャーから在宅復帰に向けての環境整備で相談・依頼。

❷ プロフィール（ケアプラン基本情報・その他必要な情報）

- **ケアプラン情報**
- 《第1表》《第2表》
- ※495，496頁参照
- **その他必要な情報**
- ・障害日常生活自立度：C2
- ・認知症の日常生活自立度：Ⅰ
- ・本人の意欲，意向等：夫と一緒に家で過ごしたい。ずっと寝ているので背中が少し痛い。めまいがあるのがつらい。庭の手入れができなくても，見ていたい。車いすで庭やリビングで夫と一緒に過ごしたい。息子たちには心配をかけたくない。
- ・住環境：2階建てで，1階が居室（8畳），居間（8畳），台所，トイレ，浴室など。玄関は段差15cm，庭へは玄関を出てポーチを回って出ることが可能。
- ・家族情報：利用者の夫（63歳）は早期退職し，利用者の介護に専念。今回の退院に向けても，利用者の意向を尊重し，そのためにできることはしっかりしていきたいとのこと。何より利用者本人ができる限り苦しまず，痛まないよう安心して最期まで家で過ごせるようにしてあげたいとのこと。
- 息子家族も協力的だが，まだ子どもが小さいために，利用者はあまり負担をかけたくないと思っている。

第1表

居宅サービス計画書(1)

作成年月日　令和 6 年　9 月　27 日

初回・紹介・**継続**　　**認定済**・申請中

利用者名　A　殿　　生年月日　〇〇 年 〇〇 月 〇〇 日　　住所　〇〇県〇〇市〇〇町×-×-×

居宅サービス計画作成者氏名　B

居宅介護支援事業者・事業所名及び所在地　〇〇居宅介護支援事業所

居宅サービス計画作成(変更)日　令和 6 年 9 月 27 日　　初回居宅サービス計画作成日　令和 4 年 10 月 25 日

認定日　令和 6 年 8 月 29 日　　認定の有効期間　令和 6 年 9 月 1 日 ～ 令和 8 年 8 月 31 日

要介護状態区分	要介護 1 ・ 要介護 2 ・ 要介護 3 ・ 要介護 4 ・ **要介護 5**
利用者及び家族の生活に対する意向を踏まえた課題分析の結果	本人：夫と一緒に家で過ごしたい。息子たちにはあまり心配をかけたくない。 夫：長い入院生活で妻が家に帰りたいという気持ちはよくわかる。できる限り苦しまないよう、痛まないように安心して過ごせるようにしてあげたい。最期は家で迎えさせてあげたい。
介護認定審査会の意見及びサービスの種類の指定	特になし
総合的な援助の方針	退院されてからのご夫婦の生活と時間を大切に過ごしていただけるよう、医療・看護・介護が連携しながら支援していきます。訪問看護は特別指示書で医療保険対応になります。訪問リハビリテーションでの体の緊張や痛みの軽減を図ります。訪問入浴で清潔と心地よさを提供します。訪問介護は奥様の生活全般、身体の介護を行い、ご主人の介護負担の軽減を図ります。福祉用具はそれらの福祉住環境を整備して、利用者本人ができること、したいことを支援し、介護者にとっても支援しやすい環境を整えます。
生活援助中心型の算定理由	1. 一人暮らし　　2. 家族等が障害、疾病等　　3. その他（　　　　　　）

第2表　※福祉用具サービスに該当するところのみ抜粋

作成年月日　令和 6 年　9 月　27 日

居宅サービス計画書(2)

利用者名　　A　　殿

生活全般の解決すべき課題（ニーズ）	目標					援助内容			
	長期目標	期間	短期目標	期間	サービス内容	※1	サービス種別	※2	頻度	期間
ベッドで背中が痛くならないように過ごしたい。	ベッド上での療養を安全に行い、在宅でご家族との時間を安心して過ごせるようにする。	R6/9/1 ～ R8/8/31	横になっている時間、無理なく背中を起こしたり、ゆっくり痛みなく過ごせるようにする。	R6/9/1 ～ R6/12/31	(サービス内容) 特殊寝台貸与 特殊寝台付属品貸与 (本人や家族がしていること・できていること)		福祉用具貸与		毎日	R6/9/1 ～ R8/8/31
	ベッド上での療養を安全に行い、在宅でご家族との時間を安心して過ごせるようにする。	R6/9/1 ～ R8/8/31	背中の痛みが軽くなるように、床ずれができないようにする。	R6/9/1 ～ R6/12/31	(サービス内容) 床ずれ防止用具貸与 (本人や家族がしていること・できていること)		福祉用具貸与		毎日	R6/9/1 ～ R8/8/31
日中、庭に出たり、リビングで過ごしたい。	陽気と調子のよいときは周辺の散歩など外出ができるようにする。	R6/9/1 ～ R8/8/31	日中、調子のよいときはリビングや庭でご主人と一緒に過ごせる時間をつくれるようにする。	R6/9/1 ～ R6/12/31	(サービス内容) 車いす貸与 (本人や家族がしていること・できていること)		福祉用具貸与		毎日	R6/9/1 ～ R8/8/31
夜、排泄を気にせず、安心して眠りたい。	夜間でも排泄介助をすることなく、ご主人も奥様もゆっくりと安心して眠れるようにする。	R6/9/1 ～ R8/8/31	夜間でも排泄介助をすることなく、ご主人も奥様もゆっくりと安心して眠れるようにする。	R6/9/1 ～ R6/12/31	(サービス内容) 自動排泄処理装置貸与 自動排泄処理装置購入 (本人や家族がしていること・できていること)		福祉用具貸与 福祉用具購入		毎日	R6/9/1 ～ R8/8/31

※1「保険給付対象となるかどうかの区分」について、保険給付対象内サービスについては○印を付す。
※2「当該サービス提供を行う事業所」について記入する。

❸この事例のポイント

●基本情報●　（※作成例は510頁参照）

・相談内容

在宅での看取り援助のケースであり，福祉住環境を整備することは医療・看護・介護それぞれに支援動線のベースとなるのでとても重要である。

・身体状況・ADL

要介護5でほぼ全介助の状態だが，食事は一部介助など，できるところを大切にした環境整備を検討する。同時に，骨転移による疼痛や小脳障害による振戦などは特段の配慮が必要な点にも注意する。床ずれリスクについてもあわせて検討する。

・介護環境

主介護者の夫を中心としたケアチームが形成されるが，夜間など夫が一人になる時間のケアについて検討が必要である。また移乗についても検討が必要であり，ケアチームとの調整や夫への指導が必要になると考えられる。

・意欲・意向等

夫と一緒に家で過ごしたいという利用者の意向を十分に踏まえながら，痛みやつらさを福祉用具でどう軽減，解決していくかを検討していく。また，ベッド上だけでなく利用者がずっと好きだった庭への移動やそこでの過ごし方にも焦点を当てることで意欲喚起につながると考えられる。

●選定提案●　（※作成例は511，512頁参照）

・福祉用具が必要な理由

ケアプランに示されている「生活全般の解決すべき課題（ニーズ）」を転記することが想定されるが，ケアプランができていない段階で提案する場合は福祉用具専門相談員が事前にケアマネジャーや利用者から聴き取った相談内容，困りごとを整理して記載する。

この事例において，ケアプランが示されていない場合では，本人の意向である「夫と一緒に家で過ごしたい」「車いすで庭やリビングで過ごしたい」，夫の意向である「安心して最期まで家で過ごせるようにしてあげたい」に着目して福祉用具が必要な理由を記載する。

・貸与価格

各貸与事業所ごとの候補となる機種の貸与価格を記載する。

・全国平均貸与価格

厚生労働省が提示する当該機種の全国平均貸与価格を記載する。

・提案する理由

福祉用具が必要な理由欄で利用者の希望・困りごとを把握したうえで，利用環境などに着目し，候補の機種を提示し，機種の機能を説明する目的から着目した事柄と機種の特徴，機能を記載する。

この事例において，就寝時に装着して使用する自動排泄処理装置の利用が求められているが，これは適応する機種が一つしかない場合の扱い例となり得る。利用者の状況やニーズに適合する機種が一つしかないことを，提案する理由に記載するとともに利用者に説明する。

・説明方法
複数提示した機種やそれらの機能，特徴，貸与価格と全国平均貸与価格を説明する際に用いた説明方法を記載する。

・採否
複数提示した結果，実際に貸与することが決まった商品がわかるように記載する。
例：○／×　✓

● 利用計画 ●　（※作成例は 513，514 頁参照）

・生活全般の解決すべき課題・ニーズ
ケアプラン第2表から転記。

・福祉用具利用目標
課題・ニーズが利用者のデマンド（主観的な要望）を中心として設定されているので，それを実現し，かつ意欲に結びつくような利用目標の設定を行う。ターミナル期で疼痛や振戦など利用者の状態が具体的に明確になっているので，それを盛り込むことでわかりやすくシンプルな利用目標が設定できる。そうすることで達成状況を評価しやすく，利用者のケアにもつながると考えられる。

・選定理由
特殊寝台と床ずれ防止用具といった異なる品目でも，それぞれが関連し連動して機動するものに関してはそれを選定理由に記載することで根拠に一貫性をもたせることができ，利用者にもわかりやすくなる。車いすなど多機能のものについては，主要な機能と利用者の状態のマッチングについて記載し，利用に関しての必要事項については別途説明や指導を行うようにする。自動排泄処理装置については貸与と購入，消耗品など混在するのでそれぞれ別途記載する。

・留意事項
選定理由同様，それぞれが関連・連動する機種についてはそれらを整理し，関連づけて記載する。エアマットなど季節による使用変化についての配慮も盛り込むとよい。また車いすなど多機能のものや，自動排泄処理装置など取り扱いに特段の手順や技術が必要なものについても留意事項だけではなく，必要に応じ別途説明と指導をし，適切に使用できるよう配慮する。

・次回モニタリング
末期がんの進行状況を鑑みて次回モニタリング日を設定する。

● モニタリングシート ●　（※作成例は 515 頁参照）

・目標達成状況
疼痛は主観的な体験であり，客観的評価が難しいが，疼痛性の疾患などにかかっている利用者の場合，その療養生活において痛みのケア・緩和は特に重要である。

・総合評価
急性期や予後不良の場合には，モニタリング時期を計画より早めてこまめにチェックする必要がある。変化に応じて速やかな対応ができることを伝えておく。

事例1 脳梗塞の後遺症があり，夫婦二人暮らしの夫（作成例）

●「基本情報」作成例

福祉用具サービス計画書（基本情報）

管理番号	○○
作成日	令和6年10月21日
福祉用具専門相談員名	C

フリガナ		性別	生年月日	年齢	要介護度	認定期間
利用者名	A 様	男性	M・T・Ⓢ ○○年○月○日	75	要介護2	令和6年8月25日～令和8年2月28日
住所	○○県○○市○○町×-×-×				TEL	××-××-××
居宅介護支援事業所	○○居宅介護支援事業所				担当ケアマネジャー	B

相談内容

相談者	B	利用者との続柄	ケアマネジャー	相談日	令和6年10月18日

状態も安定し，リハビリで在宅に戻れる準備もでき退院されることになったので，介護ベッドやつえ，入浴用いすなどご自宅の環境と福祉用具を整えたい。

ケアマネジャーとの相談記録	10月28日に退院が決まりました。在宅に戻るにあたり，ご自宅の環境を整えたいと思います。10月23日に退院時調整会議を開くので，福祉用具の提案と選定をお願いします。	ケアマネジャーとの相談日 R6/10/18

身体状況・ADL （令和 6 年 10 月）現在

身長	168 cm
体重	55 kg
寝返り	☐つかまらないでできる ■何にかつかまればできる ☐一部介助 ☐できない
起き上がり	☐つかまらないでできる ■何にかつかまればできる ☐一部介助 ☐できない
立ち上がり	☐つかまらないでできる ☐何にかつかまればできる ■一部介助 ☐できない
移乗	☐自立（介助なし） ☐見守り等 ■一部介助 ☐全介助
座位	☐できる ■自分の手で支えればできる ☐支えてもらえればできる ☐できない
屋内歩行	☐つかまらないでできる ■何にかつかまればできる ☐一部介助 ☐できない
屋外歩行	☐つかまらないでできる ☐何にかつかまればできる ■一部介助 ☐できない
移動	☐自立（介助なし） ☐見守り等 ■一部介助 ☐全介助
排泄	☐自立（介助なし） ■見守り等 ☐一部介助 ☐全介助
入浴	☐自立（介助なし） ☐見守り等 ■一部介助 ☐全介助
食事	☐自立（介助なし） ■見守り等 ☐一部介助 ☐全介助
更衣	☐自立（介助なし） ☐見守り等 ■一部介助 ☐全介助
意思の伝達	■意思を他者に伝達できる ☐ときどき伝達できる ☐ほとんど伝達できない ☐伝達できない
視覚・聴覚	右目白内障（軽度）

疾病	脳梗塞（8月18日発症）
麻痺・筋力低下	左側上下肢麻痺（軽度）
障害日常生活自立度	A1
認知症の日常生活自立度	自立
特記事項	

介護環境

家族構成/主介護者	妻（73）と二人暮らし。娘家族は他県で別世帯
他のサービス利用状況	訪問介護　通所リハビリテーション
利用している福祉用具	入院中に介護ベッド，ロフストランドクラッチを使用。診察や検査の移動は車いす使用。
特記事項	

意欲・意向等

■利用者から確認できた　☐利用者から確認できなかった

利用者の意欲・意向，今困っていること（福祉用具で期待することなど）	自宅に戻ったら，できる限り自分のことは自分でやりたい。妻と一緒に買い物や散歩に出かけたい。ゆっくり一人でシャワーを浴びたい。

住環境

☐戸建
■集合住宅（ 3 階）
（ エレベーター ■有 ☐無 ）

例：段差の有無など

分譲で数年前にバリアフリー設計にリフォーム。階段などの段差なし。玄関上り框の2cm，トイレは洋式でL字手すりあり，引き戸。浴室は洋バスだがふだんよりシャワー浴が中心。リビングでいすと机の生活。

居宅サービス計画

利用者及び家族の生活に対する意向	利用者	入院中，妻に負担と心配をかけたので，退院したらできる限り自分のことは自分でやりたい。
	家族	リハビリをして夫自身でできることは増えてきたが，自分一人で夫を介護するのは心配。サービスを使って一緒に支えてもらいたい。

総合的な援助方針	8月18日に脳梗塞で入院されて以来，積極的にリハビリにも励まれて状態も安定したため，退院することになりました。奥様との二人暮らしに戻るために，ご自分でできることはご自分でできるよう，生活環境の整備を行います。奥様の介助のサポートができるよう訪問介護で在宅生活を支援していきます。また，リハビリを継続的に行うために通所リハビリテーションに通って，より機能回復を図ります。

総合演習

● 「選定提案」作成例

福祉用具サービス計画書（選定提案）

管理番号	
説明日	令和6年10月23日
説明担当者	C

フリガナ		性別	生年月日	年齢	要介護度	認定期間
利用者名	A 様	男性	M・T・S ○○年○月○日	75	要介護2	令和6年8月25日～令和8年2月28日
居宅介護支援事業所	○○居宅介護支援事業所			担当ケアマネジャー		B

※	福祉用具が必要な理由（※）
1	居室で自分で寝起きができるようになりたい。
2	長い距離と時間を歩くのが困難なため，外出する際は福祉用具を利用したい。

貸与を提案する福祉用具　　　　　　　　　　　　　　　　　（1／1枚）

（※）との対応	種目／提案品目（商品名）／機種(型式)／TAIS・届出コード	貸与価格（円）／全国平均貸与価格（円）	提案する理由	【説明方法】カタログ／Webページ／TAISページ／実物 等	採否
1	特殊寝台／介護用ベッド○○（2モーター）／○○／○○○○○-○○○○	10,000円	背上げと高さ機能を手元リモコンで調整でき、膝上げ機能は背上げとの連動タイプで、付属の機能で背上げ時のずれを軽減でき立ち上がりやすい高さに調整ができる2モーターベッドです。	カタログ	○
1	特殊寝台／介護用ベッド△△（2モーター）／○○／○○○○○-○○○○	9,000円	背上げと高さ機能を手元リモコンで調整でき、膝上げ機能は背上げとの連動が可能。身体に負担をかけずに起き上がりが行え、立ち上がりやすい高さに調整できる2モーターベッドです。	カタログ	×
1	特殊寝台付属品／マットレス○○／○○／○○○○○-○○○○	1,000円	寝返りや起き上がり動作を阻害せず、安定した姿勢を保持できるように硬めの厚さ10.5cmのマットレスを提案。寝起きや立ち座りのときに体が沈み込まず、しっかり支えてくれます。	カタログ	○
1	特殊寝台付属品／マットレス△△／○○／○○○○○-○○○○	2,000円	寝返りや起き上がり動作を阻害せず、適度な寝心地を選択できるハード面・ソフト面の両面使用できる厚さ10cmのマットレスです。	カタログ	×
1	特殊寝台付属品／サイドレール○○／○○／○○○○○-○○○○	500円	介護用ベッド○○に対応し、身体の転落防止・寝具の落下防止及び寝返り時などの支持物として利用でき、特殊寝台本体のJIS認証規格との組み合わせで使用する長さ97cm・高さ50cmのサイドレールです。	カタログ	○
1	特殊寝台付属品／サイドレール△△／○○／○○○○○-○○○○	500円	介護用ベッド△△に対応し、身体の転落防止・寝具の落下防止及び寝返り時などの支持物となる、長さ99cm・高さ48cmのサイドレールです。	カタログ	×
1	特殊寝台付属品／介助バー／○○／○○○○○-○○○○	1,500円	ベッドからの起き上がりや立ち上がりの動作時に掴まることで移動・移乗動作が安定し、ベッド本体に固定して利用します。ロックのかけ忘れ時でも角度自動固定機能スイングアームにより安全性が保たれる介助バーです。	カタログ	○
1	特殊寝台付属品／介助バー／○○／○○○○○-○○○○	1,500円	特殊寝台からの起き上がりや立ち上がりの動作時に掴まることで移動・移乗動作が安定して行え、固定して利用し、グリップ部が角度調節可能な介助バーです。	カタログ	×
2	車いす／自走式モジュール型車いす／○○／○○○○○-○○○○	6,000円	利用者の体型に合わせて調整が可能で、介助ハンドルの高さ調整やレッグサポートを取り外して足こぎで自走できるモジュール型車いすです。	実物	○
2	車いす／介助式標準型車いす	4,000円	主に外出時に使用することになるため、車への積み下ろしなどの負担が少ないように重量10.4kgの軽量タイプの介助式車いすです。介助式なので介助者に押してもらって使用します。	実物	×

● 「利用計画」作成例

福祉用具サービス計画書（利用計画）

管理番号　〇〇

フリガナ		性別	生年月日	年齢	要介護度	認定期間
利用者名	A 様	男性	M・T・Ⓢ 〇〇年〇月〇日	75	要介護2	令和6年8月25日～令和8年2月28日
居宅介護支援事業所	〇〇居宅介護支援事業所			担当ケアマネジャー		B

※	生活全般の解決すべき課題・ニーズ（福祉用具が必要な理由）	福祉用具利用目標
1	居室で自分で寝起きができるようになりたい。	ご本人が介護ベッドと介助バーを使って、一人で寝起きと立ち座りが安定してできるようにする。
2	自宅内を自分で歩いて安全に移動できるようになりたい。	ご本人がつえを使って、一人で自宅内を歩いて移動できるようにする。
3	長い距離と時間を歩くのが困難なため、外出する際は福祉用具を利用したい。	車いすを使って、奥様や介護者が介助して、一緒に買い物や散歩、通所等の外出ができるようにする。
4	入浴の際、洗い場で自分で体を洗えるようになりたい。	ご本人が入浴用いすを使って、しっかり座って自分でゆっくりとシャワーを浴び、体を洗えるようにする。

選定福祉用具

（1／2枚）

※との対応	サービス種目（貸与・販売）／機種名／型式／TAIS・届出コード	単位数	選定理由
1	特殊寝台貸与(1)／介護用ベッド〇〇（2モーター）		右手でサイドレールと背上げ機能を活かして起き上がり、一人で立ち座りの際にベッドの高さ調整ができる2モーターの介護用ベッドを選定。
1	特殊寝台付属品貸与(1)／マットレス〇〇		寝起きや立ち座りのときに、体が沈み込まず、しっかり支えてくれる硬さのマットレスを選定。
1	特殊寝台付属品貸与(1)／サイドレール〇〇		起き上がりの際の寝返りを助け、左側のガードと布団が落ちないように、ベッドに合わせた長さのサイドレールを選定。
1	特殊寝台付属品貸与(1)／介助バー〇〇		右手でしっかりと支えながら、ベッドからの立ち座りができるように、ベッドの右側に固定できる介助バーを選定。
2	歩行補助つえ販売(2)／ロフストランドクラッチ〇〇		病院でリハビリの際に使用していたロフストランドクラッチに近い形で、カフ式ではなく、オープン式で持ち置きがしやすいタイプを選定。

留意事項

介護用ベッド
・リモコンの誤動作を防ぐために右手側のサイドレールにかけてお使いください。
・サイドレールに体や布団を挟み込まないようにお気をつけください。

介助バー
・ベッドにしっかり固定してありますが、使用していくと緩みやぐらつきが出てくることがあります。そのときは点検・調整しますのでご連絡ください。

ロフストランドクラッチ
・貸与・販売の選択制対象です。入院先の病院リハビリテーション職より、身体状況の変化が緩やかで単点杖の平均的な利用月数14.6ヶ月以上利用継続の見込みがあるとの助言もあり、販売でのご利用となります。
・杖先ゴム等パーツの消耗や劣化によるメンテナンスは有償となるため必要に応じてご連絡ください。

☑私は、貸与・販売の選択制対象の福祉用具に関する説明、及び選択に必要な情報の提供と提案を受けました。	日付	年　　月　　日
☑私は、貸与の候補となる福祉用具の全国平均貸与価格等の説明を受けました。	署名	
☑私は、貸与の候補となる機能や価格の異なる複数の福祉用具の提示を受けました。		
☑私は、福祉用具サービス計画の内容について説明を受け、内容に同意し、計画書の交付を受けました。	（続柄）代筆者名	（　　　　　）

事業所名		福祉用具専門相談員		次回モニタリング	令和6年 12月 中旬 日
住所		TEL		FAX	

総合演習

福祉用具サービス計画書（利用計画）

管理番号　○○

フリガナ		性別	生年月日	年齢	要介護度	認定期間
利用者名	A 様	男性	M・T・Ⓢ ○○年○月○日	75	要介護2	令和6年8月25日〜令和8年2月28日
居宅介護支援事業所	○○居宅介護支援事業所			担当ケアマネジャー		B

※	生活全般の解決すべき課題・ニーズ（福祉用具が必要な理由）	福祉用具利用目標
1	居室で自分で寝起きができるようになりたい。	ご本人が介護ベッドと介助バーを使って、一人で寝起きと立ち座りが安定してできるようにする。
2	自宅内を自分で歩いて安全に移動できるようになりたい。	ご本人がつえを使って、一人で自宅内を歩いて移動できるようにする。
3	長い距離と時間を歩くのが困難なため、外出する際は福祉用具を利用したい。	車いすを使って、奥様や介護者が介助して、一緒に買い物や散歩、通所等の外出ができるようにする。
4	入浴の際、洗い場で自分で体を洗えるようになりたい。	ご本人が入浴用いすを使って、しっかり座って自分でゆっくりとシャワーを浴び、体を洗えるようにする。

選定福祉用具　　　　　　　　　　　　　　　　　　　　　　　　　　　　（2／2 枚）

※との対応	サービス種目(貸与・販売)／機種名／型式／TAIS・届出コード	単位数	選定理由
3	車いす貸与(3)／モジュール型自走式車いす○○		Aさんの体型に合わせて調整でき、奥様が介助するときに合わせてハンドル高を調整でき、レッグサポートを外せばご自分でも足こぎできるモジュール型の自走式を選定。
4	入浴補助用具販売(4)／シャワーベンチ○○		Aさんの座高に合わせて調整ができ、立ち座りのときに右手でしっかりと支えられる肘掛付きのシャワーベンチを選定。

留意事項

車いす
・乗り降りするときは必ずブレーキがかかっていることを確認して、フットサポートを跳ね上げてください。
・ハンドルの高さは奥様の介助しやすい高さに調整してあります。その後変更をご希望される場合はご連絡ください。

シャワーベンチ
・Aさんの座る高さに調整してあります。立ち座りのときは右手でしっかりと支え、左手を添えてゆっくり慌てずに立ち座りしてください。

☑ 私は、貸与・販売の選択制対象の福祉用具に関する説明、及び選択に必要な情報の提供と提案を受けました。
☑ 私は、貸与の候補となる福祉用具の全国平均貸与価格等の説明を受けました。
☑ 私は、貸与の候補となる機能や価格の異なる複数の福祉用具の提示を受けました。
☑ 私は、福祉用具サービス計画の内容について説明を受け、内容に同意し、計画書の交付を受けました。

日付	年　月　日
署名	
（続柄）代筆者名	（　）

事業所名		福祉用具専門相談員		次回モニタリング	令和6年 12月 中旬 日
住　所		TEL		FAX	

● 「モニタリングシート」作成例

モニタリングシート（利用状況確認書）

管理番号	○○	（ 1 / 1 枚）

モニタリング実施日	令和 6 年 12 月 18 日
前回実施日	年 月 日
お話を伺った人	■利用者 ■家族 □他（ ）
確認手段	■訪問 □電話 □他（ ）
事業所名	○○福祉用具サービス
福祉用具専門相談員	C
事業所住所	○○県○○市○○町×-×-×
TEL	××-××-××

フリガナ		居宅介護支援事業所	○○居宅介護支援事業所	担当ケアマネジャー	B
利用者名	A 様	要介護度	要介護2	認定期間	R6/8/25 ～ R8/2/28

※	福祉用具利用目標	目標達成状況 達成度	詳細
1	ご本人が介護ベッドと介助バーを使って、一人で寝起きと立ち座りが安定してできるようにする。	■達成 □一部達成 □未達成	入院中から在宅に戻られても、操作に慣れていらっしゃるので、誤動作もなく、お一人で寝起きや起き上がりができています。
2	車いすを使って、奥様や介護者が介助して、一緒に買い物や散歩、通所等の外出ができるようにする。	■達成 □一部達成 □未達成	奥様の介助で一緒に近くの公園やお店まで出かけて、そこでつえを使って歩かれたり、少しずつ活動に広がりがみられます。
3		□達成 □一部達成 □未達成	
4		□達成 □一部達成 □未達成	

※との対応	利用福祉用具（サービス種目）機種（型式）	利用開始日	利用状況の問題	点検結果	今後の方針	理由等 ※選択制対象種目の検討含む
1	特殊寝台貸与(1) 介護用ベッド○○（2モーター）	R6/10/28～	■なし □あり	■問題なし □問題あり	■継続 □再検討	
1	特殊寝台付属品貸与(1) マットレス○○	R6/10/28～	■なし □あり	■問題なし □問題あり	■継続 □再検討	
1	特殊寝台付属品貸与(1) サイドレール○○	R6/10/28～	■なし □あり	■問題なし □問題あり	■継続 □再検討	
1	特殊寝台付属品貸与(1) 介助バー○○	R6/10/28～	■なし □あり	■問題なし □問題あり	■継続 □再検討	
2	車いす貸与(3) モジュール型自走式車いす○○	R6/10/28～	■なし □あり	■問題なし □問題あり	■継続 □再検討	
			□なし □あり	□問題なし □問題あり	□継続 □再検討	
			□なし □あり	□問題なし □問題あり	□継続 □再検討	
			□なし □あり	□問題なし □問題あり	□継続 □再検討	

利用者等の変化

身体状況・ADLの変化	□なし ■あり	ご自宅でも活動的になり、外出先でも率先して車いすを降りて歩行され、立位や足取りもしっかりされてきています。	介護環境①（家族の状況）の変化	□なし ■あり	奥様も退院前後の不安を解消されつつあります。娘さんご家族も立ち寄られて、サポートが広がりそうです。
意欲・意向等の変化	□なし ■あり	表情にも自信がみられ、奥様を気遣い家事を手伝おうとされたり、笑顔が多くみられるようになりました。	介護環境②（サービス利用等）・住環境の変化	■なし □あり	

総合評価

福祉用具サービス計画の見直しの必要性	■なし □あり	・ご本人がご自宅に戻られた安心感と、整えられた環境で生活ができてきた自信も表情に感じられ、歩行や生活の動作もしっかりされてきました。意欲も感じられ、奥様との二人暮らしをケアチームのサポートを受けながら積極的に活動されてきています。継続をしばらく見守っていきたいと思います。 ・購入されたロフストランドクラッチはトイレやリビングにご自分で歩いて移動される際に活用し、転倒なく過ごされています。

次回モニタリング	令和 7 年 4 月上旬 日

事例2 一人暮らしで外出する機会がなく生活が困難になってきた人

●「基本情報」作成例

福祉用具サービス計画書（基本情報）

管理番号	○○
作成日	令和6年9月28日
福祉用具専門相談員名	C

フリガナ		性別	生年月日	年齢	要介護度	認定期間
利用者名	A 様	男性	M・T・**S** ○○年○月○日	74	要介護2	令和6年10月1日～令和8年9月30日
住所	○○県○○市○○町×-×-×				TEL	××-××-××
居宅介護支援事業所	○○居宅介護支援事業所				担当ケアマネジャー	B

相談内容

相談者	B	利用者との続柄	ケアマネジャー	相談日	令和6年9月25日

現在継続中の一人暮らしの利用者で今回更新認定。要介護1から2に変更。訪問介護と訪問看護，通所サービスで在宅を支援してきたが，気持ちの落ち込みと体力の低下が進み，通所を休止。外出意欲もなく，自宅でもベッド上で過ごすことが増え，立ち上がりが困難になってきた。環境を整えて自宅内の自立支援と外出意欲と機会を向上させたい。

ケアマネジャーとの相談記録	意欲低下からの廃用症候群が進行していると思われ，折りたたみ簡易ベッドを使用しているが，立ち上がりなどが困難になっているのでベッドを導入したい。歩行器など移動を助ける提案をしてほしい。	ケアマネジャーとの相談日	R6/9/25

身体状況・ADL （令和6年9月）現在

身長	165 cm	体重	50 kg

寝返り	□つかまらないでできる	■何かにつかまればできる	□一部介助	□できない
起き上がり	□つかまらないでできる	■何かにつかまればできる	□一部介助	□できない
立ち上がり	□つかまらないでできる	□何かにつかまればできる	■一部介助	□できない
移乗	□自立（介助なし）	□見守り等	■一部介助	□全介助
座位	□できる	■自分の手で支えればできる	□支えてもらえればできる	□できない
屋内歩行	□つかまらないでできる	■何かにつかまればできる	□一部介助	□できない
屋外歩行	□つかまらないでできる	□何かにつかまればできる	■一部介助	□できない
移動	□自立（介助なし）	□見守り等	■一部介助	□全介助
排泄	□自立（介助なし）	■見守り等	□一部介助	□全介助
入浴	□自立（介助なし）	□見守り等	■一部介助	□全介助
食事	■自立（介助なし）	□見守り等	□一部介助	□全介助
更衣	□自立（介助なし）	■見守り等	□一部介助	□全介助
意思の伝達	■意思を他者に伝達できる	□ときどき伝達できる	□ほとんど伝達できない	□伝達できない
視覚・聴覚				

疾病	肺気腫・狭心症
麻痺・筋力低下	麻痺なし・下肢筋力低下あり（立ち上がり困難）
障害日常生活自立度	A2
認知症の日常生活自立度	I
特記事項	愛煙家。医師より禁煙を勧められているがなかなかできずにいる。

介護環境

家族構成/主介護者	一人暮らし。奥様は5年前に他界。子どももなく，兄弟も他界のため親戚付き合いもない。
他のサービス利用状況	訪問介護　訪問看護　通所介護（休止中）
利用している福祉用具	木製T字つえ（奥様が使用していたもの・サイズが短い）
特記事項	折りたたみの簡易ベッドを使用している

意欲・意向等

利用者の意欲・意向，今困っていること（福祉用具で期待することなど）	■利用者から確認できた　□利用者から確認できなかった もう最近やる気がでなくてしんどい。家からあまり出たくない。でも家のなかのことは人にあまり世話をかけたくないので，使えるものがあったら使いたい。寝苦しいのでベッドを変えたい。

居宅サービス計画

利用者及び家族の生活に対する意向	利用者	人にあまり世話をかけたくない。ヘルパーさんや看護師さんに申し訳ない。でも助かってる。立つのがしんどいのでどうにかしたい。一服吸うのはやめたくない。
	家族	
総合的な援助方針		訪問介護を継続して利用し，一人暮らしの生活の全般を支援していきます。訪問看護を継続して利用し，主治医との連携を図りながら病状の進行を防ぎ，正しく服薬していただけるよう健康管理と指導を行っていきます。通所介護は現在休止中ですが，在宅での支援によって再開できるよう努めます。福祉用具を利用して，ご自宅でご自分で安全にできることを増やし，意欲をもって生活できるよう支援していきます。

住環境

□戸建　■集合住宅（1階）
（エレベーター　■有　□無）
例：段差の有無など

公営住宅の1階。居室（6畳）と台所（6畳），寝室（6畳）。トイレは洋式で，浴室は洋バスで洗い場含め2畳程度。現在は居室に簡易ベッドを置いて寝起きしている。ベランダがあり，天気がよく体調のよいときはここで一服をしている。

● 「選定提案」作成例

福祉用具サービス計画書（選定提案）

管理番号	
説明日	令和6年9月28日
説明担当者	C

フリガナ		性別	生年月日	年齢	要介護度	認定期間
利用者名	A 様	男性	M・T・S ○○年○月○日	74	要介護2	令和6年10月1日～令和8年9月30日
居宅介護支援事業所	○○居宅介護支援事業所				担当ケアマネジャー	B

※	福祉用具が必要な理由（※）
1	筋力低下で起き上がり，立ち座りが難しく，仰臥位では肺気腫や狭心症に伴う息苦しさなどがあるために特殊寝台が必要です。
2	下肢筋力低下があり，立ち座りや歩行する際に不安定で転倒予防のために室内で利用できる歩行器が必要です。
3	下肢筋力低下があり，立ち座りや歩行する際に不安定で転倒予防のために，外出時など長距離が移動できるように車いすが必要です。

貸与を提案する福祉用具　　　　　　　　　　　　　　　　　　　　　　（1／2枚）

（※）との対応	種目／提案品目（商品名）／機種(型式)／TAIS・届出コード	貸与価格（円）／全国平均貸与価格（円）	提案する理由	【説明方法】カタログ／Webページ／TAISページ／実物 等	採否
1	特殊寝台／介護用ベッド○○（2モーター）／○○／○○○○-○○○○○	10,000円	背上げと高さ機能を手元リモコンで調整でき，膝上げ機能は背上げとの連動タイプ。付属の背上げ機能で，ずれなどの身体へかかる負担を軽減し，呼吸のしやすい背上げや立ち上がりやすい高さに調整ができる2モーターベッドです。	カタログ	×
1	特殊寝台／介護用ベッド△△（2モーター）／○○／○○○○-○○○○○	9,000円	身体に負担をかけずに起き上がりが行えるように，起き上がり動作に合わせ○～○°まで背上げ角度の調整ができて，立ち上がりやすい高さに調整ができる2モーターベッドです。	カタログ	○
1	特殊寝台付属品／マットレス○○	1,000円	寝返りや起き上がり動作を阻害せず，安定した姿勢を保持できるように硬めの厚さ○cmのマットレスを提案。寝起きや立ち座りのときに身体が沈み込まず，しっかり支えてくれます。	カタログ	○
1	特殊寝台付属品／マットレス△△／○○／○○○○-○○○○○	3,000円	内部ウレタンの伸縮性が高いことで身体のずれを軽減でき，胸や腹部への圧迫を軽減できるマットレスです。	カタログ	×
1	特殊寝台付属品／サイドレール○○／○○／○○○○-○○○○○	500円	介護用ベッド○○に対応し，身体の転落防止・寝具の落下防止及び寝返り時などの支持物として利用でき，特殊寝台本体のJIS認証規格との組み合わせで使用する長さ○cm・高さ○cmのサイドレールです。	カタログ	×
1	特殊寝台付属品／サイドレール△△／○○／○○○○-○○○○○	500円	介護用ベッド△△に対応し，身体の転落防止・寝具の落下防止並びにベッドからの出入りのしやすさを考慮。長さ○cm・高さ○cmの短い長さのサイドレールです。	カタログ	○
1	特殊寝台付属品／介助バー／○○／○○○○-○○○○○	1,500円	介護用ベッド○○に対応し，ベッドからの起き上がりや立ち上がりの動作時に掴まることで移動・移乗動作が安定し，ベッド本体に固定して利用します。ロックのかけ忘れ時でも角度自動固定機能スイングアームにより安全性が保たれる介助バーです。	カタログ	×
1	特殊寝台付属品／介助バー／○○／○○○○-○○○○○	1,500円	介護用ベッド△△に対応し，特殊寝台からの起き上がりや立ち上がり，立位保持などの移動・移乗動作が自身で行えるようグリップ部が角度調節可能な介助バーです。	カタログ	○
2	歩行器／固定式4点歩行器／○○／○○○○-○○○○○	2,000円	歩行器を持ち上げて一歩ずつ前に進むことで安定した歩行ができ，重量が軽く楽に持ち上げることのできる歩行器です。	実物	×
2	歩行器／固定式4点歩行器／○○／○○○○-○○○○○	1,500円	2段グリップ式でいすや低い位置からの立ち上がりにも対応できる歩行器です。	実物	○

総合演習

福祉用具サービス計画書（選定提案）

管理番号	
説明日	令和6年9月28日
説明担当者	C

フリガナ		性別	生年月日	年齢	要介護度	認定期間
利用者名	A 様	男性 M・T・Ⓢ	○○年○月○日	74	要介護2	令和6年10月1日～令和8年9月30日
居宅介護支援事業所	○○居宅介護支援事業所				担当ケアマネジャー	B

※	福祉用具が必要な理由（※）
1	筋力低下で起き上がり，立ち座りが難しく，仰臥位では肺気腫や狭心症に伴う息苦しさなどがあるために特殊寝台が必要です。
2	下肢筋力低下があり，立ち座りや歩行する際に不安定で転倒予防のために室内で利用できる歩行器が必要です。
3	下肢筋力低下があり，立ち座りや歩行する際に不安定で転倒予防のために，外出時など長距離が移動できるように車いすが必要です。

貸与を提案する福祉用具

（2／2枚）

（※）との対応	種目／提案品目（商品名）／機種(型式)／TAIS・届出コード	貸与価格（円）／全国平均貸与価格（円）	提案する理由	【説明方法】カタログ Webページ TAISページ 実物 等	採否
3	車いす／介助式車いす／○○/○○○○○-○○○○○○	4,000円／--------	前座高○cm，座幅○cm，全幅○cm，重量○kg。長めのアームサポートで立ち座り動作を安定させることができ，持ち運びや車への積み下ろしが容易に行える超軽量介助式車いすです。	実物	○
3	車いす／自走式車いす／○○/○○○○○-○○○○○○	4,000円／--------	前座高○cm，座幅○cm，全幅○cm，重量○kg。長めのアームサポートで立ち座り動作を安定させることができ，持ち運びや車への積み下ろしが容易に行える超軽量自走式車いすです。	カタログ	×

● 「利用計画」作成例

福祉用具サービス計画書（利用計画）

管理番号　○○

フリガナ		性別	生年月日	年齢	要介護度	認定期間
利用者名	A 様	男性	M・T・Ｓ ○○年○月○日	74	要介護2	令和6年10月1日～令和8年9月30日
居宅介護支援事業所	○○居宅介護支援事業所			担当ケアマネジャー	B	

※	生活全般の解決すべき課題・ニーズ（福祉用具が必要な理由）	福祉用具利用目標
1	筋力低下で起き上がり立ち座りが難しく、仰臥位では肺気腫や狭心症に伴う息苦しさなどがあるために福祉用具が必要。	ご本人が介護用ベッドと介助バーを使って、ご自分で寝起き立ち座りができ、横になるときに背もたれの角度を少し高くして呼吸しやすくゆっくり眠れるようにする。
2	下肢筋力低下があり、立ち座りや歩行する際に不安定で転倒予防のために福祉用具が必要。	ご本人が4点歩行器を使って、ご自分で立ち座りができ、ご自宅内を転ばずに安定して移動できるようにする。
3	下肢筋力低下があり、立ち座りや歩行する際に不安定で転倒予防のために福祉用具が必要。	介助者が車いすを介助して、ご本人と一緒に買い物や公園に行ったり、長距離を外出できるようにする。
4		

選定福祉用具

（1／2枚）

※との対応	サービス種目(貸与・販売) 単位数／機種名／型式　TAIS・届出コード	選定理由
1	特殊寝台貸与(1)／介護用ベッド○○（2モーター）	横になるときは背上げ機能で背中を呼吸のしやすい角度に少し上げることができ、ご自分で高さを調整し立ち座りがしやすくできる2モーターの介護用ベッドを選びました。
1	特殊寝台付属品貸与(1)／マットレス○○	寝起きや立ち座りのときに、体が沈み込まず、しっかり支えてくれる硬さのマットレスを選びました。
1	特殊寝台付属品貸与(1)／サイドレール○○	起き上がりの際の寝返りを助け、布団が落ちないように、ベッドに合わせて長さの短いサイドレールを選びました。
1	特殊寝台付属品貸与(1)／介助バー○○	ベッドへの立ち座りの際に、しっかりと体を支えることができるように、ベッド縁にしっかりと固定できる介助バーを選びました。
2	歩行器貸与(2)／固定式4点歩行器○○	いすなどからの立ち座りの際にしっかりと支えられ、歩くときにも両手で支えられて、Aさんでも扱いやすい軽量の4点式歩行器を選びました。

留意事項

介護用ベッド
・横になる際の呼吸しやすい角度は訪問看護師に確認をしていただきながら決めていきましょう。
・ベッドから立ち座りする際に、膝が少し伸びる高さまで調整すると立ち座りがしやすくなります。またベッドに横になるときにはいすに座るときと同じくらいの高さにすると横になりやすいので、ベッドの高さ調整をうまく活用できるよう、最初は高さ調整の練習をして慣れていきましょう。

マットレス
・マットレスは少し硬めのものを選んでいます。横になっているときにお尻や腰が少し痛かったりするときはご相談ください。違う硬さのものなど調整可能であれば変更することができます。

介助バー
・ベッドにしっかりと固定してありますが、使用していくとぐらつきや緩みなどが出てくる場合があります。そのときはご連絡をください。調整いたします。

歩行器
・固定式4点歩行器は貸与・販売の選択制対象です。主治医による、生活や気持ちが安定するまで他の福祉用具に交換できる貸与が望ましいとのご意見もあり、本人ご了承のもと貸与でのご利用となります。
・Aさんが使いやすい高さに調整してあります。軽くて持ちやすいですが、段差をまたいで床に置いたり歩行器が斜めになるとバランスを崩してしまうことがあります。歩行器が平らになるように床をついて使用してください。

☑私は、貸与・販売の選択制対象の福祉用具に関する説明、及び選択に必要な情報の提供と提案を受けました。
☑私は、貸与の候補となる福祉用具の全国平均貸与価格等の説明を受けました。
☑私は、貸与の候補となる機能や価格の異なる複数の福祉用具の提示を受けました。
☑私は、福祉用具サービス計画の内容について説明を受け、内容に同意し、計画書の交付を受けました。

日付	年　月　日
署名	
(続柄) 代筆者名	（　　）

事業所名		福祉用具専門相談員		次回モニタリング	令和7年 1月 初旬 日
住所		TEL		FAX	

総合演習

福祉用具サービス計画書（利用計画）

管理番号　〇〇

フリガナ		性別	生年月日	年齢	要介護度	認定期間
利用者名	A　様	男性	M・T・S　〇〇年〇月〇日	74	要介護2	令和6年10月1日～令和8年9月30日
居宅介護支援事業所	〇〇居宅介護支援事業所			担当ケアマネジャー		B

※	生活全般の解決すべき課題・ニーズ（福祉用具が必要な理由）	福祉用具利用目標
1	筋力低下で起き上がり立ち座りが難しく、仰臥位では肺気腫や狭心症に伴う息苦しさなどがあるために福祉用具が必要。	ご本人が介護用ベッドと介助バーを使って、ご自分で寝起き立ち座りができ、横になるときに背もたれの角度を少し高くして呼吸しやすくゆっくり眠れるようにする。
2	下肢筋力低下があり、立ち座りや歩行する際に不安定で転倒予防のために福祉用具が必要。	ご本人が4点歩行器を使って、ご自分で立ち座りができ、ご自宅内を転ばずに安定して移動できるようにする。
3	下肢筋力低下があり、立ち座りや歩行する際に不安定で転倒予防のために福祉用具が必要。	介助者が車いすを介助して、ご本人と一緒に買い物や公園に行ったり、長距離を外出できるようにする。
4		

選定福祉用具

（2／2枚）

※との対応	サービス種目（貸与・販売）	単位数	選定理由
	機種名		
	型式　TAIS・届出コード		
3	車いす貸与(3) 介助式車いす〇〇		Aさんの体型に合わせた座高・座幅で、ご自宅でコンパクトに収納できる背もたれが折りたためる介助式車いすを選びました。

留意事項

車いす
・買い物などで歩いていくのが大変なときに、ヘルパーさんに介助してもらうタイプの車いすです。今回はご自分で操作するタイプではないので、もし変更を希望される場合はご相談ください。

☑私は、貸与・販売の選択制対象の福祉用具に関する説明、及び選択に必要な情報の提供と提案を受けました。
☑私は、貸与の候補となる福祉用具の全国平均貸与価格等の説明を受けました。
☑私は、貸与の候補となる機能や価格の異なる複数の福祉用具の提示を受けました。
☑私は、福祉用具サービス計画の内容について説明を受け、内容に同意し、計画書の交付を受けました。

日付	年　　月　　日
署名	
（続柄）代筆者名	（　　　）

事業所名		福祉用具専門相談員		次回モニタリング	令和7年　1月　初旬日
住所		TEL		FAX	

● 「モニタリングシート」作成例

モニタリングシート（利用状況確認書）

管理番号	○○	（ 1 / 1 枚）
モニタリング実施日	令和 7 年 1 月 28 日	
前回実施日	年 月 日	
お話を伺った人	■利用者 □家族 □他（ ）	
確認手段	■訪問 □電話 □他（ ）	
事業所名	○○福祉用具サービス	
福祉用具専門相談員	C	
事業所住所	○○県○○市○○町×-×-×	
TEL	××-××-××	

フリガナ		居宅介護支援事業所	○○居宅介護支援事業所	担当ケアマネジャー	B
利用者名	A 様	要介護度	要介護2	認定期間	R6/10/1 ～ R8/9/30

※	福祉用具利用目標	目標達成状況 達成度	目標達成状況 詳細
1	ご本人が介護用ベッドと介助バーを使って、ご自分で寝起き立ち座りができ、横になるときに背もたれの角度を少し高くして呼吸しやすくゆっくり眠れるようにする。	□達成 ■一部達成 □未達成	高さ調整と介助バーを使っての立ち座りは慣れるまでご負担だったようですが、訪問介護員や看護師の方々が訪問の際にこまめに指導をしてくださり、今は見守りがあれば確実にできるようになりました。
2	ご本人が4点歩行器を使って、ご自分で立ち座りができ、ご自宅内を転ばずに安定して移動できるようにする。	■達成 □一部達成 □未達成	4点歩行器も使い慣れてくださり、居室からの移動では上手に使用されていました。
3	介助者が車いすを介助して、ご本人と一緒に買い物や公園に行ったり、長距離を外出できるようにする。	□達成 ■一部達成 □未達成	当初やはりご本人の抵抗もあり、なかなか外出が難しかったようですが、訪問介護員さんが一度上手に誘ってくださってから、天気と気分がいいときに外に出て一服してくださるようになったとのことです。
4		□達成 □一部達成 □未達成	

※との対応	利用福祉用具（サービス種目）機種（型式）	利用開始日	利用状況の問題	点検結果	今後の方針	理由等 ※選択制対象種目の検討含む
1	特殊寝台貸与（1） 介護用ベッド○○（2モーター）	R6/10/1～	■なし □あり	■問題なし □問題あり	■継続 □再検討	
1	特殊寝台付属品貸与（1） マットレス○○	R6/10/1～	□なし ■あり	□問題なし ■問題あり	□継続 ■再検討	しっかり体を支える硬めのマットレスは立ち座りではいいそうですが、寝ているときは少し腰が痛いとのことで、もう少し柔らかいものに変更を検討。
1	特殊寝台付属品貸与（1） サイドレール○○	R6/10/1～	■なし □あり	■問題なし □問題あり	■継続 □再検討	
1	特殊寝台付属品貸与（1） 介助バー○○（1）	R6/10/1～	■なし □あり	■問題なし □問題あり	■継続 □再検討	
2	歩行器貸与（2） 固定式4点歩行器○○	R6/10/1～	■なし □あり	■問題なし □問題あり	■継続 □再検討	
3	車いす貸与（3） 介助式車いす○○	R6/10/1～	□なし ■あり	□問題なし ■問題あり	□継続 ■再検討	介助式をご利用いただいていましたが、外出先でご自分でも操作したいという意欲が出ていたので自走式に変更を検討。
			□なし □あり	□問題なし □問題あり	□継続 □再検討	
			□なし □あり	□問題なし □問題あり	□継続 □再検討	
			□なし □あり	□問題なし □問題あり	□継続 □再検討	

利用者等の変化

身体状況・ADLの変化	□なし ■あり	ベッドからの寝起き、立ち座りがご自分でもできるようになってきて、ご自宅での活動も増え、外出も少しずつ機会ができてきました。	介護環境①（家族の状況）の変化	■なし □あり	
意欲・意向等の変化	□なし ■あり	ご自分でできることが増えてきて、生活に意欲がみえてきました。また、一服をしに一緒に外出されるようになり、表情も穏やかになったように感じます。	介護環境②（サービス利用等）・住環境の変化	□なし ■あり	気持ちの変化に合わせて、通所介護も再開に向けてご本人も少し意欲が出ていらっしゃるとのこと。

総合評価

福祉用具サービス計画の見直しの必要性	□なし ■あり	福祉用具を導入したことによってご自宅でご自身でできる環境が広がり、結果としてより自立的な利用に向けての機種変更が提案できるような状態になっています。ケアマネジャーとご本人と相談しながら考えていきたいと思います。下肢筋力、立ち上がり動作なども少し向上しているように感じます。状況に合わせて機器も変更など対応できればと思います。4点歩行器の使用に慣れてきたこともあり、再度購入の意思の確認、メンテナンスが有償となることや、できれば杖で歩きたい意向があることからこのまま貸与継続が必要と考えます。

次回モニタリング	令和 7 年 3 月 下旬 日

総合演習

事例3　末期がんの骨転移があり疼痛が強いターミナル期の人

●「基本情報」作成例

福祉用具サービス計画書（基本情報）

管理番号	○○
作成日	令和6年10月1日
福祉用具専門相談員名	C

フリガナ		性別	生年月日	年齢	要介護度	認定期間
利用者名	A 様	女性	M・T・Ⓢ ○○年○月○日	58	要介護5	令和6年9月1日～令和8年8月31日
住所	○○県○○市○○町×-×-×				TEL	××-××-××
居宅介護支援事業所	○○居宅介護支援事業所				担当ケアマネジャー	B

相談内容	相談者	B	利用者との続柄	ケアマネジャー	相談日	令和6年9月25日

10月3日に病院から退院される方。肺がんから転移が背骨と小脳にあり、末期。ご本人とご主人の希望で自宅に帰られます。在宅でケアと生活ができるように福祉用具を導入したいとのこと。

ケアマネジャーとの相談記録	5月15日に体調を崩して入院されてから症状が進行し、現在はベッド上の生活になっています。今回ホスピスと在宅を検討され、たっての希望でご自宅に帰られます。余命は半年から1年といわれています。医療・看護と連携をしながらご自宅でご家族と自分らしく過ごされたいとのこと。そのための環境整備をお願いいたします。	ケアマネジャーとの相談日 R6/9/25

身体状況・ADL （令和6年9月現在）

身長	155 cm	体重	40 kg

	つかまらないでできる	何かにつかまればできる	一部介助	できない
寝返り	□	□	■	□
起き上がり	□	□	□	■
立ち上がり	□	□	□	■

	自立（介助なし）	見守り等	一部介助	全介助
移乗	□	□	□	■

	できる	自分の手で支えればできる	支えてもらえればできる	できない
座位	□	□	■	□

	つかまらないでできる	何かにつかまればできる	一部介助	できない
屋内歩行	□	□	□	■
屋外歩行	□	□	□	■

	自立（介助なし）	見守り等	一部介助	全介助
移動	□	□	□	■
排泄	□	□	□	■
入浴	□	□	□	■
食事	□	□	■	□
更衣	□	□	□	■

	意思を他者に伝達できる	ときどき伝達できる	ほとんど伝達できない	伝達できない
意思の伝達	■	□	□	□

視覚・聴覚	左に難聴あり

疾病	肺小細胞がん（胸椎・小脳に転移あり）
麻痺・筋力低下	全身の筋力低下、手指に軽度振戦あり
障害日常生活自立度	C2
認知症の日常生活自立度	I
特記事項	めまいの起こる可能性がある。

介護環境

家族構成/主介護者	夫（63歳）、息子家族は別世帯

他のサービス利用状況	訪問介護	訪問入浴	訪問リハビリ	訪問看護（医療）
				○

利用している福祉用具	（入院中に利用）介護用ベッド・車いす（ハイバック・リクライニング）・エアマット・おむつ使用
特記事項	

意欲・意向等

利用者の意欲・意向、今困っていること（福祉用具で期待することなど）	■ 利用者から確認できた　□ 利用者から確認できなかった 夫と一緒に家で過ごしたい。ずっと寝ているので背中が少し痛い。めまいがあるのがつらい。庭の手入れができなくても、見ていたい。車いすで庭やリビングで夫と一緒に過ごしたい。息子たちには心配をかけたくない。

居宅サービス計画

利用者及び家族の生活に対する意向	利用者	夫と一緒に家で過ごしたい。息子たちにはあまり心配をかけたくない。
	家族	長い入院生活で妻が家に帰りたいという気持ちはよくわかる。最期は家で迎えさせてあげたい。できる限り苦しまないよう、痛まないように安心して過ごせるようにしてあげたい。

総合的な援助方針	退院されてからのご夫婦の生活と時間を大切に過ごしていただけるよう、医療・看護・介護が連携しながら支援していきます。訪問看護は特別指示書で医療保険対応になります。訪問リハビリテーションで体の緊張や痛みの軽減を図ります。訪問入浴で清潔と心地よさを提供します。訪問介護は奥様の生活全般、身体の介護を行い、ご主人の介護負担の軽減を図ります。福祉用具はそれらの福祉住環境を整備して、利用者本人ができること、したいことを支援し、介護者にとっても支援しやすい環境を整えます。

住環境

■ 戸建
□ 集合住宅（　　　階）
（　エレベーター　□ 有　■ 無　）
例：段差の有無など

2階建てで、1階が居室（8畳）、居間（8畳）、台所、トイレ、浴室など。玄関は段差15cm、庭へは玄関を出てポーチを回って出ることが可能。

● 「選定提案」作成例

福祉用具サービス計画書（選定提案）

管理番号	
説明日	令和6年10月1日
説明担当者	C

フリガナ		性別	生年月日	年齢	要介護度	認定期間
利用者名	A 様	女性	M・T・⑤ ○○年○月○日	58	要介護5	令和6年9月1日～令和8年8月31日
居宅介護支援事業所	○○居宅介護支援事業所			担当ケアマネジャー		B

※	福祉用具が必要な理由（※）
1	ベッドで背中が痛くならないように過ごしたいとのことから，特殊寝台と床ずれ防止用具を利用して療養環境を整えます。
2	日中，庭に出たり，リビングで過ごしたいとのことから，車いすを利用します。
3	夜，排泄を気にせず，安心して眠りたいとのことから，就寝時に装着して使用する自動排泄処理装置が必要です。

貸与を提案する福祉用具

（1／2枚）

（※）との対応	種目／提案品目（商品名）／機種（型式）／TAIS・届出コード	貸与価格（円）／全国平均貸与価格（円）	提案する理由	【説明方法】カタログ／Webページ／TAISページ／実物　等	採否
1	特殊寝台／介護用ベッド○○（3モーター）／○○／○○○○○-○○○○	12,000円	背上げと足下げが1つの操作で調整でき，起き上がり動作やベッド上での姿勢保持を負担なく行え，高さ調整によりベッドからの移乗・移動が行いやすい3モーターベッド。付属のサポート機能により，痛みや床ずれリスクの低減が期待できる機種です。	カタログ	○
1	特殊寝台／介護用ベッド☆☆（3モーター）／○○／○○○○○-○○○○	12,000円	背上げ時にずれと腹圧を軽減できる機能付きで，起き上がり動作とベッド上での姿勢保持を負担なく行える。高さ調整によりベッドからの移乗・移動も負担なく行える3モーターベッドです。	カタログ	×
1	特殊寝台付属品／サイドレール○○／○○○-○○○○	500円	介護用ベッド○○に対応し，身体の転落防止・寝具の落下防止及び寝返り時などの支持物として利用でき，特殊寝台本体のJIS認証規格との組み合わせで使用する長さ○cm・高さ○cmのサイドレールです。	カタログ	○
1	特殊寝台付属品／サイドレール☆☆／○○○-○○○○	500円	介護用ベッド☆☆に対応し，身体の転落防止・寝具の落下防止及び寝返りの際に掴まることができる長さ○cm・高さ○cmのサイドレールです。	カタログ	×
1	特殊寝台付属品／オーバーベッドテーブル○○／○○○-○○○○	4,000円	介護用ベッド○○に対応し，ベッド上での背上げ姿勢での食事や飲み物などを置くことができる，ベッドを跨いで設置できる移動式の高さ調整（○～○cm無段階）が可能なテーブルです。	カタログ	○
1	特殊寝台付属品／ベッドサイドテーブル☆☆／○○○-○○○○	2,500円	介護用ベッド☆☆に対応し，ベッドサイドから差し込むことで背上げ姿勢時やベッドサイド端座位での食事も行えるなど，その時々の姿勢や状況に合わせて高さ調整（○～○cm無段階），移動が行えるベッドサイドテーブルです。	カタログ	×
1	床ずれ防止用具／エアマット○○／○○／○○○○○-○○○○	8,000円	背上げ時の角度に応じた最適な内圧自動調整機能で優れた体圧分散性と除圧性により，痛みの軽減や床ずれ予防が期待できる高機能タイプのエアマットレスです。	カタログ	○
1	床ずれ防止用具／静止型床ずれ予防マットレス☆☆／○○／○○○○○-○○○○	6,000円	異なる材質の組み合わせ構造でマットレス上での動きやすさと適度な圧分散性を兼ね備え，また両端が硬めの素材になっていることで端座位が安定しやすく起居・離床促進が期待できる床ずれ予防マットレスです。	カタログ	×
2	車いす／リクライニング車いす○○／○○○-○○○○	8,000円	前座高○cm，座幅○cm，全幅○cm，重量○kg。ハイバックサポートで腹部が圧迫されない快適姿勢をサポート。座面角度が調整できるティルト機能と，背もたれ角度が調整できるリクライニング機能により，身体のずれが少なく姿勢変換が行える軽量でコンパクトなティルト＆リクライニング車いすです。	実物	○
2	車いす／リクライニング車いす☆☆／○○○-○○○○	8,000円	前座高○cm，座幅○cm，全幅○cm，重量○kg。簡単なレバー操作で背もたれ角度と座面角度が容易に調整でき，身体のずれが少なく姿勢変換が行えるリクライニング車いすです。	カタログ	×

福祉用具サービス計画書（選定提案）

管理番号	
説明日	令和6年10月1日
説明担当者	C

フリガナ		性別	生年月日	年齢	要介護度	認定期間
利用者名	A 様	女性	M・T・Ⓢ ○○年○月○日	58	要介護5	令和6年9月1日～令和8年8月31日
居宅介護支援事業所	○○居宅介護支援事業所			担当ケアマネジャー		B

※	福祉用具が必要な理由（※）
1	ベッドで背中が痛くならないように過ごしたいとのことから、特殊寝台と床ずれ防止用具を利用して療養環境を整えます。
2	日中、庭に出たり、リビングで過ごしたいとのことから、車いすを利用します。
3	夜、排泄を気にせず、安心して眠りたいとのことから、就寝時に装着して使用する自動排泄処理装置が必要です。

（2／2 枚）

貸与を提案する福祉用具

（※）との対応	種目 / 提案品目（商品名） / 機種（型式）／TAIS・届出コード	貸与価格（円） / 全国平均貸与価格（円）	提案する理由	【説明方法】カタログ Webページ TAISページ 実物 等	採否
3	自動排泄処理装置 / 自動採尿○○ / ○○／○○○○○-○○○○○○	12,000円	おむつ式の装着タイプで専用のパッドに内蔵されたセンサーが、尿を感知してタンクに自動吸引します。*福祉用具に求められる用件・機能等に適応する機種は1つしかなく、他に候補となり得る機種は存在しません。	実物	○

● 「利用計画」作成例

福祉用具サービス計画書（利用計画）

管理番号	○○

フリガナ		性別	生年月日	年齢	要介護度	認定期間
利用者名	A 様	女性	M・T・S ○○年○月○日	58	要介護5	令和6年9月1日～令和8年8月31日
居宅介護支援事業所	○○居宅介護支援事業所			担当ケアマネジャー	B	

※	生活全般の解決すべき課題・ニーズ（福祉用具が必要な理由）	福祉用具利用目標
1	ベッドで背中が痛くならないように過ごしたい。	介護用ベッドを使って、横になっている時間、無理なく背中を起こしたり、ゆっくり痛みなく過ごせるようにする。
2	ベッドで背中が痛くならないように過ごしたい。	床ずれ防止用具を使って、背中の痛みが軽くなるようにし、床ずれが起きないようにする。
3	日中、庭に出たり、リビングで過ごしたい。	車いすを使って、日中、調子のよいときはリビングや庭でご主人と一緒に過ごせる時間をつくれるようにする。
4	夜、排泄を気にせず、安心して眠りたい。	自動排泄処理装置を使って、夜間でも排泄介助をすることなく、ご主人も奥様もゆっくりと安心して眠れるようにする。

選定福祉用具

（ 1 ／ 2 枚）

※との対応	サービス種目（貸与・販売）／単位数　機種名　型式　TAIS・届出コード	選定理由
1	特殊寝台貸与(1)　介護用ベッド○○（3モーター）	背上げと足下げが一つの操作で同時に動き、日中過ごされるときに少し背中を丸めることで痛みが出にくい姿勢をとることができる機種を選びました。
1	特殊寝台付属品貸与(1)　サイドレール○○	背上げをした際に体が倒れこんだり、寝返りする際に手助けとなるように、ベッドに合わせた長さの機種を選びました。
1	特殊寝台付属品貸与(1)　オーバーベッドテーブル○○	ベッド上で過ごすことが多く、食事や飲み物など自分で取り置きしておくことができるよう、選定したベッドに合った機種を選びました。
2	床ずれ防止用具貸与(2)　エアマット○○	介護用ベッドと連動して、背上げなどに合わせて空気圧を自動調整し、体の動きが少なくても背中やお尻の圧を分散し、痛みの軽減や床ずれを予防する機種を選びました。
3	車いす貸与(3)　ハイバックリクライニング車いす○○	頭と背中を支えるハイバックで、角度の調整ができるリクライニング機能があり、座り心地が安定するティルト機能と、足乗せの角度調整と乗り移りの際に肘掛けが外せるタイプの機種を選びました。

留意事項

介護用ベッド
・ベッドの下は広く空いていますが、ベッド高を一番低くすると床ぎりぎりまで下がりますので、ベッドの下に物は置かないようにしてください。
・背中を上げるときにズレが起きにくいつくりになっていますが、姿勢を変えたときには背中に手を入れてズレを抜くようにしてください。

エアマット
・空気式のマットは冬場寒く感じる方がいらっしゃいます。その際は室温を高く調整したり、エアマットの下に電気毛布を敷いてエアマット自体を温めるようにすると暖かく感じます。

車いす
・背もたれや座面の張り具合をAさんに合わせて調整してあります。しばらくお使いいただいて再度調整が必要なときはご連絡ください。
・リクライニング・ティルト・エレベーションなど、Aさんのお身体の状態に合わせて動かしてフィットさせるタイプの機種です。操作の仕方についてはご主人や介護者のみなさんにお伝えしながら覚えていただければと思います。ご不明な点などあればご相談ください。

□私は、貸与・販売の選択制対象の福祉用具に関する説明、及び選択に必要な情報の提供と提案を受けました。	日付	年　月　日
☑私は、貸与の候補となる福祉用具の全国平均貸与価格等の説明を受けました。	署名	
□私は、貸与の候補となる機能や価格の異なる複数の福祉用具の提示を受けました。		
□私は、福祉用具サービス計画の内容について説明を受け、内容に同意し、計画書の交付を受けました。	（続柄）代筆者名	（　　　　）

事業所名		福祉用具専門相談員		次回モニタリング	令和6年 11月 初旬 日
住　所		TEL		FAX	

総合演習

福祉用具サービス計画書（利用計画）

管理番号	○○

フリガナ		性別	生年月日	年齢	要介護度	認定期間
利用者名	A 様	女性	M・T・Ⓢ ○○年○月○日	58	要介護5	令和6年9月1日～令和8年8月31日
居宅介護支援事業所	○○居宅介護支援事業所			担当ケアマネジャー		B

※	生活全般の解決すべき課題・ニーズ（福祉用具が必要な理由）	福祉用具利用目標
1	ベッドで背中が痛くならないように過ごしたい。	介護用ベッドを使って，横になっている時間，無理なく背中を起こしたり，ゆっくり痛みなく過ごせるようにする。
2	ベッドで背中が痛くならないように過ごしたい。	床ずれ防止用具を使って，背中の痛みが軽くなるようにし，床ずれが起きないようにする。
3	日中，庭に出たり，リビングで過ごしたい。	車いすを使って，日中，調子のよいときはリビングや庭でご主人と一緒に過ごせる時間をつくれるようにする。
4	夜，排泄を気にせず，安心して眠りたい。	自動排泄処理装置を使って，夜間でも排泄介助をすることなく，ご主人も奥様もゆっくりと安心して眠れるようにする。

選定福祉用具

(2／2枚)

※との対応	サービス種目（貸与・販売）／機種名／型式／TAIS・届出コード	単位数	選定理由
4	自動排泄処理装置貸与(4)／自動採尿○○		夜間におむつ式で装着でき，排泄があると自動で吸引し，朝まで交換せずに貯蔵できる機種を選びました。
4	自動排泄処理装置販売(4)／自動採尿○○用タンク一式		実際に尿を貯蔵するためのタンクやホースなど，レンタルに適さない物はご本人用のものとして購入していただくものになります。

留意事項

自動排泄処理装置
・本体はレンタル，タンクなどは購入，パッド部分などは消耗品になります。消耗品などはご連絡いただければご注文を承ります。
・パッド部分の当て方など，うまく使用していただくためのコツがいくつかあります。みなさんに練習していただきながら上手に活用していただけるようお伝えしたいと思います。ご不明な点などがあればご相談ください。
・タンク一式は販売対象品ですので代金の9割が還付されます。申請書等手続きのお手伝いをいたします。

☐ 私は，貸与・販売の選択制対象の福祉用具に関する説明，及び選択に必要な情報の提供と提案を受けました。
☑ 私は，貸与の候補となる福祉用具の全国平均貸与価格等の説明を受けました。
☐ 私は，貸与の候補となる機能や価格の異なる複数の福祉用具の提示を受けました。
☐ 私は，福祉用具サービス計画の内容について説明を受け，内容に同意し，計画書の交付を受けました。

日付	年　月　日
署名	
（続柄）代筆者名	（　　　）

事業所名		福祉用具専門相談員		次回モニタリング	令和6年 11月 初旬 日
住所		TEL		FAX	

● 「モニタリングシート」作成例

管理番号	○○	（ 1 / 1 枚）

モニタリングシート（利用状況確認書）

モニタリング実施日	令和 6 年 11 月 1 日
前回実施日	年 月 日
お話を伺った人	■利用者 ■家族 □他（　　）
確認手段	■訪問 □電話 □他（　　）
事業所名	○○福祉用具サービス
福祉用具専門相談員	C
事業所住所	○○県○○市○○町×-×-×
TEL	××-××-××

フリガナ		居宅介護支援事業所	○○居宅介護支援事業所	担当ケアマネジャー	B
利用者名	A 様	要介護度	要介護5	認定期間	R6/9/1 ～ R8/8/31

※	福祉用具利用目標	目標達成状況	
		達成度	詳細
1	介護用ベッドを使って、横になっている時間、無理なく背中を起こしたり、ゆっくり痛みなく過ごせるようにする。	■達成 □一部達成 □未達成	退院して在宅の生活がなじんできたようで、ベッド上でもゆったりと過ごせているとのこと。痛みがあるときは角度を調整したり工夫をされているそうです。
2	床ずれ防止用具を使って、背中の痛みが軽くなるようにし、床ずれが起きないようにする。	■達成 □一部達成 □未達成	姿勢によって圧の調整がされるので、痛みが出ても動いて逃がすことができているとのことです。
3	車いすを使って、日中、調子のよいときはリビングや庭でご主人と一緒に過ごせる時間をつくれるようにする。	■達成 □一部達成 □未達成	訪問介護や訪問看護が入っているときに、車いすに移動して、リビングで過ごしておられるとのこと。庭にも一度出られたそうです。
4	自動排泄処理装置を使って、夜間でも排泄介助をすることなく、ご主人も奥様もゆっくりと安心して眠れるようにする。	■達成 □一部達成 □未達成	装着が最初うまくいかないこともあったようですが、今ではしっかりと装着でき、夜間痛みがあるとき以外は安心してお二人とも休まれているとのことです。

※との対応	利用福祉用具（サービス種目）機種（型式）	利用開始日	利用状況の問題	点検結果	今後の方針	理由等 ※選択制対象種目の検討含む
1	特殊寝台貸与(1) 介護用ベッド○○（3モーター）	R6/10/3～	■なし □あり	■問題なし □問題あり	■継続 □再検討	
1	特殊寝台付属品貸与(1) サイドレール○○	R6/10/3～	■なし □あり	■問題なし □問題あり	■継続 □再検討	
1	特殊寝台付属品貸与(1) オーバーベッドテーブル○○	R6/10/3～	■なし □あり	■問題なし □問題あり	■継続 □再検討	
2	床ずれ防止用具貸与(2) エアマット○○	R6/10/3～	■なし □あり	■問題なし □問題あり	■継続 □再検討	
3	車いす貸与(3) ハイバックリクライニング車いす○○	R6/10/3～	■なし □あり	■問題なし □問題あり	■継続 □再検討	
4	自動排泄処理装置貸与(4) 自動採尿○○	R6/10/3～	■なし □あり	■問題なし □問題あり	■継続 □再検討	
			□なし □あり	□問題なし □問題あり	□継続 □再検討	
			□なし □あり	□問題なし □問題あり	□継続 □再検討	

利用者等の変化

身体状況・ADLの変化	□なし ■あり	病院ではベッド上で過ごされることが大半でしたが、介護・看護が入っている時間、車いすに移乗して過ごされることが多くなりました。	介護環境①（家族の状況）の変化	□なし ■あり	ご主人も当初在宅での生活が心配だったようですが、少し慣れてきて、冗談や愚痴もお話しされるようになったとのこと。
意欲・意向等の変化	□なし ■あり	痛みがあるときはつらそうですが、入院中に比べ表情が穏やかになられたようです。冗談もお話しされるようになったとのこと。	介護環境②（サービス利用等）・住環境の変化	■なし □あり	

総合評価

福祉用具サービス計画の見直しの必要性	■なし □あり	退院されて1か月の早めのモニタリングですが、在宅生活も順調に動き出し、なじんでこられたようです。福祉用具に関しても車いすも自動排泄処理装置もうまく使えるようになってきました。痛みに関しては往診医・訪問看護のペインコントロールも調整できているようで、痛みのあるときには姿勢を動かしたりご自身でも調整されているようです。今後も状態の変化に注視しながら必要に応じて対応していきたいと思います。

次回モニタリング	令和 7 年 3 月 中旬 日

総合演習

索 引

アルファベット

ADL　167, 177
BCP　23
BPSD　124, 130
CCTA95　12
DAISY　393
IADL　167, 177
ICF　4, 104, 137, 178
ICIDH　104, 137, 178
ICT　64
ISO　3
JIS　3, 14
LIFE　64
MCI　124, 127
NITE　417
OT　144
PDCA サイクル　99
PT　143
QAPマーク　16
QOL　91, 146
SG（Safe Goods）基準　16
ST　144
T字型つえ　276

あ行

上がり框　213
アセスメント　98, 457
アドボカシー　92
アルツハイマー型認知症　126
医学的リハビリテーション　139
医師　143
維持期リハビリテーション　163
移乗介護　186
移乗関連用具　284
移乗シート　289
移乗動作　284
移乗ボード　287
一般介護予防事業　43
溢流性尿失禁　317
移動　186
移動関連用具　246
移動用リフト　6
……のつり具部分　7
インテーク　97
ウイルス感染症　134
エンパワメント　91
横臥位　172
起き上がり　174
起き上がり補助装置　243
大人用おむつ　329

か行

臥位　172
介護医療院サービス　59
介護給付　35, 36, 37, 77
介護・訓練支援用具　9, 402, 437
介護サービス情報の公表　46
介護支援専門員　34
介護福祉施設サービス　59
介護報酬　39
介護保険施設　58
介護保健施設サービス　59
介護保険審査会　51
介護保険における福祉用具の選定の判断基準　65, 430
介護保険の目的　4
介護保険法　31
介護用ベッド　225
介護予防居宅療養管理指導　61
介護予防サービス　60
介護予防サービス計画　34
介護予防サービス計画費　39
介護予防サービス費　38
介護予防支援　63
介護予防住宅改修費　39, 217
介護予防小規模多機能型居宅介護　63
介護予防短期入所生活介護　61
介護予防短期入所療養介護　61
介護予防通所リハビリテーション　61
介護予防特定施設入居者生活介護　62
介護予防・日常生活支援総合事業　42, 43
介護予防認知症対応型共同生活介護　63
介護予防認知症対応型通所介護　63
介護予防福祉用具購入費　39
介護予防福祉用具貸与　62
介護予防訪問看護　60
介護予防訪問入浴介護　60
介護予防訪問リハビリテーション　61
介護ロボット　64
介助用標準型車いす　267
介助用ベルト　285
階段　214
階段移動用リフト　432
階段昇降　176
回転盤　292
科学的介護情報システム　64
拡大鏡　396
拡大読書器　394
拡大用具　394
掛け布団　368

517

下肢装具　365
家事用自助具　385
家族　169
活動　137
画面拡大ソフト　392
画面読み上げソフト　392
簡易スロープ　296
簡易浴槽　7
環境制御装置　413
看護師　144
看護小規模多機能型居宅介護　58
関節拘縮　119
感染症　133
記憶障害　129
起居動作　230
義肢装具士　145
基準該当サービス　50
寄生虫感染症　134
機能性尿失禁　317
基本情報　464, 466
教育的リハビリテーション　142
仰臥位　172
共生型居宅サービス　63
共同生活援助　79
業務継続計画　23
居宅介護　78
居宅介護サービス計画費　38
居宅介護サービス費　37
居宅介護支援　58, 96
居宅介護住宅改修費　38, 217
居宅介護福祉用具購入費　38
居宅サービス　52
居宅サービス計画　34, 100
居宅生活動作補助用具　9, 403, 437
居宅における介護等　68
居宅療養管理指導　54
起立性低血圧　120
緊急通報システム　413
筋力低下　119
空気感染　134

区分支給限度基準額　40, 41
車いす　6, 246
車いす付属品　6, 272
グレーチング　216
訓練等給付　78
ケアハウス　69
ケアプラン　100
ケアマネジメント　95
経口感染　134
軽度認知障害　124, 127
血液感染　134
血管性認知症　126
健康寿命　111
言語聴覚士　144
見当識障害　129
権利擁護事業　44
更衣　353
更衣介護　195
更衣用自助具　380
高額介護サービス費　38
高額介護予防サービス費　39
後期高齢者医療給付　73
後期高齢者医療制度　73
高血圧　113
後縦靱帯骨化症　118
行動援護　78
行動・心理症状　124, 130
公認心理師　144
高齢者医療確保法　71
高齢者虐待の防止，高齢者の養護者に対する支援等に関する法律　92
高齢者虐待防止法　92
高齢者生活福祉センター　69
高齢者の医療の確保に関する法律　71
高齢者用ナースコール　410
国際障害分類　104, 137, 178
国際生活機能分類　4, 104, 137, 178
国際標準化機構　3

腰掛便座　7
骨萎縮　119
骨格　171
骨折を伴う骨粗鬆症　118
骨粗鬆症　116
骨突出　239
コミュニケーション　197, 388
コミュニケーション関連用具　388

さ行

サービス・活動事業　43
座位　172
細菌感染症　134
在宅医療・介護連携推進事業　44
在宅療養等支援用具　9, 402, 437
サイドウォーカー　278
作業療法士　144
殺菌　440
参加　137
支援機器　3
視覚障害者安全つえ　397
敷布団　367
「事故及びヒヤリハット情報」提供シート　418
支持基底面　188
自助具　160, 373, 374
次世代介護機器　333
施設介護サービス費　38
施設サービス　58
施設入所支援　78
自走用標準型車いす　263
市町村特別給付　36, 39
失語　129
失行　129
実行機能障害　129
失認　129
指定居宅サービスの事業の一般原則　20
自動排泄処理装置　6, 328, 431
……の交換可能部品　7
自動ラップ式ポータブルトイレ

334
しびん 326
社会参加関連用具 388
社会的リハビリテーション 142
社会福祉士 144
シャワーキャリー 338
住所地特例 32
住宅 199
住宅改修 56
重度障害者等包括支援 78
重度訪問介護 78
就労移行支援 79
就労継続支援 79
就労選択支援 79
就労定着支援 79
手段的日常生活動作 167, 177
障害者総合支援法 52, 76
障害者の日常生活及び社会生活を総合的に支援するための法律 52, 76
障害モデル 137
小規模多機能型居宅介護 57
消毒 438
消費生活用製品安全法 417
情報・意思疎通支援用具 9, 402, 437
情報通信技術 64
職業リハビリテーション 142
食事介護 189
食事用自助具 377
褥瘡 238, 240
自立訓練 79
自立支援医療 79
自立支援給付 77
自立生活援助 79
自立生活支援用具 9, 402, 437
シルバーカー 282
真菌感染症 134
心筋梗塞 113
寝具 365
進行性核上性麻痺 111

心身機能・身体構造 137
身体 171
身体拘束 93, 94
スタンダードプリコーション 134
スツール 340
ステッキ型つえ 276
スライディングシート 289
スライディングボード 287
スロープ 6, 7, 208
生活 165
生活介護 78
生活支援体制整備事業 44
生活支援ハウス 69
生活習慣病 113
生活の質 91, 146
生活リズム 167
生活歴 168
整容介護 196
整容用自助具 379
脊髄小脳変性症 112
脊髄損傷 118
接触感染 134
切迫性尿失禁 317
セミファーラー位 227
全国福祉用具専門相談員協会倫理綱領 25
洗濯 369
洗濯表示 370
選定提案 464, 468
前頭側頭型認知症 127
全盲 389
装具 158
総合相談支援事業 44
喪失感 122
ソーシャルワーカー 144
ゾーニング 201
側臥位 172

た行

第1号介護予防支援事業 44
体位変換器 6, 243, 294

大腿骨近位部骨折 117
大脳皮質基底核変性症 111
多脚型つえ 277
多系統萎縮症 112
多職種連携 26, 105
立ち上がり 174
立ち上がり補助用具 236
脱健着患 196
短期入所 78
短期入所生活介護 54
短期入所療養介護 54
段差解消機 208, 295
段差の解消 206
地域ケア会議 87
地域ケア会議推進事業 45
地域支援事業 42
地域社会 170
地域生活支援事業 80
地域相談支援給付 79
地域包括ケア 82
地域包括ケアシステム 24, 85
地域包括支援センター 45, 87
地域密着型介護サービス費 37
地域密着型介護予防サービス 62
地域密着型介護予防サービス費 39
地域密着型介護老人福祉施設入所者生活介護 58
地域密着型サービス 56
地域密着型通所介護 57
地域密着型特定施設入居者生活介護 57
地域リハビリテーション 142, 163
中核症状 124, 129
聴覚障害者用屋内信号装置 409
通所介護 54
通所リハビリテーション 54
つえ 273
吊り具 305
定期巡回・随時対応型訪問介護看護

　　　　56
デイケア　54
デイサービス　54
デイジー　393
適応機制　122
手すり　6, 204
点字　391
トイレ　215
トイレキャリー　325
同行援護　78
糖尿病　113
糖尿病性神経障害　113
糖尿病性腎症　113
糖尿病性網膜症　113
特殊寝台　6
特殊寝台付属品　6, 229
特定介護予防福祉用具販売　62
特定健康診査　72
特定施設入居者生活介護　54
特定疾病　33, 34, 123
特定福祉用具販売　7, 55, 425
特定福祉用具販売計画の作成　22
特定保健指導　72
床ずれ防止用具　6, 241
閉じこもり　181
トランスファーリング　315

な行

日常生活　165
日常生活動作　167, 177
日常生活用具　8, 9, 10, 402, 437
日本産業規格　3, 14
入浴　337
入浴介護　193
入浴関連用具　337
入浴補助用具　7
入浴用自助具　383
尿器　326
任意事業　42, 45
認知症　124
認知症高齢者の日常生活自立度判定

基準　128
認知症総合支援事業　44
認知症対応型共同生活介護　57
認知症対応型通所介護　57
認知症老人徘徊感知機器　6, 411
認定調査　33
寝返り　174
脳血管疾患　114
ノーマライゼーション　91, 168

は行

パーキンソン病　111
パーソン・センタード・ケア　125
排泄介護　191
排泄管理支援用具　9, 402, 437
排泄関連用具　316
排泄検知システム　334
排泄用自助具　382
排泄予測支援機器　7
排泄予測デバイス　335
廃用症候群　118
白杖　397
バスグリップ　343
バスボード　343
バリアフリー　199
ハンドル型電動車いす　271
引き戸　210
非言語的コミュニケーション　132
肘支持型つえ　277
被服　353
飛沫感染　134
標準予防策　134
漂白剤　370
腹圧性尿失禁　317
伏臥位　172
腹臥位　172
複合型サービス　58
福祉住環境コーディネーター　19
福祉電話　412
福祉用具　3, 4, 425
　……の役割　13

福祉用具サービス計画　461
福祉用具選定士　19
福祉用具選定相談者　19
福祉用具専門相談員　19
　……の職業倫理　23
福祉用具貸与　6, 55, 425
福祉用具貸与計画の作成　22
福祉用具貸与・特定福祉用具販売の
　具体的取扱方針　21
福祉用具の研究開発及び普及の促進
　に関する法律　3, 74, 157
福祉用具の消毒工程管理認定制度
　453
福祉用具プランナー　19
福祉用具分類コード95　12
福祉用具法　3, 74
福祉用具臨床的評価事業　16
普通型電動車いす　269
踏み台　213
プラットホームクラッチ　277
フレイル　111
文書読み上げ機　397
閉塞性動脈硬化症　114
ベッドパッド　366
ベッド用シーツ　367
変換便座　324
便器　211, 327
変形性関節症　117
変形性頸椎症　118
防衛機制　122
包括的・継続的ケアマネジメント支
　援事業　44
包括的支援事業　42, 44
訪問介護　53
訪問看護　53
訪問入浴介護　53
訪問リハビリテーション　53
ポータブルトイレ　318
保険給付　35
保健師　144
保険料　50

歩行　175
歩行器　6, 7, 278
歩行車　280
補高便座　325
歩行補助具　397
歩行補助つえ　6, 7
保守点検　452
補装具　8, 78, 157, 163, 401, 435
補聴器　403
ポリマー　333

ま行

枕　368
またぎ　175
マットレス　244
松葉づえ　277
間取り　201
慢性閉塞性肺疾患　115
みなし指定　49

ミニスロープ　206
毛布　368
モニタリング　98, 100, 473
モニタリングシート　476

や行

夜間対応型訪問介護　56
有料老人ホーム　69
床材の変更　209
要介護認定　33
要支援認定　33
洋式トイレ用簡易手すり　324
浴室　216
浴槽　345
予防給付　35, 36, 38

ら行

ライフスタイル　168
理学療法士　143

リクライニング式車いす　268
立位　173
リハビリテーション　137, 138
リフト　297
利用計画　470
利用者負担　41
療養介護　78
レビー小体型認知症　126
老人日常生活用具給付等事業　68
老人福祉法　67
老人ホーム　68
ロービジョン　389
ロコモティブ　181
ロコモティブ症候群　116, 181
ロフストランドクラッチ　276

執筆者一覧

(五十音順)

秋山　茂（あきやま・しげる）………………………………… 第5章第1節②
元北里大学医療衛生学部専任講師

伊藤優子（いとう・ゆうこ）…………………………………… 第3章第4節
龍谷大学短期大学部教授

加島　守（かしま・まもる）………………………………… 第4章第1節1・2
高齢者生活福祉研究所所長

久留善武（くどめ・よしたけ）第1章第2節，第2章第1節⑥，第5章第1節③
一般社団法人シルバーサービス振興会常務理事

小島　操（こじま・みさお）…………………………………… 第4章第1節5
居宅介護支援事業所ケアマネウィズだいこんの花主任介護支援専門員

後藤真澄（ごとう・ますみ）…………………………………… 第3章第3節
中部学院大学看護リハビリテーション学部看護学科名誉教授

小林　章（こばやし・あきら）………………………………… 第4章第1節9②
社会福祉法人日本点字図書館自立支援室相談員

白井孝子（しらい・たかこ）…………………………………… 第4章第1節7
東京福祉専門学校副学校長

寺田佳世（てらだ・かよ）……………………………………… 第4章第1節6
石川県リハビリテーションセンター次長

飛松好子（とびまつ・よしこ）……………………… 第3章第1節①1・第2節
東京保健医療専門職大学学長

内藤佳津雄（ないとう・かつお）…………… 第3章第1節①2・3・②・③
日本大学文理学部教授

橋本美芽（はしもと・みめ）…………………………………… 第3章第5節
東京都立大学大学院准教授

東　祐二（ひがし・ゆうじ）第4章第1節9①・③～⑤・第2節，第5章第1節①・第2節①～⑤・⑦
一般社団法人日本作業療法士協会事務局長

東畠弘子（ひがしはた・ひろこ）……………………………… 第2章第2節
国際医療福祉大学大学院教授

肥後一也（ひご・かずや）……………………… 第5章第2節⑥・⑧，総合演習
株式会社カクイックスウィング営業本部部長

宮永敬市（みやなが・けいいち）……………………………… 第4章第1節8
北九州市保健福祉局地域リハビリテーション推進課

望月彬也（もちづき・よしなり）……………………… 第4章第1節3・4
公益財団法人東京都福祉保健財団福祉情報室福祉人材対策室地域支援担当，理学療法士

渡邉愼一（わたなべ・しんいち）………………………………… 第1章第1節
横浜市総合リハビリテーションセンター副センター長

最新 福祉用具専門相談員研修テキスト

2025年6月1日　発行

編　集	一般社団法人 シルバーサービス振興会
	https://www.espa.or.jp
発行者	荘村明彦
発行所	中央法規出版株式会社
	〒110-0016　東京都台東区台東3-29-1　中央法規ビル
	TEL　03-6387-3196
	https://www.chuohoki.co.jp/

印刷・製本　株式会社太洋社
ISBN978-4-8243-0235-9

本書のコピー，スキャン，デジタル化等の無断複製は，著作権法上での例外を除き禁じられています。また，本書を代行業者等の第三者に依頼してコピー，スキャン，デジタル化することは，たとえ個人や家庭内での利用であっても著作権法違反です。

落丁本・乱丁本はお取り替えいたします。

本書の内容に関するご質問については，下記URLから「お問い合わせフォーム」にご入力いただきますようお願いいたします。
https://www.chuohoki.co.jp/site/pages/contact.aspx

MEMO

MEMO

MEMO